독자의 1초를
아껴주는 정성을
만나보세요!

세상이 아무리 바쁘게 돌아가더라도 책까지 아무렇게나 빨리 만들 수는 없습니다.

인스턴트 식품 같은 책보다 오래 익힌 술이나 장맛이 밴 책을 만들고 싶습니다.

땀 흘리며 일하는 당신을 위해 한 권 한 권 마음을 다해 만들겠습니다.

마지막 페이지에서 만날 새로운 당신을 위해 더 나은 길을 준비하겠습니다.

길벗 IT 도서 열람 서비스

도서 일부 또는 전체 콘텐츠를 확인하고 읽어볼 수 있습니다.
...세요.

니다.

이미지 처리 바이블

Image Processing Bible

초판 발행 · 2024년 4월 30일

지은이 · 류태선, 콥스랩 연구원(조해창, 김태균, 오근철)
발행인 · 이종원
발행처 · (주)도서출판 길벗
출판사 등록일 · 1990년 12월 24일
주소 · 서울시 마포구 월드컵로 10길 56(서교동)
대표 전화 · 02)332-0931 | **팩스** · 02)323-0586
홈페이지 · www.gilbut.co.kr | **이메일** · gilbut@gilbut.co.kr

기획 및 책임편집 · 안윤경(yk78@gilbut.co.kr) | **디자인** · 북디자인 서랍 | **제작** · 이준호, 손일순, 이진혁
영업마케팅 · 임태호, 전선하, 차명환, 박민영, 지운집, 박성용 | **유통혁신** · 한준희 | **영업관리** · 김명자 | **독자지원** · 윤정아

전산편집 · 박진희 | **출력 · 인쇄** · 예림인쇄 | **제본** · 신정제본

ISBN 979-11-407-0939-7 93000
(길벗 도서번호 080398)

정가 44,000원

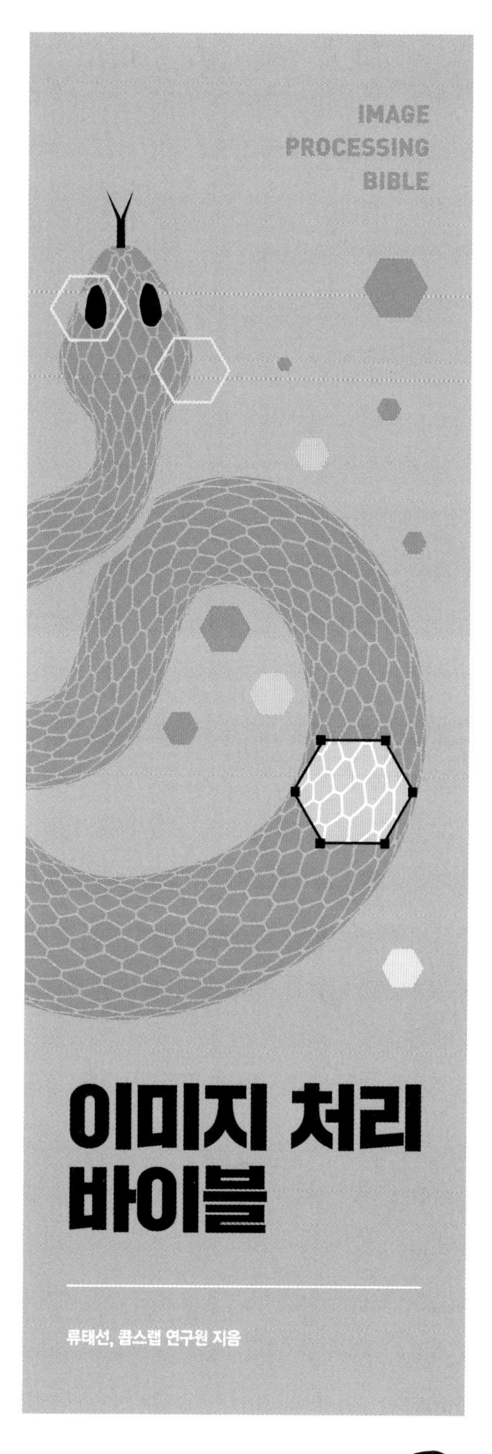

길벗

최근 인공지능 기술의 비약적인 발전은 소프트웨어 개발 방식에 많은 변화를 가져왔습니다. 특히 End-to-End 학습 방식이 크게 발전함에 따라, 이미지 처리 분야에서 알고리즘을 직접 작성하는 일의 필요성이 크게 줄어들었습니다.

하지만 그럼에도 불구하고 이미지 처리의 기본을 이해하는 것은 여전히 중요합니다. 왜냐하면 기존 기술의 한계와 가능성을 이해함으로써 최신 기술들을 더욱 효과적으로 활용할 수 있고, 이러한 지식은 더욱 높은 성능과 품질을 가진 AI 모델을 개발할 수 있는 기반이 되기 때문입니다.

이 책은 이미지 처리와 컴퓨터 비전의 기초 이론부터 딥러닝 기반의 최신 기술까지 체계적으로 다루고 있습니다. 이미지의 구조와 색 공간, 필터링과 변환 등 전통적인 이미지 처리 기법에 대한 설명과 더불어, 합성곱 신경망, 생성적 적대 신경망 등 딥러닝 모델의 원리와 활용 방안을 상세히 소개합니다.

또한, 구글넷, 레즈넷 등 기초적인 이미지 분류 모델과 R-CNN, YOLO와 같은 객체 탐지 모델부터 스테이블 디퓨전 등의 최신 이미지 생성 모델까지, 필수적으로 이해해야 할 모델들을 전반적으로 설명하였을 뿐 아니라, 실제 활용 사례 역시 다양하게 소개하였으므로 독자가 각자의 분야에 적용할 수 있는 아이디어도 쉽게 얻을 것입니다.

특히 여러분이 이 분야에 첫 발을 딛는 초심자라면, 이 책을 통해 이미지 처리와 컴퓨터 비전 분야의 기초부터 최신 기술까지 폭넓은 지식을 습득할 수 있어, 앞으로의 여정에 큰 도움이 될 수 있을 것입니다.

김진중_골빈해커/플레이모어 CTO

최근 생성형 AI 기술이 발전을 거듭하면서, AI 기술의 핵심 도메인인 컴퓨터 비전 분야가 그 어느 때보다도 각광을 받고 있습니다. 이러한 상황에 맞추어 출간된 〈이미지 처리 바이블〉은 영상 데이터를 처리하는 데 필요한 기초 지식 및 파이썬 프로그래밍 기술부터, 최근 유행하고 있는 Stable Diffusion을 비롯한 영상 합성 모델, SAM까지 다양한 정보를 다뤄서, 이 분야를 공부하고자 하는 많은 분들에게 큰 도움이 될 것이라 생각합니다.

주재걸_카이스트 김재철 AI 대학원 석좌 교수

인공지능을 공부하기 시작했을 때 인터넷에 방대한 양의 정보가 있었지만, 이를 체계적으로 정리하고 핵심적인 지식으로 연결 짓는 책이나 자료를 찾기 어려웠습니다. 특히 이미지 처리와 컴퓨터 비전 분야에서 개별 개념과 기술들이 어떻게 서로 연결되어 있는지 이해하는 데 많은 시간과 노력이 필요했습니다.

현대 기술의 발전과 더불어 이미지 처리와 컴퓨터 비전은 우리 생활에 깊숙이 자리 잡았습니다. 스마트폰의 카메라 애플리케이션에서부터 자율 주행 차량 그리고 OpenAI의 Sora까지, 이 기술들은 다양한 형태로 우리의 일상에 많은 영향을 미치고 있습니다. 특히 챗GPT의 등장으로 일반인들도 인공지능에 대한 관심이 높아지고 있습니다.

그럼에도 불구하고 막상 심도 있게 설명한 자료는 찾기 어렵습니다. 특히 이미지 처리와 컴퓨터 비전, 인공지능 기술을 실제 문제 해결에 적용하려 할 때 필요한 실질적인 지식을 담은 자료는 정말 부족합니다.

이 책은 바로 그러한 필요를 충족시키고자 합니다. IT 분야의 심화된 전문 지식을 필요로 하는 학생들, 개발자들, 연구원들을 위해 단순히 이론에 그치지 않고 실제 문제 해결에 필요한 핵심 기술과 코드 구현까지 알기 쉽게 설명합니다.

또한 이미지 처리의 기본적인 개념부터 시작하여 고급 컴퓨터 비전 기술, 인공지능을 이용한 이미지 분석까지 광범위한 주제를 다룹니다. 각 장은 이론 설명과 함께 실제 사례 연구와 프로젝트를 통해 독자들이 학습한 내용을 실제로 적용해볼 수 있도록 구성되어 있습니다.

대상 독자

이 책은 이미지 처리와 컴퓨터 비전을 배우고 싶은 분들을 대상으로 합니다. 그 대상은 개발자, 연구원, 학생일 수 있습니다. 이 책으로 이미지 처리와 컴퓨터 비전 분야를 깊이 있게 이해하고 이를 바탕으로 인공지능 기술을 활용한 이미지 분석과 탐지, 영역 분할, 생성에 필요한 실질적인 개발 능력을 기를 수 있을 것입니다. 만약 여러분이 개발자, 연구원, 혹은 이 분야에 관심 있는 학생이라면, 이 책은 여러분의 지식을 한 단계 업그레이드시키는 데 중요한 역할을 할 것입니다.

이 책의 구성

1. 기본 개념과 도구

이 장에서는 이미지 처리와 컴퓨터 비전의 기본 개념을 소개하며, 이 분야에서 사용되는 주요 도구와 기술에 대한 기초를 다집니다. 파이썬, OpenCV, 텐서플로 등의 필수 도구 사용법을 포함하여 이미지 처리와 컴퓨터 비전을 이해하고 적용하는 데 필요한 핵심 문법과 라이브러리를 소개합니다.

2. 이미지 처리 기초

이미지의 기본적인 속성과 구조를 탐구하고, 색 공간과 텐서의 개념을 통해 이미지를 어떻게 표현하고 처리하는지에 대해 설명합니다. 또한 이미지 필터링, 변환, 주파수 도메인 기법, 경계 검출 등의 기본적인 이미지 처리 기법을 다룹니다.

3. 인공지능과 이미지 처리

딥러닝과 이미지 처리의 결합을 탐색하며, 인공 신경망, 합성곱 신경망(CNN), 생성적 적대 신경망(GAN) 등의 핵심 개념을 소개합니다. 이 장은 딥러닝을 이용한 이미지 분류, 객체 인식 등의 응용 분야로 진입하는 데 필요한 지식을 제공합니다.

4. 이미지 분류

이미지 분류의 핵심 기술과 모델, 구글넷과 레즈넷을 포함한 초기 신경망 모델부터 최적화된 모델과 비전 트랜스포머까지 다양한 접근 방식을 다룹니다. 이 장은 이미지 분류 기술의 발전 과정과 현재까지의 최신 동향을 탐구합니다.

5. 객체 탐지

객체 탐지 기술의 두 가지 주요 접근법인 two-stage detector와 one-stage detector를 설명하고, R-CNN, YOLO, EfficientDET 등의 모델을 소개합니다. 또한 이미지 분할을 실습을 통해 다루며, FCN, U-Net, SAM 등의 기법을 포함합니다.

6. 이미지 생성

이미지-이미지 변환에서 초고해상도, 스타일 제어, 스테이블 디퓨전에 이르기까지, 이미지 생성에 관련된 다양한 기술과 모델을 소개합니다. 또한 StarGAN, PGGAN, StyleGAN 등 다양한 생성 모델과 기법을 탐구하며, 이미지 생성의 최신 트렌드를 다룹니다.

7. 실제 사례 및 프로젝트

이미지 처리 기술이 실제 산업 현장에서 어떻게 활용되는지 구체적인 사례와 프로젝트를 통해 소개합니다. 건설 현장과 의료 분야에서의 이미지 처리 활용 사례를 포함하여 학습한 내용을 실제 문제 해결에 적용하는 방법을 탐구합니다.

2016년, 인공지능 분야에 첫발을 내딛은 저는 이미지 처리와 컴퓨터 비전이라는 미지의 영역을 깊이 이해하고자 할 때마다 수많은 어려움을 느꼈고, 정말 말로 표현하기 어려울 정도로 힘들었습니다.

이 책을 집필하기로 결심한 것은 그러한 어려움을 겪고 있는 분들에게 제가 걸었던 길을 조금이나마 더 쉽게 걸을 수 있도록 돕고 싶어서였습니다. 이미지 처리와 컴퓨터 비전 그리고 이를 가능하게 하는 인공지능 기술까지, 이 분야의 기본부터 고급 주제에 이르기까지 체계적이고 심도 있는 지식을 한 권에 담고자 했습니다.

이 책은 이미지 처리, 컴퓨터 비전, 인공지능 기술을 배우고 싶은 독자 여러분을 위해 집필했습니다. 이 책을 통해 여러분은 이 분야의 전문가로 거듭나는 데 필요한 지식을 쌓고, 직면할 수 있는 다양한 문제들에 대해 스스로 해결책을 찾아갈 수 있는 능력을 키울 수 있을 것입니다.

이 책이 여러분의 학습에 도움이 되기를 진심으로 바라며, 이 분야에 대한 열정을 더욱 키워가고 이미지 처리와 컴퓨터 비전, 인공지능 기술을 활용하여 세상에 긍정적인 변화를 만들어나가는 데 일조할 수 있기를 소망합니다. 또한 독자 여러분의 학문적 여정과 실무에서의 성공을 진심으로 응원합니다.

길벗출판사의 안윤경 팀장님, 책이 출간될 수 있도록 많은 부분에 서포트해주고 지지해주셔서 감사합니다. 함께 집필한 콥스랩 조해창, 오근철, 김태균 연구원 분들께 감사드립니다. 함께 했기에 긴 여정이 힘들지만은 않았습니다.

마지막으로 늘 지지를 보내주시는 부모님, 장인 장모님 그리고 늘 응원해주는 아내와 배 속에 있는 아콩이까지 사랑합니다.

감사합니다.

2024년 4월

류태선

이 책은 이미지 처리부터 심화된 딥러닝 기법에 이르기까지 컴퓨터 비전의 여러 측면을 다루고 있습니다. 이미지 처리에 대한 학문적 이해와 코드는 접근하는 방식에 따라서 어렵게 느낄 수 있는 부분이 많은데, 이 책은 처음 접하는 사람들도 쉽게 이해할 수 있도록 구성되어 있습니다. 코랩 환경에서 주어진 코드를 실행하면서 이미지 처리에 대해 천천히 누구나 접근하여 이해하고 학습할 수 있을 것입니다. 더불어 현대 컴퓨터 비전 분야의 도전적인 주제들까지도 실습을 통해 체계적으로 훑어보며, 이론에서 실제 적용까지의 거리를 대폭 줄여줄 수 있을 것이라고 생각합니다.

- **실습 환경**: 11th Gen Intel(R) Core(TM) i7-1165G7, Windows 10, Colab

안종식_아이엔소프트

베타테스트를 진행하는 동안 예전에 공부했다가 기억 속에서 사라졌던 OpenCV, CNN 등이 다시 머릿속에서 되살아나는 느낌을 받았습니다. 이 책은 이미지 처리를 위한 OpenCV, 딥러닝뿐만 아니라, 요즘 핫한 주제인 생성형 AI까지 다루고 있습니다. 최근에 지인이 회사 업무에 필요하다며 객체 탐지에 대해 물었을 때 책에서 봤던 기억으로 유명한 YOLO에 대해 설명해주고 나서 도움이 많이 되었다고 좋아하더군요. 제가 가장 재미있게 본 부분은 '6.3 스테이블 디퓨전'입니다. 여러분들도 이 책으로 이미지 처리와 딥러닝에 빠져보시길 추천합니다. 코랩으로 실습하도록 되어 있어 별도의 설치 작업 없이도 실행해볼 수 있습니다.

- **실습 환경**: Colab

이건하_소프트웨어 개발자

문서 처리를 담당하고 있는 서버 개발자입니다. 사진으로 찍은 문서들의 데이터 처리가 필요해서 OpenCV를 검색하던 중에 이 책의 베타테스터에 참가하게 되었습니다. 제공되는 소스 파일이 구글 계정만 있으면 바로 코랩으로 연결이 되어서 패드와 덱스(모니터와 스마트폰을 연결해서 마우스 사용) 모드에서도 실습이 가능했습니다. PC나 노트북에 키보드까지 가능하다면 더욱 편리하게 실습할 수 있을 것 같습니다. 파이썬 문법 이후 코드를 라인 단위로 돌려보고 이론과 수학 기호들이 나오는 부분을 봤습니다. 기초가 부족한 파트는 두 번은 읽어야 했지만 단어만 이해해도 무리 없이 넘어갈 수 있게 자세히 설명되어 있습니다. 특히 책과 버전이 달라서 결과를 못 보거나 학습 이미지를 직접 구해야 하는 번거로움이 없어 좋았습니다. 기존 라이브러리를 학습하고 이를 이용해서 본인만의 모델을 만들기에 좋은 책으로 생각됩니다. 개인적으로는 객체 탐지 YOLO 부분이 인상적이라 추천드리고 싶습니다.

- **실습 환경**: Colab

박광현_(주)핀테크

이 책은 이미지 처리와 컴퓨터 비전 분야에서 최근 몇 년간 발전해온 성과들을 접할 수 있습니다. 이 분야 기술이 워낙 빠르게 발전하고 방대하기 때문에 이 책도 관련된 모든 기술들을 다 담지는 못했습니다. 지금까지 발전 과정을 훑어볼 수 있으며 인사이트를 얻을 수 있습니다. 기술 발전에서 갑자기 새로운 것이 나오는 것이 아니고 쌓여가는 것이기에 시간적으로 어느 정도 범위 내의 이론들은 알고 있어야 하는데요. 이 책은 그런 역할을 충분히 하고 있습니다. 새로운 기술을 꾸역꾸역 따라가야 하는 것이 엔지니어의 숙명이라는 생각이 듭니다. 이쩌겠습니까? 이 책 읽고 열심히 따라가야죠.

- **실습 환경:** Colab

심주현_삼성전자 소프트웨어 엔지니어

〈Video Demystified〉(Keith Jack 저) 책을 책상 위 한편에 놓아두고 든든하던 때가 있었습니다. 이제는 검색과 ChatGPT를 활용해 많은 정보를 얻을 수 있는 시대에 살고 있지만 여전히 이미지 처리에 대한 학습은 쉽지 않습니다. 〈이미지 처리 바이블〉은 말 그대로 이미지 처리에 대한 모든 것을 담기 위한 저자 노력의 결정물입니다. 초보자를 위해 이미지 처리에 대한 아주 기초적인 내용을 시작으로 딥러닝을 활용한 이미지 처리 방법도 자세히 다루고 있습니다. 친절하고 자세한 설명은 저자의 경험치를 가늠케 합니다. 최대한 풍부하고 많은 내용을 담으려는 노력이 돋보이며, 손 닿는 곳에 놔두면 든든해질 수 있는 책을 만나 가슴 벅찹니다.

- **실습 환경:** Ubuntu 20.04.6 LTS(WSL2) / 맥북 Google Colab

전봉규_LG CNS 융합보안팀 System Programmer

인공지능에 대한 개인적인 관심으로 공부를 시작한 지도 2년이 넘어갑니다. 머신 러닝, 딥러닝 학습을 위해 다양한 책과 여러 온라인 교육 과정을 이수하였고, 기본 지식은 갖춰진 상태라 생각하면서 이 책을 정독하기 시작했습니다. 이미지 처리를 위한 모델 구조와 학습을 위한 다양한 샘플과 예제, 소스 코드 하나하나에 대한 자세한 설명 그리고 결과 값에 대한 설명 어느 하나 부족함 없이 충실하게 만들어져 있습니다. 바이블이라는 말에 맞게 이미지 처리를 위해 필요한 모든 것이 이 책에 담겨 있습니다. 인공지능을 활용한 이미지 처리를 학습하고 싶다면 이 책의 다양한 해법과 함께 긴 여정을 같이 할 수 있을 것입니다.

- **실습 환경:** Windows 11, CPU(i5 13500H), 램 32G, 그래픽카드(엔비디아지포스 RTX 3050Ti 6G), 파이썬(아나콘다) – Python 3.11.5, Jupyter Notebook

김종열_프로젝트 관리자

이 책은 이미지 처리와 컴퓨터 비전을 공부하기 위한 A to Z 종합 패키지로 볼 수 있습니다. 파이썬과 OpenCV, 텐서플로를 기반으로, 기본적인 이미지 처리부터 딥러닝을 활용한 생성 모델(StarGan, CycleGAN, StyleGan)에 이르기까지 방대한 내용을 체계적으로 다룹니다. 가장 기본적인 내용인 파이썬의 기본 문법부터 설명하고, 케라스를 이용해 이해하기 쉽게 코드가 짜 있기 때문에 파이썬과 비전 도메인에 익숙하지 않으시더라도 쉽게 접근할 수 있다고 생각합니다. 특히 대부분의 실습 코드가 시각화를 잘 활용하여, 코드만으로 어떤 결과를 도출할 수 있는지 직관적으로 이해할 수 있다는 점이 눈에 띕니다. 실습 내용뿐만 아니라 이미지 처리와 컴퓨터 비전에서 쓰는 기초 및 핵심 모델(ResNet, EfficientNet, ViT)의 개념을 잘 정리하고 있어 오랫동안 소장하고 참고할 가치가 있는 책입니다.

- **실습 환경**: Ubuntu 22.04.03 LTS, 파이썬 3.10.12, Colab

김주원_네이버 부스트코스 AI 엔지니어 기초 다지기 과정 1회차 코치

예제 파일 내려받기

책에서 사용하는 예제 파일은 길벗출판사 웹 사이트에서 도서명으로 검색하여 내려받거나 깃허브에서 내려받을 수 있습니다.

- **길벗출판사 웹 사이트**: http://www.gilbut.co.kr
- **출판사 깃허브**: https://github.com/gilbutITbook/080398
- **저자 깃허브**: https://github.com/Lilcob/imageprocessingbible
  저자 깃허브 하단에 따로 예제 파일을 내려받지 않아도 코랩을 실행할 수 있는 링크를 생성해두었습니다.

예제 파일 구조 및 참고사항

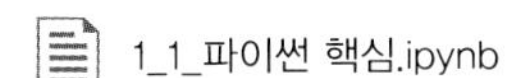

1_2_OpenCV.ipynb

2_이미지처리기초.ipynb

3_인공지능과이미지처리.ipynb

⋮

- 책에서 사용하는 코랩용 예제 파일을 챕터별로 제공합니다.
- 2024년 3월 Colab 환경을 기준으로 동작을 확인했으며 Colab 환경이 업데이트됨에 따라 수정이 필요한 코드는 저자 깃허브에 지속적으로 업데이트할 예정입니다.

1장 기본 개념과 도구 ····· 19

1.1 이미지 처리와 컴퓨터 비전 20

1.1.1 이미지 처리란? 20

1.1.2 컴퓨터 비전이란? 24

1.1.3 이미지 처리와 컴퓨터 비전의 연관성 28

1.2 필요한 도구들 29

1.2.1 파이썬 핵심 문법 30

1.2.2 OpenCV 48

1.2.3 텐서플로 62

2장 이미지 처리 기초 ····· 69

2.1 이미지란? 70

2.1.1 디지털 이미지의 구조 70

2.1.2 색 공간 이해하기 77

2.1.3 이미지에서의 텐서 이해하기 83

2.2 이미지 처리 기법 92

2.2.1 이미지 필터링 93

2.2.2 이미지 변환 101

2.2.3 주파수 도메인 기법 108

2.2.4 이미지 경계 검출 121

3장 인공지능과 이미지 처리 ····· 133

3.1 딥러닝이란? 134

3.1.1 인공 신경망 기초 134

3.1.2 합성곱 신경망(CNN) 162

3.1.3 생성적 적대 신경망(GAN) 175

3.2 딥러닝을 활용한 이미지 처리 192
3.2.1 이미지 분류 192
3.2.2 객체 인식 212
3.2.3 스타일 전이 220

4장 이미지 분류 ····· 235

4.1 구글넷과 레즈넷 236
4.1.1 초기 신경망 모델 236
4.1.2 구글넷 240
4.1.3 레즈넷 252

4.2 최적화된 모델 살펴보기 256
4.2.1 레즈넷 이후의 모델들 256
4.2.2 이피션트넷 266

4.3 비전 트랜스포머 270
4.3.1 트랜스포머 271
4.3.2 비전 트랜스포머 278

5장 객체 탐지 ····· 299

5.1 two-stage detector 300
5.1.1 R-CNN 301
5.1.2 Fast R-CNN과 Faster R-CNN 308

5.2 one-stage detector 317
5.2.1 YOLO 317
5.2.2 YOLO9000과 YOLO v3 339
5.2.3 EfficientDET 347

5.3 이미지 분할 358
5.3.1 FCN 359
5.3.2 U-Net 380
5.3.3 SAM 394

6장 이미지 생성 ····· 411

6.1 이미지-이미지 변환 412
6.1.1 StarGAN 이전의 생성 모델 412
6.1.2 StarGAN과 다중 이미지-이미지 변환 429

6.2 초고해상도와 스타일 제어 441
6.2.1 PGGAN 441
6.2.2 StyleGAN 445

6.3 스테이블 디퓨전 457
6.3.1 디퓨전 모델 457
6.3.2 스테이블 디퓨전 464

7장 실제 사례 및 프로젝트 ····· 477

7.1 건설 현장에서 활용하는 사례와 프로젝트 478
7.1.1 건설 현장에서 이미지 처리 활용 478
7.1.2 건설 현장에서의 이미지 분할 활용 498

7.2 의료 분야에서 활용하는 사례와 프로젝트 517
7.2.1 합성곱 신경망을 활용한 엑스레이 영상 분류 모델 517
7.2.2 분류 작업에서의 다양한 평가지표 525
7.2.3 의료 인공지능과 설명 가능성 530

부록 A 코랩 사용하기 ····· 537

A.1 구글 코랩 사용법 538
A.1.1 코랩 시작하기 538
A.1.2 코랩의 기본 사용법 541
A.1.3 코랩과 깃허브 연동 방법 548

찾아보기 551

1장

기본 개념과 도구

1.1 이미지 처리와 컴퓨터 비전
1.2 필요한 도구들

1.1 이미지 처리와 컴퓨터 비전

이 절에서는 이미지 처리와 컴퓨터 비전의 기본 개념을 살펴봅니다. 이미지 처리와 컴퓨터 비전 모두 이미지를 다루지만 접근 방식과 목표는 크게 다릅니다. 두 개념의 차이점을 알아보겠습니다.

1.1.1 이미지 처리란?

기술 발전의 중심에는 끊임없이 진화하고 발전하는 분야인 **이미지 처리**(image processing)가 있습니다. 이 분야는 우리가 주변 세계와 상호 작용하고 이해하는 방식을 근본적으로 변화시켜 전례 없는 방식으로 우리의 삶을 풍요롭게 하는 수많은 애플리케이션을 탄생시켰습니다.

이미지 처리의 개념을 좀 더 자세히 살펴보면 아날로그와 디지털이라는 두 가지 주요 형태를 구분할 수 있습니다.

아날로그 이미지 처리

아날로그 이미지 처리(analog image processing)는 사진 촬영 시 필름에 다양한 화학 처리를 하거나 카메라로 촬영한 이미지를 변경 및 편집하기 위해 물리적 필터를 사용하는 등 물리적 수단을 이용해 이미지를 조작하거나 편집하는 것을 말합니다.

디지털 이미지 처리

반면 디지털 이미지 처리(digital image processing)는 컴퓨터가 디지털 이미지를 처리하는 데 수학적 알고리즘과 계산 기술에 의존합니다. 이러한 기술에는 이미지 향상(image upscaling), 이미지 복원(image restoration), 특징 추출(feature extraction) 등이 포함될 수 있습니다. 디지털 형식은 기술의 발전과 함께 기하급수적으로 성장했으며 광범위한 응용 가능성을 보여주어 우리 책에서는 주로 디지털 이미지 처리에 초점을 맞춥니다.

디지털 이미지 처리의 메커니즘을 살펴볼 때 모든 이미지의 구성 요소인 **픽셀**(pixel)**의 역할을 이해하는 것이 중요합니다.** 디지털 이미지는 유한한 픽셀 집합으로 구성되며, 각 픽셀은 색상과 강도에 대한 정보를 담고 있습니다. 이미지 처리 알고리즘은 이러한 픽셀에서 작동하여 이미지에서 중요한 정보를 향상, 변환 또는 추출할 수 있게 해줍니다.

다음은 이미지에서 한 부분의 픽셀 값을 행렬화하여 표현한 것입니다.

▼ 그림 1-1 이미지 픽셀

187	187	187	194	197	173	77	25	19	19
190	187	190	191	158	37	15	14	20	20
187	182	180	127	32	16	13	16	14	12
184	186	172	100	20	13	15	18	13	18
186	190	187	127	18	14	15	14	12	10
189	192	192	148	16	15	11	10	10	9
192	195	181	37	13	10	10	10	10	10
189	194	54	14	11	10	10	10	9	8
189	194	19	16	11	11	10	10	9	9

디지털 이미지의 처리 단계

디지털 이미지를 분석하고 조작하는 과정은 여러 단계로 이루어져 있으며, 각 단계는 특정 목표를 달성하기 위해 설계되었습니다. 이 과정은 특정 알고리즘의 사용을 포함하며, 그 목표는 디지털 이미지의 품질을 향상시키거나 이미지에서 정보를 추출하는 것입니다.

이미지 처리의 단계는 다음과 같습니다.

1. **이미지 획득**

   이미지 획득(image acquisition)은 카메라, 스캐너, 또는 다른 이미지 캡처 장치를 통해 이루어집니다. 획득한 이미지는 디지털 형식으로 변환하여 컴퓨터에서 처리할 수 있도록 합니다. 이 과정에서는 이미지의 품질을 최대한 보존하면서 디지털 데이터로 변환하는 것이 중요합니다. 이를 위해 다양한 이미지 센서와 변환 알고리즘이 사용됩니다. 또한 이미지 획득 과정에서 발생할 수 있는 여러 문제, 예를 들어 노이즈, 왜곡, 빛의 변화 등을 처리하는 기술도 중요합니다.

2. **이미지 개선**

   이미지 개선(image enhancement) 단계에서는 이미지의 품질을 향상시키는 데 초점을 맞춥니다. 이는 노이즈 제거(noise reduction), 명암 조절(contrast adjustment), 색상 보정(color correction) 등의 작업을 포함합니다. 이 단계의 목표는 이미지를 더욱 명확하고 이해하기 쉽게 만드는 것입니다. 이를 위해 다양한 필터링 기법과 히스토그램 평활화(histogram equalized), 샤프닝(sharpening) 등의 기술이 사용됩니다. 이러한 기술들은 이미지의 노이즈를 줄이고, 세부 사항을 강조하며, 이미지의 전반적인 품질을 향상시킵니다.

다음은 이미지에 샤프닝 기법을 사용한 예시입니다.

▼ 그림 1-2 이미지 샤프닝 전과 후

3. **이미지 분석**

   이미지 분석(image analysis) 단계에서는 이미지의 유용한 정보를 추출합니다. 이는 특징 추출(feature extraction), 패턴 인식(pattern recognition), 객체 감지(object detection) 등의 작업을 포함합니다. 이 단계의 목표는 이미지에서 의미 있는 데이터를 얻는 것입니다. 이를 위해 에지 검출(edge detection), 코너 검출(corner detection), 텍스처 분석(texture analysis) 등의 기술이 사용됩니다. 이러한 기술들은 이미지의 구조와 패턴을 파악하고, 이미지에서 중요한 특징을 식별하며, 이 특징을 이용하여 이미지를 분석합니다.

4. **이미지 해석 및 이해**

   이미지 해석 및 이해(image interpretation and understanding) 단계에서는 이미지 분석 단계에서 얻은 데이터를 이용하여 이미지를 해석하고 이해합니다. 이는 이미지 분류(image classification), 이미지 검색(image retrieval), 이미지 인식(image recognition) 등의 작업을 포함합니다. 이 단계의 목표는 이미지에서 얻은 데이터를 의미 있는 방식으로 사용하는 것입니다. 이를 위해 패턴 매칭(pattern matching), 머신 러닝(ML, Machine Learning), 딥러닝(DL, Deep Learning) 등의 기술이 사용됩니다. 이러한 기술들은 이미지에서 얻은 데이터를 분석하고, 이 데이터를 이용하여 이미지를 분류하거나, 특정 패턴을 인식하거나, 이미지 내의 객체를 식별하는 등의 작업을 수행합니다.

▼ 그림 1-3 이미지 처리의 단계

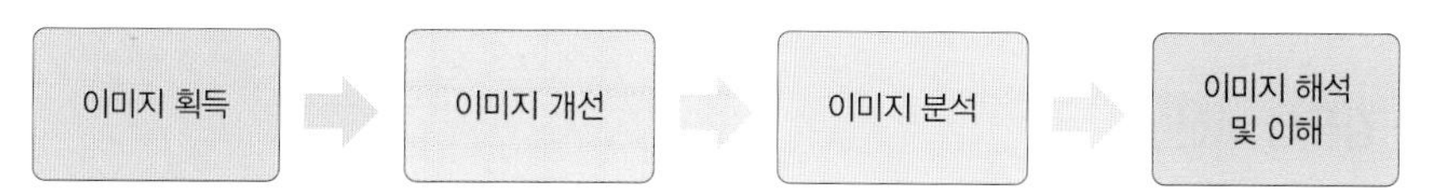

이미지 처리의 활용 범위

이미지 처리는 여러 영역에서 광범위하게 활용되며 현대 기술의 초석으로써 그 위상을 확고히 하고 있습니다.

일상 생활에서의 이미지 처리

이미지 처리는 이미지를 개선하고 이상 징후를 감지하는 의료 영상, 매핑 및 감시를 위한 위성 영상, 물체 감지 및 내비게이션을 위한 자율 주행 차량, 심지어 스마트폰 카메라, 소셜 미디어 필터 등 우리의 일상생활에서도 매우 중요하게 사용됩니다.

또한 시각 장애인의 접근성을 개선하는 데도 크게 기여하는데, 에지 검출 및 분할과 같은 기술로 시각 데이터를 해석하여 오디오 또는 촉각 피드백으로 변환할 수 있는 소프트웨어에 사용됩니다.

이미지 처리의 진화

이미지 처리를 매력적인 분야로 만드는 것은 다양한 애플리케이션뿐만이 아닙니다. 이미지 처리 분야는 변화하는 기술 환경에 적응하면서 지속적으로 진화하고 있습니다. 아날로그 처리의 초창기부터 머신 러닝과 인공지능의 현재에 이르기까지 이미지 처리 분야는 크게 확장되고 변화하면서 복잡하고 정교해졌습니다. 오늘날에는 딥러닝 기술이 이미지 처리 작업에 적용되어 시각적 세계를 볼 수 있을 뿐만 아니라 이해할 수 있는 시스템이 만들어지고 있습니다.

이미지 처리의 가치와 가능성

이미지 처리는 강력하고 필수 불가결한 도구로 우리 기술에서 없어서는 안 될 존재가 되었으며, 다양한 기술과 응용 분야, 그리고 끊임없이 진화하는 특성을 통해 흥미롭고 혁신적인 방식으로 우리의 미래를 만들어갈 수 있는 가능성을 지니고 있습니다.

지금까지 이미지 처리에 대해 알아보았습니다. 다음 주제인 컴퓨터 비전과의 연관성을 깊이 탐구할 수 있는 토대를 마련하고자 했습니다. 밀접하게 연결된 이 두 분야는 아름답고 복잡한 조화를 이루며 우리의 디지털 세계를 계속 형성하고 있습니다. 이미지 처리의 여정은 이제 시작에 불과합니다. 계속해서 이 매혹적인 분야를 더 깊이 파헤쳐보겠습니다.

1.1.2 컴퓨터 비전이란?

이미지 처리와 컴퓨터 비전

컴퓨터 비전은 기계가 시각적 데이터를 이해하고 분석하는 능력을 개발하는 과학 분야입니다. 이미지 처리와 컴퓨터 비전은 공통점이 많지만, 그 목적과 접근 방식에서 중요한 차이점이 있습니다. 두 분야 모두 디지털 이미지를 사용하여 우리가 세상을 이해하는 방식을 확장하고 변형하는 데 초점을 맞추고 있지만, 추구하는 목표와 사용하는 기술은 다릅니다.

이미지 처리는 주로 디지털 이미지의 향상, 변형, 복원 등에 중점을 둡니다. 반면 컴퓨터 비전은 이미지 처리에서 생성된 이미지를 분석하고 해석하는 데 초점을 맞춥니다. 그래서 컴퓨터 비전은 더 높은 수준의 이해를 필요로 하며, 객체 인식, 패턴 분석, 이미지 분류 등의 작업을 포함합니다.

컴퓨터 비전의 목표는 디지털 이미지를 통해 우리가 세상을 인식하고 이해하는 방식을 모방하고, 이미지로부터 의미 있는 정보를 추출하는 것입니다.

▼ 그림 1-4 객체 인식 예시

이 두 분야는 함께 작용하여 복잡한 문제를 해결합니다. 이미지 처리는 이미지의 품질을 개선하고 중요한 정보를 강조하며, 컴퓨터 비전은 그러한 정보를 분석하고 해석하여 더 높은 수준의 결론을 도출합니다. 이렇게 두 분야는 서로를 보완하며, 함께 작용할 때 가장 강력한 결과를 산출합니다. 그리고 이미지나 비디오에서 유용한 정보를 추출하고, 이 정보를 이용하여 특정 작업을 수행합니다. 컴퓨터 비전의 주요 목표는 컴퓨터가 사람처럼 볼 수 있도록 하는 것입니다. 이는 컴퓨터가 이미지를 인식하고, 이해하고, 해석하고, 반응하는 능력을 포함합니다.

컴퓨터 비전의 정의

넓게 정의하면, 컴퓨터 비전은 **시각 기계의 과학 및 기술**입니다. 좀 더 구체적으로는 이미지에서 정보를 추출하는 인공 시스템의 이론과 관련이 있습니다. 이미지 데이터는 비디오 시퀀스, 여러 카메라의 뷰 또는 의료용 스캐너의 다차원 데이터 등 다양한 형태를 취할 수 있습니다.

컴퓨터 비전과 인간의 비진은 비슷한 목표를 공유하지만 프로세스에는 큰 차이가 있습니다. 인간은 수년간의 신경 훈련과 개발이 필요한 작업인 물체를 쉽게 인식하고 장면의 깊이를 인식합니다. 반면 컴퓨터 비전 시스템은 패턴 인식과 학습 기법에 의존하여 이미지를 해석하는데, 이 과정에는 광범위한 컴퓨팅 리소스와 정교한 알고리즘이 필요합니다.

컴퓨터 비전의 범위를 완전히 이해하려면 관련된 다양한 기술을 살펴보는 것이 필수입니다. 이러한 기술은 크게 낮은 수준, 중간 수준, 높은 수준의 비전 작업으로 분류할 수 있습니다.

낮은 수준의 비전 작업에는 노이즈 제거, 대비 향상 및 에지 검출이 있습니다. 이러한 작업은 주로 이미지의 내용을 고려하지 않고 이미지를 처리합니다. 중간 수준의 비전 작업에는 이미지를 영역 또는 객체로 분할하는 작업이 포함되며, 이는 많은 컴퓨터 비전 애플리케이션에서 중요한 단계입니다. 마지막으로 높은 수준의 비전 작업에는 객체 인식, 장면 재구성, 관찰된 환경에 대한 학습 및 추론까지 포함됩니다.

▼ 그림 1-5 수준에 따른 비전 작업 분류

낮은 수준 비전 작업	중간 수준 비전 작업	높은 수준 비전 작업
• 노이즈 제거 • 대비 향상 • 채도 향상 • 에지 검출	• 이미지 영역 분할 • 이미지 객체로 분할 • 이미지 광학 흐름 추정	• 객체 인식 • 장면 재구성 • 이미지 학습 및 추론

이러한 기술의 초석은 이미지에서 가장자리, 모서리 또는 텍스처와 같은 고유한 속성을 추출하는 **특징 추출**입니다. 이러한 특징은 패턴 인식이나 물체 감지와 같은 더 높은 수준의 작업을 위한 기초가 됩니다. 또한 머신 러닝 알고리즘, 특히 딥러닝은 최적의 특징을 자동으로 학습하고 데이터의 복잡한 패턴을 인식하여 이러한 작업을 혁신적으로 개선했습니다.

우리 책에서 많이 다룰 특정 유형의 딥러닝 모델인 **합성곱 신경망**(CNN, Convolution Neural Network)은 많은 컴퓨터 비전 작업의 표준으로 부상했습니다. 이러한 네트워크는 제공된 데이터에서 추출된 특징의 공간적 계층 구조를 자동으로 학습하도록 설계되었습니다. **이미지 분류**(image classification), **물체 감지**(object detection), **의미적 분할**(semantic segmentation)과 같은 작업에서 사용되었고, 매우 성공적인 것이 입증되었습니다.

▼ 그림 1-6 의미적 분할 예시

컴퓨터 비전의 활용

컴퓨터 비전 기술을 이해하는 것도 중요하지만, 컴퓨터 비전 애플리케이션의 범위를 이해하면 이 분야의 범위와 잠재력을 더욱 명확히 알 수 있습니다. 컴퓨터 비전 시스템은 놀랍도록 다양한 산업과 애플리케이션에서 찾아볼 수 있습니다.

자동차 산업에서 자율 주행 자동차는 컴퓨터 비전을 사용하여 탐색하고, 다른 차량을 감지하며, 교통 표지판과 신호를 인식합니다. 의료 분야에서는 컴퓨터 비전이 진단, 수술 안내 및 치료 계획을 위한 의료 이미지 해석에 도움을 줍니다. 농업 분야에서는 컴퓨터 비전을 통해 작물 상태를 모니터링하고 성장을 추적하며 수확을 자동화할 수 있습니다.

소매업과 이 커머스 분야에서도 컴퓨터 비전을 도입하여 재고 관리, 자동 결제, 시각적 검색에 활용하고 있습니다. 보안 분야에서는 감시, 얼굴 인식, 이상 징후 탐지에 컴퓨터 비전을 사용합니다. 또한 로봇 공학에서도 컴퓨터 비전은 로봇이 주변 환경을 이해하고 상호 작용하는 데 필수입니다.

▼ 그림 1-7 농업 분야 컴퓨터 비전 활용 예시

이러한 애플리케이션 외에도 컴퓨터 비전은 콘텐츠 제작과 엔터테인먼트 산업에서 중요한 역할을 합니다. 실제와 같은 비디오 게임 환경을 만드는 것부터 영화 특수 효과와 딥 페이크(Deep Fake) 생성, 더 나아가 사용자가 문장을 작성하면 입력에 맞춰 이미지 생성에 이르기까지 컴퓨터 비전이 미치는 영향은 광범위합니다.

▼ 그림 1-8 DALL · E 2에서 생성한 이미지 (프롬프트: a person reading a book at a desk)

컴퓨터 비전의 기초를 이해하는 것은 이러한 분야에서 중요한 첫걸음입니다. 이를 통해 우리는 이미지에서 유용한 정보를 추출하고, 이 정보를 이용하여 우리의 세계를 더 잘 이해하고, 더 효과적으로 문제를 해결할 수 있습니다. 이 책은 이러한 과정을 이해하고, 컴퓨터 비전의 기본 개념과 도구, 기술을 깊이 배우는 데 도움이 되는 것이 목표입니다.

1.1.3 이미지 처리와 컴퓨터 비전의 연관성

이미지 처리와 컴퓨터 비전의 개념, 기술 및 애플리케이션을 살펴본 후에는 두 분야 간의 상호 작용을 탐구하는 것이 중요합니다. 이 두 분야의 완벽한 융합을 통해 인간의 시각 시스템과 유사한 시각 데이터를 해석하고 이해할 수 있는 지능형 시스템을 만들 수 있습니다.

이미지 처리와 컴퓨터 비전은 다른 분야이지만 서로 연결되어 있습니다. 본질적으로 이미지 처리는 컴퓨터 비전이 구축되는 기반이 됩니다. 이미지 처리가 이미지의 내용을 고려하지 않고 이미지를 조작하고 향상시키는 데 중점을 두는 반면, 컴퓨터 비전은 이미지에서 의미 있는 정보를 추출하여 이미지가 나타내는 장면을 해석합니다.

두 분야의 관계를 자세히 살펴보기 전에 각 분야가 무엇을 포함하는지 다시 한번 정리해보겠습니다.

- 이미지 처리는 노이즈 제거, 향상 및 분할과 같이 이미지에 적용되는 변환에 중점을 둡니다. 이미지 품질을 개선하거나 추가 처리를 위해 이미지를 준비하는 것이 목표입니다.
- 컴퓨터 비전은 인간의 시각 능력을 모방하여 디지털 이미지나 동영상에서 높은 수준의 이해를 추출하는 것을 목표로 합니다. 여기에는 사물을 인식하고, 분류하고, 장면에서 사물의 행동을 해석하는 것도 포함됩니다.

이러한 분야 간의 연결은 점진적인 과정으로 이해해보면, 이미지 처리 기술은 일반적으로 모든 프로세스의 첫 번째 단계로, 이미지의 특징을 향상시키거나 원치 않는 노이즈를 제거하기 위해 이미지를 사전 처리합니다. 이렇게 향상된 이미지는 물체 감지, 인식 또는 장면 이해와 같은 더 높은 수준의 작업을 수행하는 컴퓨터 비전 알고리즘의 입력이 됩니다.

▼ 그림 1-9 이미지 처리와 컴퓨터 비전의 연결성

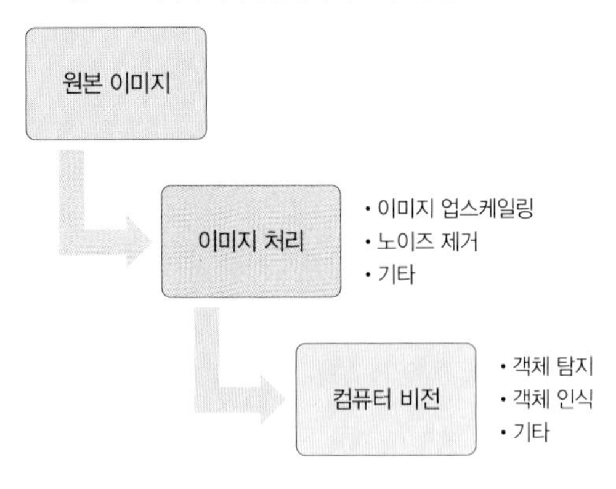

간단한 컴퓨터 비전 애플리케이션인 얼굴 인식을 예로 들어보겠습니다. 컴퓨터 비전 알고리즘이 얼굴을 인식하기 전에 입력 이미지는 여러 이미지 처리 단계를 거치는 경우가 많습니다. 여기에는 이미지를 그레이 스케일로 변환(grayscale conversion)하고, 각 픽셀의 값을 정규화(normalization)하고, 존재하는 모든 노이즈를 제거(denoising)하는 작업이 포함될 수 있습니다. 이러한 단계를 거친 후에야 컴퓨터 비전 알고리즘으로 이동하고 이미지에 컴퓨터 비전 알고리즘을 적용하여 이미지에 있는 얼굴을 식별하거나 인식합니다.

두 분야의 관계는 단순히 순차적일 뿐만 아니라 상호 보완적인 관계이기도 합니다. 예를 들어 이미지 처리의 분할 기술은 개별 물체를 배경에서 분리해야 하는 객체 인식 같은 컴퓨터 비전 애플리케이션에서 자주 사용됩니다. 마찬가지로 컴퓨터 비전 기술 중 딥러닝 기술을 이용하여 이미지를 고품질로 만들거나 복원하는 작업에 사용하기도 합니다.

즉, 이미지 처리와 컴퓨터 비전은 목적과 기술은 다르지만 기계가 '볼 수 있도록' 하는 과정과 '봐왔던 것을 재창조'하는 과정에서 서로 보완해주며 밀접하게 얽혀 있는 분야입니다. 또한 두 분야는 인공지능 산업 혁명의 최전선에서 그 한계를 확장해가며 계속 발전할 것입니다.

IMAGE PROCESSING

1.2 필요한 도구들

이미지 처리와 컴퓨터 비전 분야의 잠재력을 최대한 활용하기 위해 필요한 도구를 사용할 줄 알아야 합니다.

이미지 처리와 컴퓨터 비전은 본질적으로 계산과 알고리즘을 연구하는 분야입니다. 따라서 각각 고유한 역할과 유용성을 지닌 다양한 프로그래밍 언어, 라이브러리, 프레임워크로 구성된 도구 상자가 필요합니다. 수많은 선택지 중에서 파이썬(Python), OpenCV, 텐서플로(TensorFlow)가 이 분야에 입문하는 모든 사람에게 핵심적인 도구로 주목받고 있습니다.

프로그래밍 언어인 파이썬은 다른 언어에 비해 문법이 단순하고 가독성이 좋은 편이라 초보자와 숙련된 개발자 모두에게 인기가 높습니다. 하지만 파이썬의 매력은 사용자 친화적인 구문 그 이상입니다. 파이썬은 이미지 처리, 컴퓨터 비전 및 머신 러닝 작업을 위해 특별히 설계된 라이브러리와 프레임워크로 구성된 강력한 에코 시스템을 자랑합니다. 이 절에서는 더 복잡한 주제를 깊이 파고들 때 구축할 수 있는 탄탄한 토대를 마련하기 위해 이 책에서 많이 사용할 파이썬의 기본 사항을 살펴볼 것입니다.

파이썬을 살펴본 다음에는 이미지 처리 및 컴퓨터 비전 분야에서 가장 널리 사용되는 라이브러리인 OpenCV를 설명합니다. 오픈 소스 컴퓨터 비전(Open source Computer Vision)의 약자인 OpenCV는 이 분야의 기본 및 고급 작업에 모두 최적화된 2,500개 이상의 알고리즘을 제공하는 강력한 기능의 집합체입니다. 이미지 향상과 같은 간단한 작업부터 물체 감지와 같은 복잡한 작업까지 모든 작업을 처리할 수 있습니다. 주요 기능을 살펴보면서 기능에 대한 개요를 알아보고, 이를 효과적으로 활용하는 방법을 배워보겠습니다.

이어서 구글 브레인(Google Brain) 팀에서 개발한 오픈 소스 플랫폼인 텐서플로를 소개합니다. 개발자가 비교적 쉽게 머신 러닝 모델을 구축하고 배포할 수 있도록 지원하는 텐서플로는 인공지능 분야에서 가장 많이 사용되는 프레임워크로 인정받고 있습니다. 유연성, 확장성, 이미지 분류, 자연어 처리, 시계열 예측 등 다양한 작업을 지원하는 것이 강점입니다. 이 절에서는 텐서플로의 기본 사항을 이해하고 특히 이미지 처리 및 컴퓨터 비전에 적용되는 딥러닝 모델을 구현하는 방법을 중점적으로 다룹니다.

마지막으로 부록에서는 웹에서 딥러닝 코딩이 가능한 구글 코랩(Google Colaboratory)(https://colab.research.google.com)의 간단한 사용법과 예제 파일 실행 방법을 설명합니다.

1.2.1 파이썬 핵심 문법

파이썬 언어에는 매력적인 여러 가지 특징이 있습니다.

1. 파이썬은 해석 언어(interpreted language)이므로 명령이나 코드 줄을 한 번에 하나씩 실행해 실시간으로 테스트 및 디버깅(debugging)할 수 있습니다. 이러한 특성은 원하는 결과를 얻기 위해 다양한 기술을 시도하거나 매개변수를 조정해야 하는 이미지 처리 및 머신 러닝과 같은 탐색적 작업에 특히 유용합니다.

2. 파이썬에는 추가 기능을 제공하는 모듈 집합인 대규모 라이브러리 컬렉션이 함께 제공됩니다. 수치 계산을 위한 넘파이(NumPy), 데이터 시각화를 위한 맷플롯립(Matplotlib), 데이터 분석을 위한 판다스(Pandas)와 같은 많은 라이브러리가 과학 컴퓨팅에서 많이 사용됩니다. 또한 파이썬 생태계에는 이미지 처리 및 머신 러닝을 위한 강력한 라이브러리인 텐서플로, OpenCV, 파이토치(PyTorch)가 포함되어 있습니다.

3. 파이썬의 또 다른 주요 강점은 커뮤니티에 있습니다. 파이썬은 그 인기에 걸맞게 새로운 라이브러리를 만들고 기존 라이브러리를 개선하는 등 지속적으로 개발에 기여하는 방대하고 활발한 커뮤니티를 보유하고 있습니다. 또한 이 커뮤니티는 튜토리얼, 문서, 포럼 등 학습과 문제 해결을 위한 광범위한 리소스를 제공합니다.

파이썬이 왜 우리의 여정에 적합한지 알아봤으니, 이제 이 책을 학습하는 데 필요한 핵심 문법 몇 가지만 설명하겠습니다(책의 내용을 이해하는 데 필요한 최소한의 문법만 설명하므로 이외에 알고 싶은 내용이 있다면 다른 파이썬 책으로 학습하길 권장합니다). 만약 파이썬을 사용해본 적 있다면 간단히 정리하는 느낌으로 읽어보세요.

변수

파이썬에서는 이름에 값을 할당하는 것만으로 변수를 만들 수 있습니다. 할당된 값을 기반으로 변수의 유형을 동적으로 추론하는데, 이를 동적 타이핑(dynamic typing)이라고 합니다. 예를 들어 이름에 정수를 할당하면 파이썬은 해당 이름을 정수 변수로 취급합니다. 다음 그림은 정적 타이핑과 동적 타이핑의 차이를 보여줍니다.

▼ 그림 1-10 동적 타이핑과 정적 타이핑

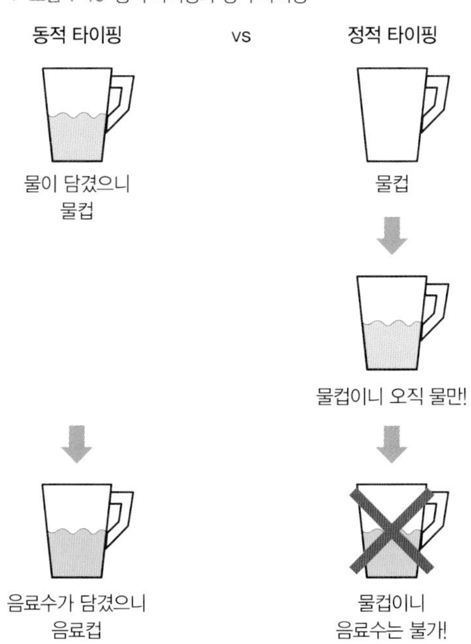

인터프리터는 런타임 시점에 변수의 유형을 결정합니다. 파이썬은 정수(integer), 부동 소수점(float), 문자열(string), 불(bool)을 포함한 다양한 기본 데이터 유형을 지원합니다. 이러한 데이터 유형과 그 속성을 이해하는 것은 파이썬 프로그래밍의 기본 단계이며 매우 중요한 과정입니다. 그러면 정수부터 하나씩 살펴보겠습니다.

정수

정수는 소수 부분이 없는 0, 양수 또는 음수의 정수입니다. 파이썬에서는 이름에 정수 값을 할당하는 것만으로 정수 변수를 선언할 수 있습니다. 다음 코드는 값 10을 가진 정수 변수 a를 선언합니다.

```
a = 10
```

파이썬은 더하기(+), 빼기(-), 곱하기(*), 나누기(/)와 같은 산술 연산은 물론, 모듈로(%) 및 지수화(**)와 같은 더 복잡한 연산을 포함하여 정수에 대한 다양한 연산을 지원합니다.

부동 소수점

부동 소수점은 소수 부분이 있는 숫자입니다. 정수와 마찬가지로 이름에 부동 소수점 값을 할당하여 부동 소수점 변수를 선언할 수 있습니다. 예를 들어 다음 코드는 3.14 값을 가진 부동 소수점 변수 b를 선언합니다.

```
b = 3.14
```

또한 실수에서도 정수에서와 동일한 연산을 지원합니다. 참고로 다른 프로그래밍 언어의 경우 정수를 정수로 나눌 경우 몫으로 정수가 나오는 것과 달리, 파이썬은 부동 소수점이 나올 수도 있다는 점에 주의합니다.

문자열

문자열은 문자(character)의 시퀀스(sequence)입니다. 문자열은 작은따옴표(' ') 또는 큰따옴표(" ")를 사용하여 선언할 수 있습니다. 예를 들어 다음 코드는 'Hello, World!' 값을 가진 문자열 변수 s를 선언합니다.

```
s = "Hello, World!"
```

파이썬 문자열은 불변으로, 한 번 생성된 문자열은 변경할 수 없습니다. 대신 문자열을 소문자로 변환하는 lower(), 문자열을 대문자로 변환하는 upper(), 문자열을 하위 문자열 목록으로 분할하는 split(), 문자열의 서식을 지정하는 format() 등 문자열을 조작할 수 있는 다양한 메서드를 제공합니다.

불

불(bool)은 가능한 값이 True와 False, 두 가지뿐인 이진 데이터 유형입니다. 일반적으로 프로그램의 흐름을 제어하기 위해 조건문에서 사용됩니다. 또한 파이썬에서는 논리적 결합을 위한 and, 논리적 분리를 위한 or, 논리적 부정을 위한 not 등 불 값을 결합하기 위한 여러 불 연산자를 제공합니다.

그러면 이러한 기본 데이터 유형을 설명하기 위한 몇 가지 예를 살펴보겠습니다.

정수와 부동 소수점의 경우 원의 넓이를 계산하는 간단한 프로그램을 생각해보겠습니다. 원의 넓이에 대한 공식은 '파이(π) × 반지름^2'입니다. 파이썬에서는 다음과 같이 작성할 수 있습니다.

```
radius = 5  # 정수형
pi = 3.14   # 실수형
area = pi * radius ** 2  # 원의 넓이 계산
print(area)
```

```
78.5
```

이 코드는 정수와 부동 소수점을 사용한 몇 가지 산술 연산을 보여줍니다. ** 연산자는 반지름을 2의 거듭제곱으로 올리고, * 연산자는 결과에 파이를 곱하라는 의미입니다.

다음은 문자열을 사용하는 예로, 사용자의 이름을 활용해 사용자를 환영하는 문구를 출력합니다.

```
name = "Alice"  # 문자열
greeting = "안녕하세요, {}!".format(name)  # 문자열 형식 지정
print(greeting)
```

```
안녕하세요, Alice!
```

위 예제는 문자열과 format() 메서드를 함께 사용하고 있습니다. format() 메서드는 인사말 문자열의 {}를 바로 앞에 선언된 name 값으로 바꿉니다.

다음은 불을 사용하는 예로, 숫자가 양수인지 확인하는 프로그램입니다.

```
number = -10              # 정수
is_positive = number > 0  # 불
print(is_positive)
```

```
False
```

이 프로그램은 불(bool)과 > 연산자를 사용하는 방법을 보여줍니다. 'number > 0'이라는 표현식은 숫자가 0보다 크면 True로, 그렇지 않으면 False로 평가하라는 불 표현식입니다.

연산자

연산자(operator)는 하나 이상의 피연산자에 대해 연산을 수행하는 기본 구조입니다. 연산자를 사용하면 다양한 종류의 연산과 조작을 수행하여 프로그램의 기능을 향상시킬 수 있습니다. 파이썬은 산술 연산자, 비교 연산자, 논리 연산자, 할당 연산자, 비트 연산자 등 광범위한 연산자를 지원합니다. 여기에서는 예제를 통해 이러한 다양한 유형의 연산자를 살펴보고 그 사용법을 설명합니다.

산술 연산자

산술 연산자는 숫자 값에 수학적 연산을 수행하는 연산자입니다. 파이썬은 더하기(+), 빼기(-), 곱하기(*), 나누기(/), 모듈로(%), 정수 나누기(//), 지수화(**)와 같은 산술 연산자를 지원합니다. 예를 들어 a = 10과 b = 3이라는 두 정수가 주어지면 다음과 같이 다양한 산술 연산을 수행할 수 있습니다.

```
a = 10
b = 3
c = a + b   # 더하기, c에 계산 결과 13 저장
d = a - b   # 빼기, c에 계산 결과 7 저장
e = a * b   # 곱하기, e에 계산 결과 30 저장
f = a / b   # 나누기, f에 계산 결과 3.333..저장
g = a % b   # 나누기 후 나머지 구하기, g에 계산 결과 1 저장
h = a // b  # 정수 나누기, h에 계산 결과 3 저장
i = a ** b  # 지수화, i에 1000 저장
```

비교 연산자

다음으로 두 피연산자의 값을 비교하여 불 결과를 반환하는 비교 연산자가 있습니다. 파이썬은 다음과 같은 비교 연산자를 지원합니다.

같음(==), 같지 않음(!=), 작음(<), 큼(>), 작거나 같음(<=), 크거나 같음(>=)

예를 들어 정수 a = 10과 b = 3이 주어지면 다음과 같이 다양한 비교를 수행할 수 있습니다.

```
j = a == b  # 같음
k = a != b  # 같지 않음
l = a < b   # 보다 작음
m = a > b   # 보다 큼
n = a <= b  # 다음보다 작거나 같음
o = a >= b  # 다음보다 크거나 같음
```

논리 연산자

논리 연산자는 불 표현식을 결합하는 데 사용됩니다. 파이썬은 다음과 같은 논리 연산자를 지원합니다.

AND(그리고), OR(또는), NOT(아님)

예를 들어 두 개의 불 값 p = True와 q = False가 주어지면 다음과 같이 다양한 논리 연산을 수행할 수 있습니다.

```
p = True
q = False
r = p and q  # logical AND r에는 False가 저장
s = p or q   # logical OR s에는 True가 저장
t = not p    # logical NOT not에는 False가 저장
```

할당 연산자

할당 연산자(assignment operator)는 변수에 값을 할당하는 데 사용됩니다. 파이썬은 기본 할당 연산자(=)뿐만 아니라 산술 연산과 할당을 결합한 복합 할당 연산자도 지원합니다. 여기에는 더하기 할당(+=), 빼기 할당(-=), 곱하기 할당(*=), 나누기 할당(/=), 나머지로 할당(%=), 정수 나누기 할당(//=), 지수화 할당(**=)이 포함됩니다. 예를 들어 정수 a = 10이 주어지면 다음과 같이 다양한 대입 연산을 수행할 수 있습니다.

```
a += 3   # a = a + 3과 같음
a -= 3   # a = a - 3과 같음
a *= 3   # a = a * 3과 같음
a /= 3   # a = a / 3과 같음
a %= 3   # a = a % 3과 같음
a //= 3  # a = a // 3과 같음
a **= 3  # a = a ** 3과 같음
```

이러한 연산자를 익히면 더 복잡하고 효율적인 파이썬 프로그램을 작성할 수 있는 도구를 갖게 됩니다. 연산자는 많은 파이썬 표현식의 기초를 형성하며 간단한 연산부터 좀 더 정교한 논리 및 비트 조작에 이르기까지 다양한 방식으로 사용할 수 있습니다. 파이썬에 대한 탐구를 계속하면서 이러한 연산자를 다양한 맥락에서 사용하여 이미지 처리 및 컴퓨터 비전 분야의 문제를 해결하고 솔루션을 구현하는 데 적용할 것입니다.

제어문

파이썬의 제어문을 사용하면 특정 조건이나 루프를 기반으로 프로그램의 실행 흐름을 제어할 수 있습니다. 파이썬의 주요 제어문은 if, for, while 문입니다. 이러한 문법은 파이썬 코드 내에서 의사 결정, 반복 및 흐름 제어를 위한 기초를 제공합니다. 해당 문법을 마스터하는 것은 파이썬 학습의 기본 단계이며 이미지 처리 및 컴퓨터 비전의 고급 프로그래밍에 매우 중요합니다.

if 문

파이썬의 if 문은 조건부 실행에 사용됩니다. 이를 통해 프로그램은 특정 조건이 참인지 판단하고 판단 결과에 따라 코드를 작성할 수 있습니다. if 문 뒤에는 선택적으로 하나 이상의 elif(else if의 줄임말) 문과 else 문이 뒤따를 수 있습니다. 조건문의 조건 판단 기준은 탑 다운(top-down) 방식으로 위부터 아래로 판단합니다. 조건이 참이면 해당 코드 블록이 실행되고 나머지 조건은 건너뜁니다. 조건 중 어느 것도 참이 아니면 else 블록이 실행됩니다.

예를 들어 정수 a를 양수, 음수 또는 0으로 분류하는 코드를 작성해보겠습니다.

```
a = 10
if a > 0:
    print('a는 양수입니다')
elif a < 0:
    print('a는 음수입니다')
```

```
else:
    print('a는 0입니다')
```

```
a는 양수입니다
```

for 문

파이썬의 for 문은 리스트, 튜플 또는 문자열과 같은 시퀀스를 반복하는 데 사용됩니다. 일반적으로 반복 실행에 사용되며 루핑이라고도 합니다. for 루프는 시퀀스의 각 항목에 대한 코드 블록을 순서대로 실행합니다.

예를 들어 정수 n의 계승을 계산하는 프로그램을 생각해보겠습니다.

```
n = 5
factorial = 1
for i in range(1, n + 1):
    factorial *= i
print(factorial)
```

```
120
```

while 문

파이썬의 while 문은 for 문과 마찬가지로 반복 실행에 사용됩니다. 그러나 for 루프는 일련의 값을 반복하는 반면, while 루프는 특정 조건이 참(True)인 한 실행을 계속합니다.

숫자 n까지 피보나치 수열을 생성하는 코드를 예로 들어보겠습니다.

```
n = 10
a, b = 0, 1
while a < n:
    print(a, end=' ')
    a, b = b, a + b
```

```
0 1 1 2 3 5 8
```

제어문은 파이썬 프로그래밍의 핵심 구조입니다. 제어문을 효과적으로 이해하고 사용하면 명확하고 간결하며 효율적인 코드를 작성하는 데 도움이 됩니다. 또한 제어문을 사용해 다양한 프로그래밍 시나리오를 처리할 수 있으며 복잡한 문제를 해결하기 위해 복잡한 방식으로 결합할 수도 있습니다. 간단한 스크립트를 구현하든 복잡한 머신 러닝 알고리즘을 구현하든 제어문은 파이썬 문법의 필수적인 부분입니다.

예외 처리

더 복잡한 코드를 작성하다 보면 필연적으로 오류가 발생하곤 합니다. 이는 코드의 논리적 오류, 예기치 않은 입력, 또는 논리적으로는 아무런 오류가 없지만 인터넷망이 끊기거나 파이썬 코드를 실행하고 있는 자원의 초과 같은 예기치 않은 상황으로 인해 발생할 수 있습니다. 파이썬은 이러한 예외를 처리하기 위한 강력한 메커니즘을 제공하여 프로그램이 다양한 오류 조건에 반응하고 원활하게 복구할 수 있도록 합니다. 이번에는 try, except, finally, raise 문을 포함한 파이썬의 예외 처리 메커니즘에 대한 기본 사항을 소개합니다.

파이썬에서 '예외'는 프로그램 실행 중에 발생하는 이벤트로, 프로그램 명령어의 정상적인 흐름을 방해합니다. 파이썬 스크립트 내에서 오류가 발생하면 인터프리터는 스크립트 실행을 중지하고 오류에 대한 정보가 포함된 특수한 종류의 객체인 '예외'를 생성합니다.

try-except 문

try 문을 사용하면 코드가 실행되는 동안 오류를 테스트할 코드 블록을 정의할 수 있습니다. '예외' 문을 사용하면 블록에서 발생하는 예외를 포착하고 처리할 수 있습니다. 파이썬은 try 문 뒤에 오는 코드를 프로그램의 '정상적인' 부분으로 실행합니다. except 문 뒤에 오는 코드는, 앞의 try 문에 있는 예외에 대한 프로그램의 응답입니다.

예를 들어 다음 코드를 보겠습니다.

```
try:
    print(x)
except:
    print('예외가 발생했습니다')
```

```
예외가 발생했습니다
```

이 코드가 실행되기 전에 x가 정의되지 않은 경우 print(x) 문은 NameError 오류를 발생시키고 예외 블록이 실행됩니다. 따라서 프로그램은 실행을 중지하는 대신 '예외가 발생했습니다'라고 출력합니다.

finally 문

또한 파이썬은 오류 발생 여부와 관계없이 실행될 코드 블록을 지정할 수 있는 finally 키워드를 제공합니다.


```
try:
    print(x)
except:
    print('예외가 발생했습니다')
finally:
    print('try-except 블록이 완료되었습니다')
```

```
예외가 발생했습니다
try-except 블록이 완료되었습니다
```

예외 처리 또한 파이썬 프로그래밍의 중요한 부분 중 하나입니다. 예외 처리는 오류가 발생했을 때 프로그램의 흐름이 중단되지 않도록 보장합니다. 또한 코드 블록에 오류가 있는지 테스트하는 데도 사용할 수 있습니다.

함수

파이썬을 학습하다 보면 코드의 성능, 유연성 및 구성을 크게 향상시키는 프로그래밍 기능인 함수를 만나게 됩니다. 파이썬에서 **함수는 한 가지 특정 작업을 수행하도록 설계된 코드 블록입니다.** 여기에서는 파이썬 함수의 개념을 소개하고, 함수를 정의하고 호출하는 방법을 설명합니다. 또 매개변수와 반환 값(return)에 대해 논의하고, 함수를 사용하여 코드를 구성하고 재사용성을 높이고 읽기 쉽게 만드는 방법에 대한 예를 살펴보겠습니다.

▼ 그림 1-11 함수

함수 기본형

파이썬에서는 def 키워드 뒤에 함수 이름과 괄호 한 쌍을 사용하여 함수를 정의합니다. 다음은 간단한 예시입니다.

```
def greet():
    print('Hello, World!')

greet()
```

```
Hello, World!
```

greet라는 이름의 이 함수는 호출 시 문자열 Hello, World!를 인쇄합니다. 파이썬에서 함수를 호출하려면 함수 이름 뒤에 괄호를 붙이면 됩니다.

```
greet()
```

반환 값이 존재하는 함수

파이썬 함수를 좀 더 유용하게 사용할 수 있는데, 함수에 정보를 전달하면 함수가 이를 연산에 사용할 수도 있습니다. 이는 함수 정의에 매개변수를 지정하고 함수를 호출할 때 인수를 제공하면 됩니다. 매개변수는 함수에 전달되는 데이터의 자리 표시자입니다. 인수는 함수에 전달되는 실제 데이터입니다. 다음 코드를 봅시다.

```
def greet(name):
    print(f'Hello, {name}!')

greet('Alice')
```

```
Hello, Alice!
```

이 경우 name은 greet 함수의 매개변수이고, Alice는 함수가 호출될 때 함수에 전달되는 인수입니다.

또 파이썬 함수는 return 키워드를 사용하여 호출자에게 하나의 값 또는 여러 개의 값을 반환할 수 있습니다. 다음 예제를 보세요.

```
def square(number):
    return number ** 2

print(square(5))
```

```
25
```

함수 square는 하나의 매개변수 number를 받아 이 숫자의 제곱을 반환합니다. square(5)를 호출하면 이 함수는 25를 반환하고 이를 출력합니다.

파이썬의 함수는 선택적 매개변수를 가질 수도 있습니다. 다음 예제처럼 기본 값을 사용하여 일부 매개변수를 선택 사항으로 만들 수 있습니다.

```
def greet(name, greeting='안녕하세요'):
    print(f'{greeting}, {name}!')

greet('앨리스')
greet('밥', '좋은 아침')
```

```
안녕하세요, 앨리스!
좋은 아침, 밥!
```

이 함수에서 name은 필수 매개변수이고, greeting은 기본 값이 '안녕하세요'인 선택적 매개변수입니다. greet('Alice')를 호출하면 이 함수는 기본 인사말을 사용하여 안녕하세요, 앨리스!를 출력합니다. greet('Bob', 'Good morning')을 호출하면 함수는 제공된 인사말을 사용하여 좋은 아침, 밥!을 출력합니다.

함수는 파이썬 프로그래밍의 핵심 요소입니다. 함수는 코드를 정리하고, 가독성과 재사용성을 높이며, 다양한 입력을 처리할 수 있는 프로그램을 설계하는 데 도움이 됩니다. 파이썬을 더 깊이 탐구할수록, 특히 이미지 처리 및 머신 러닝과 같은 더 복잡한 작업을 탐구하기 시작할수록 함수가 프로그래밍이라는 도구 상자에서 필수 도구라는 것을 느낄 것입니다.

클래스

파이썬에서 중요한 부분 중 하나인 클래스 파트입니다. **객체 지향 프로그래밍 언어**(OOP, Object-Oriented Programing)인 파이썬은 클래스 메커니즘을 통해 객체를 표현할 수 있는 힘을 부여합니다. 클래스는 데이터와 함수를 함께 묶는 방법을 제공하며 이를 캡슐화라고 표현합니다. 여기에서는 파이썬 클래스와 관련된 핵심 개념, 클래스 생성, 객체 인스턴스화, 속성 사용, 상속 등을 살펴보겠습니다.

클래스를 이해하려면 먼저 객체(object)의 개념을 알아야 합니다. 사실 파이썬 프로그램에서 모든 데이터는 객체라는 개념을 사용합니다 우리가 지금까지 배운 정수형, 문자열, 함수 등 다 객체입니다. 클래스는 우리만의 사용자 정의 객체를 생성할 수도 있습니다. 객체는 특정 속성(데이터) 및 메서드(클래스에서 정의한 함수) 집합을 보유하는 독립적인 엔터티(메서드, 연산자 또는 객체)입니다. 이렇게 클래스로 본을 뜨고, 구현할 대상을 객체라고 한다면 구현된 구체적인 실체를 우리는 인스턴스(Instance)라고 합니다.

클래스 기본형

클래스는 객체를 만들기 위한 청사진과 같습니다. 함수가 특정 작업만을 수행하도록 구현되었다면 클래스는 객체가 가질 속성(attribute)과 메서드(method)를 정의합니다. 예를 들어 Dog라는 클래스를 만든다면 '이름', '품종', '나이'와 같은 속성과 '짖다', '먹다', '자다'와 같은 메서드를 가질 수 있습니다. 간단한 예시를 보겠습니다.

```
class Dog:
    def __init__(self, name, breed, age):
        self.name = name
        self.breed = breed
        self.age = age

    def bark(self):
        print(f"{self.name}가 왈왈 짖습니다.")

    def eat(self, food):
        print(f"{self.name}가 {food}을 먹습니다.")

    def sleep(self):
        print(f"{self.name}가 자고 있습니다.")
```

이 예에서 __init__은 생성자라는 특수 메서드로, 클래스의 객체가 생성될 때 호출됩니다. self 키워드는 클래스의 현재 인스턴스에 대한 참조이며 해당 인스턴스와 관련된 변수 및 메서드에 액세스하는 데 사용됩니다.

bark, eat, sleep 메서드는 개가 수행할 수 있는 행동을 나타냅니다. Dog 클래스의 모든 객체에서 이러한 메서드를 호출할 수 있습니다. Dog 클래스의 객체를 생성하고 메서드를 호출하는 방법은 다음과 같습니다.

```
my_dog = Dog("Rex", "German Shepherd", 5)
my_dog.bark()
my_dog.eat("음식")
my_dog.sleep()
```

```
Rex가 왈왈 짖습니다.
Rex가 음식을 먹습니다.
Rex가 자고 있습니다.
```


my_dog는 Dog 클래스의 객체입니다. Dog 클래스를 함수처럼 호출하고 필요한 인수를 __init__ 메서드에 전달하여 객체를 만들었습니다. 그런 다음 my_dog에서 bark, eat, sleep 메서드를 호출하여 객체가 클래스에 정의된 작업을 수행하는 방법을 보여줬습니다.

클래스는 OOP의 세 가지 기둥인 캡슐화, 상속, 다형성의 원칙을 구현합니다.

캡슐화

데이터와 해당 데이터를 조작하는 메서드를 하나의 단위, 즉 클래스 안에 묶는 것을 말합니다. 이 메커니즘은 외부로부터 데이터를 숨기고 무단 액세스를 방지합니다. 예제를 보겠습니다.

```
class Car:
    def __init__(self, make, model, year):
        self.make = make
        self.model = model
        self.year = year
        self.__mileage = 0 # private attribute

    def drive(self, miles):
        if miles > 0:
            self.__mileage += miles
        else:
            print("0보다 커야 합니다!")

    def get_mileage(self):
        return self.__mileage
```

이 예제에서 __mileage는 비공개 속성이므로 클래스 외부에서 직접 액세스할 수 없습니다. 드라이브 메서드를 사용하여 수정하고 get_mileage 메서드를 사용하여 읽을 수만 있습니다. 이것이 바로 캡슐화가 작동하는 방식입니다.

상속

상속은 기존 클래스의 속성을 사용하여 새 클래스를 만드는 방법입니다. 서브 클래스라고 하는 새 클래스는 기본 클래스라고 하는 기존 클래스로부터 속성과 메서드를 상속받습니다. 예제로 확인해보겠습니다.

```
class ElectricCar(Car):  # ElectricCar는 Car 클래스를 상속받은 것입니다.
    def __init__(self, make, model, year, battery_size):
        super().__init__(make, model, year)  # Car의 init 함수 실행
        self.battery_size = battery_size

    def charge(self):
        print("The car is charging.")
```

Car의 모든 메서드를 상속하며, Car의 속성 값 또한 super()를 이용하여 상속받았습니다. 새로운 속성인 battery_size와 새로운 메서드 charge도 추가할 수 있습니다.

다형성

이제 다형성(polymorphism)에 대해 알아보겠습니다. 다형성을 사용하면 단일 유형 엔터티를 사용하여 다양한 시나리오에서 다양한 유형을 나타낼 수 있습니다. 이런 기능은 코드를 재사용할 수 있도록 구조화하는 방법을 제공합니다. 예제를 보죠.

```
class Pet:
    def make_sound(self):
        pass

class Dog(Pet):
    def make_sound(self):
        print("왈왈")

class Cat(Pet):
    def make_sound(self):
        print("야옹")

def pet_sound(pet: Pet):
    pet.make_sound()

dog = Dog()
cat = Cat()
```

```
pet_sound(dog)
pet_sound(cat)
```

```
왈왈
야옹
```


이 예제에서는 Dog 클래스와 Cat 클래스 모두 Pet 클래스의 make_sound 메서드를 재정의합니다. pet_sound 함수는 Pet 타입의 모든 객체를 받아 make_sound 메서드를 호출합니다. 이 함수에 Dog 또는 Cat 객체를 전달하면 다른 출력을 생성하여 다형성을 보여줍니다.

다음은 관련된 코드를 하나의 논리 단위로 구성하여 코드의 가독성과 유지보수성을 더욱 향상시키는 방법을 제공하는 파이썬의 모듈과 패키지에 대해 살펴보겠습니다.

모듈과 패키지

파이썬에서 모듈은 파이썬 함수와 클래스를 포함하는 파이썬 파일입니다. 모듈은 관련 코드를 단일 스크립트로 구성하는 데 사용되며, 다른 파이썬 프로그램에서 가져와서 활용할 수 있습니다. 이는 코드 재사용성과 코드의 논리적 구성을 돕습니다.

모듈

▼ 그림 1-12 모듈

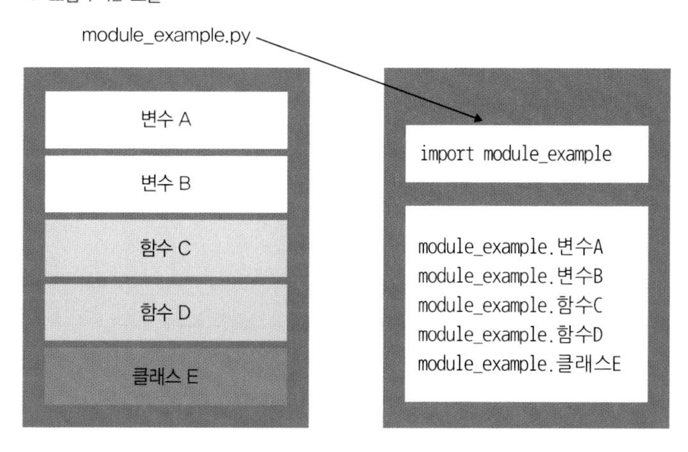

예를 들어 math_operations.py 파일에 다음과 같은 코드가 있다고 가정해보겠습니다.

```
def add(x, y):
    return x + y

def subtract(x, y):
    return x - y

def multiply(x, y):
    return x * y

def divide(x, y):
    if y != 0:
        return x / y
    else:
        print("에러: 0으로 나눌 수 없습니다")
```

이 파이썬 파일에는 더하기, 빼기, 곱하기, 나누기의 네 가지 함수가 포함되어 있습니다. 다른 파이썬 프로그램에서 이 모듈의 함수들을 가져와서 다음처럼 사용할 수 있습니다.

```
import math_operations

print(math_operations.add(5, 3))
print(math_operations.subtract(5, 3))
print(math_operations.multiply(5, 3))
print(math_operations.divide(5, 3))
```

```
8
2
15
1.6666666666666667
```

이 예제에서는 import 문을 사용하여 math_operations 모듈을 임포트합니다. 그런 다음 클래스에서 메서드를 실행하듯이 math_operations 모듈 안의 함수에 액세스할 수 있습니다.

패키지

패키지는 단일 디렉터리 계층 구조 내에서 관련 모듈을 함께 모으는 방법입니다. 간단히 말해 패키지는 여러 모듈 파일과 해당 디렉터리가 패키지임을 나타내는 특수 __init__.py 파일이 포함된 디렉터리입니다.

__init__.py 파일은 파이썬이 해당 디렉터리를 '패키지'로 인식하게 하는 특수 파일입니다. 이 파일은 몇 가지 중요한 기능을 수행합니다.

1. **패키지 초기화**

   패키지를 임포트할 때 __init__.py 파일이 실행됩니다. 이 파일은 패키지 수준에서 변수를 초기화하거나 패키지 수준에서 코드를 실행하는 데 사용할 수 있습니다. 예를 들어 패키지를 임포트할 때마다 메시지를 인쇄하려면 __init__.py 파일에 print 문을 넣으면 됩니다. __init__.py 파일은 비어 있거나 유효한 파이썬 코드를 포함할 수 있습니다.

2. **패키지 구성**

   __init__.py 파일은 __all__ 변수를 재정의하여 패키지가 API로 내보낼 모듈을 결정하고 다른 모듈은 내부에 유지할 수도 있습니다. 예를 들어 모듈1, 모듈2, 모듈3이 있지만 패키지를 가져올 때 모듈1과 모듈2만 액세스할 수 있도록 하려면 __init__.py 파일에서 __all__ = ['module1', 'module2']로 설정하면 됩니다.

3. **편리한 임포트**

   __init__.py 파일을 사용하여 좀 더 편리하게 임포트할 수 있습니다. 예를 들어 package.subpackage.module과 같은 심층 패키지 구조가 있는 경우 패키지의 __init__.py 파일에 .subpackage에서 가져오기 모듈을 추가할 수 있습니다. 그런 다음 import package.subpackage.module 대신 import package.module을 사용하면 됩니다.

책의 예제에서는 현재 __init__.py에 대한 특별한 정의가 필요하지 않아 빈 파이썬 파일이라고 가정하겠습니다. 그리고 다음과 같은 디렉터리 구조가 있다고 가정합니다.

```
my_package/
    __init__.py
    math_operations.py
    string_operations.py
```

이러한 구조의 경우 my_package는 두 개의 모듈, 즉 math_operations와 string_operations를 포함하는 패키지입니다. 여기서 string_operations 또한 빈 파이썬 파일로 만들어만 두겠습니다.

```
!mkdir my_package
!touch my_package/__init__.py
!touch my_package/string_operations.py
```

이 모듈들을 다음과 같이 임포트하여 사용할 수 있습니다

```
from my_package import math_operations, string_operations

print(math_operations.add(5, 3))
```

```
8
```

my_package 패키지에서 math_operations 및 string_operations 모듈을 임포트합니다. 그러면 my_pacakage.math_operations.function과 같은 방식으로 사용할 필요 없이 해당 함수에 직접 액세스할 수 있습니다.

모듈과 패키지는 파이썬 코드를 논리적이고 관리하기 쉬운 방식으로 구성하고 구조화하는 데 기본이 됩니다. 모듈과 패키지는 코드 재사용성과 필요 없는 부분에 대한 구분을 용이하게 하여 복잡한 파이썬 프로그램을 더 쉽게 개발, 유지 관리 및 이해할 수 있게 해줍니다. 코드가 복잡하고 프로젝트가 거대해질수록 이러한 작업은 필수적인 작업이 됩니다.

다음으로는 OpenCV 및 텐서플로와 같은 강력한 라이브러리를 사용하여 이미지를 조작하고 분석하는 방법을 살펴보면서 파이썬으로 이미지 처리의 세계를 탐구해보겠습니다.

1.2.2 OpenCV

OpenCV는 컴퓨터로 이미지나 영상을 읽고, 이미지의 사이즈 변환이나 회전, 선분 및 도형 그리기, 채널 분리 등의 연산을 처리할 수 있도록 만들어진 오픈 소스 라이브러리로, 이미지 처리 분야에서 가장 많이 사용됩니다. 인텔에서 개발을 시작하여 2006년 10월 19일에 버전 1.0이 출시되었습니다. 초기에는 C 언어만 지원하였지만, 버전 2.0부터 C++를 중심적으로 지원하고, 또 이후에 파이썬 라이브러리로도 추가되었습니다.

안면 인식과 지문 인식, 객체 검출, 이상 탐지 등 다양한 이미지 처리에서 사용되며, 이미지 처리 분야에서 가장 널리 사용되는 OpenCV에 대해 알아보겠습니다.

OpenCV의 강점

현재 정말 다양한 언어 및 분야에서 OpenCV를 사용하고 있습니다. 어떻게 한 가지 툴이 다양한 언어와 분야를 아우르게 되었을지 살펴봅시다.

1. 다양한 이미지 및 비디오 처리

OpenCV는 이미지와 비디오 데이터를 다루는 다양한 기능을 제공합니다. 이미지 사이즈 변환, 회전, 필터링, 색상 공간 변환 등 다양한 처리를 간단하게 수행할 수 있습니다.

2. 컴퓨터 비전 알고리즘

컴퓨터 비전 알고리즘을 구현하기 위한 다양한 함수와 클래스를 제공합니다. 얼굴 인식, 객체 검출, 이미지 분할, 모션 추적 등의 작업을 쉽게 구현할 수 있습니다.

3. 머신 러닝 통합

머신 러닝 알고리즘을 구현하기 위한 툴도 제공하며, 다양한 머신 러닝 프레임워크와의 통합을 지원합니다. 텐서플로, 파이토치 등의 머신 러닝 프레임워크와 연계하여 사용할 수 있습니다.

4. 크로스 플랫폼 지원

다양한 플랫폼에서 동작하도록 설계되어 있으며, 윈도우, 리눅스, macOS, 안드로이드, iOS 등에서 사용할 수 있습니다.

5. 오픈 소스 라이선스

아파치 라이선스(Apache License 2.0)를 따르므로 무료로 사용할 수 있고, 소스 코드에 접근하여 필요에 따라 변경할 수 있습니다. 또 OpenCV를 사용한 툴을 상업용으로 배포하는 것 역시 가능합니다.

6. 높은 성능

C++로 작성되었기 때문에 빠른 속도와 효율적인 메모리 관리를 지원하며, 병렬 처리와 GPU 가속화를 활용하여 높은 성능을 제공합니다.

7. 커뮤니티 지원

활발한 개발자 및 사용자 커뮤니티가 존재하여 지속적으로 개발과 지원이 이루어지고 있습니다. 새로운 기능과 업데이트가 지속적으로 이루어지며, 문제를 해결하기 위한 다양한 자료와 지원이 제공됩니다.

8. 다양한 언어 지원

C++, 파이썬, 자바, C# 등 다양한 언어를 지원하여 개발자들이 자신에게 편한 언어를 선택하여 사용할 수 있습니다.

9. **광범위한 응용 분야**

   컴퓨터 비전과 이미지 처리 분야뿐만 아니라 로봇, 자율 주행, 의료, 보안, 산업 등 다양한 분야에서 사용됩니다.

이렇게 여러 면에서 장점이 많기 때문에 이미지 처리를 할 때는 늘 OpenCV를 사용하며, 우리도 이에 대해서 좀 더 자세히 알아볼 것입니다. 먼저 OpenCV를 사용한 이미지의 입출력, 이어서 이미지 변환 및 보강 방법에 대해 간단히 살펴보겠습니다.

이미지 입출력

OpenCV의 입력과 출력에 대해 살펴보기 전에 먼저 알아야 할 사실은, OpenCV 라이브러리는 구글 코랩이 아닌 로컬 컴퓨터를 기준으로 만들어졌다는 것입니다. 즉, 온라인 서버에서 구동하는 구글 코랩에서는 이미지, 영상 출력 기능에 해당하는 기능을 온전히 모두 사용해볼 수 없습니다. 이 때문에 이후 코드에서 이미지를 출력할 때는 코랩에서 동작하는 보완된 코드를 사용하고 있습니다.

▼ 그림 1-13 like_lenna.png 이미지

이 이미지는 우리가 사용할 like_lenna.png 파일입니다. 다음 코드로 이미지 데이터를 가져와서 사용합니다.

```
!wget https://raw.githubusercontent.com/Cobslab/imageBible/main/image/like_lenna224.
png -O like_lenna.png
```

wget은 리눅스의 터미널의 명령어 중 하나로, 인터넷 주소에 있는 파일을 다운로드할 수 있게 해줍니다. 따라서 이 코드를 실행하면 코랩 서버에 바로 사용할 수 있도록 like_lenna.png 파일이 준비됩니다.

이제 파이썬의 OpenCV 라이브러리를 사용하여 해당 이미지 파일을 읽어보겠습니다. 파이썬에서 OpenCV를 사용할 때는 다음 코드처럼 cv2를 import하여 사용합니다.


```
import cv2

image = cv2.imread('like_lenna.png', cv2.IMREAD_GRAYSCALE)
if image is not None:
    print("이미지를 읽어왔습니다.")
else:
    print("이미지를 읽어오지 못했습니다.")
print(f"변수 타입: {type(image)}")
```

```
이미지를 읽어왔습니다.
변수 타입: <class 'numpy.ndarray'>
```

출력 결과를 보니 OpenCV에서 해당 이미지 파일을 numpy.ndarray로 불러왔네요. 앞에서는 이미지를 픽셀 단위의 숫자들로 구성할 수 있음을 살펴보았습니다. 이러한 숫자들은 그 수가 매우 많기 때문에 효율적으로 저장하고 관리해야 합니다. 파이썬의 기본 자료형인 리스트는 매우 편리하지만, 연산할 때 다른 언어에 비해 느리다는 단점이 있습니다. 따라서 이미지 전체 픽셀에 대해 연산을 해야 하는 상황처럼 연산량이 많아진다면 기본 자료형인 리스트가 아닌 NumPy의 numpy.ndarray를 사용하면 속도가 빨라지고, 더 적은 메모리 공간을 차지하기 때문에 연산할 때 큰 이점이 있습니다. NumPy 라이브러리는 파이썬 도구이지만, 마치 C 언어에서 처리하는 것과 같은 속도로 각 연산을 처리해줍니다. 또 추후 데이터를 GPU 연산 장치로 옮길 때도 효율적입니다.

현재는 조금 단순한 이미지를 먼저 다뤄보기 위해 cv2.IMREAD_GRAYSCALE 인수를 주어 이미지를 흑백으로 받아왔습니다. 이어서 이미지를 출력해보겠습니다.

```
from google.colab.patches import cv2_imshow
cv2_imshow(image)
```

코랩에서는 OpenCV에서 지원하는 이미지 출력 함수 cv2.imshow를 사용할 수 없지만, 비슷하게 사용 가능하도록, cv2_imshow 함수를 만들어 제공합니다. 이를 이용하여 더 다양하게 이미지를 변환해볼 것입니다.

그러면 우리가 읽어온 이미지 image 변수는 어떤 형태일까요?

```
print(f"이미지 배열의 형태: {image.shape}")
```

```
이미지 배열의 형태: (224, 224)
```

OpenCV는 이미지를 읽어와 각 픽셀에 해당하는 수를 가로 방향 길이, 세로 방향 길이 배열(numpy.ndarray)로 변수에 저장해줍니다. 이로 인해 우리는 이미지의 각 픽셀에 접근해서 수정 혹은 변환하는 것이 가능해집니다.

이미지 변환

OpenCV를 사용해서 해볼 수 있는 다양한 변환 기능이 있습니다. 그중 많이 사용하는 사이즈 변환과 대칭 변환, 회전 변환 기능을 사용해보겠습니다.

사이즈 변환

cv2.resize 함수를 사용해 이미지의 사이즈를 바꿀 수 있습니다. resize 함수는 다음처럼 사용합니다.

```
def resize(src: MatLike, dsize: Size | None, ds: MatLike | None = ..., fax: float
= ..., fey: float = ..., interpolation: int = ...) -> MatLike
```

cv2.resize 함수에 들어가는 각 요소들은 다음과 같은 의미를 갖습니다.

▼ 표 1-1 cv2.resize 함수의 인수 소개

항목	의미
src	입력 이미지 혹은 입력 영상을 입력합니다.
dsize	변환 후 이미지의 형태로, (가로의 길이, 세로의 길이) 형식으로 튜플로 입력합니다.
ds	출력 이미지를 저장할 numpy.ndarray 변수를 입력합니다.
fx, fy	입력 이미지와 출력 이미지의 배율을 의미합니다. 해당 인수를 사용하기 위해서는 dsize 인수에 None 값을 대입합니다.
interpolation	이미지를 확대할 때 비어 있는 픽셀을 채울 규칙을 지정합니다.

앞에서 불러왔던 이미지의 image 변수를 사용해 이미지의 사이즈를 바꿔보겠습니다.

```
image_small = cv2.resize(image,(100,100))
cv2_imshow(image_small)
```

(224,224) 사이즈였던 이미지를 (100,100) 사이즈로 수정했습니다. 이렇게 이미지의 가로, 세로 픽셀의 개수 단위를 정해여 이미지의 사이즈를 바꿀 수 있습니다.

이번에는 배율을 지정하는 방식을 사용해보겠습니다. 원래 image의 사이즈 값을 넣어주었던 dsize 인수에 이미지의 사이즈 대신 None을 대입하고, fx, fy 값을 원하는 배율로 입력합니다.

```
image_big = cv2.resize(image, dsize=None, fx=2, fy=2,)
cv2_imshow(image_big)
```

대칭 변환

이미지 대칭 변환은 이미지를 수평, 수직 또는 두 축 모두에 대해 반전시키는 작업을 의미합니다. OpenCV에서는 cv2.flip() 함수를 사용하여 이미지를 대칭, 변환할 수 있습니다. flip 함수는 image 변수와 대칭으로 돌릴 축을 0, 1 등으로 명시하여 변환을 수행합니다. 0으로 명시하면 다음처럼 수평축으로 반전됩니다.

```
image_fliped = cv2.flip(image, 0)
cv2_imshow(image_fliped)
```

1로 명시하면 다음처럼 세로축으로 반전됩니다.

```
image_fliped = cv2.flip(image, 1)
cv2_imshow(image_fliped)
```

회전 변환

이미지 회전 변환은 이미지를 주어진 각도만큼 회전시키는 작업을 말합니다. OpenCV에서는 `cv2.getRotationMatrix2D` 함수를 사용하여 회전 변환 행렬을 생성하고, `cv2.warpAffine` 함수를 사용하여 실제로 이미지를 회전시킵니다.

cv2.getRotationMatrix2D 함수는 center 인수로 어떤 점을 기준으로 회전시킬지를, angle 인수로 얼마나 회전시킬지를, scale 인수로 결과 이미지의 배율을 어떻게 할지를 지정하여 다음처럼 해당 변환 행렬을 반환합니다.

```
def getRotationMatrix2D(center: Point2f, angle: float, scale: float) -> MatLike
```

cv2.warpAffine 함수는 앞에서 만들어진 변환 행렬과 이미지를 받아 다음처럼 실제 회전 변환을 수행합니다.

```
height, width = image.shape
matrix = cv2.getRotationMatrix2D((width/2, height/2), 90, 1)
result = cv2.warpAffine(image, matrix, (width, height))
cv2_imshow(result)
```

다음처럼 원하는 각도로 이미지를 회전시킬 수도 있습니다.

```
matrix = cv2.getRotationMatrix2D((width/2, height/2), 30, 1)
result = cv2.warpAffine(image, matrix, (width, height), borderValue=200)
cv2_imshow(result)
```

자르기

이미지 자르기 기능은 파이썬 배열에서의 슬라이싱[1] 기능을 사용합니다. 다음 코드는 이미지의 왼쪽 상단을 기준으로 픽셀 단위 가로 100, 세로 100만큼의 위치를 잘라줍니다. 컴퓨터에서의 배열 특성에 따라 `image[:100,:100]`에서 콤마(,) 앞쪽의 `:100`은 세로 방향의 사이즈, 뒤쪽의 `:100`은 가로 방향의 사이즈를 나타냅니다.

```
cv2_imshow(image[:100, :100])
```

다음 코드는 이미지의 왼쪽 상단을 기준으로 가로, 세로 모두 51번째 픽셀부터 150번째 픽셀까지의 위치를 잘라줍니다.

```
cv2_imshow(image[50:150, 50:150])
```

1 열에서 일부를 잘라오는 파이썬의 주요 기능으로, 인덱스를 사용해 원하는 위치를 복사하거나 참조합니다. 파이썬 기본 자료형인 리스트에서 슬라이싱을 사용하면 얕은 복사로, NumPy의 `numpy.ndarray`에서 사용하면 참조로 동작합니다.

numpy.ndarray의 슬라이싱은 원본 객체의 값을 그대로 참조합니다. 즉, 할당되어 있는 픽셀의 숫자 값을 바꿔주면 원본 자체의 픽셀 값이 함께 변합니다. 다음 코드를 통해 자른 이미지에 다른 값을 할당시키면 원본 사진 자체가 변한 것을 확인할 수 있습니다.

```
croped_image = image[50:150, 50:150]
croped_image[:] = 200
cv2_imshow(image)
```

이렇게 이미지 일부를 잘라서 변화를 주고 싶지만, 원본 이미지에 영향을 미치고 싶지 않을 때는 자른 객체에 대한 깊은 복사[2]를 하여 사용해야 합니다. NumPy의 numpy.ndarray는 copy 메서드로 깊은 복사 기능을 제공합니다.

```
image = cv2.imread('like_lenna.png', cv2.IMREAD_GRAYSCALE)
croped_image = image[50:150, 50:150].copy()
croped_image[:] = 200
cv2_imshow(image)
```

2 얕은 복사와 깊은 복사: 얕은 복사는 데이터 구조의 주소만을 복사하므로 원본과 복사본이 상호 영향을 미치지만, 깊은 복사는 데이터의 실제 값을 복사하여 원본과 완전히 분리된 복사본을 생성합니다.

이와 같이 copy 메서드를 사용하여 할당된 cropped_image 변수에는 다른 값을 할당해도 원본 이미지의 값이 변하지 않습니다.

도형 그리기

OpenCV는 읽어온 이미지 위에 원하는 도형을 그릴 수 있는 기능을 제공합니다. 이 기능을 사용해 이미지 위에 객체를 구분하는 박스를 그리거나, 글씨를 쓰는 일 등의 작업을 할 수 있습니다. 자주 사용하는 기능과 함수는 다음과 같습니다.

- 선 그리기: cv2.line
- 원 그리기: cv2.circle
- 직사각형 그리기: cv2.rectangle
- 타원 그리기: cv2.ellipse
- 다각형 그리기: cv2.polylines, cv2.fillPoly

사용법에 대해 하나씩 살펴보겠습니다.

선 그리기: cv2.line

cv2.line 함수는 다음처럼 사용합니다.

```
def line(img: MatLike, pt1: Point, pt2: Point, color: Scalar, thickness: int = ...,
lineType: int = ..., shift: int = ...) -> MatLike
```

선을 그리는 cv2.line 함수는 이미지와 두 개의 점을 받아서 이어줍니다. color, thickness 등의 옵션으로 선을 다양하게 그려볼 수 있습니다. 다음 코드는 색상의 픽셀 값으로 255를 설정해 흰 색 선을 그립니다.


```
space = np.zeros((500, 1000), dtype=np.uint8)
line_color = 255
space = cv2.line(space, (100, 100), (800, 400), line_color, 3, 1)

cv2_imshow(space)
```

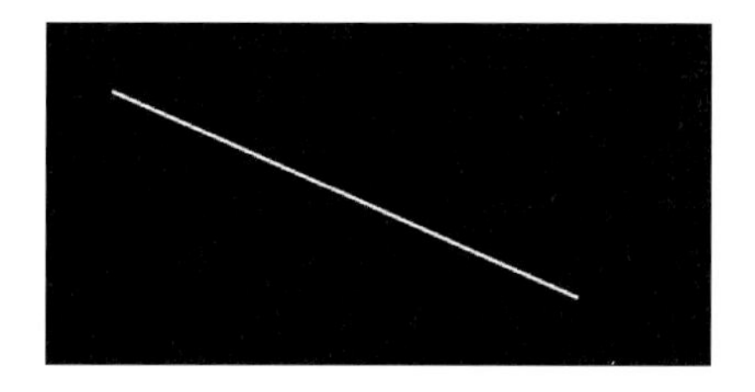

위와 같이 평면에서 두 개 점의 좌표를 받아 선을 그려줍니다.

원 그리기: cv2.circle

cv2.circle 함수는 원의 중심 좌표와 반지름 값을 받아 원을 그립니다.

```
def circle(img: MatLike, center: Point, radius: int, color: Scalar, thickness: int
= ..., lineType: int = ..., shift: int = ...) -> MatLike
```

```
space = np.zeros((500, 1000), dtype=np.uint8)
color = 255
space = cv2.circle(space, (600, 200), 100, color, 4, 1)

cv2_imshow(space)
```

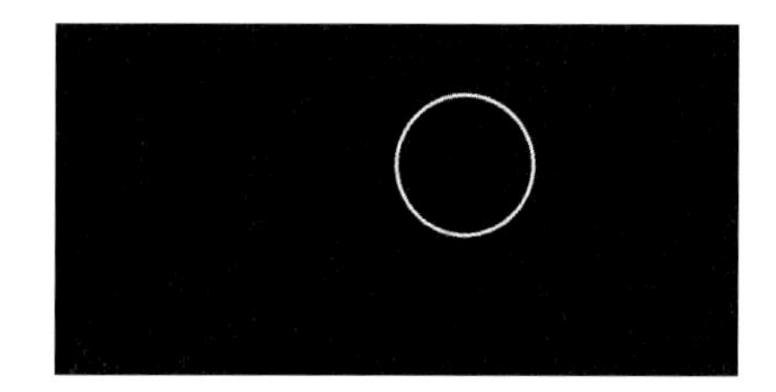

직사각형 그리기: cv2.rectangle

직사각형을 그리는 기능은 객체 탐지에서 특정 대상이 있을 때, 상자 표시로 해당 대상을 나타내는 데 사용하는 기능입니다. 다음 코드와 같이 이미지와 두 개의 좌표를 받아 이미지 위에 직사각형을 그려줍니다. pt1, pt2는 각각 사각형의 왼쪽 위와 오른쪽 아래의 꼭짓점 좌표를 의미합니다.

```
def rectangle(img: MatLike, pt1: Point, pt2: Point, color: Scalar, thickness: int
= ..., lineType: int = ..., shift: int = ...) -> MatLike
```

다음 코드를 실행하여 확인해보세요.

```
space = np.zeros((768, 1388), dtype=np.uint8)
line_color = 255
space = cv2.rectangle(space, (500, 200), (800, 400), line_color, 5, 1)

cv2_imshow(space)
```

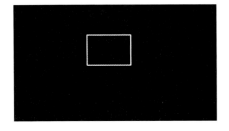

타원 그리기: cv2.ellipse

이미지와 타원의 중심 및 축, 축의 각도, 타원을 그릴 각도(시작점과 끝점)를 받아, 이미지 위에 원하는 타원을 그립니다.

```
def ellipse(img: MatLike, center: Point, axes: Size, angle: float, startAngle:
float, endAngle: float, color: Scalar, thickness: int = ..., lineType: int = ...,
shift: int = ...) -> MatLike
```

center에는 타원 중심의 좌표, axes에는 축의 좌표, angle에는 타원축의 각도, startAngle에는 타원을 그리기 시작할 각도 값, endAngle에는 타원 그리기를 끝낼 각도, color에는 색상(숫자로 기입), thickness에는 선의 두께를 입력합니다. lineType과 shift는 어떤 타원을 그릴 것인지와 직결되는 인수가 아니므로 생략합니다.

다음 코드를 실행하여 확인해보세요.

```
space = np.zeros((768, 1388), dtype=np.uint8)
line_color = 255
space = cv2.ellipse(space, (500, 300), (300, 200), 0, 90, 250, line_color, 4)

cv2_imshow(space)
```

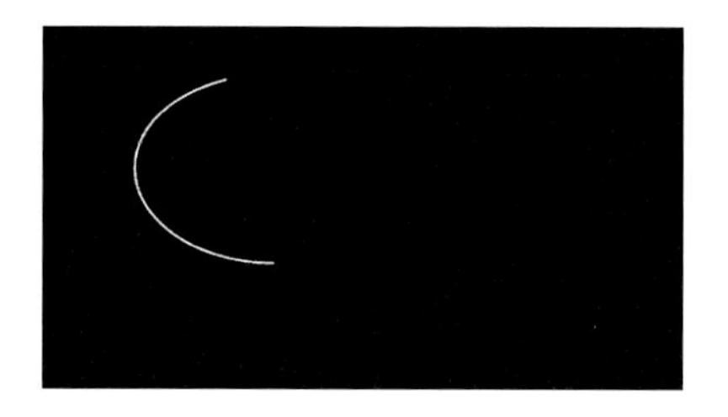

다각형 그리기: cv2.polylines, cv2.fillPoly

두 가지 함수로 다각형을 그릴 수 있습니다. cv2.polylines 기능은 여러 점을 잇는 선을 그려서 다각형을 그릴 수 있게 지원하고, cv2.fillPoly 기능은 색칠된 면을 갖는 다각형을 그립니다.

```
def polylines(img: MatLike, pts: Sequence[MatLike], isClosed: bool, color: Scalar,
thickness: int = ..., lineType: int = ..., shift: int = ...) -> MatLike


def fillPoly(img: MatLike, pts: Sequence[MatLike], color: Scalar, lineType: int =
..., shift: int = ..., offset: Point = ...) -> MatLike
```

다음 코드는 두 가지 방법으로 다각형을 그립니다.

```
space = np.zeros((768, 1388), dtype=np.uint8)
color = 255
obj1 = np.array([[300, 500], [500, 500], [400, 600], [200, 600]])
obj2 = np.array([[600, 500], [800, 500], [700, 200]])
space = cv2.polylines(space, [obj1], True, color, 3)
space = cv2.fillPoly(space, [obj2], color, 1)
cv2_imshow(space)
```

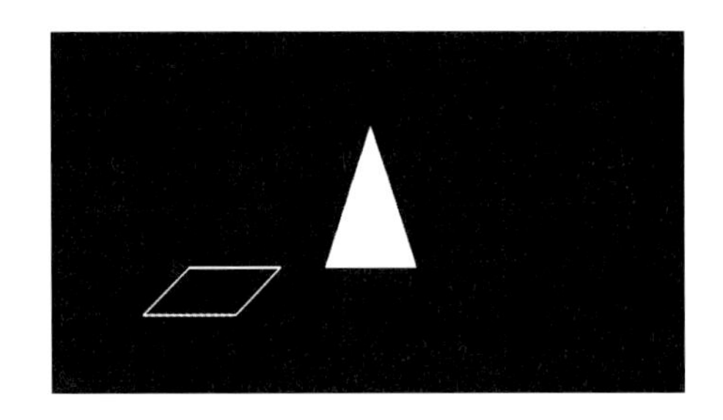

이 코드에서 cv2.polylines 함수는 [[300, 500], [500, 500], [400, 600], [200, 600]] 위치의 평행사변형을, cv2.fillPoly 함수는 [[600, 500], [800, 500], [700, 200]] 위치의 삼각형을 그려줍니다.

지금까지 OpenCV의 다양한 특성과 기능을 간단히 살펴보았습니다. OpenCV는 좀 더 다양하고 강력한 기능을 많이 가지고 있습니다. 잠시 뒤에 이미지 처리와 컴퓨터 비전에 대한 다양한 이야기를 다룰 예정이며, 더 깊이 있는 기능들도 살펴볼 것입니다.

1.2.3 텐서플로

▼ 그림 1-14 텐서플로

텐서플로(TensorFlow)는 구글 브레인 팀에서 개발되어 2015년에 공개된 오픈 소스 머신 러닝 라이브러리입니다. 공개 이후로 텐서플로는 머신 러닝 및 딥러닝 분야에서 중요한 역할을 하고 있으며, 연구자와 개발자들 사이에서 널리 사용되고 있습니다.

텐서플로는 이름에서 알 수 있듯이 텐서(다차원 배열)를 기반으로 하는 연산을 수행하며, 텐서플로를 사용하면 복잡한 머신 러닝 모델과 알고리즘을 쉽게 구현할 수 있습니다. 또한 텐서플로는 데이터 플로 그래프를 사용하여 연산을 표현합니다. 이 그래프는 노드와 에지로 구성되어 있으며, 노드는 연산, 에지는 노드 사이를 이동하는 데이터(텐서)를 나타냅니다. 데이터 플로 그래프를 사용해서 텐서플로는 병렬 처리와 지연 실행을 쉽게 수행할 수 있습니다.

텐서플로의 몇 가지 특징을 살펴봅시다.

편의성

텐서플로의 특징 중 하나는 편의성에 있습니다. 고수준 API 지원, 텐서플로 개발진들이 미리 개발해둔 사전 빌드된 층 및 모델 제공, 즉시 실행 모드 등이 특징입니다.

고수준 API 지원

텐서플로의 가장 사용자 친화적인 기능 중 하나는 고수준 API인 케라스(Keras)가 있다는 것입니다.

▼ 그림 1-15 케라스

케라스 API는 간단하고 일반적인 사용 사례에 최적화되어 있어 거의 모든 표준 모델을 정의하고 구성할 수 있는 명확하고 간결한 방법을 제공합니다. 앞서 설명한 것처럼 간단한 선형 회귀부터 복잡한 심층 신경망까지, 단 몇 줄의 코드만으로 모델을 설정하고 컴파일할 수 있습니다.

또한 케라스는 모델 아키텍처를 자유롭게 정의할 수 있는 기능도 제공합니다. 예를 들어 순차적 모델을 사용하면 각 층에 정확히 하나의 입력 텐서와 하나의 출력 텐서가 있는 층을 쉽게 스택처럼 차곡차곡 쌓아 올릴 수 있습니다. 이는 정보의 흐름이 입력에서 출력으로 한 방향으로만 이루어지는 모델에 유용합니다.

이와는 대조적으로 Model 클래스 API를 사용하면 더 복잡한 모델을 만들 수도 있습니다. 이 클래스는 층 그래프를 정의하는 데 사용됩니다. 다중 출력 모델, 방향성 비순환 그래프 또는 공유 층이 있는 모델(데이터 흐름이 엄격하게 선형적이지 않은 상황)을 만들 때 유용합니다. 모델의 복잡성에 관계없이 케라스는 직관적이고 사용자 친화적인 모델 생성 방식을 제공합니다.

이식성 및 호환성

플랫폼 간 이식성과 호환성은 텐서플로의 가장 큰 특징 중 두 가지로, 다양한 환경과 기기에서 작업하는 개발자를 위한 매우 다재다능한 도구입니다. 이러한 기능 덕분에 텐서플로는 하나의 플랫폼이나 특정 카테고리의 디바이스만을 위한 도구가 아니라 다양한 운영 환경에서 머신 러닝 애플리케이션을 위한 범용 솔루션이 될 수 있었습니다. 소프트웨어의 맥락에서 이식성은 동일한 소프트웨어를 다른 환경에서도 사용할 수 있는 사용성을 의미합니다. 이는 텐서플로와 같이 광범위한 애플리케이션에 사용할 수 있도록 설계된 도구의 중요한 특성입니다. 텐서플로 모델의 높은 이식성 덕분에 개발자는 한 환경에서 머신 러닝 모델을 작업한 후 테스트, 배포 또는 추가 개발을 위해 다른 환경으로 쉽게 전환할 수 있습니다. 이는 유연성과 적응성이 핵심인 머신 러닝 분야에서 특히 중요합니다.

이식성은 개발자가 특정 플랫폼이나 기기에 종속되는 것을 방지합니다. 다양한 하드웨어(CPU, GPU, TPU), 소프트웨어 플랫폼(윈도우, macOS, 리눅스) 등 다양한 환경에서 실행할 수 있으므로 개발자는 단일 운영 체제에 국한되지 않습니다. 따라서 텐서플로를 사용하는 개발자, 연구자 및 조직 커뮤니티는 머신 러닝 모델의 기능이나 효율성을 저하시키지 않으면서도 원하는 운영 환경을 선택할 수 있습니다. 개인용 macOS에서 작업하든, 윈도우 워크스테이션에서 작업하든, 리눅스 서버에서 작업하든 동일한 효율로 텐서플로 모델을 개발, 훈련 및 배포할 수 있습니다. 이러한 수준의 플랫폼 독립성은 서로 다른 시스템에서 작업하는 팀 간의 협업을 가능하게 하고 플랫폼별 종속성으로 인한 문제를 제거합니다.

텐서플로 이식성의 또 다른 핵심 측면은 모바일 및 에지 디바이스와의 호환성입니다. 텐서플로에서 제공하는 도구 세트인 텐서플로 라이트(TensorFlow Lite)를 사용하면 모바일 및 에지 장치에서 실행할 수 있는 형식으로 텐서플로 모델을 변환할 수 있습니다. 이를 통해 온디바이스 머신 러닝, 실시간 처리 및 IoT 애플리케이션과 같은 완전히 새로운 텐서플로 모델 애플리케이션의 문이 열립니다.

모바일 및 에지 디바이스에서 머신 러닝 모델을 실행할 수 있는 기능은 상당한 영향을 미칠 수 있습니다. 예를 들어 실시간으로 작동해야 하는 머신 러닝 모델은 온디바이스 추론을 통해 서버 기반 또는 클라우드 기반 솔루션에 비해 지연 시간을 크게 줄일 수 있습니다. 또한 디바이스에서 모델을 실행하면 데이터를 서버로 전송할 필요가 없으므로 사용자 개인정보 보호가 향상될 수 있습니다.

텐서플로는 로컬 환경에만 국한되지 않습니다. 구글 클라우드 플랫폼(Google Cloud Platform, GCP), 아마존 웹 서비스(Amazon Web Services, AWS), 마이크로소프트 애저(Microsoft Azure)와 같은 클라우드 플랫폼과 원활하게 통합되도록 설계되었습니다. 클라우드 호환성 덕분에 개발자는 이러한 플랫폼에서 사용할 수 있는 방대한 계산 리소스를 활용하여 로컬 머신에서는 불가능했던 복잡한 대규모 모델을 학습할 수 있습니다.

텐서플로의 이식성과 플랫폼 간 호환성은 머신 러닝을 위한 매우 유연하고 보편적으로 적용할 수 있는 도구입니다. 개인용 컴퓨터에서 모바일 기기, 단일 머신에서 방대한 클라우드 기반 인프라에 이르기까지 다양한 플랫폼과 기기에서 모델을 개발하고 배포할 수 있는 능력은 텐서플로에게 상당한 우위를 제공합니다. 이러한 기능 덕분에 텐서플로는 개발자에게 실용적인 선택이 될 뿐만 아니라 다양한 애플리케이션에서 머신 러닝의 접근성과 다용도성, 영향력을 높일 수 있습니다.

확장성

텐서플로의 확장성은 다른 머신 러닝 라이브러리와 차별화되는 포인트 중 하나이며 머신 러닝 분야에서 인기가 높은 주요 이유입니다. 확장성이란 시스템, 네트워크 또는 프로세스가 증가하는 작업량을 유능한 방식으로 처리할 수 있는 능력 또는 이러한 증가를 수용하기 위해 확장할 수 있는 잠재력을 말합니다. 텐서플로는 모델 개발과 배포 모두를 위한 확장 가능한 솔루션을 제공하므로 다양한 규모의 머신 러닝 애플리케이션에 이상적인 선택입니다.

머신 러닝 프로젝트는 제한된 양의 데이터와 간단한 모델로 소규모로 시작하는 경우가 많습니다. 하지만 프로젝트가 발전함에 따라 더 큰 데이터 세트를 처리하고, 더 복잡한 모델을 만들고, 더 많은 컴퓨팅 리소스를 필요로 할 수 있습니다. 증가하는 수요를 충족하기 위해 확장할 수 있는 능력은 모든 머신 러닝 프레임워크의 중요한 기능입니다. 이를 통해 소규모 실험에서 대규모 배포로 좀 더 원활하게 전환할 수 있습니다. 필요에 따라 확장할 수 있는 이러한 기능은 프로젝트 초기 단계에 투자한 시간과 리소스를 낭비하지 않고 프로젝트의 수명 주기 내내 동일한 도구와 기술을 사용할 수 있도록 보장합니다.

1. **CPU, GPU 및 TPU 확장성**

   코드 변경 없이, CPU(중앙 처리 장치), GPU(그래픽 처리 장치), 심지어 머신 러닝 워크로드를 가속화하는 데 특별히 사용할 수 있는 구글의 맞춤형 개발 애플리케이션별 집적 회로(ASIC)인 TPU(텐서 처리 장치)에서도 실행할 수 있습니다. GPU와 TPU는 일반적인 CPU보다 초당 훨씬 더 많은 계산을 수행할 수 있으므로 머신 러닝에서 흔히 사용되는 행렬 및 벡터 연산에 훨씬 더 효율적입니다. GPU와 TPU에서 모델을 훈련할 수 있기 때문에 텐서플로는 CPU만 사용할 때보다 훨씬 더 큰 데이터 세트와 더 복잡한 모델을 처리할 수 있습니다.

2. **분산 컴퓨팅**

   다양한 유형의 하드웨어에서 실행할 수 있을 뿐만 아니라 텐서플로는 분산 컴퓨팅도 지원합니다. 이를 통해 개발자는 여러 머신에서 동시에 모델을 훈련할 수 있습니다. 이는 매우 큰 데이터 세트나 특히 복잡한 모델을 처리하는 데 중요한 기능입니다.

   텐서플로의 분산 전략 API는 분산 컴퓨팅의 많은 세부 사항을 추상화하여 모델 학습을 더 쉽게 확장할 수 있게 해줍니다. 여러 GPU에서 동기식 트레이닝을 위한 `tf.distribute.MirroredStrategy`, TPU에서 트레이닝을 위한 `tf.distribute.experimental.TPUStrategy` 등 데이터 및 계산을 분산하기 위한 다양한 전략을 지원합니다.

3. **대규모 모델 배포**

모델이 학습되면 텐서플로는 대규모로 모델을 배포할 수 있는 도구도 제공합니다. 텐서플로 서빙(TensorFlow Serving)은 프로덕션 환경을 위해 설계된 머신 러닝 모델을 위한 유연한 고성능 서빙 시스템입니다. 텐서플로 모델과 바로 통합할 수 있지만 다른 유형의 모델을 제공하도록 확장할 수 있습니다.
특히 여러 모델을 서비스하고, 모델 버전 관리를 수행하고, 다양한 유형의 하드웨어에서 모델을 서비스할 수 있습니다. 매우 유연하고 확장 가능하며 대규모로 모델을 제공할 수 있도록 설계되어 프로덕션급 제품으로 전환이 가능합니다.

텐서플로의 핵심적인 기능인 확장성은 모든 규모와 다양한 복잡성을 지닌 머신 러닝 작업을 처리할 수 있습니다. 단일 CPU에서 간단한 모델을 실행하든 분산된 GPU 또는 TPU 네트워크에서 복잡한 모델을 훈련하든, 텐서플로는 작업 규모를 확장하는 데 필요한 도구와 유연성을 제공합니다. 이러한 확장성은 텐서플로의 휴대성 및 광범위한 기능과 결합되어 텐서플로를 머신 러닝을 위한 강력한 도구로 만들어줍니다.

유연성

텐서플로의 방대한 기능들 중 다른 한 핵심은 내재된 유연성입니다. 이러한 유연성 덕분에 간단한 선형 회귀부터 복잡한 신경망 아키텍처에 이르기까지 다양한 작업에 고유하게 적용할 수 있습니다. 모델 아키텍처 설계를 넘어 데이터 전처리부터 배포까지 모든 수준의 개발에 적용됩니다. 지속적으로 진화하는 머신 러닝 영역에서 획일성은 더 이상 통하지 않습니다. 문제의 복잡성과 가변성으로 인해 상황에 따라 고수준 API가 아닌, 저수준 API(low level API), 사용자 정의 층들도 변경할 수 있는 도구와 프레임워크가 필요해졌습니다. 바로 이 지점에서 텐서플로의 유연성이 중요한 특성으로 부각됩니다.

1. **사용자 정의 층**

텐서플로는 기본적으로 많은 표준 층을 제공하지만, 특정 문제에 따라 고유한 층이 필요한 경우가 있을 수 있습니다. 텐서플로의 저수준 API는 번거로움 없이 이러한 층을 제작할 수 있는 기능을 제공합니다.

2. **사용자 정의 손실 함수**

상황에 따라 표준 손실 함수를 사용해 모든 문제를 효과적으로 해결할 수 있는 것은 아닙니다. 맞춤형 손실 함수를 생성할 수 있는 도구를 제공함으로써 텐서플로는 자유도 높은 모델 설계를 할 수 있습니다.

3. **새로운 최적화 전략 구현**

경사 하강법 변형 함수들이 머신 러닝 환경을 지배하고 있지만, 특정 시나리오에서는 혁신적인 최적화 방법이 필요할 수 있습니다. 텐서플로는 이러한 방법을 원활하게 통합할 수 있도록 지원합니다.

4. **tf.data를 사용한 데이터 파이프라인**

머신 러닝에서는 데이터가 가장 중요합니다. 텐서플로의 tf.data API는 효율적인 데이터 파이프라인을 구축할 수 있는 강력한 유틸리티 세트를 제공합니다. 정형 데이터, 비정형 데이터, 심지어 시계열 및 NLP를 위한 시퀀스까지, tf.data는 모든 데이터를 처리할 수 있을 만큼 다용도로 사용할 수 있습니다.

초기 버전부터 지금까지, 텐서플로는 지속적으로 발전해왔으며, AI 발전에 있어 보조를 하기도, 주력으로 사용되기도 하였습니다. 사용자 친화적인 인터페이스나 심층적인 사용자 지정 옵션을 통해 텐서플로는 AI의 대중화를 위해 노력하고 있으며, 누구나 어디서나 머신 러닝의 힘을 활용할 수 있도록 보장합니다.

텐서플로는 도구로써도 강력하지만, 그 잠재력을 진정으로 발휘하는 것은 이론을 바탕으로 한 창의력, 호기심이라는 점을 기억하기 바랍니다. 프레임워크, API, 전략은 도구일 뿐이며, 그 도구가 만들어내는 교향곡은 전적으로 여러분의 몫입니다.

이제 이미지 처리와 컴퓨터 비전의 매혹적인 영역에 대해 더 깊이 알아볼 준비가 되었습니다. 여기서 얻은 인사이트와 지식은 앞으로 이어질 장들에서 중요한 역할을 할 것이므로 잘 기억해두기 바랍니다.

2장

이미지 처리 기초

2.1 이미지란?

2.2 이미지 처리 기법

이미지 처리의 핵심을 살펴보는 여정을 시작하는 장입니다. 이미지 처리의 핵심은 이미지를 조작하고 분석하여 정보를 수집하고, 기능을 향상시키거나, 다양한 애플리케이션에 맞게 이미지를 변환하는 것입니다. 이미지 처리에 신기한 기술들이 다양하게 있지만, 핵심은 기본 원리에 있습니다. 이 장에서는 가장 기본적이면서도 기초적인 개념부터 시작하여 이 매혹적인 영역의 층을 벗겨보려고 합니다.

이미지 처리의 복잡한 태피스트리(tapestry)는 수학, 예술, 과학, 기술의 실타래로 짜여 있습니다. 여기에서는 이미지 처리를 지원하는 도구와 기술을 알아볼 뿐만 아니라 디스플레이, 자동차, 엔터테인먼트, 소셜 미디어 등 다양한 분야에 미치는 광범위한 컴퓨터 비전에 대해서도 알아보겠습니다.

2.1 이미지란?

아침에 일어나 휴대폰을 확인하는 순간부터 밤에 전자책을 읽거나 동영상을 시청하는 마지막 순간까지 우리는 매일 이미지를 접합니다. 하지만 무엇이 이미지를 구성하는 요소인지 잠시 멈춰 생각해본 적 있나요? 이번 절에서는 직접 이미지를 해체해보겠습니다. 색상의 배열을 넘어 기본 구조를 살펴보고 디지털 표현이 어떻게 우리가 보는 것에 생명을 불어넣는지 살펴볼 것입니다. 또한 이미지의 다양한 관점을 제공하는 다양한 색상 공간에 대해 알아보고, 각각 고유한 시각과 수학의 조화를 살펴볼 것입니다.

2.1.1 디지털 이미지의 구조

디지털 이미지의 구조는 퍼즐 조각처럼 서로 맞물리는 픽셀들의 집합체로, 각 픽셀은 색상과 밝기의 미세한 차이를 통해 전체 이미지에 명확함과 섬세함을 부여합니다.

픽셀

모든 디지털 이미지의 핵심은 **픽셀**이라는 작은 사각형의 모자이크입니다. 픽셀은 그림(picture)과 요소(element)의 합성어입니다. 이것은 우리가 모니터 화면을 자세히 보면 보이는 가장 작은 요소

이자 이미지를 확대하면 나오는 아주 작은 단일 점입니다. 이미지를 크게 확대하면 이 작은 사각형으로 이미지가 구성되어 있음을 알 수 있습니다.

단일 픽셀 값은 흑백 이미지에서 밝기를 나타내는 숫자입니다. 컬러 이미지에서 픽셀은 빨강, 녹색, 파랑 등 서로 다른 색상 채널을 나타내는 여러 픽셀 값을 가질 수 있습니다. 컬러 이미지에 대한 내용은 2.1.2절에서 자세히 다룰 예정입니다.

해상도

디지털 이미지의 '해상도'는 이미지가 보유하고 있는 픽셀의 양을 나타냅니다. 예를 들어 해상도는 1920×1080과 같은 형식으로 쓰며, 이는 이미지가 1920픽셀 너비와 1080픽셀 높이를 가지고 있다는 것을 의미합니다.

▼ 그림 2-1 이미지 해상도 예시

전체 픽셀 수는 이미지의 디테일 양을 결정하는 주요 요소로 간주됩니다. 디지털 이미징 초기에는 해상도가 큰 제약 사항이었습니다. 초기 디지털 카메라와 스캐너는 640×480 픽셀로 이미지를 생성했습니다. 시간이 지남에 따라 디지털 이미지의 해상도는 지금 우리가 익숙한 멀티메가픽셀 이미지로 이어지는 성장을 보였습니다.

이미지 해상도에 영향을 주는 요소들은 다음과 같습니다.

- **카메라의 센서 사이즈**: 디지털 카메라로 촬영한 이미지의 해상도는 주로 카메라의 센서 사이즈에 의해 결정됩니다. 큰 센서는 더 많은 픽셀을 수용할 수 있어, 더 높은 해상도의 이미지를 생성할 수 있습니다.

- **스캐너의 정밀도**: 물리적 미디어를 디지털화할 때, 해상도는 사용된 스캐너의 정밀도와 품질에 의해 결정됩니다.

해상도 및 영상 규격을 지칭하는 용어들은 다음과 같습니다.

- **WVGA**: 800×480 픽셀로, 과거 동영상 표준 규격이며 초창기 핸드폰에서 사용하던 규격입니다.
- **HD**: High Definition의 약자로 고화질이라는 의미를 포함합니다. 1280×720 픽셀을 사용하며, 세로 픽셀 개수에 따라 영상에서는 720p로 표현하기도 합니다.
- **FHD**: Full HD의 약자로 1920×1080의 픽셀을 사용합니다. 영상에서는 1080p로 표현하기도 합니다.
- **QHD**: Quad HD의 약자로 2560×1440 픽셀입니다. 영상에는 1440p로 표현합니다.
- **4K와 UHD**: UHD는 디스플레이 브랜드마다 Ultra HD, Ultra High Definition 등 다른 용어로 표기합니다. 4K는 가로 픽셀이 4000 이상을 뜻하지만 이보다 덜하거나 더 사용한 경우에도 4K라고 표현하며 보통 4K UHD를 같이 사용합니다.

픽셀 밀도

픽셀 밀도는 디스플레이의 픽셀이 얼마나 촘촘하게 배열되어 있는지를 나타내는 척도입니다. 일반적으로 인치당 픽셀 수(PPI, Pixel Per Inch), 때로는 센티미터당 픽셀 수로 측정됩니다. PPI가 높을수록 주어진 공간에 더 많은 픽셀이 채워져 있습니다. 해상도가 높은 이미지를 보더라도 PPI가 낮다면 이미지가 울퉁불퉁하게 보입니다 반대로 픽셀 밀도가 높을수록 개별 픽셀의 사이즈가 작아져 육안으로 구분하기 어렵습니다. 그 결과 이미지가 더 부드러워지고 텍스트와 그래픽이 더 선명해집니다. 예를 들어 높은 PPI 디스플레이에서 텍스트를 읽을 때 글자 가장자리가 더 매끄럽고 픽셀화가 덜 된 것처럼 보입니다.

▼ 그림 2-2 이미지 깨짐 예시

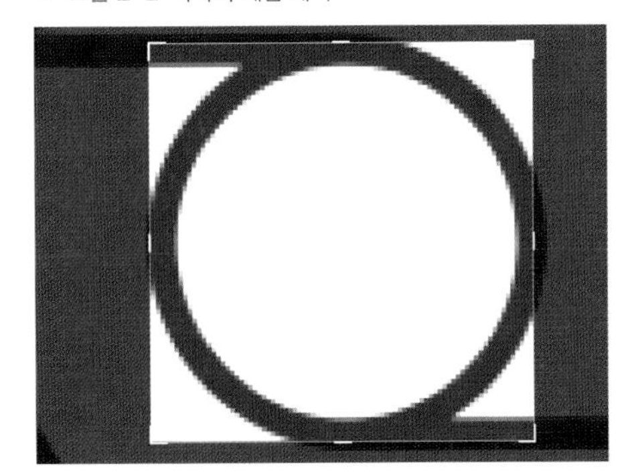

픽셀 밀도는 디스플레이 기술의 발전과 함께 계속해서 중요해지고 있습니다. 초기의 컴퓨터 모니터나 텔레비전은 지금의 디스플레이에 비해 상대적으로 낮은 PPI를 가지고 있었습니다. 그러나 기술의 발전과 함께, 특히 모바일 기기와 고해상도 모니터의 등장으로 PPI는 크게 증가하였습니다. 이러한 발전은 이미지와 텍스트의 선명도를 크게 향상시켰습니다.

픽셀 밀도는 사용자 경험에도 큰 영향을 미칩니다. 높은 PPI를 가진 디스플레이는 이미지와 텍스트를 더 선명하게 표시하므로, 사용자는 더 풍부하고 현실적인 경험을 얻을 수 있습니다. 이는 특히 VR 및 AR과 같은 현실 증강 기술에서 중요합니다. 높은 PPI는 이러한 기술을 통해 제공되는 경험의 질을 크게 향상시킵니다. 또한 디스플레이의 에너지 효율성과 밝기에도 영향을 미칩니다. 일반적으로 PPI가 높은 디스플레이는 더 많은 에너지를 소비할 수 있습니다. 그러나 최신 디스플레이 기술은 높은 PPI를 유지하면서도 에너지 효율성을 개선하고 있습니다.

서브 픽셀

이미지 디지털 디스플레이 영역에서 서브 픽셀은 단순한 이미지 처리보다 더 복잡한 역할을 합니다. 서브 픽셀은 본질적으로 화면의 픽셀을 구성하는 작은 컬러 요소입니다. 디스플레이는 이러한 RGB 서브 픽셀에서 방출되는 빛의 강도를 조작해서 우리가 보는 색상의 스펙트럼을 재현할 수 있습니다. 강렬한 빨간색부터 차분한 파란색까지 화면의 각 색상은 이러한 미세한 RGB 요소들이 조화롭게 작동하여 생동감을 더합니다.

더 밝고 에너지 효율적인 디스플레이를 추구하면서 RGBW(white)라고 하는 흰색 서브 픽셀이 추가로 통합되었습니다. 흰색 서브 픽셀을 사용하면 디스플레이는 RGB 서브 픽셀을 완전히 활성화하지 않고도 흰색을 표현할 수 있으므로 에너지를 절약할 수 있습니다.

픽셀과 서브 픽셀을 이해하면 이미지가 어떻게 형성되고 표시되는지 명확하게 알 수 있지만, 디지털 이미지의 중요한 특징 중 하나는 이러한 이미지가 저장되고 공유되는 방식도 마찬가지로 중요하다는 점에 주목할 필요가 있습니다. 결국 기존 RGB로 구성된 이미지든, 고급 RGBW 픽셀로 구성된 이미지든, 모든 이미지는 저장하고 전송하거나 불러와야 합니다. 그리고 이는 디지털 이미징의 필수 요소인 압축으로 이어집니다.

무손실 압축과 손실 압축

서로 연결된 디지털 세상에서 방대한 양의 데이터를 효율적으로 저장하고 전송하는 능력은 매우 중요합니다. 특히 고화질 이미지를 표준으로 사용하는 현대 시대에서 이미지 압축은 매우 중요합니다. 이미지 압축의 중요성은 단순한 저장과 전송을 넘어 컴퓨터 비전 모델의 효율성 및 효과와도 밀접한 관련이 있습니다.

1. **효율적인 훈련**

   압축된 이미지는 모델 훈련 시 I/O 오버헤드를 줄여주므로 특히 데이터 세트가 방대한 경우 프로세스 속도가 빨라집니다.

2. **전송 시간 감소**

   자율 주행이나 원격 수술과 같은 실시간 애플리케이션에서는 시각 데이터 전송 지연 시간이 매우 중요할 수 있습니다. 압축된 이미지는 더 빠른 전송을 보장하며, AI와 결합하면 더 빠른 의사 결정 프로세스를 촉진할 수 있습니다.

3. **컴퓨터 비전 모델 성능 향상**

   압축 이미지로 AI 모델을 훈련하면 때때로 더 강력한 모델을 만들 수 있습니다. 압축으로 인한 미세한 왜곡은 일종의 데이터 증강으로 작용하여 약간 품질이 저하된 이미지에서도 모델이 패턴을 인식하도록 학습시킬 수 있습니다.

이미지 데이터는 손실 압축 방법과 무손실 압축 방법 두 가지가 있습니다 먼저 무손실 압축부터 알아보겠습니다.

무손실 압축

무손실 압축은 이름에서 알 수 있듯이 정보의 손실 없이 데이터 사이즈를 줄이는 것을 말합니다. 압축이 풀리면 데이터는 원본과 동일한 원래 상태로 돌아갑니다. 이러한 원본 정보 보존은 압축 과정에서 일부 데이터가 손실되는 손실 압축과 무손실 압축을 구분합니다.

1. PNG

   휴대용 네트워크 그래픽(Portable Network Graphics)의 약자인 PNG 형식은 웹 그래픽과 이미지 무결성이 가장 중요한 모든 애플리케이션에 선호되는 형식입니다. 다른 포맷에 비해 PNG의 근본적인 장점은 무손실 압축을 사용한다는 점입니다. PNG의 핵심 속성은 다음과 같습니다.

   - **비트 심도**: PNG는 1비트(이진 이미지)에서 16비트(광범위한 색상 또는 그레이 스케일 제공)에 이르는 다양한 비트 심도를 지원합니다.
   - **색상 유형**: 그레이 스케일, RGB, 인덱스 컬러, 알파(투명도)가 있는 그레이 스케일, 알파가 있는 RGB가 포함됩니다. 이러한 옵션을 사용하면 간단한 아이콘이나 고품질 사진 등 다양한 용도로 PNG를 사용할 수 있습니다.
   - **투명도**: PNG의 대표적인 기능은 알파 채널 투명도를 지원하여 이진 투명/불투명뿐만 아니라 미묘한 투명도 수준을 설정할 수 있다는 점입니다.

PNG 이미지는 대표적으로 **디플레이트**(deflate) 알고리즘을 사용합니다. 디플레이트는 LZ(렘펠-지브)77과 허프만 코딩 알고리즘을 사용합니다.

❶ LZ77

LZ77의 핵심은 데이터에서 반복되는 시퀀스를 찾는 것입니다. 반복되는 시퀀스를 찾으면 반복된 부분을 이전 인스턴스에 대한 참조로 대체합니다. 이 참조에는 이전 시퀀스와의 거리와 반복되는 바이트 수를 나타내는 길이라는 두 가지 값이 포함됩니다. 이미지에 파란색 픽셀의 긴 가로줄이 있는 경우, 각 픽셀 값을 저장하는 대신 LZ77은 값을 한 번 저장한 다음, 후속 반복에 참조를 사용합니다.

❷ 허프만 코딩

허프만 코딩은 엔트로피 기반 코딩 시스템입니다. 이 코딩 시스템은 값(이 경우 픽셀 값 또는 LZ77 참조)의 빈도를 분석하여 빈도가 높은 값에 더 짧은 코드를 할당합니다. LZ77이 반복되는 시퀀스를 참조하여 사이즈를 줄인 후, 허프만 코딩은 더 나아가 일반적인 시퀀스를 더 짧은 코드로 표현합니다.

정리하자면 LZ77로 데이터의 반복 시퀀스를 효과적으로 축소한 뒤, 허프만 코딩이 그 뒤를 이어 빈도가 높은 패턴을 짧은 코드로 변환함으로써, 이미지 파일의 압축률을 극대화합니다 이런 프로세스를 통해 이미지 데이터를 최대한 효율적으로 압축할 수 있습니다.

손실 압축

이름에서 알 수 있듯이 손실 압축은 압축 과정에서 원본 데이터가 일부 손실되는 압축입니다. 원본 정보의 모든 비트를 보존하는 대신 시각의 한계를 활용하여 감각으로 인지하기 어려운 특정 데이터를 제거합니다. 이를 통해 무손실 방식에 비해 훨씬 더 높은 압축률을 달성할 수 있습니다. 특히 이미지, 비디오, 오디오와 같은 미디어에서 유용한 압축 방식입니다.

1. JPEG

JPEG(Joint Photographic Experts Group) 포맷은 손실 압축의 가장 유명한 확장자입니다. JPEG를 기준으로 손실 압축을 설명하겠습니다.
JPEG는 주로 정지 이미지, 특히 사진을 압축하기 위해 설계되었습니다. 선 그림이나 글자처럼 가장자리가 날카롭고 대비가 있는 이미지에는 아티팩트(artifact)가 생성되기 때문에 적합하지 않습니다.

▼ 그림 2-3 이미지 아티팩트 예시

이 형식은 변환, 양자화 및 엔트로피 코딩의 조합을 사용합니다.

❶ RGB에서 YCbCr로 변환: 서브 샘플링

RGB 형식의 이미지가 먼저 YCbCr 색상 공간으로 변환됩니다. 여기서 Y는 휘도(밝기)를 나타내고, Cb와 Cr은 색차(색상)를 나타냅니다.

사람의 시각은 색상보다 빛에 더 민감합니다. 따라서 눈에 띄는 이미지 품질의 손실 없이 색상을 더 많이 압축할 수 있습니다.

❷ 양자화

그런 다음 복잡하고 어려운 픽셀의 패턴은 인간의 시각으로 모두 확인하기 어렵기 때문에 이를 단순화하게 됩니다. 이를 양자화(quantization)라고 하며 이 단계에서는 '손실' 압축으로 인한 손실이 발생합니다. 디테일을 얼마나 유지하거나 제거할지 선택할 수 있습니다. 많이 제거하면 이미지 파일은 작아지지만 약간 이상하게 보일 수 있습니다. 조금만 제거하면 이미지가 더 좋아 보이지만 파일 용량이 커집니다.

▼ 그림 2-4 양자화 예시

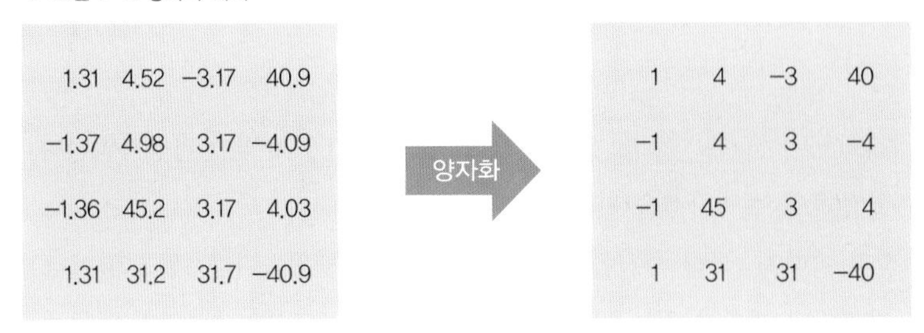

❸ 엔트로피 코딩

이미지 세부 정보를 단순화한 후에는 허프만 코딩과 같은 방법을 사용하여 나머지 세부 정보를 효율적으로 저장합니다. 또한 양자화된 계수는 실행 길이로 인코딩되고 허프만 코딩을 사용하여 추가로 압축됩니다.

손실 압축은 약간의 디테일 손실이 육안으로 바로 감지할 수 없는 사진에 매우 효과적입니다. 그러나 압축 정도를 조절할 수 있으므로 압축률이 높을수록 파일 사이즈는 작아지지만 아티팩트도 더 뚜렷해집니다. 원하는 파일 사이즈를 달성하면서 이미지 정보를 유지하는 균형을 찾는 것이 중요합니다.

이미지를 편집하여 JPEG로 저장할 때마다 손실 압축이 다시 적용되므로 편집을 계속할수록 품질이 저하될 수 있습니다. 이러한 이유로 컴퓨터 비전 연구자들은 전처리 및 모델링 과정에서 무손실 형식인 PNG로 작업하고 최종 결과물을 배포하기 위해 JPEG로 저장하는 경우가 많습니다.

2.1.2 색 공간 이해하기

이미지 구조와 압축의 기본을 이해했으니 이제 더 디테일한 색 공간에 대해 알아볼 차례입니다. 우리 주변에서 볼 수 있는 수많은 색상은 어떻게 표현할까요? 다양한 포맷과 디바이스는 색상을 어떻게 해석하고 표시할까요? 이번에는 그레이 스케일에서 CMYK에 이르기까지 이러한 색 공간이 이미지 표현, 처리 및 인식에서 어떻게 중추적인 역할을 하는지 살펴볼 것입니다.

색 공간

픽셀은 이미지의 가장 작은 구성 요소로, 밝기와 색에 대한 정보를 가지고 있습니다. 그렇다면 이 색 정보는 어떻게 저장되고 처리가 될까요? 바로 여기서 색 공간의 역할이 시작됩니다.

그레이 스케일

그레이 스케일의 개념은 복잡한 스펙트럼 분포보다는 빛의 강도에 초점을 맞춥니다. 세상에 존재하는 생생한 색조를 포착하지는 못하지만, 색상을 구별하는 것보다는 명암과 구조적 세부 사항을 강조하는 응용 분야에서 여전히 기본적인 표현 방법으로 사용됩니다. 그레이 스케일의 계보는 이미지를 흑백의 음영으로 표현하던 사진의 초기 시대로 거슬러 올라갑니다. 1830년대 최초의 사진술, 즉 다게레오타입은 은판에 이미지를 캡처하는 프로세스를 사용하여 정교한 디테일의 흑백 이미지를 만들어냈습니다.

▼ 그림 2-5 다게레오 사진기

현재 그레이 스케일 사진들은 그 자체로 하나의 예술 형식이 되었고, 안셀 애덤스(Ansel Adams)와 같은 사진가들은 컬러가 아닌 빛과 그림자를 통해 이야기를 전달하는 상징적인 이미지를 만들기 위해 그레이 스케일을 사용했습니다.

▼ 그림 2-6 그레이 스케일

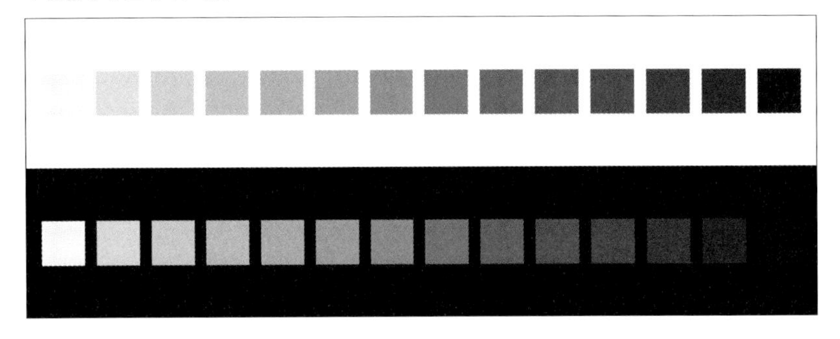

디지털 이미지 처리에서 그레이 스케일은 각 픽셀에 다양한 색상 스펙트럼이 없습니다. 대신 밝기를 나타내는 값이 주어지며, 0은 빛이 없는 상태(검은색)를 나타내고 255는 최대 밝기(흰색)를 나타냅니다. 이러한 단순성 덕분에 많은 계산 시나리오에서 저장 공간을 줄이고 처리 속도를 높일 수 있습니다. 또한 가장자리 감지나 텍스처 분석과 같은 특정 이미지 처리 작업의 경우 색상이 방해가 될 수 있으므로 그레이 스케일이 더 적합합니다.

RGB

빛의 세계에는 특정한 세 가지 기본 색상이 있습니다. 바로 빨강(Red), 초록(Green), 파랑(Blue)입니다. RGB라는 이름은 바로 이 세 가지 색상의 첫 글자를 따서 명명된 것입니다. 이 세 가지 색상은 우리가 일상에서 눈으로 보는 거의 모든 색을 표현해낼 수 있는 기본이 됩니다.

디지털 세계에서 이 세 가지 색상은 **채널**이라는 이름으로 표현됩니다. 채널은 각 색상의 정보를 독립적으로 담고 있는 정보의 통로, 또는 저장 공간이라고 생각하면 됩니다. 따라서 RGB 이미지에서는 빨간색의 정보를 담고 있는 빨간색 채널(Red channel), 초록색의 정보를 담고 있는 초록색 채널(Green channel), 파란색의 정보를 담고 있는 파란색 채널(Blue channel)로 구성됩니다.

디지털 세계, 특히 디지털 화면과 카메라 내부에서, 이 RGB 색 공간은 매우 중요한 역할을 합니다. 모니터나 텔레비전 화면에서는 수많은 작은 픽셀들이 이루어져 있고, 각각의 픽셀은 빨강, 초록, 파랑 빛의 조합으로 원하는 색상을 표현합니다.

예를 들어 RGB에서 어떤 픽셀이 빨간색 채널의 정보에 따라 빨간빛을 최대 강도로 발하고, 초록색과 파란색 채널에서는 빛을 발하지 않으면 그 픽셀은 빨간색으로 보이게 됩니다.

▼ 그림 2-7 RGB, CMYK

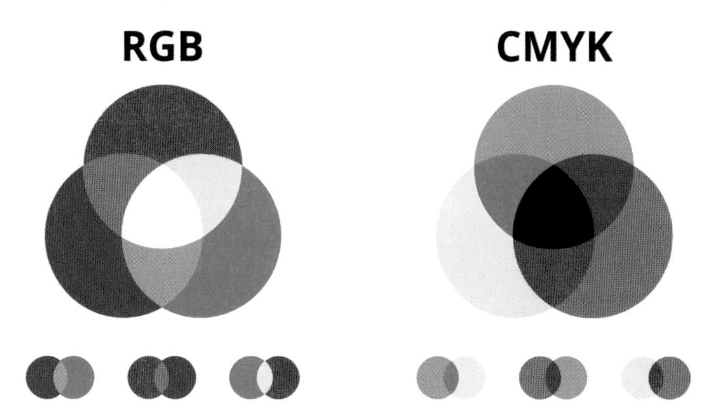

CMYK

전자 화면의 발광과는 달리 인쇄물에는 색 표현에 대한 다른 접근 방식이 필요하며, 바로 이 점에서 CMYK가 중요한 역할을 합니다. 인쇄 산업에서 시작된 CMYK는 빛을 빼는 원리로 작동합니다. 청록색, 자홍색, 노란색 잉크는 종이에서 반사된 흰빛에서 색을 빼는 데 사용되며, 이를 결합하면 다양한 색상을 표현할 수 있습니다. 그러나 잉크의 불완전성으로 인해 이들을 조합해도 완벽한 검은색이 나오지 않는 경우가 많으므로 키(검정) 잉크가 포함됩니다.

HSV

▼ 그림 2-8 HSV

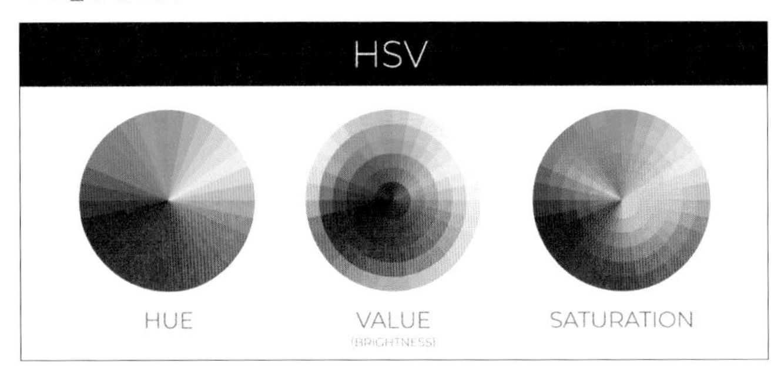

인간의 지각에서 파생된 HSV 모델은 우리가 자연스럽게 색을 묘사하는 방식과 더욱 일치하도록 설계되었습니다. 사람들은 색을 떠올릴 때 빨간색의 불 같은 느낌이나 파란색의 차분함 등 특정 음영이나 색조를 떠올리는 경우가 많습니다. HSV 공간은 색상 경험을 세 가지 요소로 나누어 이러한 뉘앙스를 포착합니다.

- **Hue(색조)**: 우리가 보고 있는 색의 유형 또는 품질을 나타냅니다. 빨강, 파랑, 초록과 같은 색의 기본 본질을 나타냅니다.
- **Saturation(채도)**: 색조의 강도 또는 선명도를 설명합니다. 채도가 높은 색상은 풍부하고 충만해 보이며, 채도가 낮은 색상은 색이 바랜 것처럼 보이거나 흐릿해 보입니다.
- **Value(값, 밝기)**: 색상의 밝기 또는 어두움을 알려줍니다. 값이 높으면 색상이 밝고 생생하게 보이고 값이 낮으면 어둡거나 칙칙하게 보입니다.

특정 감정이나 반응을 불러일으키려는 그래픽 디자인 및 아트에서 HSV 모델을 이해하면 특히 유용할 수 있습니다. 예를 들어 채도를 조정하면 장면의 생동감이나 차분한 느낌을 결정할 수 있습니다.

비트

컴퓨팅 세계에서 '비트'는 데이터의 가장 기본적인 단위입니다. 비트는 0 또는 1, 두 가지 값 중 하나를 가질 수 있습니다. 텍스트, 오디오, 비디오, 이미지 등 모든 디지털 정보는 그 핵심이 비트의 연속으로 표현됩니다. 비트는 이진수라고 부르기도 합니다.

디지털 이미지의 비트 심도

'비트 심도'는 이미지의 각 픽셀에 대한 컬러 또는 그레이 스케일 정보를 표현하는 데 사용되는 비트 수를 나타냅니다.

- **1비트**: 두 가지 가능한 값(0 과 1)을 제공합니다. 그레이 스케일 이미지에서 회색 음영이 없는 흑백 이미지입니다.

▼ 그림 2-9 이미지 1비트 예시

- **8비트**: 0(검정)부터 255(흰색)까지 256개로 표현 가능한 값입니다. 이를 통해 부드러운 그라데이션과 그레이 스케일 스펙트럼을 세밀하게 표현할 수 있습니다.

▼ 그림 2-10 이미지 8비트 예시

- **16비트**: 0부터 65,535까지 표현 가능하며, 이는 더욱 부드러운 색을 표현하여 의료 영상과 같이 미묘한 음영 차이가 중요한 전문 환경에서 사용됩니다.

▼ 그림 2-11 이미지 16비트 예시

- **24비트(채널당 8비트)**: 256×256×256 = 16,777,216개의 가능한 값입니다. 이를 '트루 컬러'라고도 하며 대부분의 애플리케이션에 적합한 방대한 색상을 표현할 수 있습니다.
- **48비트(채널당 16비트)**: 좀 더 광범위한 색상 값을 제공하여 디지털 아트 및 고화질 사진 등 정확한 색상 표현이 중요한 전문 애플리케이션에 유용합니다.

비트 심도의 중요성

- **이미지 품질**: 비트 심도가 높을수록 그라데이션이 더 부드러워져 밴딩 아티팩트가 줄어듭니다.
- **파일 사이즈**: 비트 심도가 높을수록 픽셀당 더 많은 데이터를 저장할 수 있으므로 파일 사이즈가 커집니다.
- **편집의 유연성**: 특히 컬러 이미지에서 비트 심도가 높을수록 이미지 품질 저하 없이 편집할 수 있는 공간이 더 넓어집니다. 예를 들어 더 높은 비트 심도를 사용하는 RAW 포맷으로 촬영하는 사진작가는 포스트 프로덕션에서 노출이나 컬러 밸런스를 좀 더 효과적으로 조정할 수 있습니다.
- **특수 이미징**: 천체 사진이나 의료 영상과 같은 특정 애플리케이션에서는 디테일 손실 없이 필요한 모든 데이터를 캡처하기 위해 특정 비트 심도가 필요할 수 있습니다.

비트 심도는 디지털 이미징에서 중요한 개념입니다. 비트 심도는 색상이나 그레이 스케일 음영을 표현하고 구분할 수 있는 정밀도를 결정합니다. 웹 브라우저나 일반 사진 촬영과 같은 일상적인 애플리케이션에서는 표준 비트 심도를 고수하는 경우가 많지만, 전문 이미징 분야에서는 최대한 정확하고 세밀하게 디지털로 표현하기 위해 더 높은 비트 심도를 지속적으로 요구하고 있습니다.

2.1.3 이미지에서의 텐서 이해하기

머신 러닝의 맥락에서 텐서는 벡터와 행렬을 더 높은 차원으로 일반화하는 다차원 배열입니다. 즉, 1차원의 배열도 텐서가 될 수 있고, 수십 차원의 배열도 텐서가 될 수 있습니다. 텐서플로에서 이미지로 작업할 때는 텐서의 특성과 구조를 이해하는 것이 필수입니다. 이 절에서는 텐서가 이미지를 표현하고, 다양한 이미지 형식을 조작하며, 이미지 처리에서 어떤 중요한 역할을 하는지 살펴봅니다.

텐서의 이미지 표현

이미지는 픽셀 값의 배열로 자연스럽게 표현됩니다. 그레이 스케일 이미지는 2차원 배열로 볼 수 있으며, 텐서의 원소들의 각 값은 픽셀 강도에 해당합니다. 일반적으로 RGB 형식으로 표현되는 컬러 이미지는 3차원 배열로 생각할 수 있습니다. 여기서 수치는 이미지의 높이, 너비 및 색상 채널에 해당합니다.

예를 들어, 텐서플로에서는 다음의 배열이 텐서가 됩니다.

- 256×256 사이즈의 그레이 스케일 이미지는 (256, 256) 모양(shape)의 텐서가 됩니다.
- 256×256 사이즈의 RGB 컬러 이미지는 (256, 256, 3) 모양의 텐서가 됩니다.
- 이미지 배치로 작업할 때나 영상의 경우 종종 4차원 텐서를 사용하는데, 여기서 첫 번째 차원은 배치에 포함된 이미지 수를 나타냅니다.
- 100개 이미지 배치의 256×256 사이즈의 컬러 이미지는 (100, 256, 256, 3) 모양의 텐서가 됩니다.

이 내용을 바탕으로 이제 코드를 작성하고 시각화하여 좀 더 깊게 살펴보겠습니다. 텐서플로에서는 이미지의 다운로드, 불러오기, 디코딩, 이미지 편집 등 다양한 이미지 전처리 기능을 제공합니다.

이미지 다운로드

다음 코드를 통해 다운로드하려는 이미지의 URL을 기입합니다. URL은 이미지 파일을 직접 가리켜야 합니다. 다음 코드의 경로는 웹 사이트에 호스팅되고 있는 JPEG 파일입니다.

```
url = 'https://cobslab.com/wp-content/uploads/2022/02/ai-009-1.jpg'
```

그리고 텐서플로의 `tf.keras.utils.get_file` 함수를 사용하여 지정된 URL에서 이미지를 다운로드합니다.

```
import tensorflow as tf
image_path = tf.keras.utils.get_file('/content/image.jpg', origin=url)
```

마지막 줄의 첫 번째 인수인 /content/image.jpg는 다운로드한 파일에 부여할 이름입니다. 이 이름은 로컬 시스템에 파일을 저장하는 데 사용됩니다. 두 번째 인수 origin=url은 파일의 소스 URL을 지정합니다. origin 매개변수는 웹에서 파일을 찾을 수 있는 위치를 함수에 알려줍니다.

get_file 함수는 웹에서 파일을 다운로드하여 로컬 파일 시스템에 저장하는 작업을 처리합니다. 이 함수는 변수에 저장된 파일의 전체 로컬 경로를 반환하며, 이는 image_path에 저장됩니다. 이렇게 하면 웹에서 작업 환경으로 직접 이미지를 쉽게 다운로드할 수 있습니다. 이 기능은 온라인 이미지 데이터 세트를 작업할 때 특히 유용하며, 수동 다운로드 없이 이미지를 가져와서 사용할 수 있습니다.

이미지 불러오기

텐서플로의 tf.io.read_file 함수를 사용하여 지정된 경로 image_path에서 이미지 파일의 내용을 읽어옵니다. 이 경로는 get_file 함수로 이미지를 다운로드할 때 얻은 경로입니다.

```
image = tf.io.read_file(image_path)
```

```
image = tf.io.read_file(image_path)
image

<tf.Tensor: shape=(), dtype=string,
numpy=b'\xff\xd8\xff\xe0\x00\x10JFIF\x00\x01\x01\x00\x00\x01\x00\x01\x00\x00\xff\xdb\x00\x84\x00\x06\x04\x04\x04\x05\x04\x06\x05\x05\x06\t\x06\x05\x06\t\x0b
```

파일의 내용은 이미지 변수에 원시 바이너리 문자열(raw binary string)[1]로 저장됩니다. 원시 바이너리 문자열은 해석이나 변환 없이 파일의 정확한 내용을 나타내는 바이트 시퀀스입니다.

다음으로 텐서플로의 tf.image.decode_jpeg 함수를 사용하여 원시 바이너리 문자열을 숫자 텐서로 디코딩합니다. 다음 코드에서 channels=3 인수는 컬러 이미지의 빨강, 녹색, 파랑(RGB) 채널에 해당하는 3채널 형식으로 이미지를 디코딩할 것을 지정합니다. 디코딩된 이미지는 높이, 너비, 색상 채널을 나타내는 3D 텐서로 이미지 변수에 저장됩니다.

---

1 원시 바이너리 문자열이란 데이터가 디스크에 표시되는 가장 기본적이고 처리되지 않은 형태라는 뜻입니다.

```
image = tf.image.decode_jpeg(image, channels=3)
image
```

```
<tf.Tensor: shape=(952, 1048, 3), dtype=uint8, numpy=
array([[[ 1, 10, 39],
        [ 1, 10, 39],
        [ 1, 10, 39],
        …(중략)…
        [ 1, 10, 39],
        [ 1, 10, 39],
        [ 1, 10, 39]]], dtype=uint8)>
```


텐서플로에서는 이미지의 텐서 표현에 대한 자세한 정보를 제공합니다. 출력 결과의 각 부분이 무엇을 의미하는지 자세히 살펴보겠습니다.

❶ tf.Tensor: 출력물이 데이터를 캡슐화하는 데 사용되는 텐서플로의 핵심 데이터 구조인 텐서 객체임을 나타냅니다.

❷ shape=(952, 1048, 3): 텐서의 사이즈를 알려줍니다 높이 952, 너비 1048을 의미하며 3은 색상 채널의 개수로, 빨강, 녹색, 파랑(RGB) 채널에 해당합니다.

❸ dtype=uint8: dtype은 텐서 내 요소의 데이터 유형을 나타냅니다. uint8은 값이 0에서 255 사이의 8비트 부호 없는 정수로 표시됨을 의미합니다. 이는 이미지에서 픽셀 강도를 표현하는 일반적인 방법으로, 0은 강도가 없고 255는 각 색상 채널의 최대 강도에 해당합니다.

❹ numpy=array([[[[1, 10, 39], [1, 10, 39], [1, 10, 39], ...,]]): 이미지의 실제 픽셀 값을 나타냅니다 각 [1, 10, 39]는 이미지의 단일 픽셀에 해당합니다. 줄임표(...)는 전체 배열을 인쇄하면 대부분의 화면에서 너무 커지므로 전체 배열의 일부만 표시됨을 나타냅니다.

그러고 나면 다음처럼 Matplotlib 라이브러리를 임포트하고 plt.imshow 함수를 사용하여 이미지를 표시합니다.

```
import matplotlib.pyplot as plt

plt.imshow(image)
plt.axis('off')
plt.show()
```

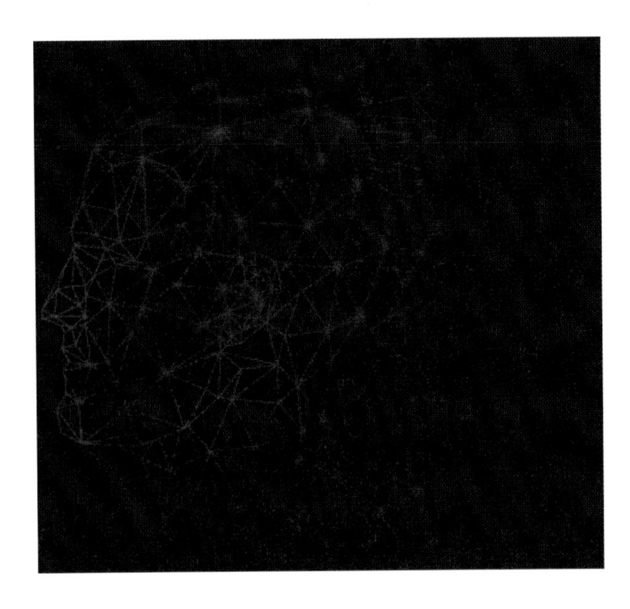

plt.imshow 함수는 이미지 텐서를 가져와 렌더링을 처리하여 이미지 뷰어에서 볼 수 있는 것처럼 이미지를 표시합니다. 코딩 환경 내에서 이미지 데이터를 쉽게 처리하고 조작하는 방법을 보여주므로 이미지 처리 및 컴퓨터 비전 워크플로의 필수적인 부분입니다.

다음은 함께 알아두면 좋을 함수들입니다.

- **이미지를 텐서로 로드하기**: tf.keras.preprocessing.image를 사용하여 이미지 파일을 텐서 데이터로 쉽게 변환할 수 있습니다.
- **이미지 디코딩**: tf.image.decode_jpeg를 포함한 함수들로 JPEG, PNG 등 다양한 이미지 형식을 숫자 텐서로 디코딩합니다.
- **이미지 변환**: 텐서플로는 tf.image.resize(사이즈 조정), tf.image.flip_left_right(뒤집기) 등과 같은 표준 이미지 변환을 위한 다양한 함수를 제공합니다.

다양한 색 공간으로 작업하기

색 공간의 선택은 컴퓨터 비전 작업의 성능과 정확성에 많은 영향을 줄 수 있습니다. 각 색 공간의 장단점을 이해하는 것이 중요하며, 텐서플로에서는 이러한 변환과 조작을 쉽게 할 수 있는 다양한 도구를 제공합니다.

디지털 영역에서는 주로 RGB로 이미지를 표시하지만, 이미지 처리에서 HSV 및 그레이 스케일과 같은 다른 색 공간으로 변경하여 처리하기도 합니다. 때로는 계산의 효율성을 높이기 위해 그레이 스케일로 이미지를 변경하기도 하고요. 또한 채널이 하나뿐인 그레이 스케일 이미지는 채널이 3개인 RGB보다 계산 효율이 더 좋으며, 색상을 제거하여 모양과 구조를 탐지하는 게 더 중요할 경우 그레이 스케일로 표현하는 것이 더 좋은 성능을 낼 수 있습니다.

tf.random.uniform

tf.random.uniform을 사용하여 랜덤한 값을 가진 텐서를 생성할 수도 있습니다. 생성된 랜덤 텐서는 알고리즘 성능을 평가할 때 사용되는 임시 이미지 데이터를 생성하거나, 시각화 작업에서 색상 패턴 실험에서 사용이 됩니다.

다음 코드처럼 tf.random.uniform 함수를 호출하여 [100, 100, 3] 모양의 랜덤 텐서를 생성합니다. 이 모양은 3개의 색상 채널(빨강, 초록, 파랑)이 있는 100×100 픽셀 이미지에 해당합니다. 매개변수 maxval=255를 사용하면 각 채널에 대해 생성된 임의의 값이 RGB 이미지의 8비트 색상 표현에 일반적으로 사용되는 [0, 255] 범위에 속하도록 할 수 있습니다.

```
# 샘플 RGB 이미지
rgb_image = tf.random.uniform([100, 100, 3], maxval=255, dtype=tf.float32)

print(rgb_image)
```

```
tf.Tensor(
[[[217.0052     109.15586    226.37297   ]
  [165.6706     152.91154     29.298252  ]
  [201.47476    231.68086    223.05402   ]
  …(중략)…
  [ 20.126152  223.94475    189.0609    ]
  [182.93863    185.57921    250.17584   ]
  [143.19745     38.08186     40.46871   ]]], shape=(100, 100, 3), dtype=float32)
```

출력은 생성된 임의의 RGB 이미지의 텐서 표현입니다. 가장 안쪽에 있는 세 개의 숫자 목록은 각각 단일 픽셀의 RGB 값을 나타냅니다. 예를 들어 픽셀 값 [168.08258 61.259888 109.35153]은 이 특정 픽셀의 강도가 빨간색 채널의 경우 약 168, 녹색 채널의 경우 약 61, 파란색 채널의 경우 약 109임을 나타냅니다.

그다음 시각화를 하여 우리가 랜덤하게 생성한 이미지를 확인해볼 수 있습니다. 앞 코드의 경우에는 100×100×3 텐서로 사이즈가 너무 커서 전체 이미지 텐서의 일부만 표시됩니다. 이 이미지는 무작위 색상 값의 모음이기 때문에 인식 가능한 물체나 패턴을 묘사하지 않습니다.

```
plt.imshow(rgb_image)
plt.title('RGB Image')
plt.axis('off')
plt.show()
```

RGB Image

이처럼 Matplotlib을 사용하면 따로 전처리를 하지 않고 tf.tensor 타입 데이터를 바로 시각화할 수 있습니다.

tf.image.rgb_to_grayscale

텐서플로의 rgb_to_grayscale 기능을 활용하여 쉽게 RGB 이미지를 그레이 스케일로 바꿀 수 있습니다. 이렇게 생성된 색 공간을 그레이 스케일로 변경해보겠습니다.

```
grayscale_image = tf.image.rgb_to_grayscale(rgb_image)

print(grayscale_image.shape)
plt.imshow(grayscale_image.numpy().squeeze(), cmap='gray')
plt.title('Grayscale Image')
plt.axis('off')
plt.show()
```

텐서플로 rgb_to_graysacle 함수는 RGB 이미지(rgb_image)를 인수로 받아 그레이 스케일 이미지(grayscale_image)를 반환합니다. 그레이 스케일 이미지에서 각 픽셀은 RGB 이미지의 채널이 세 개인 것과 달리 하나의 채널만 갖습니다.

그레이 스케일 이미지 텐서에는 squeeze() 메서드가 적용되어 모양에서 1차원 항목을 제거합니다. 이는 주로 텐서플로가 반환하는 그레이 스케일 이미지가 [높이, 너비, 1]의 모양을 가지기 때문에 수행되며, imshow()를 사용하여 시각화하려면 2D 텐서(즉, [높이, 너비])로 작업하는 것이 더 용이하기 때문입니다.

코드를 실행하니 다음과 같은 이미지가 출력되었습니다.

▼ 그림 2-12 출력 결과: tf.image.rgb_to_grayscale 함수 시각화

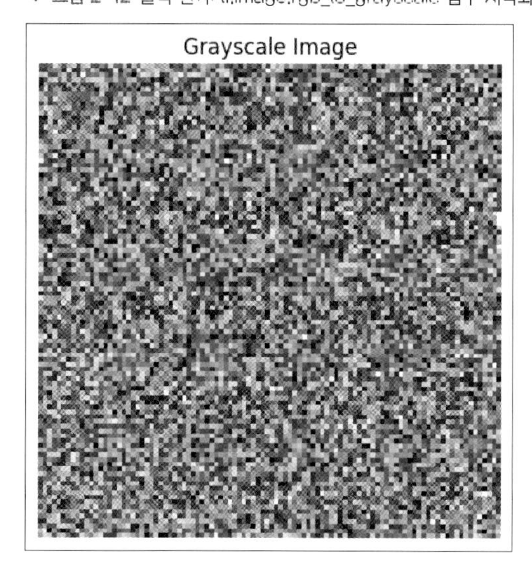

RGB 이미지의 무작위 특성을 고려할 때 그레이 스케일 버전도 무작위로 표시되지만 회색 음영으로만 표시되는 걸 확인할 수 있습니다.

RGB 이미지를 그레이 스케일로 변경하는 공식은 다음과 같습니다.

$$\text{grayscale} = R \times 0.299 + G \times 0.587 + B \times 0.114$$

이를 코드로 작성하여 직접 구현할 수 있습니다.

```
R = rgb_image[0][0][0] * 0.299
G = rgb_image[0][0][1] * 0.587
B = rgb_image[0][0][2] * 0.114
Y = R+G+B
print(grayscale_image[0][0] , Y)
```

```
tf.Tensor([141.34027], shape=(1,), dtype=float32) tf.Tensor(141.35445, shape=(),
dtype=float32)
```

완벽하게 동일하지 않고, 미미한 차이가 있는 이유는 컴퓨터의 부동 소수점 연산이나 텐서플로 함수의 최적화 과정에서의 차이, 또는 자체 반올림을 진행하며 약간의 불일치가 있을 수 있기 때문입니다. 실제로 이러한 미세한 차이는 무시할 수 있는 수준입니다.

tf.image.rgb_to_hsv

rgb_to_hsv는 RGB 이미지를 HSV로 변환하는 데 사용됩니다. HSV 색 공간에서 색은 Hue(색조, 주 파장), Saturation(채도, 선명도), Value(밝기)로 표현됩니다. HSV 색 공간은 특정 색상을 추출하거나 배경과 전경을 좀 더 직관적으로 구분할 수 있습니다.

이 함수는 앞에서 살펴본 그레이 스케일로 변환하는 코드와 동일한 방식으로 사용할 수 있습니다.

채널 정보를 뽑아내는 부분이 기존과 다르게 색상의 유형을 확인하기 위해 0번째 채널인 색조 채널만 추출해본 후 시각화를 진행하겠습니다. Matplotlib의 imshow 함수를 사용하여 HSV 이미지의 색조 채널을 표시합니다. cmap='hsv' 인수를 사용하면 이미지가 색조 색상 맵으로 렌더링되어 빨간색(낮은 색조 값)부터 무지개의 모든 색을 거쳐 다시 빨간색(높은 색조 값)까지의 색상을 표시합니다.

```
hsv_image = tf.image.rgb_to_hsv(rgb_image)

hue_channel = hsv_image[:,:,0]

plt.imshow(hue_channel, cmap='hsv')
plt.title('Hue Channel of HSV Image')
plt.axis('off')
plt.colorbar(label='Hue Value')
plt.show()
```

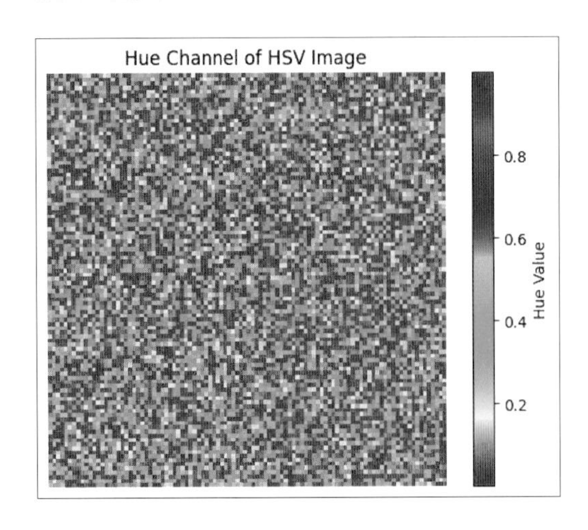

원본 RGB 이미지의 색조 채널이 표시됩니다. 색조는 색의 유형(예 빨강, 파랑, 녹색, 노랑)을 나타내므로 이 시각화는 원본 이미지의 색상 분포에 대한 통찰력을 제공합니다. 원본 RGB 이미지는 무작위로 생성되었으므로 색조 채널도 무작위 색상 패턴을 표시하는 걸 확인할 수 있습니다.

픽셀 값의 정규화와 표준화

이미지를 처리할 때 픽셀 값의 사이즈를 조정하는 방식은 모델의 성능과 수렴 속도 모두에 많은 영향을 미칠 수 있습니다. 픽셀 값의 사이즈를 조정하는 데 사용되는 두 가지 일반적인 방법은 정규화와 표준화입니다.

정규화

정규화는 일반적으로 픽셀 값을 [0, 1] 범위로 스케일링하는 것을 말합니다. 픽셀 값이 0에서 255 사이인 8비트 이미지의 경우, 각 픽셀을 255로 나누기만 하면 정규화가 완료됩니다.

rgb_image 텐서를 스칼라 값 255.0으로 나누면 텐서플로는 이 스칼라 값을 rgb_image 텐서 모양에 자동으로 '브로드캐스트'하여 기본적으로 255.0 값으로 채워진 모양(100, 100, 3)의 텐서를 생성하여 나누게 됩니다. 즉, 텐서의 모든 값에 255를 나누는 걸 코드 한 줄로 진행할 수 있습니다.

```
normalized_image = rgb_image / 255.0
rgb_image[0][0] , normalized_image[0][0]
```

```
(<tf.Tensor: shape=(3,), dtype=float32, numpy=array([168.08258 , 61.259888, 109.35153
], dtype=float32)>,
 <tf.Tensor: shape=(3,), dtype=float32, numpy=array([0.6591474 , 0.24023485,
0.42882955], dtype=float32)>)
```

표준화

표준화란 이미지의 픽셀 값을 평균 0, 표준 편차 1이 되도록 스케일링하는 과정을 말합니다. 표준화는 최적화 환경을 좀 더 균일하게 만들어 학습 과정을 가속화할 수 있으므로 많은 머신 러닝 알고리즘에서 중요한 전처리 단계입니다.

이미지의 경우 픽셀 값은 일반적으로 [0, 255] 범위에 있습니다. 그러나 이미지마다 픽셀 값의 분포는 크게 다를 수 있어 학습 과정에서 어려움을 겪을 수 있습니다. 픽셀 값을 표준화하면 이미지의 중앙이 0이 되고 대부분의 픽셀 값이 대략 [-1, 1] 범위에 속하게 되어 훈련에 좀 더 일관된 데이터 세트를 제공할 수 있습니다.

표준화는 다음 방법으로 할 수 있습니다.

```
mean = tf.reduce_mean(rgb_image)        # ①
stddev = tf.math.reduce_std(rgb_image) # ②
```

① reduce_mean 함수는 텐서의 평균 값을 계산합니다. 이미지로 작업할 때 모든 픽셀의 평균 값을 계산할 수 있으며, 이는 표준화 과정에서 픽셀 값을 0을 중심으로 정렬하는 데 사용됩니다.

② reduce_std 함수는 텐서의 표준 편차를 계산합니다. 표준 편차는 픽셀 값의 확산 또는 분산을 측정합니다.

이제 앞에서 계산한 평균 값과 표준 편차를 이용해 표준화를 진행해보겠습니다. 평균과 표준 편차 값은 픽셀 값의 분포가 표준 편차 1을 갖도록 픽셀 값의 사이즈를 조정하는 데 사용됩니다. 평균과 표준 편차를 계산했으면 이미지를 표준화하는 것은 간단합니다.

```
standardized_image = (rgb_image - mean) / stddev
rgb_image[0][0] , standardized_image[0][0]
```

```
(<tf.Tensor: shape=(3,), dtype=float32, numpy=array([168.08258 , 61.259888, 109.35153
], dtype=float32)>, <tf.Tensor: shape=(3,), dtype=float32, numpy=array([ 0.55647403,
-0.8953475 , -0.2417365 ], dtype=float32)>)
```

여기서 (rgb_image - mean_pixel_value)는 픽셀 값 0을 중심으로 하고, std_pixel_value로 나누면 표준 편차 1이 되도록 스케일링됩니다. 값의 범위가 168.08258에서 0.55647로, 61.25988에서 -0.8953475로 줄어든 것을 확인할 수 있습니다.

2.2 이미지 처리 기법

IMAGE PROCESSING

이미지 처리는 눈에 잘 띄지 않지만 우리를 둘러싸고 있는 시각적 디지털 영역을 조용히 형성합니다. 잡지 표지의 선명한 사진부터 영화의 복잡한 CGI 층에 이르기까지 이미지 프로세싱은 보이지 않는 마법을 부립니다. 이미지 처리 기법에서는 단순히 기술을 설명하는 데 그치지 않고 픽셀과 픽셀의 변환에 숨겨진 이야기에 대해 이해하고 실습도 함께 진행해보겠습니다.

2.2.1 이미지 필터링

이미지 처리의 세계는 방대하고 복잡하지만, 그 중심에는 혼돈 속에서 선명함을 드러내고 노이즈에서 사용자가 원하는 값을 추출하는 것이 목표입니다. 카메라 어플에서 많이 보이는 뚜렷하게 만들기 필터나 흑백 필터, 뽀샤시 필터도 같은 방식으로 동작하게 됩니다. 언뜻 보기에 이미지 필터링은 단순한 기술적 작업, 즉 정리 절차처럼 보일 수 있습니다. 하지만 좀 더 깊이 들여다보면 시각만큼이나 오래된 내러티브가 드러납니다. 각막과 수정체가 외부의 빛을 걸러내주는 필터 역할을 해주어 선명하게 볼 수 있는 인간의 눈처럼 디지털 영역의 이미지 필터링은 이러한 자연적인 메커니즘의 연장선상에 있습니다. 이미지 필터는 **커널**(kernel)이라는 이름으로 불리기도 합니다.

선형 필터와 비선형 필터

필터는 이미지를 텐서로 변환하고 거대한 텐서 위에서 좌측 상단부터 우측 하단으로 이동하며 연산을 진행하게 됩니다. 이때 연산 방식에 따라 크게 선형 필터와 비선형 필터로 나눌 수 있습니다. 이미지 필터에 대한 깊은 이해를 위해 선형 필터와 비선형 필터의 기본 특성과 처리된 이미지에 어떤 영향을 미치는지 아는 것이 중요합니다.

선형 필터

선형 시프트 불변 시스템(linear shift-invariant system)이라고도 하는 선형 필터는 출력이 입력 값의 선형 조합이라는 간단한 원리를 가지고 있습니다. 이미지 처리의 맥락에서 이는 픽셀을 필터 처리할 때 나온 결과 픽셀 값이 입력으로 들어왔던 이웃 픽셀 값의 가중치 합(weighted sum)이 된다는 것을 의미합니다.

케이크를 굽기 위한 레시피에 특정 온도와 재료의 조합이 담겨 있다고 가정해보겠습니다. 밀가루 2컵, 설탕 1컵, 달걀 3개, 200도의 온도라는 조합일 때, 이 케이크를 몇 번을 구워도 명시된 정확한 조합을 사용하면 동일한 결과를 얻을 수 있습니다. 이 예측 가능한 조합은 선형 필터의 작동 방식과 유사합니다. 선형 필터는 항상 고정되고 예측 가능한 방식으로 픽셀 값을 결합합니다.

비선형 필터

반면에 비선형 필터는 선형 필터의 모든 원칙을 따르지 않습니다. 비선형 필터의 출력은 단순히 입력 이미지 픽셀의 가중치 합이 아니며, 출력은 입력 값의 순위/순서 또는 기타 비선형 연산에 따라 달라집니다.

비선형 필터는 과일 샐러드로 예를 들어보겠습니다. 이 과일 샐러드는 가장 큰 과일을 골라 샐러드에 추가하는 규칙이 있습니다. 바구니에 무엇이 들어 있는지에 따라 매번 선택하는 과일이 달라질 수 있습니다. 특정 조건이나 규칙에 따라 결과가 달라지는 이 프로세스는 비선형 필터의 작동 방식과 유사합니다. 비선형 필터는 고정된 방식으로 값을 결합하는 것이 아니라 특정 조건이나 규칙에 따라 값을 선택하거나 변경할 수 있습니다.

대표적인 비선형 필터에는 중앙 값 필터링 기법이 있습니다.

중앙 값 필터링

중앙 값 필터링은 의료 영상에서 필요한 반점 노이즈 제거부터 위성 이미지의 선명도 향상에 이르기까지 다양한 분야에서 활용되고 있습니다. 중앙 값 필터의 핵심은 **비선형 디지털 필터링 기법**입니다. 즉, 필터의 출력은 입력 값의 선형 조합이 아닙니다. 중앙 값 필터의 주요 목적은 노이즈 감소, 특히 이미지에서 드물게 발생하는 흰색과 검은색 픽셀로 나타나는 **소금과 후추** 노이즈를 줄이는 것입니다.

▼ 그림 2-13 소금과 후추 노이즈

중앙 값 필터링의 개념은 간단하지만 효과적입니다. 이미지의 각 픽셀에 대해 주변을 고려하고 해당 주변에서 강도 값의 중앙 값을 결정한 다음 해당 픽셀의 값을 이 중앙 값으로 대체하는 것입니다. 이 메커니즘은 본질적으로 이상 값에 대해 강력하므로 큰 노이즈를 효과적으로 억제할 수 있습니다.

OpenCV를 활용한 중앙 값 필터 실습

OpenCV를 사용하여 중앙 값 필터를 손쉽게 구현할 수 있습니다. 우선 중앙 값 필터링의 확실한 성능 확인을 위하여 임의의 사진에 노이즈를 첨가하는 코드를 작성해보겠습니다.

먼저 이미지 전체 픽셀 수의 5%를 나타내는 값을 계산하겠습니다.

```
import numpy as np
import cv2

def generate_salt_noise(image):
    num_salt = np.ceil(0.05 * image.size)                    # ①
    coords = [np.random.randint(0, i - 1, int(num_salt)) # ②
              for i in image.shape]
    salted_image = image.copy()
    salted_image[coords[0], coords[1]] = 255
    return salted_image
```

① np.ceil은 값을 올림하여 소수점을 없앱니다. 이 값은 나중에 잡음을 추가할 픽셀의 수를 결정한 후 이미지의 모든 차원에 대해 (행과 열) 임의의 좌표를 생성합니다.

② np.random.randint 함수는 첫 번째 인수와 두 번째 인수 사이의 임의의 정수를 반환하는데, 여기서는 이미지의 각 차원의 사이즈(image.shape)에 따라 임의의 좌표를 생성합니다. 생성된 임의의 좌표는 coords 리스트에 저장됩니다.

앞서 소금 노이즈를 추가하는 것과 동일한 방식으로 후추 노이즈를 추가합니다. 소금 노이즈를 추가하는 코드에서는 255 값을 넣었지만, 후추 노이즈를 추가하는 코드에서는 0 값을 넣는 차이가 있습니다.

```
def generate_pepper_noise(image):
    num_pepper = np.ceil(0.05 * image.size)
    coords = [np.random.randint(0, i - 1, int(num_pepper))
              for i in image.shape]
    peppered_image = image.copy()
    peppered_image[coords[0], coords[1]] = 0
    return peppered_image
```

그러고 나서, 다음처럼 이미지를 불러오고 앞에서 선언한 함수들을 사용합니다.

```
!wget https://raw.githubusercontent.com/Cobslab/imageBible/main/image/like_lenna.png

lenna_image = cv2.imread('like_lenna.png', cv2.IMREAD_GRAYSCALE)

salted_lenna = generate_salt_noise(lenna_image)
peppered_lenna = generate_pepper_noise(salted_lenna)
filtered_lenna = cv2.medianBlur(peppered_lenna, 5)  # ①

fig, axes = plt.subplots(1, 4, figsize=(20, 6))
```

노이즈가 처리된 이미지에 OpenCV의 medianblur라는 함수 한 줄로 간단하게 적용할 수 있습니다(①). 뒤에 5는 5×5의 필터가 이미지의 좌측 상단부터 우측 하단까지 이동하며 해당 영역의 중앙 값을 적용하며 진행하게 됩니다.

▼ 그림 2-14 중앙 값 필터 이동 예시

필터의 사이즈가 이미지 사이즈에 비해 너무 작다면 노이즈가 남아 있을 확률이 올라가게 되고, 반대로 너무 크다면 유효한 픽셀의 값들 또한 주변 픽셀의 중앙 값으로 대체될 수 있으니 적절한 값을 선택하는 것이 중요합니다.

이제 시각화를 진행하는 코드를 작성하고 결과를 확인해보겠습니다.

```
import matplotlib.pyplot as plt

axes[0].imshow(lenna_image, cmap='gray')
```

```
axes[0].set_title('Original Lenna Image')
axes[0].axis('off')

axes[1].imshow(salted_lenna, cmap='gray')
axes[1].set_title('Salted Lenna Image')
axes[1].axis('off')

axes[2].imshow(peppered_lenna, cmap='gray')
axes[2].set_title('Salted & Peppered Lenna')
axes[2].axis('off')

axes[3].imshow(filtered_lenna, cmap='gray')
axes[3].set_title('Median Filtered Lenna')
axes[3].axis('off')

plt.tight_layout()
plt.show()
```

확실히 노이즈가 사라졌지만, 필터링된 이미지는 원본 이미지에 비해 화질이 조금 흐려진 것을 확인할 수 있습니다.

가우시안 필터나 평균 필터와 같은 선형 필터는 픽셀 값의 평균을 취하기 때문에 날카로운 가장자리가 흐려지고 노이즈를 효과적으로 제거하지 못할 수 있지만, 중앙 값 필터는 경계와 가장자리를 보존합니다. 이는 중앙 값이 평균에 비해 이상치를 처리하는 데 더 우수한 지표로 작용하기 때문입니다. 특히 이상치에 대한 강한 내성 덕분에 중앙 값은 데이터의 중심을 더 정확히 반영하며, 결과적으로 이미지의 선명한 구조를 보존하면서도 노이즈를 효과적으로 제거합니다.

예를 들어 픽셀 값 [45, 50, 255, 49, 48]의 이웃을 생각해보겠습니다. 이 집합의 평균은 89.4이며 노이즈 값 255의 영향을 크게 받습니다. 그러나 중앙 값은 49로 이 이웃을 더 대표할 수 있는 값입니다.

애플리케이션 및 사용 사례

- **의료**: 의료 영상에서 가장 중요한 것은 선명도입니다. 작은 아티팩트는 오진으로 이어질 수 있습니다. 중앙 값 필터링은 장기나 병변의 가장자리를 흐리게 하지 않고 노이즈를 줄여 더 나은 진단과 치료 계획을 세우는 데 도움이 되는 경우가 많습니다.
- **천체 영상**: 우주 이미지는 우주선 간섭으로 인해 밝은 반점 노이즈가 발생합니다. 중앙 값 필터링은 천체의 선명도를 손상시키지 않으면서 이러한 이미지를 깨끗하게 처리하는 데 도움이 됩니다.

가우시안 필터링

가우시안 필터는 사진을 부드럽게 처리하거나 이미지에서 물체를 돋보이게 하는 가장자리를 강화하는 역할을 합니다. 수많은 필터 중에서 가우시안 필터는 가우스 함수의 기본 특성을 기초로 만들었습니다. 가우시안 필터링의 핵심은 이미지에 블러 효과를 부여하는 방법입니다. 하지만 균일한 스무딩 효과를 적용하는 다른 블러링 방법과 달리 가우시안 필터는 멀리 있는 픽셀보다 가까운 픽셀을 더 강조합니다. 따라서 주변 픽셀에 가중치를 부여하는 것과 같은 자연스러운 종 모양의 곡선(bell-curve)을 만들어 블러 효과를 시각적으로 돋보이게 만듭니다.

가우스 함수

가우시안 필터의 기본 원리는 가우스 함수입니다. 이 함수는 1차원에서 다음과 같이 표현됩니다.

$$G(x) = \frac{1}{\sqrt{2\pi\sigma^2}} e^{-\frac{x^2}{2\sigma^2}}$$

이미지처럼 2차원으로 확장하면 다음과 같이 변환됩니다.

$$G(x, y) = \frac{1}{\sqrt{2\pi\sigma^2}} e^{-\frac{x^2+y^2}{2\sigma^2}}$$

여기서 σ는 표준 편차이며, 가우스 함수(따라서 흐림 효과)의 확산 정도를 결정하는 데 중요한 역할을 합니다. σ가 클수록 확산 범위가 넓어져 흐림 효과가 더 뚜렷해지고, σ가 작으면 작을수록 효과가 국소적으로 유지되어 흐림이 더 섬세해집니다.

블러링은 가우시안 필터링의 가장 일반적인 용도이지만, 유일한 용도는 아닙니다.

- **노이즈 감소**: 가우시안 필터는 픽셀 값의 무작위 변동을 흐리게 처리하여 이미지 노이즈를 줄일 수 있습니다.
- **가장자리 감지를 위한 사전 처리**: 이미지에서 가장자리를 감지하기 전에 가우시안 필터를 적용하면 미세한 변화를 부드럽게 처리하고 가장자리를 더 선명하게 만들 수 있습니다.

OpenCV를 활용한 가우시안 필터 실습

가우시안 필터는 무작위 변동의 노이즈를 흐리게 처리해줍니다. 우선 이미지를 불러와 해당 이미지에 무작위의 노이즈를 첨가해보겠습니다.

```
import cv2
import numpy as np
import matplotlib.pyplot as plt

image = cv2.imread('like_lenna.png', cv2.IMREAD_GRAYSCALE)
mean = 0
sigma = 1
gaussian_noise=np.random.normal(mean, sigma, image.shape).astype('uint8')  # ①
noisy_image = cv2.add(image, gaussian_noise)

plt.imshow(noisy_image, cmap='gray')
plt.title('Noisy Image')
plt.axis('off')
plt.show()
```

OpenCV를 사용하여 이미지를 불러온 후 NumPy의 random.noraml을 사용하여 평균(mean 변수)은 0, 표준 편차(sigma)는 1, 그리고 원본 이미지에 이 노이즈를 덮게 하기 위해 이미지의 shape과 동일한 난수를 생성하게 합니다(①).

그다음, cv2.add의 기능을 사용하여 생성한 난수와 원본 이미지를 합친 후 시각화합니다. 실행하면 다음 이미지가 출력됩니다.

▼ 그림 2-15 출력 결과: 노이즈가 첨가된 이미지

이렇게 생성된 노이즈 이미지를 가우시안 필터를 사용하여 뿌옇게 처리해보겠습니다.

```
sigma_values = [1, 5, 10]
denoised_images = []

for sigma in sigma_values:
    denoised = cv2.GaussianBlur(noisy_image, (0, 0), sigma)  # ①
    denoised_images.append(denoised)

fig, axes = plt.subplots(1, 4, figsize=(20, 10))

axes[0].imshow(noisy_image, cmap='gray')
axes[0].set_title('Noisy Image')
axes[0].axis('off')

for ax, img, sigma in zip(axes[1:], denoised_images, sigma_values):
    ax.imshow(img, cmap='gray')
    ax.set_title(f'Denoised (σ={sigma})')
    ax.axis('off')

plt.tight_layout()
plt.show()
```

시그마 값에 따라 이미지를 흐리게 만들기 위해 1, 5, 10을 리스트에 담아 두고(①) 가우시안 필터를 불러옵니다. OpenCV에서 가우시안 필터는 cv2.GaussianBlur를 입력하여 사용할 수 있습니다. 첫 번째 인수로 가우시안 필터를 적용할 이미지, 다음으로는 가우시안 필터의 커널 사이즈를 의미합니다. (0, 0)으로 지정하게 되면 뒤에 지정하는 인수인 sigma에 의해 적절한 값이 자동으로 지정됩니다.

코드를 실행하면 다음처럼 출력됩니다.

▼ 그림 2-16 출력 결과: 가우시안 블러 시그마 수치에 따른 이미지 흐림 정도 확인

시그마 값에 따라 이미지가 흐려지는 것을 확인할 수 있습니다. 이미지 사이즈나 품질에 따라 적절한 시그마 값을 적용하여 사용할 수 있습니다.

2.2.2 이미지 변환

이미지 변환은 이미지의 구조, 모양, 색상 등을 변경하는 과정입니다. 이 과정은 이미지의 시각적 정보를 다른 형태로 재해석하거나 조정하여 특정 목적을 달성하는 것이 목표입니다. 이미지 변환이라는 광범위한 맥락에서 변환은 특정 시각 효과를 얻거나 이미지 왜곡을 보정하는 등 이미지 품질을 향상시키는 데 중요한 역할을 합니다.

아핀 변환

아핀 변환(affine transformations)은 라틴어의 아피니스('연결된'이라는 뜻)에서 유래한 것으로, 점 사이의 기본 관계를 변경하지 않고 개체의 기하학적 속성을 변경할 수 있는 특수한 변환 클래스입니다. 아핀 변환은 사이즈 조정, 회전, 이동을 포함한 광범위한 기본 이미지 변환을 다루기 때문에 수많은 이미지 처리 작업에 필수적입니다.

아핀 변환은 선과 평행성을 유지하여 이미지의 기하학적 구조를 조정합니다. 이미지를 늘리고, 회전하고, 기울이고, 변환할 수 있으며, 종종 많은 이미지 처리 파이프라인의 기본 변환으로 사용됩니다. 모든 아핀 변환은 동종 좌표에 대해 선형이지만, 모든 선형 변환이 아핀 변환인 것은 아닙니다. 아핀 변환에서는 직선에 놓인 점이 변환 후에도 여전히 직선에 놓이게 되므로, 선형 변환과 아핀 변환의 주요 차이점은 선형성 보존입니다.

아핀 변환의 주요 특징은 다음과 같습니다.

- **점과 선의 보존**: 아핀 변환의 특징적인 특성 중 하나는 선형성 보존입니다. 즉, 변환 전에 세 점이 같은 선상에 있는 경우 변환 후에도 여전히 같은 선상에 놓이게 됩니다.
- **평행성**: 평행선 사이의 거리가 변경되고 교차하는 선 사이의 각도가 변경될 수 있지만 변환 전에 평행했던 선은 변환 후에도 평행한 상태로 유지됩니다.
- **평면 관계**: 3D 공간에서 아핀 변환은 평면도도 보존합니다. 변환 전에 여러 점이 같은 평면에 놓여 있으면 변환 후에도 계속 같은 평면에 놓이게 됩니다.
- **아핀 변환의 구성**: 아핀 변환을 적용한 다음 다른 아핀 변환을 적용해도 결합된 효과는 여전히 아핀 변환입니다. 이러한 구성 가능성은 원하는 결과를 얻기 위해 여러 변환을 연결하는 컴퓨터 그래픽 및 이미지 처리에서 자주 활용됩니다.

OpenCV를 활용한 아핀 변환 실습

이번 실습에서는 원본 이미지의 선을 변화시키거나 노이즈를 첨가하여 결과를 보는 실습이 아니니 그레이 스케일로 변환하지 않고 원본 이미지로 진행해보겠습니다.

```
import cv2
import numpy as np
import matplotlib.pyplot as plt

image_path = "like_lenna.png"
img = cv2.imread(image_path)
img = cv2.cvtColor(img, cv2.COLOR_BGR2RGB)

plt.imshow(img)
plt.title("Original Image")
plt.show()
```

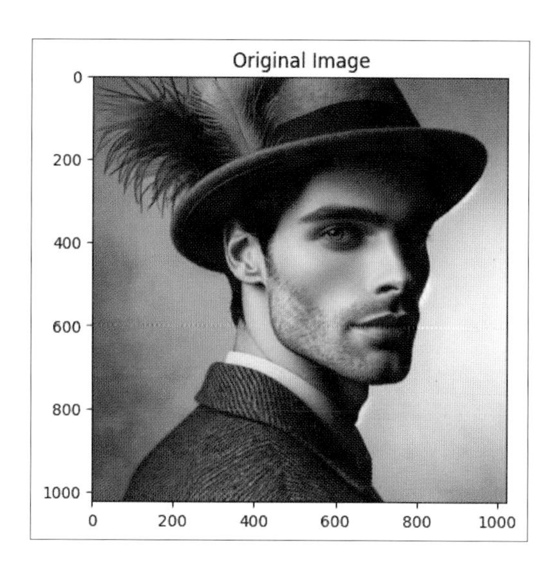

앞서 진행한 것과 같은 방법으로 OpenCV를 이용해 이미지를 불러옵니다. 거기에 `cvtColor` 함수를 사용하여 두 번째 인수에 `bgr2rgb`를 입력해서 이미지를 변환하는 과정을 확인할 수 있게 했습니다.

초창기 OpenCV가 개발될 당시 대부분의 디지털 카메라에서 일반적으로 사용되는 포맷은 BGR이었습니다. 이는 디지털 카메라 센서 제조업체가 센서의 각각 스펙트럼의 시작과 끝에 배치되었을 때 파란색과 빨간색 빛을 더 효율적으로 캡처할 수 있도록 하드웨어가 설계되었기 때문에 BGR을 기본 포맷으로 선택했습니다. OpenCV가 성장하고 발전함에 따라 최신 카메라 모델과 소프트웨어 라이브러리가 보다 표준적인 RGB 포맷을 채택하기 시작했음에도 불구하고 이전 버전과의 호환성을 위해 BGR 기본 값을 유지했습니다.

회전 변환

아핀 변환 중 회전을 진행하려고 할 때는 회전 중심축을 기준으로 각도를 주어 회전시킬 수 있습니다.

원점을 기준으로 아핀 변환에서의 회전 행렬은 다음과 같습니다.

$$\begin{pmatrix} \cos(\theta) & -\sin(\theta) \\ \sin(\theta) & \cos(\theta) \end{pmatrix} \begin{pmatrix} x_1 \\ x_2 \end{pmatrix}$$

해당 행렬이 곱해지며, 만약 원점(x)을 기준으로 하지 않고 다른 점(c)을 기준으로 하는 회전 변환의 경우에는 x_1과 x_2에 다음과 같은 변화를 줍니다.

$$x' = x_1 + c_x$$
$$y' = y_1 + c_y$$

다음 코드의 cv2.getRotationMatrix2D는 앞과 같은 회전 행렬을 cv2에서 자체적으로 만듭니다.

```
def rotate_image(image, angle, center=None):
    rows, cols, _ = image.shape
    if center is None:
        center = (cols // 2, rows // 2)
    M = cv2.getRotationMatrix2D(center, angle, 1)
    rotated = cv2.warpAffine(image, M, (cols, rows))
    return rotated

rotated_img = rotate_image(img, 45)
plt.imshow(rotated_img)
plt.title("Rotated Image")
plt.show()
```

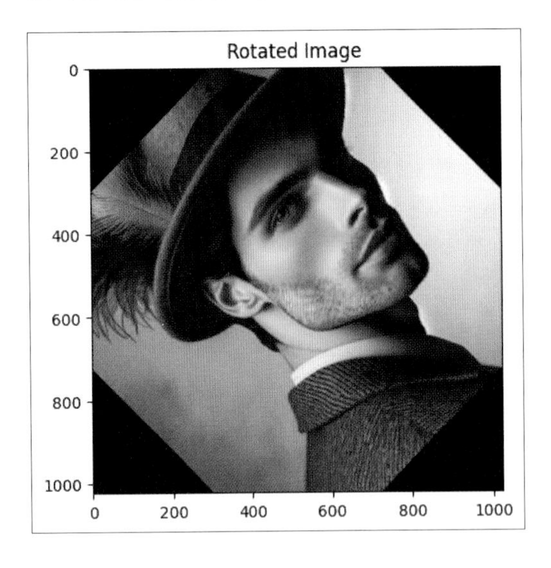

코드를 실행하면 중심축을 기준으로 45도 기울어진 이미지가 출력됩니다. 이미지를 조작하거나 딥러닝 파트에서 데이터가 부족한 경우 아핀 변환을 사용해 데이터를 증가시킬 수 있습니다.

원근 변환

원근 변환(perspective transformations), 호모그래피로도 유명한 이 변환은 호모그래피 행렬을 이용한 이미지 변환 중 하나입니다. 문서 스캐너 앱에 익숙한 사람이라면 휴대폰을 어떻게 잡든 앱에서 생성된 결과물이 마치 스캔한 문서처럼 반듯하게 보이는 경험을 한 적이 있을 겁니다. 이러한 원근 변환은 한 이미지의 점을 다른 이미지의 점으로 매핑하는 기하학적 변환의 일종입니다. 원근 투영으로 인한 이미지 왜곡과 같은 이미지의 왜곡을 보정하는 데 자주 사용됩니다.

원근 변환의 핵심은 호모그래피 행렬을 사용하는 것입니다. 호모그래피 행렬은 소스 이미지의 점 4개와 대상 이미지의 점 4개를 사용하여 계산됩니다. 이 점들은 일반적으로 사용자가 이미지에서 직접 선택합니다. 이 행렬은 소스 이미지의 각 픽셀에 대해 새로운 좌표를 계산해서 이미지를 변환합니다. 이 변환으로 인해 이미지의 원근이 수정되어 대상 이미지에 맞게 보이게 됩니다.

Note **원근 변환의 수학**

원근 변환의 본질은 호모그래피 행렬에 있습니다. 호모그래피는 투영 평면에서 그 자체로 반전 가능한 변환이지만, 일반적으로 평면에서 원근 변환의 경우를 말합니다. 원근 변환은 다음과 같이 정의됩니다.

$$\begin{bmatrix} x' \\ y' \\ w' \end{bmatrix} = \begin{bmatrix} h_{11} & h_{12} & h_{13} \\ h_{21} & h_{22} & h_{23} \\ h_{31} & h_{32} & h_{33} \end{bmatrix} \begin{bmatrix} x \\ y \\ 1 \end{bmatrix}$$

여기서 (x, y)는 원본 이미지의 좌표이고, (x', y')는 변환된 이미지의 결과 좌표, w'는 정규화 팩터로서, 결과 좌표 (x', y')를 동차 좌표계(homogeneous coordinates)에서 데카르트 좌표계로 변환하는 데 사용됩니다. 동차 좌표계는 프로젝티브 기하학(projective geometry)에서 널리 사용되며, 추가적인 차원을 사용하여 점을 나타냅니다. 동차 좌표계가 아닌 정규화 팩터를 사용하여 데카르트 좌표계로 변환한다면 (x'', y'')는 데카르트 좌표계의 최종 좌표가 됩니다.

$$x'' = \frac{x'}{w'} \quad y'' = \frac{y'}{w'}$$

이렇게 하면 일반적으로 w'는 1로 설정되지만, 다른 값으로 설정될 수도 있습니다. 1이 아니라면, 이는 좌표가 무한대로 투영되어 있음을 나타내며, 점이 무한대에 위치하고 있음을 나타냅니다. 이 경우 w'로 나누어 정규화해서 실제 데카르트 좌표를 얻을 수 있습니다.

위의 선형 방정식을 사용하여 h_{ij} 값을 찾습니다. 이를 위해 일반적으로 최소 제곱법을 사용합니다. 4개의 대응점 쌍을 사용하면 8개의 선형 방정식을 얻을 수 있으며, 이러한 방정식을 사용하여 9개의 미지수를 찾을 수 있습니다. 이 과정은 일반적으로 OpenCV에서 자동으로 수행됩니다. `cv2.getPerspectiveTransform` 함수를 사용하여 호모그래피 행렬을 쉽게 계산할 수 있습니다.

OpenCV를 활용한 원근 변환 실습

OpenCV를 활용하여 비스듬히 있는 이미지를 불러와 마치 스캔한 것 같은 원근 변환을 진행해보겠습니다. 대상이 될 이미지는 다음과 같습니다.

▼ 그림 2-17 비스듬히 놓인 문서

바닥에 흰색 종이를 원근 변환을 통해 바로 앞에 있는 이미지로 변환하기 위해서는 먼저 원본 이미지에서 꼭짓점 좌표를 찾아야 합니다. 위 이미지에서 꼭짓점은 (57, 630), (936, 330), (1404, 792), (550, 1431)이며, 해당 좌표는 포토샵과 같은 이미지 편집 도구나 비전 라이브러리를 사용하여 확인할 수 있습니다.

변환이 될 x 좌표는 원본 위 흰색 종이의 꼭짓점 중 가장 좌측과 우측에 있는 x 좌표의 거리가 곧 변환이 될 좌표의 좌, 우측이 될 것이고, y 좌표는 흰색 종이의 가장 상단에 있는 y 좌표, 그리고 가장 하단에 있는 y 좌표의 높이가 곧 변환이 될 y 좌표가 됩니다.

이를 기반으로 코드를 작성해보겠습니다.

```
from matplotlib import pyplot as plt
import cv2
import numpy as np

!wget https://raw.githubusercontent.com/Lilcob/test_colab/main/perspective_test.jpg

# 이미지 로드
image_path = 'perspective_test.jpg'
new_source_image = cv2.imread(image_path)
```

```
# 지정한 꼭짓점 좌표(좌표 순서 변경)
ordered_corners = np.array([[57, 630], [936, 330], [1404, 792], [550, 1431]],
dtype='float32')

# 너비와 높이 계산
ordered_width = int(max(np.linalg.norm(ordered_corners[0] - ordered_corners[1]),  # ①
                        np.linalg.norm(ordered_corners[2] - ordered_corners[3]))) # ②
ordered_height = int(max(np.linalg.norm(ordered_corners[0] - ordered_corners[3]), # ③
                         np.linalg.norm(ordered_corners[1] - ordered_corners[2])))

# 변환이 될 꼭짓점 좌표 지정
ordered_rect_corners = np.array([[0, 0], [ordered_width, 0], [ordered_width, ordered_
height], [0, ordered_height]], dtype='float32')
```

ordered_corners[0] - ordered_corners[1]을 사용해 첫 번째 꼭짓점과 두 번째 꼭짓점 사이의 벡터를 계산합니다(①). 이어서 ordered_corners[2] - ordered_corners[3]으로 세 번째 꼭짓점과 네 번째 꼭짓점 사이의 벡터를 계산한(②) 후, np.linalg.norm을 사용하여 각 벡터의 길이(euclidean distance)를 계산해(③) 두 벡터 길이 중 더 긴 길이를 선택합니다. 이 값은 변환된 이미지의 너비가 됩니다.

이와 동일한 방식으로 다음처럼 높이도 계산합니다. 우리는 원근 변환을 통하여 평평하게 펴는 것을 목적으로 하니, 변환이 될 좌표를 좌측 하단(0, 0), 우측 하단(너비, 0), 우측 상단(너비, 높이), 좌측 상단(0, 높이)으로 지정합니다. 호모그래피 행렬은 cv2.getPerspectiveTransform(x, x')을 통해 쉽게 구할 수 있으며 해당 행렬을 통해 변환은 cv2.warpPerspective를 적용할 수 있습니다.

```
# 호모그래피 행렬 계산
ordered_scan_matrix = cv2.getPerspectiveTransform(ordered_corners, ordered_rect_
corners)

# 원근 변환 다시 적용
ordered_scanned_image = cv2.warpPerspective(new_source_image, ordered_scan_matrix,
(ordered_width, ordered_height))

# 스캔된 이미지 다시 출력
plt.figure(figsize=(10, 5))
plt.subplot(1, 2, 1)
plt.title("New Source Image")
plt.imshow(cv2.cvtColor(new_source_image, cv2.COLOR_BGR2RGB))
plt.subplot(1, 2, 2)
```

```
plt.title("Ordered Scanned Image")
plt.imshow(cv2.cvtColor(ordered_scanned_image, cv2.COLOR_BGR2RGB))
plt.show()
```

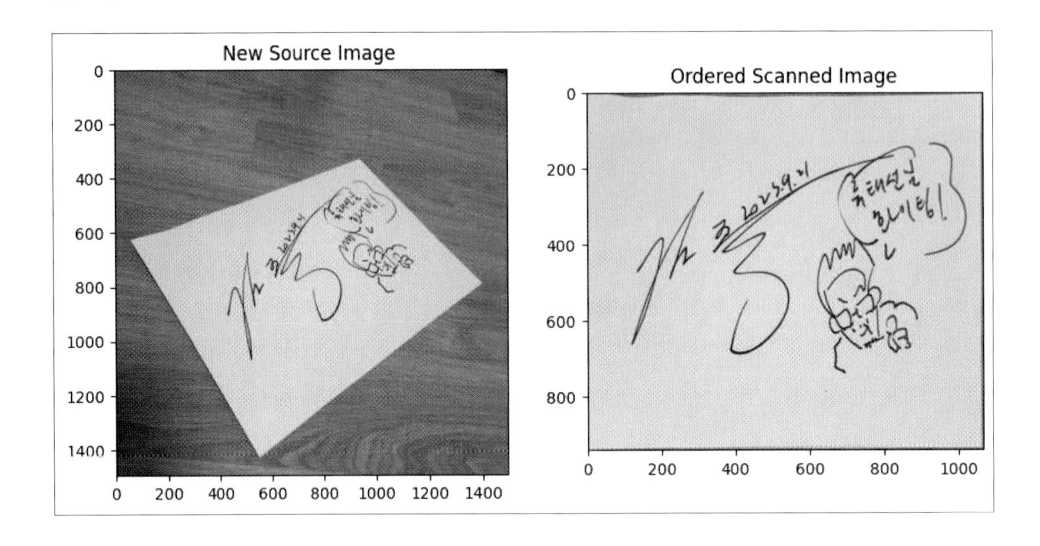

누워 있던 그림이 스캔한 것과 같이 쭉 펴진 걸 확인할 수 있습니다. 수동으로 좌표를 입력하는 게 아닌, 현대 컴퓨터 비전을 통해 좌표를 자동으로 입력하여 스캔을 하는 것보다 훨씬 더 고품질의 스캔 프로그램을 구현할 수도 있습니다.

2.2.3 주파수 도메인 기법

디지털 이미지 처리에서 주파수 도메인은 중요한 개념 중 하나입니다. 이를 이해하려면 이미지가 어떻게 주파수로 표현될 수 있는지 알아야 합니다. 사운드나 라디오 신호처럼 이미지에도 다양한 주파수 성분이 있습니다. 예를 들어 이미지에서 빠르게 변하는 부분, 즉 선명한 경계나 높은 대비를 가진 부분은 높은 주파수 성분을 나타냅니다. 반대로 점진적으로 변하는 부분 또는 평탄한 영역은 낮은 주파수 성분을 나타냅니다.

주파수 도메인 기법은 이러한 이미지의 주파수 성분을 분석하고 조작하는 방법에 중점을 둡니다. 기본 아이디어는 이미지를 시간 도메인에서 주파수 도메인으로 변환하여 주파수 성분별로 분석하고 조작한 후, 다시 시간 도메인으로 변환하는 것입니다. 이렇게 주파수 도메인에서 이미지를 처리하면, 다양한 필터링, 개선, 압축 및 다른 응용 프로그램에서 효과적인 결과를 얻을 수 있습니다.

주파수 도메인 변환의 가장 널리 알려진 방법은 **푸리에 변환**입니다. 푸리에 변환은 이미지의 주파수 성분을 분석하고 시각화하는 데 사용되는 기본 도구입니다. 푸리에 변환을 통해 이미지의 각 주파수 성분의 강도와 위상을 얻을 수 있습니다. 이 정보는 다양한 이미지 처리 작업에 활용될 수 있습니다.

주파수 도메인에서의 필터링은 또 다른 중요한 주제입니다. 주파수 필터링을 사용하면 이미지의 특정 주파수 성분을 강조하거나 제거하여 이미지의 전반적인 특성을 변경할 수 있습니다. 예를 들어 로우 패스 필터링은 이미지의 높은 주파수 성분을 제거하여 이미지를 부드럽게 만듭니다. 반대로 하이 패스 필터링은 낮은 주파수 성분을 제거하여 이미지의 선명도를 강조합니다.

마지막으로 이미지 피라미드 및 다중 해상도 처리는 이미지의 다양한 해상도 버전을 생성하고 분석하는 방법입니다. 이미지 피라미드는 동일한 이미지의 여러 다운샘플링된 버전을 포함하며, 각 버전은 다음 버전의 절반의 해상도를 가집니다. 이러한 다중 해상도 표현은 이미지 분석, 목표 인식, 이미지 합성 등 다양한 응용 프로그램에서 사용됩니다.

푸리에 변환

푸리에 변환은 수학과 신호 처리에서 사용되는 툴로, 함수나 신호의 시간 도메인 표현을 주파수 도메인 표현으로 변환하는 데 사용됩니다. 푸리에 변환의 핵심 아이디어는 어떤 복잡한 함수나 신호도 다양한 주파수를 가진 간단한 사인과 코사인 함수의 합으로 표현될 수 있다는 것입니다. 연속 푸리에 변환의 수식은 다음과 같습니다.

$$F(t) = \int_{-\infty}^{\infty} f(t)e^{-j2\pi ft}dt$$

여기서 $F(t)$는 신호의 푸리에 변환 수식이며 $f(t)$는 시간 도메인 신호 함수, $e^{-j2\pi f(t)}$는 복소 지수 함수로 푸리에 변환의 주파수 성분을 분해하는 데 사용되며 f는 주파수 변수입니다. 위 수식을 보면, 복잡해 보이지만 핵심 아이디어는 간단합니다. 주어진 신호 $f(t)$를 각 주파수 성분과 곱하여, 그 성분이 신호에 얼마나 강하게 나타나는지 측정합니다. 이때 사용되는 $e^{-j2\pi f(t)}$ 함수는 각 주파수 성분을 대표하는 함수로, 신호와의 곱을 통해 해당 주파수 성분의 강도를 계산합니다.

신호 $f(t) = sin(2\pi t)$가 있다고 가정해보겠습니다. 이 신호는 주파수가 1Hz인 사인파입니다. 이 신호에 푸리에 변환을 적용하면, 주파수가 1Hz인 성분만 강도가 있고, 나머지 주파수 성분의 강도는 0이 됩니다. 이처럼 푸리에 변환은 주어진 신호에 어떤 주파수 성분이 얼마나 강하게 나타나는지를 측정하고, 이를 주파수 도메인에서의 신호로 표현하는 방법을 제공합니다.

이미지의 각 픽셀 값은 시간 도메인의 신호로 간주될 수 있으며, 푸리에 변환을 사용하면 이러한 픽셀 값의 주파수 성분을 알아낼 수 있습니다. 즉, 이미지의 세부 사항, 패턴, 질감 등을 주파수 성분으로 분석할 수 있게 됩니다. 이미지의 주파수 성분은 일반적으로 낮은 주파수와 높은 주파수로 분류됩니다.

- 낮은 주파수는 이미지의 기본적인 구조와 전반적인 특성을 나타냅니다. 부드러운 변화, 큰 패턴 및 전반적인 밝기 및 색조 변동이 이 범주에 포함됩니다.
- 높은 주파수는 이미지의 세부 정보와 텍스처를 나타냅니다. 선명한 경계, 빠른 밝기 변화 및 질감 패턴은 모두 이 범주에 속합니다.

디지털 이미지 처리에서 푸리에 변환에 수식을 적용한다면 이미지 I는 두 개의 변수 x와 y를 이용해 $I(x, y)$로 표현할 수 있으며 이는 주파수 도메인의 2D 함수 $F(u, v)$로 변환됩니다. 이는 이미지의 주파수 성분을 분석하고 조작하는 데 사용됩니다. 2D 푸리에 변환은 다음과 같이 정의됩니다.

$$F(u,v) = \int_{-\infty}^{\infty}\int_{-\infty}^{\infty} I(x,y)e^{-i2\pi(ux+uv)}dt$$

이 변환을 통해 얻은 결과 $F(u, v)$는 복소수 형태로 표현됩니다.

$$F(u,v) = A(u,v) + iB(u,v)$$

여기서 $A(u, v)$는 실수 부분으로 주파수 성분의 강도를 나타내며 $B(u, v)$는 주파수 성분의 위상 정보를 나타내며 위상은 해당 성분의 위치와 상대적인 위치 정보를 제공하게 됩니다.

예를 들어 이미지의 높은 주파수 성분은 이미지의 빠른 변화와 세부 사항을 나타냅니다. 따라서 푸리에 변환된 이미지에서 높은 주파수 성분을 제거하면, 이미지의 선명도와 세부 사항이 감소하게 됩니다. 반대로 낮은 주파수 성분은 이미지의 전반적인 형태와 구조를 나타냅니다. 낮은 주파수 성분을 제거하면 이미지의 전반적인 형태와 구조가 왜곡됩니다.

로우 패스, 하이 패스 필터링

로우 패스 필터(low-pass filter)와 하이 패스 필터(high-pass filter)는 신호 처리와 이미지 처리 분야에서 광범위하게 사용되는 필터링 기법입니다. 두 필터는 이름에서 알 수 있듯이 주파수 성분을 기반으로 신호나 이미지를 필터링합니다.

로우 패스 필터는 높은 주파수 성분을 제거하고 낮은 주파수 성분만 통과시킵니다. 이미지 처리에서 로우 패스 필터를 적용하면, 이미지의 세부 정보나 경계와 같은 높은 주파수 성분이 제거되어 이미지가 흐려집니다. 이는 노이즈 제거나 이미지를 부드럽게 만드는 데 유용하게 사용됩니다. 예를 들어 가우시안 필터는 로우 패스 필터 중 하나입니다.

하이 패스 필터는 낮은 주파수 성분을 제거하고 높은 주파수 성분만 통과시킵니다. 이미지 처리에서 하이 패스 필터를 적용하면, 이미지의 전반적인 밝기나 패턴과 같은 낮은 주파수 성분이 제거되고, 경계나 세부 정보와 같은 높은 주파수 성분이 강조됩니다. 이는 이미지의 경계 감지나 선명하게 만드는 데 사용됩니다. 뒤에서 배우게 될 이미지 경계 검출에서 사용하는 소벨 필터(sobel filter)나 라플라시안 필터(laplacian filter)는 하이 패스 필터의 예시 중 하나입니다.

주파수 도메인에서의 필터링은 푸리에 변환을 통해 주파수 스펙트럼으로 변환된 이미지에 마스크를 적용하여 특정 주파수 성분을 제거하거나 강조하는 방식으로 작동합니다. 필터링이 완료된 후, 역 푸리에 변환을 적용하여 다시 이미지 도메인으로 변환합니다.

OpenCV를 활용한 푸리에 변환 실습

지금까지 배운 푸리에 변환과 필터링 기법들을 사용하여 이미지 주파수 분석을 진행해보겠습니다. 프로세스는 다음처럼 진행됩니다.

1. 이미지를 불러옵니다.
2. 2D 푸리에 변환을 적용하여 주파수 도메인으로 변환합니다.
3. 주파수 도메인의 이미지를 시각화합니다.
4. 필터링을 적용하여 특정 주파수 성분을 강조하거나 제거합니다.
5. 역 푸리에 변환을 적용하여 다시 이미지 도메인으로 변환합니다.
6. 결과 이미지를 시각화합니다.

먼저 다음 코드로 1~3번의 과정을 진행합니다.

```
import numpy as np
import cv2
import matplotlib.pyplot as plt # ①

# 1. 이미지 불러오기
image = cv2.imread('lenna.png', cv2.IMREAD_GRAYSCALE)
```

```
# 2. 2D 푸리에 변환 적용
f = np.fft.fft2(image)      # ②
fshift = np.fft.fftshift(f) # ③
magnitude_spectrum_original = 20 * np.log(np.abs(fshift)) # ④

# 3. 주파수 도메인 이미지 시각화 (앞에서 이미 계산했습니다.)
plt.subplot(121), plt.imshow(image, cmap='gray')
plt.title('Input Image'), plt.xticks([]), plt.yticks([])
plt.subplot(122), plt.imshow(magnitude_spectrum_original, cmap='gray')
plt.title('Magnitude Spectrum'), plt.xticks([]), plt.yticks([])
plt.show()
```

먼저 필요한 라이브러리를 임포트한 후(①) cv2를 이용하여 이미지를 읽어 image 변수에 저장하였습니다. np.fft.fft2는 2차원 푸리에 변환을 계산합니다(②). 이 함수는 입력 이미지에 푸리에 변환을 적용하고, 복소수 결과를 반환합니다. np.fft.fftshift는 변환 결과의 0 주파수 성분을 중앙으로 이동시키는 코드이며 결과를 fshift에 저장했습니다(③). 이 부분은 시각화할 때 주파수 스펙트럼을 더 명확하게 보여주기 위한 것입니다. 변환된 주파수 도메인의 값은 매우 큰 범위를 가질 수 있습니다. 로그 스케일 변환을 적용하면 이러한 값의 범위를 줄이고, 결과를 더 명확하게 시각화할 수 있습니다. np.abs는 복소수 값의 절대 값을 계산하며, np.log는 로그 변환을 적용합니다(④). 이러한 변환을 거친 후 magnitude_spectrum_original에 저장한 후 주파수를 시각화하였습니다.

코드를 실행하면 다음처럼 출력됩니다.

▼ 그림 2-18 이미지의 주파수 스펙트럼 시각화

중앙 부근의 밝은 영역은 낮은 주파수 성분을 나타냅니다. 이는 이미지의 전반적인 밝기와 그라데이션, 또는 큰 패턴과 같은 정보를 포함하고 있습니다. 중앙에서 멀어진, 더 어두운 영역은 높은 주파수 성분을 나타냅니다. 이는 이미지의 세부적인 텍스처, 경계, 선 등의 정보를 포함하고 있습니다. 이러한 성분은 이미지의 미세한 변화나 텍스처를 나타내며, 이를 제거하면 이미지가 흐려집니다.

이제 4번 과정인 해당 주파수 데이터에 낮은 주파수 성분을 나타내는 부분을 제거하는 필터링을 적용해보겠습니다.

다음처럼 이미지의 중심 좌표를 계산합니다. 이미지의 사이즈가 (rows, cols)라면, 중심 좌표는 (crow, ccol)이 됩니다. 주파수 스펙트럼에서 중심 부분은 낮은 주파수 성분을 나타냅니다. 그리고 나서 실제 필터링을 위한 마스크를 생성합니다.

```
# 4. 필터링 적용 (고주파 성분만 제거하는 Low-pass 필터 적용)

rows, cols = image.shape
crow, ccol = rows // 2, cols // 2
radius = 30
mask = np.ones((rows, cols), np.uint8) # ①
mask[crow - radius:crow + radius, ccol - radius:ccol + radius] = 0 # ②
fshift_filtered = fshift * mask # ③
```

먼저 mask를 모든 값이 1인 배열로 초기화합니다. 이것은 주파수 성분을 그대로 통과시키는 것을 의미합니다(①). 그다음, 중심 부분에 radius 사이즈의 사각형 영역을 0으로 설정합니다(②). 이 영역은 낮은 주파수 성분이 위치하는 중심 부분을 가리키므로, 여기에 0을 설정함으로써 해당 주파수 성분을 제거하게 됩니다. fshift는 이미지의 주파수 스펙트럼입니다. 마스크와의 원소별 곱셈을 통해(③) 0으로 설정된 영역의 주파수 성분은 제거되고, 1로 설정된 영역의 주파수 성분은 그대로 유지됩니다. 이렇게 마스크를 적용한 후의 fshift_filtered는 낮은 주파수 성분이 제거된 주파수 스펙트럼이 됩니다. 이 주파수 스펙트럼을 역 푸리에 변환하여 이미지 도메인으로 되돌리면, 낮은 주파수 성분이 제거된 이미지를 얻을 수 있습니다. 만약 중앙의 낮은 주파수 성분만을 유지하려면, 마스크의 값을 반대로 설정하여 1로 만들면 됩니다.

이제 5~6번 과정의 역 푸리에 변환 후 시각화하는 코드를 작성해보겠습니다.

```
# 5. 역 푸리에 변환
f_ishift = np.fft.ifftshift(fshift_filtered) # ①
image_back = np.fft.ifft2(f_ishift)
image_back = np.abs(image_back)
```

```
# 6. 결과 이미지 시각화
plt.figure(figsize=(12, 12))

plt.subplot(133), plt.imshow(image_back, cmap='gray')
plt.title('Reconstructed Image'), plt.xticks([]), plt.yticks([])

plt.tight_layout()
plt.show()
```

푸리에 변환을 진행한 fft2 앞에 i(inverse)를 붙여 역으로 돌리기 전인 푸리에 변환 직전에 fftshift를 진행하였으니, 다시 ifftshiftt를 진행하여 원래의 값으로 돌린 후 역 푸리에 변환을 진행합니다(①).

역 푸리에 변환을 하여 낮은 주파수 부분을 제거한 이미지는 다음과 같습니다.

▼ 그림 2-19 출력 결과: 역 푸리에 변환을 통해 역구조화한 이미지

낮은 주파수 성분만 유지되었기 때문에 이미지의 세부 정보가 흐려진 것을 볼 수 있습니다. 이렇게 주파수 분석을 진행하여 주파수 성분을 알아내고 원하는 주파수 범위만 선택하여 이미지를 필터링하거나 목적에 맞게끔 전처리를 진행하는 데 사용할 수 있습니다.

이미지 피라미드 및 다중 해상도 처리

이미지 처리 및 컴퓨터 비전에서는 종종 동일한 이미지를 다양한 해상도로 분석해야 하는 경우가 있습니다. 이렇게 다양한 해상도에서 이미지를 계층적으로 표현하는 방식을 **이미지 피라미드**라고 부릅니다. 이 개념은 이미지의 여러 사이즈와 해상도의 버전을 생성하여, 큰 그림의 패턴부터 이미지의 미세한 세부 사항에 이르기까지 다양한 차원에서의 특징을 캡처하는 데 유용합니다.

이미지 피라미드는 원본 이미지에서 시작하여 점차적으로 해상도를 줄이면서 여러 레벨로 구성됩니다. 각 레벨에서의 이미지는 이전 레벨의 이미지보다 사이즈가 약 50% 작아집니다. 이는 주로 가우시안 블러와 다운샘플링을 통해 생성됩니다.

다중 해상도 처리의 주요 이점 중 하나는 연산 효율성입니다. 낮은 해상도의 이미지에서는 빠르게 연산을 수행할 수 있기 때문에 큰 패턴이나 전반적인 구조를 빠르게 파악할 수 있습니다. 반면, 높은 해상도의 이미지는 세부적인 정보나 텍스처를 분석하는 데 사용됩니다.

또한 이미지 피라미드는 객체 인식, 특히 스케일에 민감하지 않은 객체 인식에서 매우 중요합니다. 객체가 이미지의 어느 위치에 있든 어느 사이즈로 나타나든 해당 객체를 인식하는 데 도움을 줄 수 있습니다. 이미지 피라미드의 다른 응용 분야로는 이미지 퓨전, 포커스 스택, 이미지 블렌딩 등이 있습니다. 예를 들어 다양한 포커스를 가진 여러 이미지를 하나의 잘 포커스된 이미지로 결합할 때 이미지 피라미드는 중요한 역할을 합니다. 이미지 피라미드와 다중 해상도 처리의 아이디어는 단순하지만, 그 뒤에 있는 수학 및 알고리즘적 복잡성 때문에 깊은 이해와 실습이 필요합니다. 이러한 방법은 컴퓨터 비전과 이미지 처리에서 광범위하게 사용되며, 현대의 많은 고급 알고리즘 및 응용 프로그램의 핵심 구성 요소로 작용합니다.

이미지 피라미드는 그 이름에서 알 수 있듯이, 계층적이고 구조적인 형태로 여러 해상도의 이미지를 표현하는 방식입니다. 이러한 피라미드는 주로 두 가지 유형으로 분류됩니다.

가우시안 피라미드

가우시안 피라미드는 이미지의 다양한 해상도 버전을 계층적으로 표현하는 방식입니다. 가우시안 피라미드의 핵심 원리와 생성 방법을 더 깊게 살펴보겠습니다.

가우시안 피라미드의 핵심 개념은 다양한 스케일의 이미지 특성을 동시에 분석하고자 하는 것입니다. 이러한 다양한 스케일의 이미지는 객체 사이즈, 모양 및 위치 변화에 대응할 수 있게 해줍니다. 이러한 특징으로 객체 인식, 이미지 스티칭, 이미지 병합 등 다양한 애플리케이션에서 가우시안 피라미드가 활용됩니다.

가우시안 피라미드를 구성할 때 원본 이미지에서 시작하여 다음과 같은 단계를 거쳐 이미지를 변환합니다.

- **가우시안 필터링**: 이미지에 가우시안 블러를 적용합니다. 가우시안 블러는 이미지의 세부 정보를 완화하며, 고주파 성분을 제거하는 효과를 가져옵니다. 이 과정은 이미지가 일그러지는 효과를 최소화하며 이미지의 세부 정보를 보존하는 데 중요합니다.
- **다운샘플링**: 블러 처리된 이미지에서, 일반적으로 2×2 픽셀 그룹을 하나의 픽셀로 축소합니다. 이렇게 하면 이미지의 해상도가 절반으로 감소합니다.
- **반복**: 앞의 두 단계를 원하는 수의 레벨이 생성될 때까지 반복합니다.

가우시안 피라미드의 상위 레벨은 원본 이미지와 가장 유사하며, 높은 해상도와 세부 정보를 포함하고 있습니다. 반면에 하위 레벨은 해상도가 점차 감소하며, 이미지의 전반적인 구조와 패턴에 중점을 둡니다. 이러한 구조는 이미지의 크고 작은 패턴을 동시에 분석할 수 있도록 해줍니다.

다양한 스케일의 이미지를 갖추게 되면 이미지에서의 객체나 특징을 다양한 사이즈에서 검출하는 데 유리합니다. 가우시안 피라미드는 이러한 다양한 스케일의 특징을 빠르게 검출하고 분석하는 데 필수입니다.

또한 가우시안 피라미드는 이미지 병합 및 스티칭에도 사용됩니다. 서로 다른 해상도의 이미지를 자연스럽게 병합하려면, 가우시안 피라미드의 각 레벨에서 이미지를 병합하고, 이를 결합하여 최종 결과를 얻을 수 있습니다.

OpenCV와 가우시안 피라미드를 이용한 이미지 해상도 조정 실습

앞에서 배운 가우시안 피라미드 이론을 바탕으로 각 피라미드 단계별 주요 특징들을 추출하는 실습을 진행해보겠습니다.

가우시안 피라미드의 효과를 더욱 명확하게 확인하기 위해 다음 코드로 컬러 이미지를 불러오겠습니다.

```
import cv2
import matplotlib.pyplot as plt

# 이미지 로드
image = cv2.imread("like_lenna.png", cv2.IMREAD_COLOR)
# OpenCV는 BGR 형식으로 이미지를 로드하므로 RGB로 변환
image_rgb = cv2.cvtColor(image, cv2.COLOR_BGR2RGB)
```

그다음 가우시안 피라미드 함수를 생성합니다. 함수는 레벨과 이미지를 받아 해당 레벨만큼 이미지를 가우시안 피라미드 단계를 시작하게 됩니다. 가우시안 피라미드는 cv2.pyrDown으로 쉽게 구현할 수 있습니다.

```
def gaussian_pyramid(image, levels):
    pyramid = [image]
    for i in range(levels-1):
        image = cv2.pyrDown(image)
        pyramid.append(image)
    return pyramid

levels = 5
pyramid = gaussian_pyramid(image_rgb, levels)
```

마지막으로 해당 가우시안 피라미드 결과들을 시각적으로 확인합니다.

```
# 가우시안 피라미드를 시각화
fig, axes = plt.subplots(1, levels, figsize=(20, 8))
for i, ax in enumerate(axes):
    ax.imshow(pyramid[i])
    ax.axis('off')
    ax.set_title(f'Level {i+1}')

plt.tight_layout()
plt.show()
```

단계마다 가우시안 피라미드가 실행된 결과를 볼 수 있습니다. 이를 통하여 각 단계의 주요 특징 값들은 다르게 추출할 수 있으며 다양한 모델 및 이미지 애플리케이션과 융합하여 단일 이미지에서 추출할 수 없던 결과를 확인할 수 있습니다.

라플라시안 피라미드

라플라시안 피라미드는 가우시안 피라미드를 기반으로 생성됩니다. 각 레벨에서의 이미지는 해당 레벨의 가우시안 이미지와 그다음 레벨의 가우시안 이미지를 업샘플링하여 뺀 결과입니다. 라플라시안 피라미드는 이미지의 세부 정보나 경계를 강조하기 때문에 이미지 복원이나 텍스처 분석에서 유용하게 사용됩니다.

이미지 피라미드의 핵심 목적은 다양한 해상도에서의 이미지 정보를 효율적으로 저장하고 처리하는 것입니다. 다양한 해상도로 이미지의 특징을 분석할 수 있기 때문에 객체의 사이즈나 위치, 회전 등 변화에 민감하지 않은 알고리즘을 구현할 수 있습니다.

이미지 피라미드는 또한 이미지의 다양한 해상도에서 동일한 연산을 병렬로 수행할 수 있는 장점도 있습니다. 예를 들어 객체 인식 알고리즘을 실행할 때 피라미드의 각 레벨에서 동일한 탐지기를 동시에 실행하면, 다양한 스케일에서의 객체를 동시에 감지할 수 있습니다.

▼ 그림 2-20 이미지 피라미드 사용 예시

level 1

level 2

level 3

level 4

이미지 피라미드의 이러한 다양한 장점과 유용성 때문에 컴퓨터 비전 및 이미지 처리의 많은 분야에서 광범위하게 사용되고 있습니다. 그러나 이미지 피라미드를 효과적으로 사용하려면 해당 이미지의 특성, 필요한 연산 및 목표 해상도를 고려하여 적절한 레벨과 타입의 피라미드를 구성해야 합니다.

OpenCV를 활용한 라플라시안 피라미드 생성 실습

라플라시안 피라미드는 가우시안 피라미드를 기반으로 생성하기 때문에 앞에서 생성한 가우시안 피라미드를 그대로 가져오겠습니다. 다음 코드에서 cv2.pyrDown 함수는 이미지의 사이즈를 절반으로 줄이면서 가우시안 블러를 적용하는 함수입니다.


```
# 1. 이미지 로드
image = cv2.imread("like_lenna.png", cv2.IMREAD_COLOR)
image_rgb = cv2.cvtColor(image, cv2.COLOR_BGR2RGB)

# 2. 가우시안 피라미드 생성 함수
def gaussian_pyramid(image, levels):
    """이미지의 가우시안 피라미드를 생성하는 함수"""
    pyramid = [image]
    for i in range(levels-1):
        image = cv2.pyrDown(image)
        pyramid.append(image)
    return pyramid
```

라플라시안 피라미드는 이와 반대로 pyrUp 함수를 사용하여 구현할 수 있습니다.

```
# 3. 라플라시안 피라미드 생성 함수
def laplacian_pyramid(gaussian_pyramid):
    laplacian = []
    for i in range(len(gaussian_pyramid) - 1):
        next_level = cv2.pyrUp(gaussian_pyramid[i+1])
        if next_level.shape[0] > gaussian_pyramid[i].shape[0]:
            next_level = next_level[:-1, :, :]
        if next_level.shape[1] > gaussian_pyramid[i].shape[1]:
            next_level = next_level[:, :-1, :]
        lap = cv2.subtract(gaussian_pyramid[i], next_level)
        laplacian.append(lap)
    laplacian.append(gaussian_pyramid[-1])
    return laplacian
```

라플라시안 피라미드는 이미지의 세부 정보나 경계를 강조하기 위한 이미지 시퀀스입니다. 각 레벨에서의 이미지는 해당 레벨의 가우시안 이미지와 그다음 레벨의 가우시안 이미지를 업샘플링한 것과의 차이로 구성됩니다. cv2.pyrUp 함수는 이미지의 해상도를 두 배로 높이는 업샘플링 함수입니다. 이 함수를 사용하여 다음 레벨의 가우시안 이미지를 업샘플링하고, 현재 레벨의 가우시안 이미지와 차이를 구하여 라플라시안 이미지를 생성합니다.

그다음 이미지의 가우시안 피라미드와 라플라시안 피라미드를 생성합니다. 원본 이미지와 원하는 레벨 수를 지정하여 각각의 피라미드를 생성하겠습니다.

```
levels = 5
g_pyramid = gaussian_pyramid(image_rgb, levels)
l_pyramid = laplacian_pyramid(g_pyramid)
```

그러고 나서 라플라시안 피라미드의 이미지들을 가로로 연결하여 시각화합니다. 이미지들의 높이를 동일하게 맞추기 위해 높이가 가장 작은 이미지의 높이를 기준으로 모든 이미지의 높이를 조절합니다. 이렇게 리사이즈된 이미지들을 가로 방향으로 연결하여 하나의 이미지로 만듭니다. 이후 Matplotlib을 사용하여 결과 이미지를 표시합니다.

```
# 4. 라플라시안 피라미드를 가로로 연결
min_height = min([img.shape[0] for img in l_pyramid])
concatenated_laplace_horizontal = cv2.resize(l_pyramid[0], (int(l_pyramid[0].shape[1]
* min_height / l_pyramid[0].shape[0]), min_height))

fig, ax = plt.subplots(figsize=(15, 6))

for idx, img in enumerate(l_pyramid[1:], start=1):
    resized_img = cv2.resize(img, (int(img.shape[1] * min_height / img.shape[0]),
min_height))
    concatenated_laplace_horizontal = cv2.hconcat([concatenated_laplace_horizontal,
resized_img])

ax.imshow(concatenated_laplace_horizontal, cmap='gray')
ax.axis('off')

plt.title('Laplacian Pyramid')
plt.show()
```

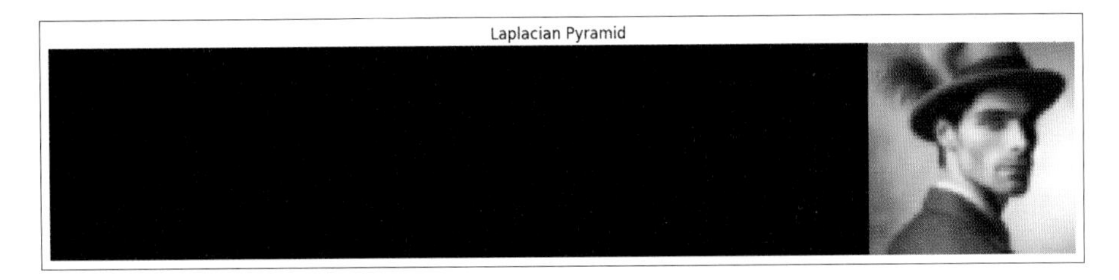

라플라시안 피라미드의 특성상 각 레벨에서의 이미지는 해당 레벨의 가우시안 이미지와 그다음 레벨의 업샘플링된 가우시안 이미지와 차이를 나타냅니다. 따라서 각 이미지는 원본 이미지의 세부 정보나 경계를 강조하는 특성을 가집니다. 가장 왼쪽의 검은색으로 나타나는 부분은 라플라시안이 적용되어 원본 이미지의 세부적인 경계와 텍스처를 나타내고 있습니다. 이 이미지는 대부분의 픽셀 값이 0에 가까운데, 이는 대부분의 영역에서 차이가 없기 때문입니다. 밝게 표시된 부분은 경계나 텍스처가 강조된 영역을 나타냅니다. 반면, 가장 오른쪽에 위치한 이미지는 라플라시안 피라미드의 마지막 레벨에서 가우시안 피라미드의 마지막 레벨 이미지 자체입니다. 이는 전반적인 이미지의 색상과 밝기 정보를 나타냅니다.

이렇게 라플라시안 피라미드를 통해 이미지의 경계와 세부 정보가 강조되는 것을 확인하였습니다. 경계와 세부 정보의 강조는 이미지 처리와 컴퓨터 비전 분야에서 중요한 주제 중 하나인 **이미지 경계 검출**과 밀접한 관련이 있습니다. 경계는 객체와 배경, 또는 두 객체 사이의 구분을 나타내는 중요한 정보로 활용될 수 있으며 자율 주행 자동차 영역에서 또한 차선 검출을 목적으로도 이미 널리 사용이 되고 있었습니다. 그렇기에 이를 정확하게 검출하는 것은 다양한 응용 분야에서 필수적입니다.

2.2.4 이미지 경계 검출

이미지에서 경계는 두 영역의 차이, 즉 갑작스러운 픽셀 값의 변화를 나타냅니다. 이러한 변화는 이미지의 그레이디언트를 통해 쉽게 감지할 수 있습니다. 그레이디언트의 사이즈와 방향은 이미지의 지역적인 변화를 설명하는 중요한 정보를 제공하며, 이를 통해 이미지 내에서 경계를 정확하게 찾아낼 수 있습니다. 계속해서 다양한 경계 검출 방법에 대해 알아보겠습니다.

캐니 에지 검출기

캐니 에지 검출기는 이미지 처리와 컴퓨터 비전 분야에서 널리 사용되는 경계 검출 방법 중 하나입니다. 이 기술은 1986년 존 캐니(John F. Canny)에 의해 개발되었으며, 그의 이름을 따서 '캐니 에지 검출기'라고 불립니다. 경계 검출은 객체 인식, 추적, 분류 등 다양한 응용 분야에서 중요한 전처리 단계로 간주되며, 캐니의 방법은 이러한 문제에 효과적으로 대응하기 위해 설계되었습니다.

이미지 내에서 경계는 두 영역 사이의 큰 밝기 변화로 나타납니다. 이러한 변화를 정확하게 감지하기 위해서는 몇 가지 고려 사항이 있습니다.

- **낮은 오류율**: 실제 경계만을 검출하며, 가능한 한 오류를 최소화하는 것이 중요합니다.
- **정확한 위치**: 검출된 경계는 실제 경계에 가까워야 합니다.
- **명확한 응답**: 이미지 내의 경계는 한 번만 검출되어야 합니다.

캐니 에지 검출기는 이러한 사항을 만족시키기 위해 여러 단계의 알고리즘을 적용합니다. 먼저 이미지는 가우시안 필터를 사용하여 노이즈를 제거하고, 그레이디언트의 사이즈와 방향을 계산하여 경계의 강도와 방향을 추정합니다. 이후 비최대 억제(Non-Maximum Suppression, NMS)를 사용하여 그레이디언트의 사이즈가 지역 최대 값이 아닌 픽셀을 제거하고, 두 개의 임계 값을 사용하여 경계를 결정합니다.

▼ 그림 2-21 에지 검출기 프로세스

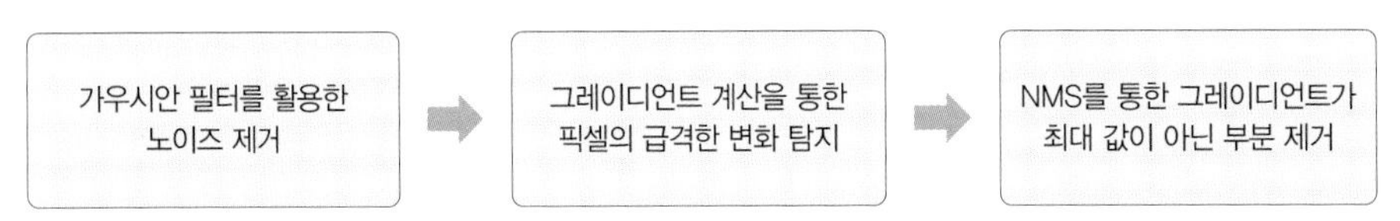

캐니의 방법은 그 단순함, 효과성, 그리고 안정성으로 인해 널리 사용되며, 다양한 응용 분야에서 뛰어난 성능을 보여줍니다. 그러나 모든 이미지나 상황에 캐니 에지 검출기가 최적의 선택이 될 수는 없습니다. 따라서 다양한 상황과 요구 사항에 맞게 적절한 에지 검출 방법을 선택하는 것이 중요합니다.

그렇기에 캐니 에지 검출기의 자세한 작동 원리와 그 효과에 대해 알아보겠습니다.

그레이디언트 계산

이미지에서 경계는 밝기 값의 급격한 변화로 표현됩니다. 이러한 변화를 정량적으로 측정하기 위해서는 그레이디언트를 계산해야 합니다. 그레이디언트는 이미지의 x와 y 방향에서의 밝기 값의 변화를 나타내며, 이를 통해 경계의 강도와 방향을 결정할 수 있습니다.

▼ 그림 2-22 이미지 그레이디언트 예시

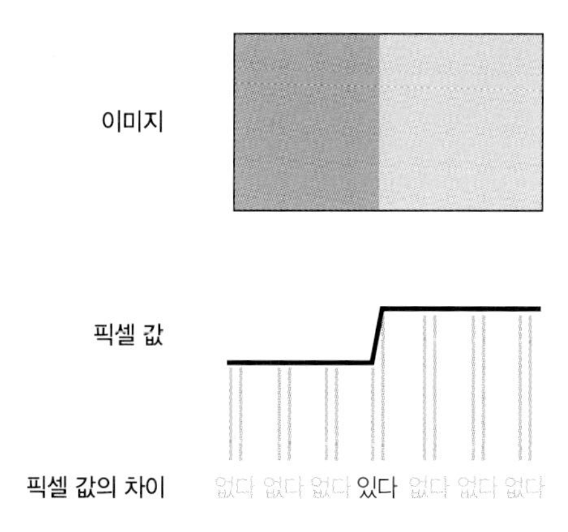

그레이디언트의 x 방향과 y 방향 값은 다음과 같이 계산됩니다.

$$G_x = \frac{\partial I}{\partial x}$$

$$G_y = \frac{\partial I}{\partial y}$$

여기서 G_x와 G_y는 이미지의 x 방향과 y 방향의 1차 편미분을 나타냅니다.

그레이디언트의 사이즈와 방향은 각각 다음과 같이 계산됩니다.

$$|G| = \sqrt{G_x^2 + G_y^2}$$

$$\theta = \arctan(\frac{G_y}{G_x})$$

이렇게 계산된 $|G|$는 그레이디언트의 사이즈를, θ는 그레이디언트의 방향을 나타냅니다.

실제 구현에서는 θ 값을 네 가지 주요 방향 (0°, 45°, 90°, 135°) 중 하나로 근사화하여 사용합니다. 여기서 각 픽셀에 대한 그레이디언트 값을 계산한 후, 비최대 억제를 사용합니다. 비최대 억제는 겹쳐 있는 영역에서 중요도가 떨어지는 영역을 제거하고, 강조가 되는 부분을 강조하는 알고리즘입니다. 픽셀 P_1과 P_2에 대해 다음 수식을 적용합니다.

$$if\ G(P) < max\big(G(P_1), G(P_2)\big) then\ G(P_2) = 0$$

중앙 픽셀의 그레이디언트 사이즈를 이 두 이웃 픽셀의 그레이디언트 사이즈와 비교합니다. 만약 중앙 픽셀의 그레이디언트 사이즈가 두 이웃 픽셀보다 작다면, 중앙 픽셀은 0으로 설정되어 제거됩니다.

에지 검출기에서 비최대 억제 알고리즘은 그레이디언트 이미지에서 최대 값이 아닌 픽셀을 제거하는 과정입니다. 이 단계를 거치면서 이미지의 에지가 얇고 명확하게 표현됩니다.

OpenCV를 활용한 캐니 에지 검출기 실습

캐니 에지 검출기 역시 OpenCV로 매우 쉽게 적용할 수 있습니다. 다음처럼 가우시안 블러를 사용하여 노이즈를 제거한 후, 제거된 이미지를 캐니 함수에 통과시키면 적용이 완료됩니다.

```
import cv2
import matplotlib.pyplot as plt

image = cv2.imread("like_lenna.png", cv2.IMREAD_GRAYSCALE)
# 1. 가우시안 블러 적용
blurred_image = cv2.GaussianBlur(image, (5, 5), 1.4)
# 2. 캐니 에지 검출
canny_edges = cv2.Canny(blurred_image, threshold1=50, threshold2=150) # ①

# 3. 시각화
fig, axes = plt.subplots(1, 3, figsize=(15, 5))
axes[0].imshow(image, cmap='gray')
axes[0].axis('off')
axes[0].set_title('Original Image')
axes[1].imshow(blurred_image, cmap='gray')
axes[1].axis('off')
axes[1].set_title('Gaussian Blurred Image')
axes[2].imshow(canny_edges, cmap='gray')
axes[2].axis('off')
axes[2].set_title('Canny Edge Detection')
```

threshold1과 threshold2, 이 두 임계 값은 이중 임계 값을 만드는 과정에서 사용됩니다(①). 픽셀 그레이디언트 사이즈(에지 강도)가 threshold2보다 크면 픽셀은 강한 에지로 간주됩니다. 픽셀 값이 threshold1과 threshold2 사이라면 픽셀은 약한 에지로 간주됩니다. 픽셀의 그레이디언트 사이즈가 threshold1보다 작으면 픽셀은 에지로 간주되지 않습니다. 단, 그레이디언트 계산과 NMS 적용을 마무리할 수 있습니다.

코드를 실행하면 다음처럼 출력됩니다.

♥ 그림 2-23 출력 결과: 가우시안 블러 및 케니 에지 디텍션 결과

위 출력 결과에 임계치 수정을 적용하여 각 임계치 범위에 따른 결과를 시각적으로 확인해봅시다.

```
# 다양한 임계 값 조합으로 캐니 에지 검출 수행
thresholds = [(10, 50), (50, 100), (100, 150), (150, 200)] # ①

canny_results = []

for threshold1, threshold2 in thresholds:
    canny_image = cv2.Canny(blurred_image, threshold1=threshold1, threshold2=
threshold2)
    canny_results.append(canny_image)

# 시각화
fig, axes = plt.subplots(1, len(thresholds), figsize=(20, 5))

for i, ax in enumerate(axes):
    ax.imshow(canny_results[i], cmap='gray')
    ax.axis('off')
    ax.set_title(f'threshold1={thresholds[i][0]}, threshold2={thresholds[i][1]}')
```

thresholds 부분(①)과 같이 다양한 임계 값을 설정하면 각자 환경에 맞는 최적의 임계치를 한 번에 찾을 수 있습니다.

코드를 실행하면 다음처럼 출력됩니다.

▼ 그림 2-24 출력 결과: 케니 경계 에지 검출기 임계치에 따른 변화 시각화

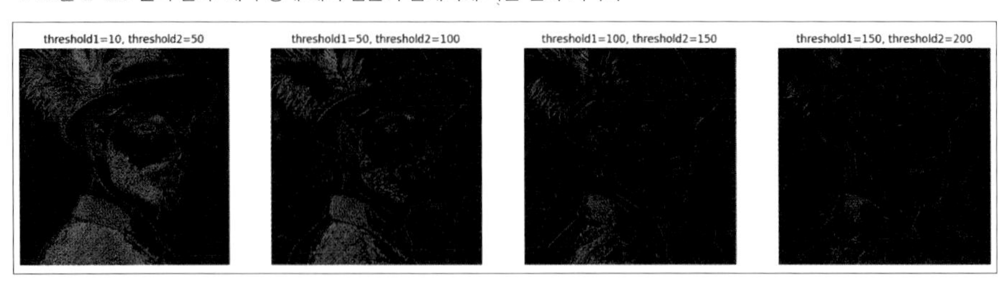

프리윗 및 소벨 연산자

프리윗 및 소벨 연산자는 이미지의 에지를 감지하는 데 사용되는 그레이디언트 기반의 미분 연산자 필터입니다. 이들 연산자는 이미지의 그레이디언트를 직접 계산하여 에지를 검출하는 반면, 캐니 에지 검출 방식은 추가적인 단계(비최대 억제, 이중 임계 값 처리, 에지 추적)를 포함하여 더욱 정밀하게 에지를 검출합니다. 따라서 프리윗 및 소벨 연산자는 단순하고 빠르게 에지를 감지하는 데 사용되는 반면, 캐니 방식은 보다 정교하고 견고한 에지 검출에 적합합니다.

1. **프리윗 연산자**

   프리윗 연산자 커널의 모양은 매우 단순한 모양의 커널 값을 가지고 있어 매우 빠르게 작동할 수 있다는 특징이 있습니다. 프리윗 연산자는 3×3 사이즈의 커널을 두 개 사용합니다.

2. **수평 프리윗 커널과 수직 프리윗 커널**

   - 수평 프리윗 커널: $\begin{pmatrix} -1 & -1 & -1 \\ 0 & 0 & 0 \\ 1 & 1 & 1 \end{pmatrix}$
   - 수직 프리윗 커널: $\begin{pmatrix} -1 & 0 & 1 \\ -1 & 0 & 1 \\ -1 & 0 & 1 \end{pmatrix}$

   커널 값들을 보면 모든 요소가 동일한 가중치를 가지며, 비교적 단순한 계산을 요구합니다. 이 특징은 프리윗 연산자가 노이즈에 더 민감하게 만들 수 있습니다. 수평 프리윗 커널과 수직 프리윗 커널로 x 및 y 방향의 그레이디언트를 계산하게 됩니다.

3. **소벨 연산자**

   소벨 연산자는 프리윗 연산자와 유사하게 작동하지만, 가중치가 조금 다릅니다. 소벨 연산자도 두 개의 3x3 커널을 사용합니다.

4. 수평 소벨 커널과 수직 소벨 커널

- 수평 소벨 커널: $\begin{pmatrix} -1 & -2 & -1 \\ 0 & 0 & 0 \\ 1 & 2 & 1 \end{pmatrix}$
- 수직 소벨 커널: $\begin{pmatrix} -1 & 0 & 1 \\ -2 & 0 & 2 \\ -1 & 0 & 1 \end{pmatrix}$

소벨 커널의 중앙 행은 프리윗 커널보다 더 큰 가중치를 가지고 있어 더 강한 그레이디언트 반응을 보입니다. 이는 소벨 연산자가 노이즈에 대해서는 덜 민감하지만, 에지 검출 능력은 프리윗 연산자에 비해 더 높습니다.

이미지에 소벨 연산자를 적용하면, 각 픽셀에 대해 x 및 y 방향의 그레이디언트의 사이즈를 계산할 수 있습니다. 그레이디언트의 사이즈는 두 그레이디언트의 합의 절대 값으로 계산되며, 이를 통해 에지의 강도를 결정할 수 있습니다.

프리윗과 소벨 연산자 모두 간단하고 효과적인 에지 검출 방법입니다. 그러나 노이즈가 많은 이미지에서는 소벨 연산자가 더 나은 결과를 보일 수 있습니다. 프리윗 연산자는 노이즈에 더 민감하기 때문입니다. 또한 소벨 연산자는 대체로 더 큰 에지를 감지하는 데 효과적입니다.

OpenCV를 활용한 프리윗 연산자 적용 에지 검출 실습

프리윗 연산자를 적용한 에지 검출 실습을 진행해보겠습니다. 먼저 앞에서 배운 프리윗 수직, 수평 커널을 각각 kx, ky로 선언하였습니다.

```
from matplotlib import pyplot as plt
import cv2

# 이미지 불러오기
image = cv2.imread("like_lenna.png", cv2.IMREAD_GRAYSCALE)

# 프리윗 커널 정의
kx = np.array([[-1, 0, 1], [-1, 0, 1], [-1, 0, 1]])
ky = np.array([[-1, -1, -1], [0, 0, 0], [1, 1, 1]])
```

이렇게 선언한 커널을 cv2.filter2d로 적용할 수 있습니다. cv2.filter2D() 함수에서 -1은 출력 이미지의 깊이(depth, 즉 채널)를 나타냅니다. -1을 사용하면 출력 이미지는 입력 이미지와 동일한 깊이를 가집니다. 이를 통해 입력 이미지와 동일한 데이터 타입과 깊이를 가진 출력 이미지를 생성할 수 있습니다.

```
# 프리윗 커널 적용
gx = cv2.filter2D(image, -1, kx)
gy = cv2.filter2D(image, -1, ky)
```

다음으로 가중치를 지정합니다.

```
# 결과 이미지
prewitt_result = cv2.addWeighted(gx, 0.5, gy, 0.5, 0)
```

cv2.addWeighted() 함수는 두 이미지 배열을 가중치를 적용하여 합하는 함수입니다. 이 경우에는 프리윗을 각각 x 방향 및 y 방향의 그레이디언트를 계산하는 데 사용합니다. cv2.addWeighted()는 이 두 그레이디언트 결과를 결합하여 최종 에지 감지 결과를 생성합니다. 0.5를 사용하면, x 방향과 y 방향의 그레이디언트가 동일한 중요도를 가집니다. 이는 대부분의 일반적인 상황에서 적합합니다.

1을 사용하면, 한 방향의 그레이디언트가 다른 방향의 그레이디언트보다 더 큰 영향을 미칩니다. 이는 특정 방향의 에지를 더 강조하고자 할 때 유용할 수 있습니다. 0을 사용하면, 해당 방향의 그레이디언트는 결과에 영향을 미치지 않습니다. 달리는 차 앞에 차선을 검출하는 목적으로 비전 카메라를 장착한다고 상상한다면 주로 검출할 차선은 세로 선이니 세로에 가중치를 더 주어 설정하면 됩니다. 우리의 코드의 경우 가로 경계선과 세로 경계선 모두를 검출할 예정이라 0.5로 설정했습니다.

이제 다음 코드로 결과 이미지를 확인합니다.

```
# 결과 출력
plt.imshow(prewitt_result, cmap='gray')
plt.axis('off')
plt.title('Prewitt Edge Detection')
plt.show()
```

출력 결과를 보니 프리윗 연산자를 이용하여 가로 경계와 세로 경계 모두 검출된 것을 확인할 수 있습니다.

OpenCV를 활용한 소벨 연산자 적용 에지 검출 실습

이제 같은 이미지에 소벨 연산자를 적용해보겠습니다.

```
# 소벨 커널 적용
gx_sobel = cv2.Sobel(image, cv2.CV_64F, 1, 0, ksize=3) # ①
gy_sobel = cv2.Sobel(image, cv2.CV_64F, 0, 1, ksize=3) # ①

# 결과 이미지
sobel_result = cv2.addWeighted(gx_sobel, 0.5, gy_sobel, 0.5, 0) # ②

# 결과 출력
plt.imshow(sobel_result, cmap='gray')
plt.axis('off')
plt.title('Sobel Edge Detection')
plt.show()
```

소벨의 경우 따로 소벨 커널을 만들지 않아도 cv2에서 지정한 함수를 활용하여 쉽게 구현이 가능합니다. cv2.Sobel의 첫 번째 매개변수(image)는 입력 이미지입니다(①).

두 번째 매개변수(cv2.CV_64F)는 출력 이미지의 데이터 타입을 나타내며, 64-bit float을 의미합니다. sobel 연산은 그레이디언트의 방향과 사이즈를 계산하며, 결과는 음수가 나올 수도 있습니다. 따라서 출력 이미지의 데이터 타입은 부동 소수점이어야 합니다. 세 번째 매개변수(1 또는 0)는 x 방향의 미분 차수를 나타냅니다. 1은 첫 번째 미분(즉, 그레이디언트)을 의미하며, 0은 미분이 없음을 의미합니다. gx_sobel에서 1을 사용하여 x 방향의 그레이디언트를 계산합니다.

네 번째 매개변수(0 또는 1)는 y 방향의 미분 차수를 나타냅니다. gy_sobel에서 1을 사용하여 y 방향의 그레이디언트를 계산합니다. 다섯 번째 매개변수(ksize)는 소벨 커널의 사이즈를 나타냅니다. ksize=3은 3×3 사이즈의 소벨 커널을 사용한다는 것을 의미합니다.

이를 종합하여 gx_sobel = cv2.Sobel(image, cv2.CV_64F, 1, 0, ksize=3) 행은 x 방향으로, gy_sobel = cv2.Sobel(image, cv2.CV_64F, 0, 1, ksize=3) 행은 y 방향으로의 그레이디언트를 계산합니다.

이 두 그레이디언트는 후에 cv2.addWeighted()를 사용하여 결합합니다(②).

코드를 실행하면 다음처럼 출력됩니다.

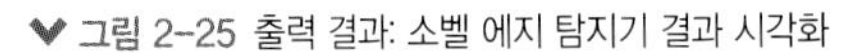

▼ 그림 2-25 출력 결과: 소벨 에지 탐지기 결과 시각화

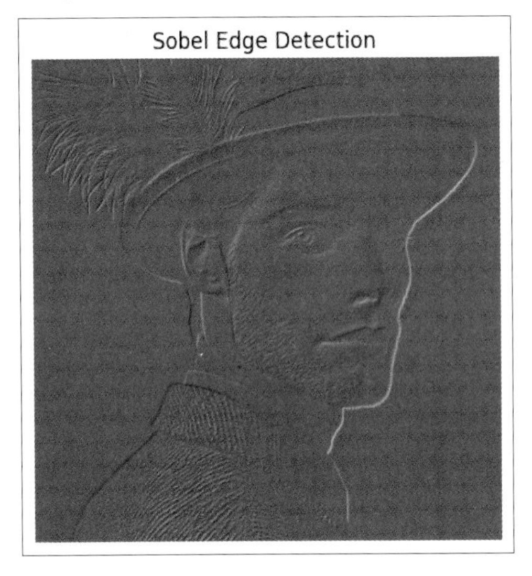

이미지 경계 검출에 대한 실습을 통해 프리윗과 소벨 연산자의 작동 방식과 그 결과를 살펴보았습니다. 두 연산자 모두 이미지 경계를 효과적으로 감지할 수 있으며, 사용 케이스에 따라 적절한 연산자를 선택할 수 있습니다. 특히 노이즈가 많은 이미지에서는 소벨 연산자를 사용하면 더 좋은 결과가 나올 수 있습니다.

프리윗과 소벨 연산자는 간단하고 빠르게 구현할 수 있으며, 실시간 응용 프로그램에도 적합합니다. 다만, 더 정밀한 에지 검출이 필요한 경우에는 캐니 에지 검출기와 같은 좀 더 복잡한 알고리즘을 고려해볼 수 있습니다.

이제 인공지능과 이미지 처리에 대해 탐구할 차례입니다. 현대의 많은 이미지 처리 시스템과 응용 프로그램은 인공지능, 특히 딥러닝 기술을 활용합니다. 딥러닝 모델은 이미지 분류, 객체 탐지, 이미지 생성, 스타일 전이 등 다양한 부분에서 뛰어난 성능을 보입니다.

다음 장에서는 모델의 기본 구조와 작동 방식을 이해하고, 실제 코드와 예제를 통해 인공지능을 활용한 이미지 처리의 다양한 측면과 가능성을 탐색합니다. 인공지능이 이미지 처리 분야에서 어떻게 혁명을 일으키고 있는지 함께 알아보겠습니다.

3장

인공지능과 이미지 처리

3.1 딥러닝이란?
3.2 딥러닝을 활용한 이미지 처리

3.1 딥러닝이란?

인공지능은 간단한 자동화 프로세스부터 사람의 지능을 따라 만든 프로그램까지 넓은 의미를 갖습니다. 실생활에 점차 다양한 인공지능 기술들이 접목되면서 우리의 삶은 점점 더 편해지고 있습니다. 특정 시간에 정해진 사람에게 메일을 보내준다거나, 사람 대신 맞춤법을 검사해주고, 가까이 다가오면 자동으로 문을 열어주는 등 다양한 인공지능 기술들이 선보여지고, 어느새 일상생활 가운데 당연한 기술로 자리매김하고 있습니다. 오늘날 인공지능 기술은 지속적으로 발전하여 이미지에서 원하는 대상의 위치를 찾아내고, 사람처럼 설명을 해주고, 사람과 대화하는 등 뛰어난 성능을 발휘하고 있습니다. 우리는 여기서 인공지능의 중요한 기술인 딥러닝에 대해 살펴보고자 합니다.

3.1.1 인공 신경망 기초

딥러닝은 단순히 데이터를 처리하는 기술을 넘어서, 복잡한 문제 해결과 창의적 사고를 가능하게 하는 도구로 자리 잡았습니다. 이번에는 딥러닝이라는 학문이 어떤 배경에서 등장하게 되었는지와 그 핵심 원리를 살펴보겠습니다.

인공지능과 이미지 처리의 관계

다소 다른 이야기로 넘어간다고 생각할 수 있지만, 이미지 처리와 인공지능, 딥러닝은 아주 밀접한 관계에 있습니다. 인공지능 기술이 점차 발전해감에 따라 이미지 처리에도 수많은 기법이 추가되어 어느새 이미지 처리는 인공지능 기술이라고 생각될 정도로 인식에 변화가 생겼습니다. 또 사실은 인공지능의 발달 과정 역시 이미지 처리와 밀접한 연관이 있습니다.

이미지 처리 초기에는 수학 알고리즘과 통계적 방법을 사용하여 이미지에서 패턴을 찾아내고 분석하였습니다. 그러나 이러한 방법들은 복잡하고 다양한 이미지에서 원하는 결과를 얻기 어려운 경우가 많았습니다. 예를 들어 OpenCV에서는 하르 캐스케이드(Haar cascades) 기법을 사용하여 얼굴을 인식할 수 있습니다. 이 방법은 각도, 조명, 표정 변화 등에 민감하여, 이러한 변화가 있는 경우 성능이 떨어집니다. 반면 딥러닝 기반의 얼굴 인식 알고리즘은 다양한 노이즈나 표정 변화에도 높은 성능을 보입니다.

딥러닝은 인공지능의 한 분야로, 인간의 뇌처럼 데이터를 처리하고 학습하는 알고리즘들을 개발합니다. 딥러닝 알고리즘은 대량의 이미지 데이터에서 패턴을 학습하고, 이를 기반으로 새로운 이미지를 분석하여 높은 정확도로 결과를 얻을 수 있습니다. 컴퓨터 연산 능력이 점차 좋아지고, 개개인으로부터 수많은 데이터가 만들어지는 시대적 배경 속에서, 딥러닝은 이미지 처리와 컴퓨터 비전에 있어 핵심적인 위치를 차지하게 되었습니다.

이미지 처리와 딥러닝의 결합은 매우 강력합니다. 예를 들어 여러 필터링 알고리즘을 사용하여 사전 처리를 진행한 후 딥러닝을 통해 이미지에서 사람의 얼굴을 인식하고, 그 얼굴의 표정을 분석하여 감정을 판단할 수 있습니다. 또한 딥러닝을 사용하여 사진 속의 객체들을 자동으로 태그하거나, 도로 차선을 에지 검출기로 인지하고, 도로 상황을 인식하여 자율 주행 자동차를 제어하는 것도 가능합니다.

이미지 처리의 한계

앞서 살펴본 바와 같이 이미지 처리 기술을 사용하면 이미지에서 다양한 특징을 추출하거나, 이미지를 개선하는 작업들을 할 수 있습니다. 하지만 '딥러닝'이라 불리는 고성능 인공지능이 적용되기 전까지는 이미지 처리 성능의 한계는 명확해보였고, 인공지능은 이러한 이미지 처리의 한계에 부딪히며 발전해왔습니다. 이번에는 고전적 이미지 처리가 어떠한 점에서 한계가 있었던 것인지 알아보겠습니다.

이미지 처리는 우리가 다루는 이미지의 질을 한결 더 뛰어나게 변화시켜주었지만, 그에 비해 사람은 간단하게 할 수 있는 일을 쉽게 처리하지 못했습니다.

다음 이미지를 봅시다.

그림 3-1 CIFAR-10 데이터 세트의 이미지

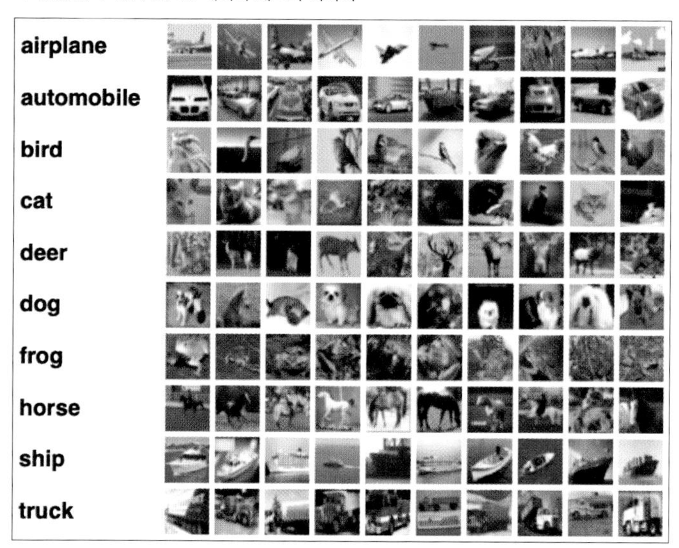

이 사진들은 CIFAR-10이라는 컴퓨터 비전 인공지능 모델의 성능을 평가하는 벤치마크 데이터 세트의 일부입니다. 현재 이미지에는 좌측에 해당 이미지가 무엇인지 알려주는 정답이 적혀 있습니다. 사람은 정답이 없어도, 각 이미지가 무엇을 나타내는지 쉽게 알 수 있습니다. 하지만 컴퓨터로 정교한 알고리즘을 작성하여 이미지에서 특정 패턴을 찾아내도록 해도 그림 3-1에 표시된 열 가지 이미지를 구분해내는 것은 쉬운 일이 아닙니다. 같은 강아지 사진일지라도 어떤 강아지는 흰색, 어떤 강아지는 검은색이고, 강아지의 종별로 생김새도 조금씩 다 다를 것입니다. 따라서 굉장히 다양한 사항들을 고려해야만 강아지의 패턴을 자동화하여 찾아볼 수 있습니다.

이렇게 사람이 직접 처리할 때는 단순하지만, 프로그램으로는 처리하기 어려운 일들을 극복하기 위해 여러 기관에서 다양한 컴퓨터 비전 대회를 열어 인공지능 기술의 발전을 도모해왔습니다. ILSVRC(ImageNet Large Scale Visual Recognition Challenge)는 2010년에 개최되어 2017년까지 대회를 이어가면서, 인공지능 발전에 큰 획을 그었습니다.

인공지능 모델의 발전

인공지능 모델의 발전은 매우 빠르게 진행되어왔습니다. 특히 ILSVRC 대회에서는 각 해마다 다양한 연구팀들이 자신들의 모델을 제시하며, 그 성능을 겨루었습니다. 2012년, 알렉스넷(AlexNet)이라는 모델이 ILSVRC에서 우승하며 인공지능 모델의 발전에 큰 변화를 가져왔습니다. 알렉스넷은 알렉스 크리제브스키(Alex Krizhevsky), 일리야 서츠케버(Ilya Sutskever), 제프리 힌튼(Geoffrey Hinton)이 개발한 모델입니다.

이 모델은 총 8개의 층으로 구성되어 있으며, 이는 당시의 다른 신경망들에 비해 상당히 깊은 구조였습니다. 또 GPU를 활용하여 학습 속도를 향상시켰습니다. 이로 인해 알렉스넷은 대회에서 2등 모델과도 10% 이상 더 높은 정확도를 보이며, 이미지 인식 분야에서 딥러닝의 중요성을 각인시켰습니다. 이전까지 대부분의 컴퓨터 비전 문제들은 기존의 머신 러닝 방법들과 다양한 특징 추출 방법을 사용해 해결하려고 노력했습니다. 그러나 알렉스넷의 등장은 이런 접근 방법을 완전히 바꿔놓았습니다.

이후에도 인공지능 모델은 계속 발전했습니다. 더 깊고 복잡한 신경망, 더 많은 데이터, 더 빠른 학습 알고리즘 등이 개발되어, 이미지 인식의 정확도는 점점 높아지고 있습니다. 예를 들어 구글의 구글넷(GoogLeNet) 모델, 마이크로소프트의 레스넷(ResNet) 모델 등은 깊이와 너비를 늘려 모델의 성능을 향상시켰습니다. 이러한 모델들은 차후 이미지뿐만 아니라, 음성 인식, 자연어 처리, 추천 시스템 등 다양한 분야에서도 활용되고 있습니다.

▼ 그림 3-2 ILSVRC 역대 수상 모델의 에러 오차율

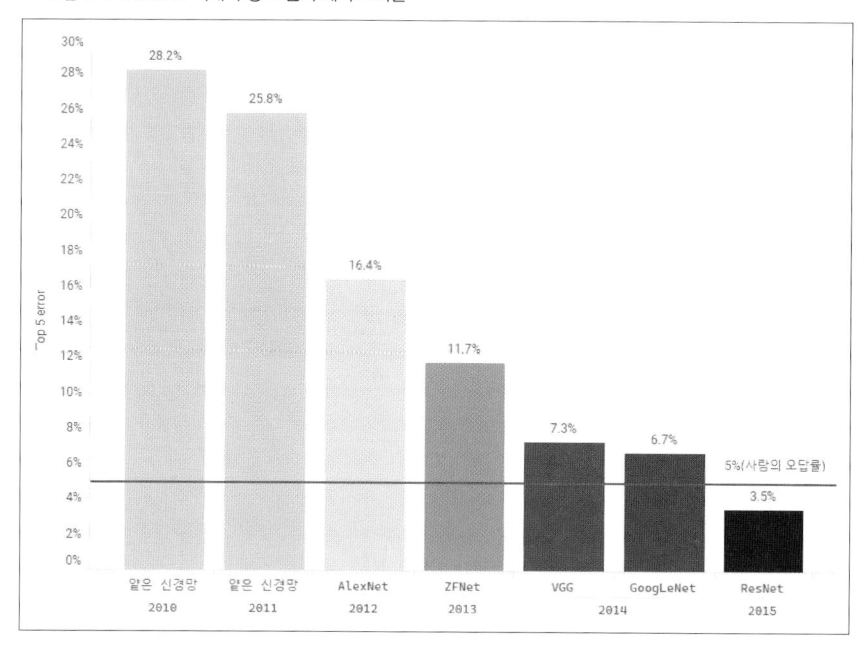

이제는 인공지능이 없는 세상을 상상할 수 없을 정도로, 인공지능은 우리 일상생활의 많은 부분에 적용되어 있습니다. 이어서 이러한 인공지능의 기초가 되는 인공 신경망에 대해서 살펴보겠습니다.

퍼셉트론

이제 이미지 처리와 컴퓨터 비전 대회에서 딥러닝이라는 강력한 알고리즘이 등장한 배경을 살펴보고자 합니다.

퍼셉트론은 1957년 연결주의의 신경 생물학자였던 프랭크 로젠블랫(Frank Rosenblatt)에 의해 고안된 알고리즘으로 인공 신경망의 근간이 됩니다. 이는 가장 간단한 형태의 인공 신경망으로, 여러 개의 입력 값을 받아 이들의 가중합을 계산하고, 활성화 함수를 적용하여 출력 값을 생성합니다. 실제 신경 세포가 정보를 처리하고 기억하는 방식을 모방한 구조로, 제공되는 데이터에 따라 자동으로 학습될 수 있다는 점에서 혁명적이었습니다.

▼ 그림 3-3 퍼셉트론 연산 예시

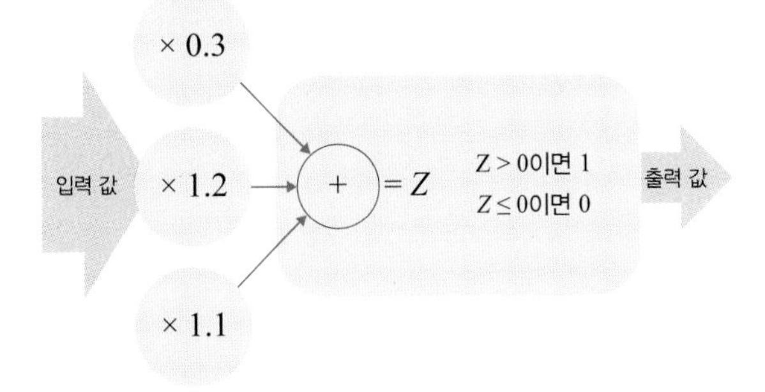

퍼셉트론은 다음과 같은 수식으로 표현됩니다.

$$y = f\left(\sum_{i=1}^{n} w_i x_i + b\right)$$

여기서 x_i는 입력 값, w_i는 각 입력 값에 대한 가중치, b는 편향(bias), f는 활성화 함수입니다. x_i와 w_i는 각각 곱해서 더해지며, 그림 3-3에서는 Z로 표기되어 결과 값을 0보다 클 경우는 1로, 0보다 작을 때는 0으로 처리되도록 설계되었습니다. 퍼셉트론은 신경망을 흉내 낸 기본적인 알고리즘으로, 다양한 입력 값 x_i에 대해서 특정 결과 값을 예측해볼 수 있다는 점에서 무궁무진한 가능성이 있는 것으로 평가받았습니다.

비용 함수

퍼셉트론은 델타 규칙에 따라 학습됩니다. 델타 규칙은 입력 값에 대한 출력 값과 실제 정답과의 오차에 따라서 가중치를 조절하는 기법입니다. 먼저 비용 함수(cost function)를 정의해 모델의 성능을 평가합니다. 해당 비용 함수의 값이 클수록 모델의 성능이 좋지 않은 것으로 간주하게 됩니다.

입력 값에 대한 출력 값과 실제 정답과의 오차에 대한 합산을 생각해보면, 현재 퍼셉트론의 성능을 생각해볼 수 있겠지만, 출력 값과 정답과의 차이에 절대 값을 씌워서 연산하는 것보다 제곱을 해서 더하는 편이 연산에서의 이점이 많습니다. 따라서 보통 한 번 제곱을 해서 평균을 낸 평균제곱오차(Mean Square Error, MSE)를 많이 사용합니다. 그리고 실제 퍼셉트론에서는 정답과 출력 값이 0, 1과 같이 이산형으로 존재하기 때문에 이진 교차 엔트로피(binary cross entropy)라는 값을 사용합니다.

AND, OR, XOR 연산

이러한 배경 속에서 텐서플로 API를 이용하여 퍼셉트론을 구현하여 사용해보고, 이를 통해 AND, OR, XOR 연산을 시도해보겠습니다. 퍼셉트론은 AND와 OR 연산 문제에 대해서는 정답을 잘 학습하지만, XOR 연산 문제의 정답은 학습하지 못합니다. 이를 코드로 확인해보고, 어떻게 해결할 수 있는지도 함께 살펴봅시다.

데이터 세트 생성

먼저 데이터 세트를 다음 표와 같이 준비합니다.

▼ 표 3-1 AND 진리표

x_1	x_2	y
0	0	0
0	1	0
1	0	0
1	1	1

▼ 표 3-2 OR 진리표

x_1	x_2	y
0	0	0
0	1	1
1	0	1
1	1	1

▼ 표 3-3 XOR 진리표

x_1	x_2	y
0	0	0
0	1	1
1	0	1
1	1	0

다음은 이 세 진리표를 텐서플로의 텐서 데이터로 만드는 코드입니다.

```
import tensorflow as tf

x1 = [0, 0, 1, 1]
x2 = [0, 1, 0, 1]
x = tf.transpose(tf.constant([x1,x2], dtype=tf.float32))

and_y = tf.constant([0, 0, 0, 1], dtype=tf.float32)
or_y = tf.constant([0, 1, 1, 1], dtype=tf.float32)
xor_y = tf.constant([0, 1, 1, 0], dtype=tf.float32)

print(f"x: \n{x}")
print(f"AND y:\t{and_y}", f"OR  y:\t{or_y}", f"XOR y:\t{xor_y}", sep="\n")
```

```
x:
[[0. 0.]
 [0. 1.]
 [1. 0.]
 [1. 1.]]
AND y: [0. 0. 0. 1.]
```

```
OR  y: [0. 1. 1. 1.]
XOR y: [0. 1. 1. 0.]
```

동일한 진리표 x에 대해 AND y, OR y, XOR y 세 가지 정답이 만들어졌습니다. 이는 다음 코드를 통해 그래프로 표현해볼 수 있습니다.

```
import matplotlib.pyplot as plt
import seaborn as sns

sns.set_style("darkgrid")
fig, axs = plt.subplots(1, 3, figsize=(15, 5))

# AND 문제
sns.scatterplot(x=x[:, 0], y=x[:, 1], hue=and_y, ax=axs[0])
axs[0].set_title("AND Problem")
axs[0].set_xlabel("X1")
axs[0].set_ylabel("X2", rotation=0)

# OR 문제
sns.scatterplot(x=x[:, 0], y=x[:, 1], hue=or_y, ax=axs[1])
axs[1].set_title("OR Problem")
axs[1].set_xlabel("X1")
axs[1].set_ylabel("X2", rotation=0)

# XOR 문제
sns.scatterplot(x=x[:, 0], y=x[:, 1], hue=xor_y, ax=axs[2])
axs[2].set_title("XOR Problem")
axs[2].set_xlabel("X1")
axs[2].set_ylabel("X2", rotation=0)
plt.tight_layout()
plt.show()
```

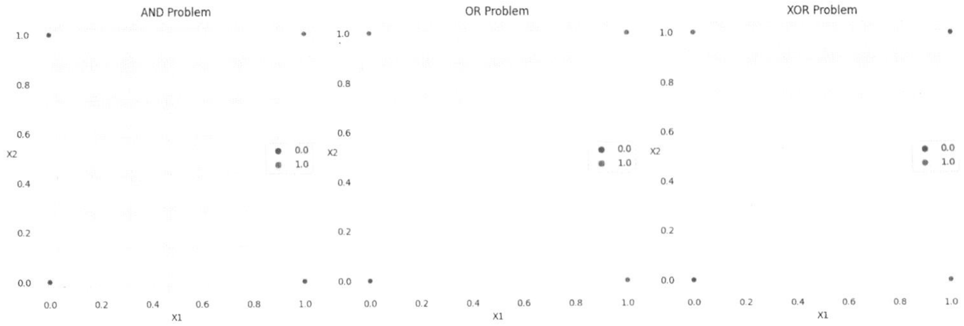

퍼셉트론

다음으로는 퍼셉트론이 어떻게 학습하여 앞의 문제를 해결하는지 봅시다. 다음처럼 텐서플로의 Sequential API를 사용하여 모델을 정의합니다.

```
# MLP 모델 정의
model = tf.keras.models.Sequential([
    tf.keras.layers.Dense(1, input_dim=2, activation='sigmoid')
])
```

퍼셉트론은 텐서플로에서 제공하는 밀집층(dense layer) 하나와 시그모이드(sigmoid)라는 활성화 함수로 표현됩니다. 여기서 시그모이드는 선형적으로 반환되는 결과 값을 0에서 1 사이의 값으로 변환시켜주는 함수입니다. 시그모이드 함수는 다음과 같이 정의합니다.

$$\sigma(x) = \frac{1}{1 + e^{-x}}$$

이 식에서 σ는 시그모이드 함수를 나타내는 기호이며, x는 입력되는 데이터, e는 자연 상수를 나타냅니다.

이렇게 0과 1을 구분할 수 있는 인공지능 모델, 즉 퍼셉트론이 만들어집니다.

이제 인공지능을 학습시키기 위한 도구들을 나열하고 AND 연산을 해결하기 위한 학습을 시작해 보겠습니다.

```
model.compile(optimizer=tf.keras.optimizers.SGD(learning_rate=1),
              loss='binary_crossentropy',
              metrics=['accuracy'],)

model.fit(x, and_y, epochs=100, batch_size=4)


# 모델 평가
loss, accuracy = model.evaluate(x, and_y)
print(f'Loss: {loss}, Accuracy: {accuracy}')

# 예측
predictions = model.predict(x)
print(f'Predictions:\n{predictions}')
```

```
Epoch 1/100
1/1 [==============================] - 2s 2s/step - loss: 0.7283 - accuracy: 0.5000
Epoch 2/100
1/1 [==============================] - 0s 11ms/step - loss: 0.6711 - accuracy: 0.5000
…(중략)…
Epoch 99/100
1/1 [==============================] - 0s 11ms/step - loss: 0.1448 - accuracy: 1.0000
Epoch 100/100
1/1 [==============================] - 0s 11ms/step - loss: 0.1437 - accuracy: 1.0000
1/1 [==============================] - 0s 207ms/step - loss: 0.1427 - accuracy: 1.0000
Loss: 0.14265745878219604, Accuracy: 1.0
1/1 [==============================] - 0s 58ms/step
Predictions:
[[0.00823863]
 [0.15027803]
 [0.14798015]
 [0.7871271 ]]
```

금방 정답률이 1에 도달합니다.

다음 코드로 OR 연산의 경우도 문제없이 해결됨을 확인할 수 있습니다.

```
model = tf.keras.models.Sequential([
    tf.keras.layers.Dense(1, input_dim=2, activation='sigmoid')
])

model.compile(optimizer=tf.keras.optimizers.SGD(learning_rate=1),
              loss='binary_crossentropy',
              metrics=['accuracy'])

model.fit(x, or_y, epochs=100, batch_size=4)

loss, accuracy = model.evaluate(x, or_y)
print(f'Loss: {loss}, Accuracy: {accuracy}')

predictions = model.predict(x)
print(f'X:\n{x}')
print(f'Predictions:\n{predictions}')
```

```
Epoch 1/100
1/1 [==============================] - 0s 346ms/step - loss: 0.9864 - accuracy: 0.2500
Epoch 2/100
```

```
1/1 [==============================] - 0s 11ms/step - loss: 0.6893 - accuracy: 0.5000
…(중략)…
Epoch 99/100
1/1 [==============================] - 0s 10ms/step - loss: 0.0942 - accuracy: 1.0000
Epoch 100/100
1/1 [==============================] - 0s 10ms/step - loss: 0.0934 - accuracy: 1.0000
1/1 [==============================] - 0s 108ms/step - loss: 0.0925 - accuracy: 1.0000
Loss: 0.09253334999084473, Accuracy: 1.0
1/1 [==============================] - 0s 35ms/step
X:
[[0. 0.]
 [0. 1.]
 [1. 0.]
 [1. 1.]]
Predictions:
[[0.19236685]
 [0.9264072 ]
 [0.9245014 ]
 [0.9984572 ]]
```

이러한 퍼셉트론은 초기에 어떠한 문제이든지 해결할 수 있을 것이라는 기대를 안겨주었지만, 결국 XOR 연산은 해결할 수 없었습니다. 간단히 다음 코드를 실행해보세요.

```
model = tf.keras.models.Sequential([
    tf.keras.layers.Dense(1, input_dim=2, activation='sigmoid')
])

model.compile(optimizer=tf.keras.optimizers.SGD(learning_rate=1),
              loss='binary_crossentropy',
              metrics=['accuracy'])

model.fit(x, xor_y, epochs=100, batch_size=4)

loss, accuracy = model.evaluate(x, xor_y)
print(f'Loss: {loss}, Accuracy: {accuracy}')

predictions = model.predict(x)
print(f'X:\n{x}')
print(f'Predictions:\n{predictions}')
```

```
Epoch 1/100
1/1 [==============================] - 0s 316ms/step - loss: 0.7168 - accuracy: 0.7500
Epoch 2/100
1/1 [==============================] - 0s 10ms/step - loss: 0.7037 - accuracy: 0.7500
…(중략)…
Epoch 99/100
1/1 [==============================] - 0s 17ms/step - loss: 0.6931 - accuracy: 0.2500
Epoch 100/100
1/1 [==============================] - 0s 16ms/step - loss: 0.6931 - accuracy: 0.2500
1/1 [==============================] - 0s 106ms/step - loss: 0.6931 - accuracy: 0.2500
Loss: 0.6931481957435608, Accuracy: 0.25
1/1 [==============================] - 0s 35ms/step
X:
[[0. 0.]
 [0. 1.]
 [1. 0.]
 [1. 1.]]
Predictions:
[[0.49885678]
 [0.49981076]
 [0.49983042]
 [0.50078446]]
```

출력 결과를 보니 이렇게 XOR 문제를 만나면 50% 정도로 0과 1을 판단하지 못하는 것을 확인할 수 있습니다. 다음 섹션에서는 이 XOR 연산을 해결하기 위해 '딥러닝'이 등장하는 과정을 살펴보겠습니다.

다층 퍼셉트론

퍼셉트론은 기본적으로 선형 분류기로 동작합니다. 하지만 XOR과 같은 몇몇 문제는 선형적으로 분류되지 않습니다. 그래서 XOR 문제를 해결하기 위해서는 비선형 문제를 해결할 수 있는 방법이 필요하며, 이를 위해 다층 퍼셉트론(Multi-Layer Perceptron, MLP)을 도입하게 되었습니다.

다층 퍼셉트론은 여러 개의 퍼셉트론 층을 함께 사용하여 비선형적인 문제를 해결할 수 있는 능력을 갖추게 됩니다. 이러한 접근 방식은 여러 층의 뉴런들이 서로 연결되면서 복잡한 패턴을 모델링할 수 있게 해주었습니다. 이는 더 다양한 문제를 해결할 수 있게 도와주었지만, 모델을 최적화하기가 더 어려워지기도 하였습니다. 다층 퍼셉트론을 최적화하기 위해서는 다음과 같은 과정을 거쳐야 합니다.

1. **순전파**(forward propagation): 현재의 매개변수 θ를 사용하여 네트워크를 통해 입력 x를 전달하고, 출력을 생성합니다.

2. **손실 계산**(loss calculation): 네트워크의 출력과 실제 정답 사이의 차이를 계산하여 손실 $L(X, \theta)$을 얻습니다.

▼ 그림 3-4 연산의 순전파[1]

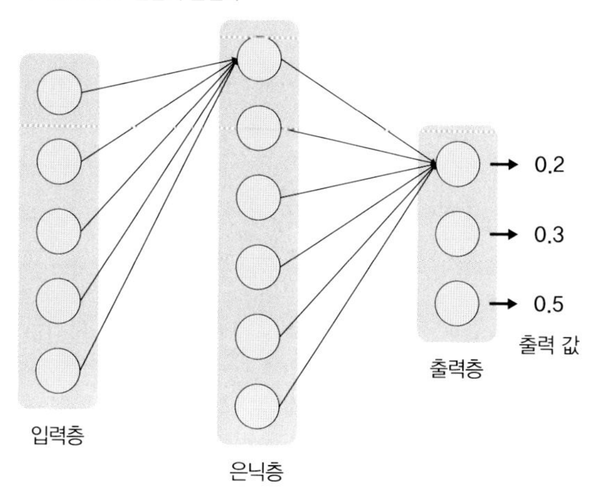

3. **역전파**(backpropagation): 손실 함수에 대한 그레이디언트를 계산하기 위해 역전파 알고리즘을 사용합니다. 이 단계에서는 각 매개변수에 대한 손실 함수의 편미분을 계산합니다.

▼ 그림 3-5 순전파와 역전파가 일어나는 과정

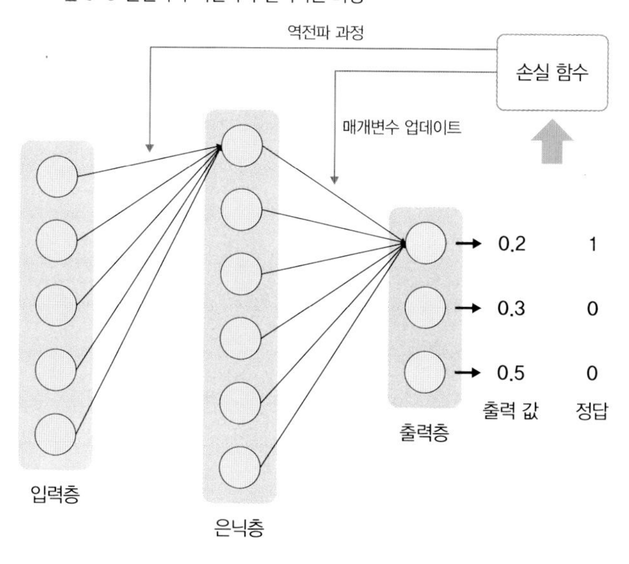

1 입력되는 값들은 각각 가중치가 곱해져 다음 층의 원에서 합쳐집니다. 이미지에서 원과 원을 잇는 선은 가중치가 곱해지는 과정을 뜻합니다.

4. **매개변수 업데이트**(parameter update): 계산된 그레이디언트를 사용하여 매개변수를 업데이트합니다. 일반적으로 경사 하강법이나 그 변형 알고리즘을 사용하여 업데이트를 수행합니다.

이 과정을 코드로 살펴보겠습니다.

```
model = tf.keras.models.Sequential([
    tf.keras.layers.Dense(16, input_dim=2, activation='relu'),
    tf.keras.layers.Dense(1, activation='sigmoid')
])

model.compile(optimizer=tf.keras.optimizers.SGD(learning_rate=1),
              loss='binary_crossentropy',
              metrics=['accuracy'])

model.fit(x, xor_y, epochs=100, batch_size=4)

loss, accuracy = model.evaluate(x, xor_y)
print(f'Loss: {loss}, Accuracy: {accuracy}')

predictions = model.predict(x)
print(f'X:\n{x}')
print(f'Predictions:\n{predictions}')
```

```
…(중략)…
Epoch 99/100
1/1 [==============================] - 0s 11ms/step - loss: 0.0264 - accuracy: 1.0000
Epoch 100/100
1/1 [==============================] - 0s 10ms/step - loss: 0.0260 - accuracy: 1.0000
1/1 [==============================] - 0s 115ms/step - loss: 0.0255 - accuracy: 1.0000
Loss: 0.02553807944059372, Accuracy: 1.0
1/1 [==============================] - 0s 62ms/step
X:
[[0. 0.]
 [0. 1.]
 [1. 0.]
 [1. 1.]]
Predictions:
[[0.06943686]
 [0.988301  ]
 [0.9889253 ]
 [0.00725608]]
```

앞의 코드는 텐서플로의 Sequential API를 사용해 **밀집층**을 2층으로 쌓아 XOR 연산을 해결하고 있습니다. 입력층에서는 2개의 데이터를(`input_dim=2`) 16개의 퍼셉트론에 대입하고, 연산한 16개의 결과 값을 다시 1개의 퍼셉트론에 대입해, 1개의 결과를 반환합니다. 이때 2개의 퍼셉트론 층을 연결하는 위치에는 활성화 함수(activation function)라는 중요한 요소가 들어갑니다.

활성화 함수는 다양하고 단순한 연산으로 이루어져 있지만, 해당 연산이 없다면 선형 결합층을 연결해서 쌓아도 XOR 연산 문제를 해결할 수 없습니다. 이 코드의 다층 퍼셉트론 `model`은 2개의 활성화 함수를 사용하고 있습니다. 하나는 중간에 선형층과 선형층을 연결해주고 있는 렐루(relu)로 0보다 작은 출력 값은 0으로 보내고 0보다 큰 값은 그대로 통과시켜주는 역할을 하고, 나머지 하나는 시그모이드로 최종 출력을 0에서 1 사이 값으로 결정해주는 역할을 합니다.

텐서플로의 API를 이용해서 모델을 설계하면 앞에서 설명했던 순전파와 역전파 과정을 인공지능 모델의 학습을 의미하는 `model.fit` 함수가 실행되는 과정에서 일괄적으로 처리됩니다. 따라서 `model.fit` 함수를 실행시키기 전에 `model.complie` 함수를 동작시켜 먼저 손실 함수와 최적화 기법을 선택하게 됩니다. 이렇게 함으로써 우리가 사용하던 퍼셉트론은 당당히 '딥러닝'으로 발전하여 XOR 연산 문제를 해결하게 됩니다.

지금 확인한 코드에는 많은 개념이 축약되어 등장하고 있습니다. 이에 대해 자세하게 알지 않아도 코드를 실행하는 데는 문제가 없지만, 해당 개념을 잘 알고 있다면 좀 더 넓은 딥러닝의 세계를 경험할 수 있을 것입니다. 하나씩 따라가며 살펴보겠습니다.

활성화 함수

활성화 함수는 인공 신경망의 핵심 구성 요소 중 하나로, 개별 뉴런에 대한 입력의 영향력을 조정하는 역할을 합니다. 앞서 살펴봤듯이 활성화 함수를 통해 신경망은 복잡한 비선형 문제도 해결할 수 있는 능력을 갖게 됩니다. 다양한 활성화 함수가 존재하고 인공지능 모델에 따라 사용되는 함수도 매우 다양합니다. 어떻게 이처럼 다양한 함수들이 등장하고 사용하게 되었는지 알아봅시다.

활성화 함수의 아이디어는 퍼셉트론과 마찬가지로 생물학적 신경 세포인, 뉴런의 작동 방식에서 착안했습니다. 뉴런은 입력 신호가 특정 임계 값을 넘어서야 활성화되어 출력 신호를 생성합니다. 또 이러한 뉴런의 입력부와 출력부가 다양하게 얽혀, 복잡하게 연결되어 있습니다.

우리 뇌의 기본 단위인 뉴런은 세 개의 주요 부분으로 구성됩니다.

- **세포체**(Cell Body or Soma): 뉴런의 핵을 포함하고 기본적인 세포 생리 활동을 수행하는 부분입니다.

- **수상돌기**(Dendrites): 다른 뉴런들로부터 신호를 받아들이는 '수용부'로 작동합니다. 이들은 받은 신호를 세포체로 전달합니다.
- **축삭**(Axon): 세포체에서 생성된 신호를 다른 뉴런의 수상돌기 또는 근육, 기관으로 전달하는 '전달부'로 작동합니다.

▼ 그림 3-6 뉴런의 구조

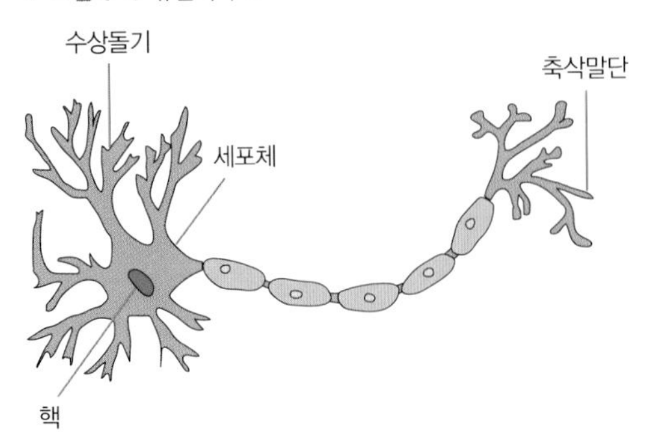

신호 전달은 화학적 및 전기적 방식으로 이루어지며, 이 과정에서 신호의 강도(즉, 신경 전달 물질의 양)가 특정 임계 값을 초과할 때만 뉴런이 활성화되고 신호가 전달됩니다.

인공 신경망은 이러한 신경 세포의 연결 구조와 작동 원리를 수학적으로 모델링하여 모방합니다. 인공 뉴런은 여러 입력을 받아 일정한 처리를 거친 후 출력을 생성합니다. 여기서의 인공 뉴런이 바로 지금까지 우리가 살펴보았던 퍼셉트론입니다. 우리는 퍼셉트론을 구현하면서 단순히 선형 결합층을 쌓아서 사용하였는데, 활성화 함수는 바로 이 선형 결합층을 뉴런처럼, 즉 퍼셉트론으로써 동작하게 만들어준다고 생각할 수 있습니다.

시그모이드

선형 결합층이 뉴런처럼 움직이기 위해서는 특정 임계 값을 기준으로 신호가 통과하고, 통과하지 않는 함수가 필요합니다. 먼저 다음과 같은 함수를 생각해보세요.

$$If\ x >= 0 \rightarrow 1$$
$$If\ x < 0 \rightarrow 0$$

이런 식으로 계단형으로 함수를 만들어 선형 변환 함수를 퍼셉트론처럼 사용해볼 수 있을 것입니다. 하지만 여기서 수학적인 중요한 문제와 부딪히게 됩니다. 바로 인공지능 모델이 학습을 하는 과정에서 오차 값을 줄이기 위해서 미분의 개념인 그레이디언트를 사용하게 된다는 점입니다. 이 때문에 활성화 함수의 각 지점은 적절하게 미분이 될 필요성이 있습니다.

앞에서 소개한 계단 함수 역시 *x*가 0인 지점을 제외하면 모두 미분이 되어 사용할 수 있다고 생각할 수도 있지만, 실제 나머지 지점의 기울기 값도 생각해보면, 전체 구간에서 기울기 값이 0이 되는 것을 확인할 수 있습니다. 전체 구간에서 기울기 값이 0이 나온다는 것은 학습에 있어서 그레이디언트 값이 0이 된다는 의미를 가지며, 결과로써 가중치 업데이트가 이루어지지 않는 현상이 생깁니다. 따라서 활성화 함수는 각 위치에서 적절한 기울기를 가질 필요가 있습니다.

우리는 여기서 전체 구간에서 적절한 기울기 값을 가지고 부드럽게 변화하는 시그모이드 함수를 사용합니다. 시그모이드 함수를 사용하게 되면 입출력 값 전역에서 적절한 기울기 값을 얻어볼 수 있으며, 순전파 연산에 비해 학습할 때 역전파 연산이 비교적 단순해지는 특징이 있습니다. 여러 이점과 실제 신경 세포의 동작과도 비슷한 면이 있다는 점이 부각되어 딥러닝 연구 초기에는 이 시그모이드라는 함수가 활성화 함수의 주를 이루었습니다.

그래프로 표현하면 다음과 같습니다.

▼ 그림 3-7 시그모이드 그래프 개형

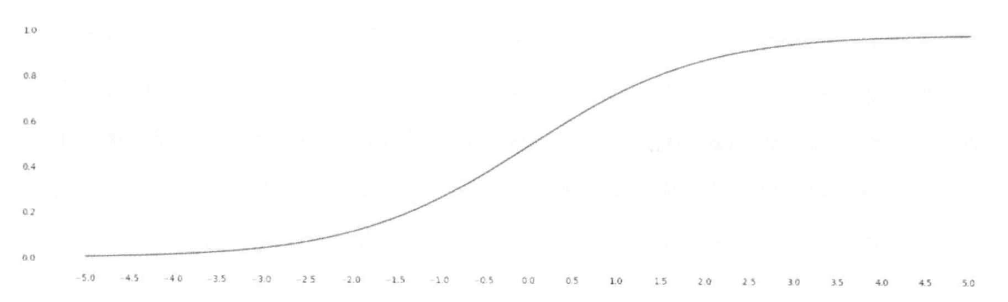

tanh

탠에이치 혹은 하이퍼볼릭 탄젠트라고 불리는 함수 tanh(hyperbolic tangent function)는 시그모이드의 확장 함수로 단순히 시그모이드 함수의 출력 범위를 -1에서 1로 늘린 형태로 생겼습니다. 이는 단순하지만 인공지능 학습에 있어 중요한 의미를 갖게 됩니다. 시그모이드의 출력 값은 0에서 1사이의 값으로 항상 양수 값만 가지게 된다는 특징이 있습니다. 이는 별것 아닌 것 같으면서도 학습할 때 그레이디언트의 값의 음, 양을 그대로만 전달한다는 특징을 가지고 있습니다.

이렇게 되면 학습이 효율적이지 못하고 다소 더 느리게 최적화된다는 단점이 생기는데, tanh는 이러한 단점을 제거해줍니다. tanh의 수식과 그래프 개형은 다음과 같습니다.

$$tanh(x) = \frac{e^x - e^{-x}}{e^x + e^{-x}}$$

▼ 그림 3-8 tanh 그래프 개형

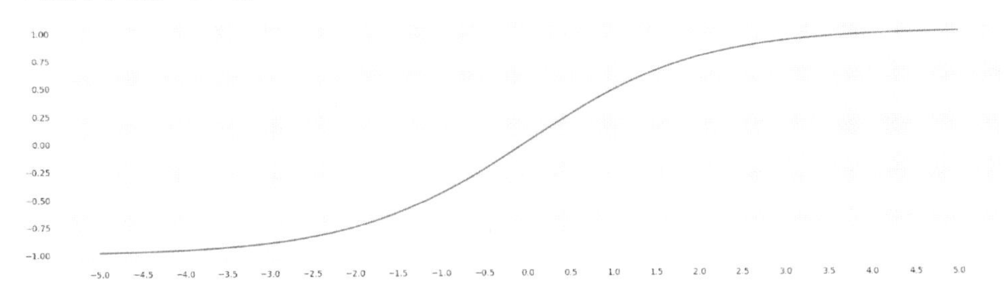

식이 다소 다르게 생겼다고 생각할 수 있지만, 사실은 단순히 시그모이드의 수식을 위아래로 확대한 후 y축에 대해 마이너스 방향으로 평행 이동만 하면 위와 같은 식이 됩니다. 그래프도 실제 동일하게 생겼고, y축에 대해서 척도 값만 다른 것을 확인할 수 있습니다.

ReLU

ReLU(Rectified Linear Unit)는 최근에 가장 널리 사용되는 활성화 함수 중 하나로, 비교적 간단한 수학적 표현을 가지고 있습니다. ReLU(렐루) 함수는 음수의 입력 값에 대해서는 0을 출력하고, 양수의 입력 값에 대해서는 입력 값 그대로를 출력합니다. 수학적으로 표현하면 다음과 같습니다.

$$ReLU(x) = max(0, x)$$

▼ 그림 3-9 ReLU 함수 그래프 개형

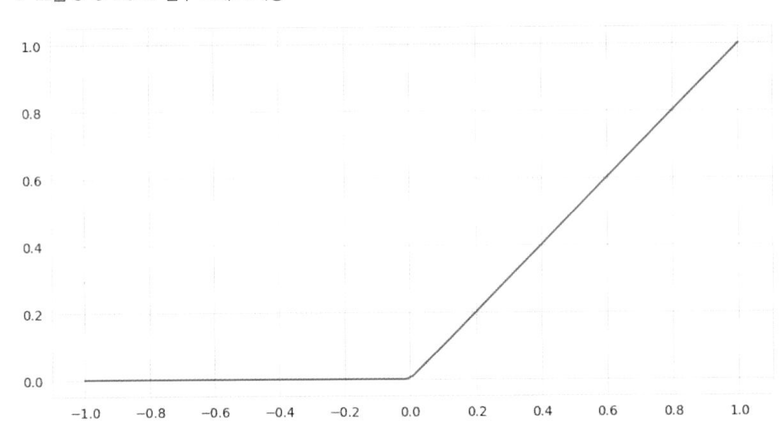

ReLU 함수는 다음과 같은 장점들이 있습니다.

1. 계산 복잡성이 낮아, 연산 속도가 빠릅니다.
2. 비선형성을 유지하면서, 선형 함수의 성질도 일부 유지합니다.
3. 기울기 소실 문제를 어느 정도 해결합니다.

하지만 ReLU 함수는 '죽은 ReLU'라고 불리는 문제에 직면할 수 있습니다. 이 문제는 ReLU 뉴런이 학습하는 도중 어느 순간부터 항상 0을 출력하게 되는 현상으로, 특히 높은 학습률에서 더욱 두드러지게 발생합니다. 이런 문제를 해결하고자 여러 변형된 ReLU 함수들이 제안되었습니다. 그중 몇 가지 예시로 Leaky ReLU(리키 렐루), Parametric ReLU(파라메틱 렐루), ELU(Exponential Linear Unit) 등이 있습니다.

Leaky ReLU는 음수 영역에서도 작은 기울기를 허용하여 '죽은 ReLU' 문제를 완화하는 데 도움을 줍니다. Leaky ReLU의 수식 및 그래프는 다음과 같습니다.

$$Leaky\ ReLU(x) = max(0.1x, x)$$

다음은 Leaky ReLU의 그래프입니다.

▼ 그림 3-10 Leaky ReLU 함수 그래프 개형

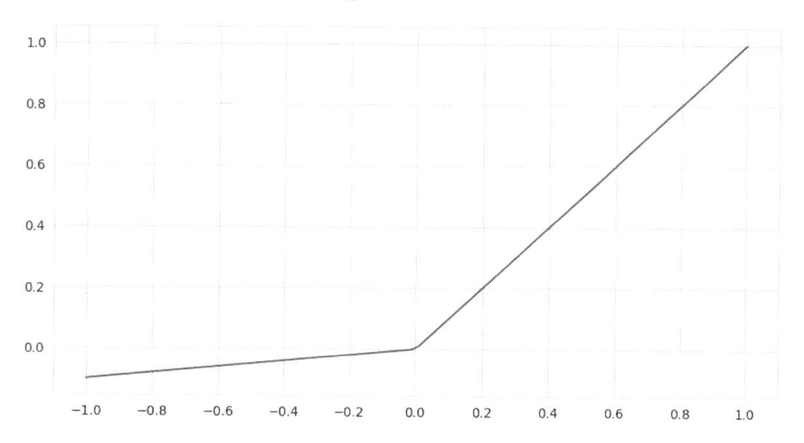

Parametric ReLU는 Leaky ReLU의 기울기를 학습 가능한 매개변수로 설정하여 더욱 유연한 모델링을 가능하게 합니다. ELU는 음수 영역에서도 일정한 값을 출력하도록 설계되었으며, 이는 학습 동안 뉴런이 '죽음'을 피할 수 있도록 돕습니다.

ReLU와 이러한 변형 함수들은 깊은 신경망에서 더욱 복잡한 패턴과 구조를 학습할 수 있게 해줍니다. 즉, 딥러닝의 성능을 향상시킬 수 있는 중요한 요소로 작용합니다.

소프트맥스

소프트맥스(softmax) 함수는 다중 클래스 분류 문제에서 종종 출력층의 활성화 함수로 사용됩니다. 이 함수는 각 클래스에 대한 점수(또는 로짓)를 받아서 확률 분포로 변환합니다. 소프트맥스 함수는 다음과 같이 정의됩니다.

$$Softmax(x_i) = \frac{e^{x_i}}{\sum_{j=1}^{C} e^{x_j}}$$

여기서 x_i는 i번째 클래스에 대한 로짓입니다. C는 클래스의 전체 수입니다. 소프트맥스 함수의 중요한 특징과 이점은 다음과 같습니다.

- **확률 분포**: 소프트맥스 함수의 출력은 확률 분포로 해석될 수 있으며, 각 클래스에 대한 확률의 합은 1이 됩니다.
- **다중 클래스 분류**: 소프트맥스 함수는 다중 클래스 분류 문제에 적합하며, 각 클래스에 대한 확률을 제공합니다.
- **수치 안정성**: 로짓이 매우 크거나 작은 값을 갖더라도 소프트맥스 함수는 수치적으로 안정적인 확률을 생성할 수 있습니다.
- **미분 가능**: 소프트맥스 함수는 미분 가능하므로 경사 기반의 최적화 알고리즘에 사용할 수 있습니다.

이와 같이 다양한 활성화 함수가 사용되고 있습니다. 각 상황에 따라 적절하게 사용될 때 강력한 힘을 발휘하며, 다음에 살펴볼 손실 함수와도 밀접한 연관이 있습니다.

손실 함수

딥러닝에서 손실 함수는 퍼셉트론의 비용 함수와 유사한 의미를 갖습니다. 즉, 학습시키려는 모델이 얼마나 잘못 예측하는가를 의미하며, 모델의 성능 향상을 위해 최소화하려는 값을 선정하게 됩니다. 오류 값, 혹은 낮을수록 좋은 값을 적절하게 선택하되 미분 가능성을 위해서 인공지능 모델의 매개변수에 따라 연속적으로 변화하도록 설계합니다. 따라서 딥러닝 모델을 학습하는 데 있어 평가지표와 더불어 가장 주요하게 보는 지표입니다.

인공지능 모델 학습에 사용되는 손실 함수는 굉장히 다양하며, 활용되는 데이터의 종류나 문제의 성격에 따라 다르게 선택될 수 있습니다. 일반적으로 회귀 문제에서는 평균 제곱 오차(Mean Squared Error, MSE) 또는 평균 절대 오차(Mean Absolute Error, MAE)와 같은 손실 함수를 사용하며, 분류 문제에서는 크로스 엔트로피(Cross Entropy) 손실 함수를 주로 사용합니다.

손실 함수의 선택은 모델의 성능에 큰 영향을 미치며, 올바른 손실 함수의 선택은 학습 과정을 보다 효율적으로 만들어줍니다. 따라서 연구자나 개발자는 특정 문제에 가장 적합한 손실 함수를 신중하게 선택하고, 이를 통해 모델의 학습 과정을 최적화해야 합니다.

각 손실 함수의 사용에 대해 살펴보겠습니다.

평균 제곱 오차

주로 회귀 문제에 사용되며, 실제 값과 예측 값 차이를 제곱하여 평균을 계산합니다. 수식은 다음과 같이 나타낼 수 있습니다.

$$\mathrm{L}_{\mathrm{mse}} = \frac{1}{n}\sum_{i=1}^{n}(y_i - \hat{y}_i)^2$$

이 식에서 y_i는 실제 정답 데이터, $\hat{y}_i$은 인공지능 모델이 예측한 예측 값을 의미합니다. 해당 손실 함수는 이상 값이 있을 경우 값이 매우 커져, 이상 값에 민감하다는 특징이 있지만 일반적으로 최적화가 잘 되어 많이 사용되는 함수입니다.

이진 교차 엔트로피

이진 분류 문제에서 사용되며, 실제 레이블과 예측 확률 사이의 차이를 측정합니다. 수학적으로는 다음과 같이 표현됩니다.

$$L_{binary-cross\ entropy}(x) = -\frac{1}{N}\sum_{i=1}^{N}[y_i \log\big(P(x_i)\big) + (1 - y_i)\log(1 - P(x_i))]$$

여기서 N은 데이터 세트의 샘플 수를 의미하고, y_i는 i번째 샘플 x_i의 실제 레이블(0 또는 1)을 나타냅니다. P는 x_i에 대해서 인공지능 모델이 예측해본 예측 확률을 의미합니다. 이진 분류를 할 경우 보통 딥러닝 모델의 가장 마지막 층에 시그모이드 활성화 함수를 사용하여 결과 값을 반환하게 되는데, 이진 교차 엔트로피(binary cross entropy)는 이와 함께 사용됩니다.

교차 엔트로피

분류 문제에 주로 사용되며, 실제 클래스의 레이블과 모델이 예측한 확률 분포 사이의 차이를 측정합니다. 이진 교차 엔트로피의 일반화된 형태라고 볼 수 있습니다.

$$L_{cross\ entropy}(y, \hat{y}) = -\sum_{i=1}^{C}[q(y_i)\log\big(p(\hat{y}_i)\big)]$$

여기서 C는 예측하려는 범주의 총 개수를 의미하고 q는 예측하려고 하는 실제 대상들의 확률 분포, p는 예측 모델의 결과로서 반환되는 확률 함수를 뜻합니다. 기존 정보 이론에서 사용되는 엔트로피 함수는 $-\sum_{i=1}^{C}[q(y_i)\log\big(q(y_i)\big)]$로 위 식은 실제 확률변수 q와 예측 확률변수 p가 교차되기 때문에 교차 엔트로피(cross entropy)라는 이름이 붙었습니다. 해당 활성화 함수 역시 다중 분류 문제를 해결할 시 마지막에 소프트맥스 활성화 함수와 함께 사용하게 됩니다.

손실 함수 역시 활성화 함수 이상으로 다양하게 정의되어 사용되고 있습니다. 각 활성화 함수와 같이 사용되는 손실 함수는 수학적으로 매우 밀접하게 연관되어 있습니다. 이러한 부분을 고려하지 않고 활성화 함수를 사용하거나 손실 함수 값을 결정해서 모델을 설계하면, 학습이 적절하게 이루어지지 않거나 최적화가 매우 느려집니다. 이러한 문제를 피하기 위해서는 각각의 인공지능과 활성화 함수, 손실 함수의 특징을 잘 알아둬야 합니다.

모델 최적화

모델 최적화는 딥러닝 모델을 훈련시키는 과정으로, 모델의 성능에 중대한 영향을 미칩니다. 최적화 과정은 모델의 가중치와 편향 값을 업데이트하는 방법을 포함합니다. 이러한 업데이트는 특정 손실 함수의 값을 최소화하기 위해 이루어지며, 가장 기본적인 방법 중 하나는 경사 하강법(gradient descent)입니다.

경사 하강법은 손실 함수의 그레이디언트를 계산하여, 그레이디언트의 반대 방향으로 가중치를 조금씩 업데이트함으로써 손실 함수의 값이 최소가 되는 지점을 찾습니다. 여기서 그레이디언트란 평면좌표 그래프에서 기울기의 개념을 다차원 공간으로 확장한 것으로 손실 함수 $L(\theta)$가 가장 빠르게 증가하는 θ가 존재하는 공간에서의 벡터입니다(관례상 수식으로 표현할 때는 손실 함수는 Loss Function의 약자라는 의미로 L로 표기하고, 인공지능 모델의 가중치는 θ 혹은 W로 표기합니다).

이 방법은 전역 최소 값을 찾기 위해 여러 번의 반복(iteration)을 수행합니다. 여기에서 학습률(learning rate)이라는 중요한 개념이 등장합니다. 가중치를 업데이트할 때 계산된 그레이디언트를 그대로 적용해서 모델의 가중치를 업데이트하면 적절한 최적화를 할 수 없습니다. 적절한 최적화를 위해 그레이디언트에 곱해서 사용하는 비율을 학습률이라고 하며, 너무 크거나 작은 값은 최적화 과정을 방해할 수 있습니다. 따라서 적절한 학습률을 설정하는 것도 모델 최적화의 중요한 부분입니다. 학습률 이외에도 연산량, 국소 최소 값(local minima) 등, 최적화에 영향을 미치는 여러 가지 고려 사항이 있습니다.

경사 하강법은 좋은 오차 근사법이지만, 몇 가지 단점이 있어 이를 보완하기 위해 점차 다양한 최적화 기법들이 등장했습니다. 이에는 확률적 경사 하강법(SGD), 미니 배치 경사 하강법, Adam, RMSprop, AdamW 등이 있습니다. 이러한 최적화 알고리즘들은 각각의 장단점이 있으며, 특정 상황과 문제에 따라서 최적의 성능을 낼 수 있는 알고리즘이 달라집니다. 각 알고리즘을 순차적으로 확인해보며, 딥러닝 모델의 최적화를 이해해봅시다.

경사 하강법

1. **핵심 개념**: 모든 학습 데이터를 사용하여 한 번에 그레이디언트를 계산하여 모델의 매개변수를 업데이트합니다.
2. **장점**: 전역 최적점에 수렴할 확률이 높습니다.
3. **단점**: 계산 비용이 높고, 데이터가 많을 때 시간이 오래 걸립니다.

▼ 그림 3-11 경사 하강법을 통한 손실 함수 최적화

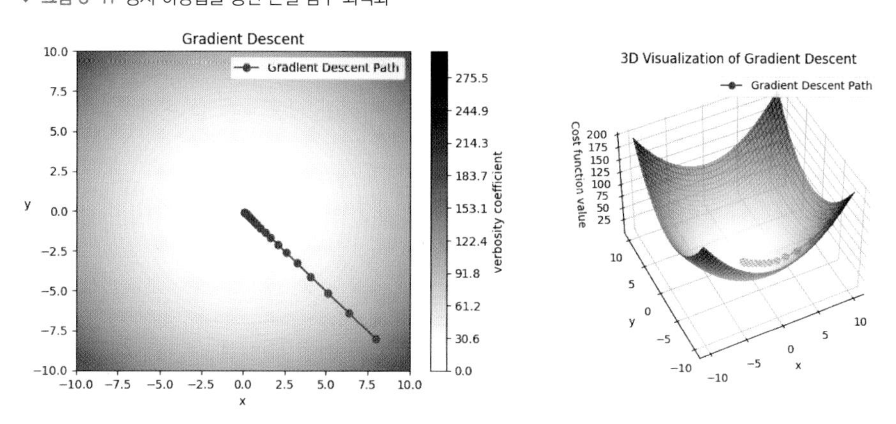

손실 함수는 딥러닝 모델의 가중치 θ에도 영향을 받지만, 입력 데이터(문제와 정답 쌍) X로부터도 영향을 받게 됩니다. 왜냐하면 정답 데이터를 얼마나 잘 맞추는지에 따라 손실 함수 값이 결정될 것이기 때문입니다. 즉, $L(X, \theta)$와 같이 써볼 수 있습니다. 우리는 모든 데이터 X에 대해서 올바르게 동작하는 인공지능 모델을 만들고 싶기 때문에 모든 데이터 X에 대해 $L(X, \theta)$ 값이 최소가 되도록 하는 것이 목적입니다.

손실 함수의 그레이디언트를 가장 정확하게 계산하기 위해서는 주어진 데이터 X를 모두 사용해야만 합니다. 따라서 경사 하강법에서는 가중치를 한 번 업데이트할 때마다 모든 데이터를 학습합니다. 이렇게 하면 연산량이 매우 많아지며, 학습 속도도 느려지고, 결정적으로 학습도 안정적으로 되지 않습니다. 이와 대비되는 최적화 기법으로 확률적 경사 하강법을 살펴볼 수 있습니다.

확률적 경사 하강법(Stochastic Gradient Descen, SGD)

1. **핵심 개념**: 한 번에 하나의 학습 데이터만을 사용하여 그레이디언트를 계산하고 모델의 매개변수를 업데이트합니다.
2. **장점**: 계산 비용이 낮고, 연산 초기의 빠른 수렴이 가능합니다. 지역 최적점에 잘 빠지지 않습니다.

3. **단점**: 매개변수 업데이트가 불규칙적입니다.

한 가지 데이터를 보고 구한 그레이디언트는 전체 데이터의 그레이디언트를 대표하기 어렵기 때문에 결과적으로 확률적 경사 하강법은 전역 최적점을 쉽사리 찾아가지 못합니다. 따라서 전체 데이터를 모두 보고 진행되는 학습과 하나씩 보고 진행되는 학습의 절충안으로, 데이터를 부분으로 나눠 각 부분에 대해 연산하고 얻은 그레이디언트로 가중치를 업데이트하는 최적화 기법이 등장하게 됩니다.

미니배치 경사 하강법(Mini-batch Gradient Descent)

1. **핵심 개념**: 배치 사이즈를 지정하여 그 사이즈만큼의 데이터를 사용하여 한 번에 그레이디언트를 계산하고 모델의 매개변수를 업데이트합니다.
2. **장점**: SGD와 경사 하강법의 장점을 혼합하여, 계산 효율과 수렴 안정성을 동시에 얻을 수 있습니다.
3. **단점**: 배치 사이즈 선택에 따라 성능이 크게 변할 수 있습니다.

RMSprop(Root Mean Square Propagation)

1. **핵심 개념**: 학습률을 적응적으로 조정하여 학습 과정을 안정화시킵니다.
2. **장점**: 비등방성 함수(안정적이지 않은 함수)에서도 효과적으로 최적화할 수 있습니다.
3. **단점**: 하이퍼파라미터에 민감합니다.

RMSprop 알고리즘은 2012년에 제프리 힌튼이 소개한 개념으로, 미니 배치 경사 하강법의 확장입니다. 학습률을 적응적으로 조절하여 안정적으로 학습할 수 있도록 돕습니다. 이 알고리즘은 Adagrad 알고리즘의 한계를 극복하기 위해 개발되었으며, 특히 비컨벡스(non-convex) 최적화 문제에서 더 뛰어난 성능을 보여줍니다.

Adam(Adaptive Moment Estimation)

1. **핵심 개념**: 모멘텀과 RMSprop의 아이디어를 합쳐 그레이디언트의 1차 모멘트(평균)와 2차 모멘트(분산)를 추정하여 매개변수를 업데이트합니다.
2. **장점**: 빠른 수렴 속도와 안정성을 제공합니다.
3. **단점**: 하이퍼파라미터의 조정이 필요하며, 때로는 불안정한 수렴을 보일 수 있습니다.

최근에는 자동화된 최적화 기법도 많이 연구되고 있어, 모델의 하이퍼파라미터를 자동으로 선택하여 최적의 성능을 달성할 수 있는 방법들이 개발되고 있습니다. 이러한 최적화 과정은 모델의 성능을 크게 향상시킬 수 있으며, 딥러닝 모델 개발에 있어서 많은 발전을 이뤄낼 것입니다.

인공지능 모델의 설계 및 학습

선형 회귀 작업을 위해 텐서플로를 사용하여 가짜 데이터 세트를 만들겠습니다. 텐서플로는 딥러닝을 위한 강력한 라이브러리일뿐만 아니라 기본적인 데이터 조작 및 생성을 위한 기능도 제공합니다.

데이터 세트의 구조

데이터 세트는 다음과 같이 구성됩니다

- **특징**(X-Feature): 독립 변수, 정량적 측정을 나타내는 일련의 값입니다.
- **레이블**(Y-Label): 예측하고자 하는 종속 변수입니다.

여기서 레이블은 선형 회귀를 위해 다음과 같이 선형 관계를 정의할 수 있습니다.

$$Y = 1.5X + 3$$

기울기(1.5)와 절편(3)은 2차원 공간에서 직선을 정의하는 매개변수입니다.

임의의 독립 변수 X 값 생성

독립 변수(x)를 생성하기 위해 텐서플로의 tf.random.uniform 함수를 사용합니다. 이 함수는 지정된 범위 내의 균일 분포에서 임의의 값을 반환합니다.

```
import tensorflow as tf

x = tf.random.uniform(shape=[100], minval=1, maxval=4)
print(x)
```

```
tf.Tensor(
[1.348739   3.871067   2.8446422 3.5219696 3.352611   1.2565511 1.4205807
 …(중략)…
 3.8722882 1.7637229 2.0633688 1.597613   1.3409781 1.4931417 1.4992177
 2.9604723 2.6965947 2.9180691 1.3640505 1.5866907 1.4159316 1.5012119
 2.6505146 2.6217787], shape=(100,), dtype=float32)
```

여기서 shape=[100]은 100개의 무작위 값을 생성한다는 의미입니다. Minval=1과 maxval=4는 무작위 값이 생성되는 범위를 정의합니다. 이 함수는 실행할 때마다 다른 100개의 데이터를 생성합니다.

선형 관계가 있는 종속 변수 Y 값 생성

앞에서 정의한 선형 관계를 사용하여 다음처럼 종속 변수(y)를 계산할 수 있습니다.

```
slope = 1.5
intercept = 3
epsilon = tf.random.truncated_normal(shape=[100], mean=0, stddev=0.3)
y = slope * x + intercept + epsilon
print(y)
```

```
tf.Tensor(
[8.459226   7.015588   6.2309012 7.2380576 5.3873715 8.253767   7.88202
  …(중략)…
 8.207443   6.605853   4.8931327 8.292087   8.0536375 7.2610245 6.8609567
 6.944149   5.6778073 7.2213364 7.4769874 4.392156   6.6997194 4.2761245
 6.082422   5.393126 ], shape=(100,), dtype=float32)
```

임의의 독립 변수 x에 대해 선형 관계에 있는 y 변수가 만들어졌습니다.

Matplotlib을 사용한 데이터 시각화

생성된 데이터를 시각화하면 데이터 내의 구조와 관계를 즉각적으로 이해할 수 있습니다. 선형 회귀의 경우, 독립 변수와 종속 변수 간의 관계를 시각화하기 위해 산점도를 사용하는 경우가 많습니다. 다음 코드로 시각화해보겠습니다.

```
import matplotlib.pyplot as plt
import seaborn as sns

sns.set_style("darkgrid")
plt.scatter(x, y)
plt.xlabel('Feature (X)')
plt.ylabel('Label (Y)')
plt.title('sythetic dataset')
plt.show()
```

여기서 sns.set_style 함수는 차트의 테마를 정해주며, plt.scatter 함수는 X 및 Y 값의 분산형 차트를 생성합니다. xlabel, ylabel 및 title 함수는 축에 레이블을 지정하고 그래프의 제목을 지정하는 데 사용됩니다.

코드를 실행하면 다음처럼 출력됩니다.

▼ 그림 3-12 출력 결과: 변수 x와 변수 y의 산점도

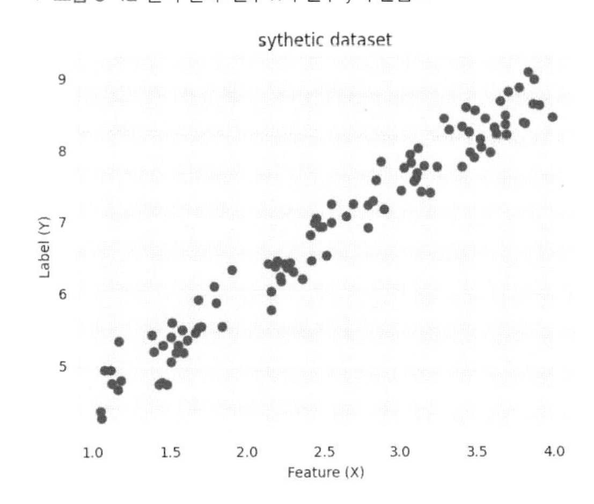

텐서플로를 사용한 선형 데이터 모델링

이제 텐서플로를 사용하여 합성 선형 데이터를 모델링해보겠습니다. 간단한 선형 회귀 문제이므로 텐서플로의 케라스 API를 사용하여 쉽게 구현할 수 있는 단일 층 퍼셉트론을 모델로 사용하겠습니다. 모델링은 크게 세 가지 파트로 진행됩니다.

▼ 그림 3-13 텐서플로를 활용한 모델 설계 프로세스

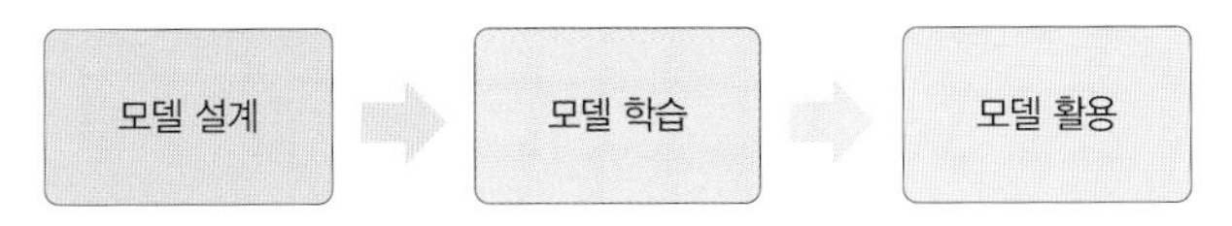

모델 설계

선형 회귀의 경우 변수 간의 관계가 선형이기 때문에 단일 입력 뉴런과 단일 출력 뉴런으로 구성된 모델을 구축할 수 있습니다.

다음처럼 텐서플로의 케라스 API에서 Sequential 클래스를 가져옵니다. Sequential 모델은 한 번에 하나의 층을 추가하여 쉽게 구축할 수 있는 선형층 스택입니다. 각 층에 정확히 하나의 입력 텐서와 하나의 출력 텐서가 있는 일반 층 스택에 적합합니다.

```
from tensorflow.keras import Sequential
```

그다음 텐서플로의 케라스 API 내의 층 모듈에서 Dense 클래스를 가져옵니다. Dense 층은 신경망에서 뉴런 밀집층입니다.

```
from tensorflow.keras.layers import Dense
```

다음처럼 시퀀셜 모델을 초기화합니다. 앞서 언급했듯이 시퀀셜 모델은 층의 선형 스택입니다. 추가 메서드를 사용하여 이 모델에 층을 추가할 수 있습니다.

```
model = Sequential()
```

그러고 나서 모델에 밀집층을 추가합니다.

```
model.add(Dense(1, input_shape=(1,)))
```

밀집층의 첫 번째 인수 1은 층에 있는 뉴런의 수입니다. 간단한 선형 회귀이므로 뉴런은 하나만 필요합니다. Input_shape=(1,) 부분은 이 인수는 입력 데이터의 모양을 지정합니다.

여기서 각 입력 샘플은 하나의 요소를 가진 1차원 배열입니다. 전체 데이터 세트 100개를 만들었으니 input_shape이 100일 것 같지만, 설계를 할 때는 데이터 한 개를 기준으로 input_shape을 작성합니다.

▼ 그림 3-14 텐서플로 Sequential 모델 설계 방식

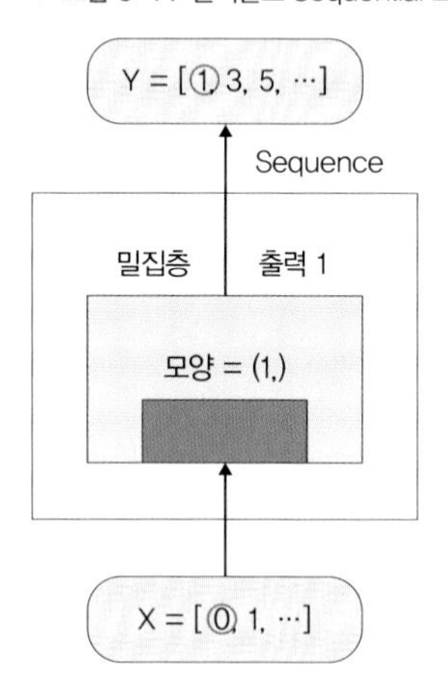

이제 손실 함수와 최적화 함수를 지정하여 모델을 컴파일합니다.

```
model.compile(loss='mean_squared_error', optimizer='sgd')
```

loss='mean_squared_error' 인수는 회귀 문제에 사용되는 일반적인 손실 함수인 평균 제곱 오차(MSE)로 손실 함수를 설정합니다. 모델은 훈련 중에 이 손실을 최소화하는 것을 목표로 합니다. optimizer='sgd' 인수는 손실을 최소화하기 위해 뉴런의 가중치를 업데이트하는 널리 사용되는 최적화 알고리즘인 확률적 경사 하강법(SGD)으로 옵티마이저를 설정합니다. 지금은 모델이 데이터로부터 학습하는 메커니즘이라고 생각하면 됩니다.

모델 학습

본격적으로 모델 학습을 시작하겠습니다. 입력 데이터 X를 모델의 예상 입력 모양과 일치하도록 재형성합니다. 모델은 입력이 (1,)의 모양을 가질 것으로 예상하므로 X 텐서의 모양이 호환되는지 확인해야 합니다. 텐서플로의 모양 변경 함수를 사용하여 새 모양을 (-1, 1)로 설정하고, 여기서 -1은 해당 차원의 사이즈를 텐서플로가 유추하게 합니다. X가 100개의 요소를 가진 1차원 텐서인 경우, 재형성된 X_train은 (100, 1) 모양의 2차원 텐서가 됩니다.

```
x_train = tf.reshape(x, (-1, 1))
x_train.shape
```

```
TensorShape([100, 1])
```

이제 모델 학습을 진행하는 코드를 작성합니다. 모델 학습에는 단일 데이터가 아닌 데이터 세트 전체를 넣어 학습을 진행합니다.

```
history = model.fit(x_train, y, epochs=300)
```

epochs=300은 전체 데이터 세트에 대한 학습 주기(에포크) 수입니다. 각 에포크 동안 손실 함수를 최소화하기 위해 모델의 가중치가 업데이트됩니다. fit 메서드는 각 에포크의 손실 및 메트릭 값과 같은 학습 프로세스에 대한 정보가 포함된 히스토리 개체를 반환합니다.

```
Epoch 1/300
4/4 [==============================] - 0s 3ms/step - loss: 41.4161
Epoch 2/300
4/4 [==============================] - 0s 3ms/step - loss: 9.9016
```

```
Epoch 3/300
4/4 [==============================] - 0s 5ms/step - loss: 2.7983
…(중략)…
Epoch 299/300
4/4 [==============================] - 0s 5ms/step - loss: 0.0760
Epoch 300/300
4/4 [==============================] - 0s 4ms/step - loss: 0.0767
```

학습이 완료되었으니 적절한 기울기와 절편을 찾았는지 확인해보겠습니다.

Model.get_weights() 메서드는 가중치와 편향을 모두 포함하여 모델의 모든 가중치의 내용을 반환합니다. 뉴런이 하나뿐인 간단한 선형 회귀 모델의 경우 이 목록에는 두 개의 요소가 포함됩니다.

```
weights, bias = model.get_weights()
print("Weights (Slope):", weights)
print("Bias (Intercept):", bias)
```

```
Weights (Slope): [[1.6457536]]
Bias (Intercept): [2.566377]
```

첫 번째 요소는 모델의 기울기(또는 가중치)를 포함하는 1D 배열입니다. 두 번째 요소는 절편(또는 바이어스)입니다. 그런 다음 이러한 값을 가중치 및 바이어스 변수로 언패킹하여 인쇄합니다.

가중치는 모델이 입력 X와 출력 Y 사이에서 학습한 관계를 나타냅니다. 선형 회귀의 맥락에서 가중치는 데이터에 가장 잘 맞는 선의 기울기이고, 편향은 y 절편입니다. 이러한 값을 출력하면 모델의 학습된 매개변수가 데이터를 생성하는 데 사용된 실제 기울기 및 절편에 얼마나 가까운지 확인할 수 있습니다. 또한 데이터의 기본 패턴을 반영하여 예측 값과 실제 값 사이의 오차를 최소화하기 위해 학습 프로세스에서 가중치와 바이어스를 어떻게 조정했는지에 대한 인사이트를 제공합니다.

3.1.2 합성곱 신경망(CNN)

앞서 만들어본 간단한 신경망 모델을 통해 우리는 딥러닝 학습 절차를 확인할 수 있었습니다. 우선 2차원 공간에서 한 직선을 따라 분포하는 임의의 점들을 생성하였습니다. 2차원상의 한 점은 두 가지 정보(x, y 좌표)를 갖는데, 우리는 이 중 하나의 좌표를 이용하여 나머지 한 성분을 추론하는 모델을 설계합니다. 텐서플로의 API를 사용하여 모델의 구성 성분이 되는 완전 밀집층들을 불러오고, 이를 순서대로 연결하면 선형 신경망 모델을 간편하게 만들 수 있습니다.

그러나 앞에서 사용한 데이터와는 달리, 이미지 데이터는 훨씬 복잡한 구조를 갖고 있습니다. 이미지 한 장은 수많은 픽셀로 구성되며, 이미지가 갖는 정보를 표현하기 위해 픽셀들이 3차원 구조로 배열되어 있습니다. 즉, 한 픽셀을 중심으로 상 · 하 · 좌 · 우 · 전 · 후로 다른 픽셀들이 배열되어 있는 겁니다. 이미지 데이터를 이해하기 위해서는 이러한 공간적인 이미지 데이터의 특성을 파악할 수 있어야 하지만 선형 신경망은 이미지의 공간 정보를 반영하기엔 너무 단순한 구조입니다. 컴퓨터 비전 분야의 학자들은 이미지 데이터의 공간 정보를 제대로 학습할 수 있는 다양한 방법들을 오랜 시간 고민하였으며, 그중 가장 성공적인 시도가 합성곱(convolution) 층을 활용한 합성곱 신경망 모델(Convolutional Neural Network, CNN)이었습니다.

▼ 그림 3-15 선형 신경망과 합성곱 신경망

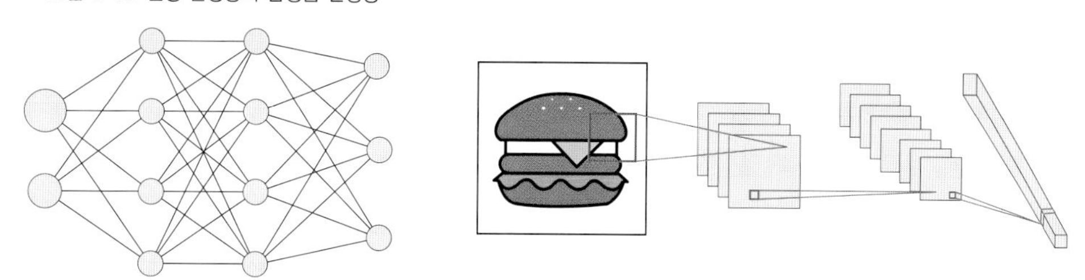

입력의 모든 뉴런을 다음 층의 모든 뉴런과 하나도 빠짐없이 연결하는 선형 신경망이 이미지 처리 과정에서 적용될 경우 두 가지 치명적인 문제를 일으키게 됩니다. 하나는 이미지 데이터가 갖는 공간 정보가 소실된다는 점이고, 다른 하나는 연산량이 지나치게 많아진다는 점입니다. 입력의 모든 뉴런이 다음 층의 모든 뉴런과 연결되는 과정에서 이미지를 구성하는 모든 픽셀이 서로 연산되며, 이 과정에서 픽셀 간의 거리 정보는 무시됩니다. 즉, 하나의 픽셀에 대하여 멀리 떨어진 픽셀이 가까이 있는 픽셀에 비해 연관성이 낮음에도 불구하고, 모두 동등한 자격으로 연산을 한다고도 이해할 수 있습니다.

또한 모든 픽셀 간 연산이 이루어지는데, 이미지 인식 등 특정 과제를 수행하는 과정에 앞서 이루어진 모든 연산이 필요하다고는 할 수 없습니다. 합성곱 층은 선형 신경망이 갖는 공간 정보의 손실과 과다한 연산량 문제를 동시에 해결하였습니다. 이러한 문제 해결 과정을 이해하기 위해 지금부터 합성곱 층의 구성 요소, 구조와 작동 방식을 알아보겠습니다.

합성곱 신경망의 구성 요소

이미지 데이터를 처리하기 위한 합성곱 신경망의 구성 요소에는 합성곱 층(convolutional layer), 활성화 함수(activation function), 풀링 층(pooling layer), 완전 연결 층(fully connected layer), 정규화(normalization), 드롭아웃(dropout)[2] 등이 있습니다. 이 요소들은 각기 다른 특정한 역할을 수행하며 이미지 데이터 내에서 픽셀들이 갖는 패턴을 파악하고, 이를 바탕으로 사용자가 정의한 판단을 도출하기 위해 작동합니다. 이렇게 나열된 요소들 중, 완전 연결 층과 활성화 함수 등 모델을 구성하는 기본적인 요소들은 앞서 설명했습니다. 이어서 합성곱 신경망에서 가장 중요한 역할을 하는 합성곱 층과 풀링 층에 대해 알아봅시다.

합성곱 층

합성곱 층은 이미지 처리를 위한 딥러닝 모델에서 주로 사용됩니다. 합성곱 층에 존재하는 사각형 모양의 가중치 필터를 합성곱 필터라 하며, 이 필터가 입력된 이미지 데이터와 연산됩니다. 이 필터는 독특한 방식으로 이미지 데이터를 읽습니다. 이때 필터가 움직이는 패턴과 필터의 사이즈, 개수 등이 다를 때 필터가 이미지 데이터와 연산된 결과 또한 다른 형태로 나타나게 됩니다.

합성곱 신경망의 내부에는 일반적으로 둘 이상의 합성곱 층이 존재합니다. 각 합성곱 층은 입력 데이터나 앞 층에서 들어온 데이터에 합성곱 연산을 적용합니다. 합성곱 연산의 결과는 입력된 데이터 행렬의 픽셀과 합성곱 필터의 가중치가 곱해진 값들이며, 이 결과물 또한 다음 층이나 연속되는 합성곱 층에 입력될 수 있습니다.

▼ 그림 3-16 이미지 데이터가 합성곱 층을 통과하여 생성된 특징 맵

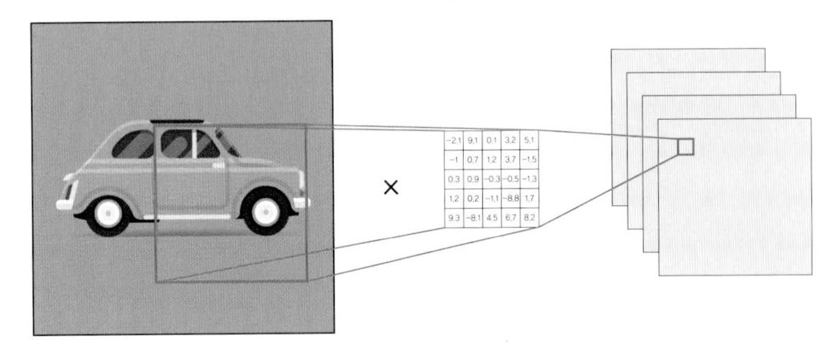

그러나 앞선 실습에서 사용한 선형 신경망과는 달리 합성곱 층은 네 면이 사각형인 육면체 꼴의 데이터를 입력 값으로 받을 수 있습니다. 즉, 일반적으로 우리가 사용하는 이미지가 가로와 세로,

2 드롭아웃은 4장에서 배웁니다.

채널 세 개의 축으로 구성된 육면체 데이터이므로, 합성곱 필터를 이에 적용하여 연산을 할 수 있음을 의미합니다. 이 연산의 결과물은 입력 값과 마찬가지로 가로, 세로, 채널 세 축 성분을 유지합니다. 입력 값에 가중치를 곱해서 얻은 값들을 특징(feature)이라 하며, 합성곱 신경망의 결과물은 3차원 벡터이므로 이를 특징 벡터(feature vector) 혹은 특징 맵이나 피처 맵(feature map)이라 부릅니다.

필터

합성곱 필터는 합성곱 층에서 입력 데이터의 특징을 추출하기 위해 연산되는 가중치들의 집합입니다. 이미지 데이터의 특성을 잘 반영하기 위하여, 형태가 이미지 데이터와 동일한 3차원 행렬(6면체)입니다. 이미지 데이터보다 작은 가중치 행렬이 이미지 데이터의 좌측 상단부터 우측 하단까지 오른쪽으로 한 칸씩 이동하고, 끝에 다다르면 한 줄 아래로 그 중심이 이동하여 왼쪽에서 오른쪽으로 한 칸씩 이동합니다. 이러한 움직임을 반복하며 가중치 행렬의 모든 원소와 이에 대응되는 모든 이미지 픽셀들의 값이 곱해진 후 하나의 값으로 합쳐집니다. 하나로 합쳐진 이 값은 특징 맵을 구성하는 하나의 원소가 됩니다.

▼ 그림 3-17 입력 이미지와 커널의 연산 과정

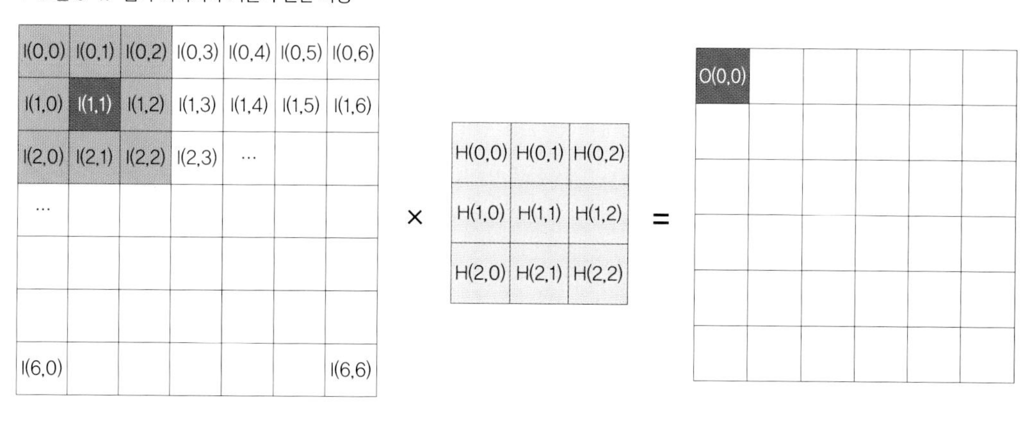

이 과정을 자세히 살펴보면, 가중치 행렬의 값이 이미지의 좌측 상단 부분과 연산된 결과는 특징 맵에서도 좌측 상단에 위치합니다. 마찬가지로 이미지의 우측 하단 픽셀들과 합성곱 필터의 연신 결과는 특징 맵의 우측 하단에 위치합니다. 게다가 한 번에 연산되는 픽셀들이 가로와 세로의 사이즈가 일정한 사각형 영역 안에 존재하므로, 인접한 픽셀들은 함께 연산됩니다. 이러한 합성곱 필터의 연산 방식은 원본 이미지의 공간 정보를 유지하여 특징 맵에 전달합니다. 또한 인접한 픽셀 간의 연산만 가능하므로 모든 픽셀에 대한 연산을 하지 않고, 결과적으로 선형 신경망에 비하여 연산의 비용과 정확성을 모두 개선할 수 있습니다.

커널

커널과 필터는 종종 용어를 혼용하여 사용하기도 하지만, 엄밀히 말하면 미묘한 차이가 있습니다. 합성곱 커널은 이미지의 특정 패턴이나 특징을 감지하기 위해 사용되는 2차원 행렬입니다. 이 커널은 합성곱 필터 내에 포함되어 있으며, 입력된 데이터의 각 채널에 대해 독립적으로 연산을 수행합니다. 이미지를 구성하는 행렬의 한 채널은 사각형의 2차원 형태를 갖습니다. 그러므로 커널의 형태는 2차원이며, 필터 내에서 여러 개의 커널이 함께 작동하여 이미지의 다양한 특징을 동시에 감지합니다.

합성곱 필터의 채널 수는 입력 데이터의 채널 수에 의해 결정됩니다. 예를 들어 RGB 이미지를 처리하는 경우 입력 데이터는 3개의 채널(R, G, B)을 가지므로, 합성곱 필터도 3개의 채널을 가져야 합니다. 만약 입력된 데이터가 128개의 채널 수를 갖는다면 합성곱 필터는 128개의 커널로 구성되겠죠. 그러므로 합성곱 필터의 사이즈를 설정할 때 채널의 수는 고려하지 않습니다. 사용자가 조절할 수 있는 사이즈는 가로와 세로 길이에 한정되며, 필터의 사이즈가 커널의 사이즈와 동일한 셈입니다. 이러한 필터 사이즈의 특징 때문에, 합성곱 필터는 이미지의 가로와 세로 방향으로만 이동할 수 있으며, 채널 축을 따라 이동하지는 않습니다.

채널

합성곱 층에 입력되는 행렬의 채널 수와 출력되는 행렬의 채널 수는 서로 관련이 있을 것으로 보이지만 실제는 그렇지 않습니다. 입력되는 데이터의 채널 수가 아무리 크다 하더라도, 그 값이 출력되는 행렬의 채널 수와는 무관합니다. 오히려 출력된 행렬의 채널 깊이는 합성곱 층에서 사용된 필터 수와 동일합니다. 채널 수가 128인 입력 데이터에 합성곱 필터를 하나만 사용할 경우 생성되는 특징 맵의 채널 수는 하나입니다. 출력되는 특징 맵의 채널도 128층으로 구성하려면, 128개의 합성곱 필터를 사용해야 합니다.

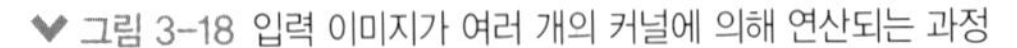
▼ 그림 3-18 입력 이미지가 여러 개의 커널에 의해 연산되는 과정

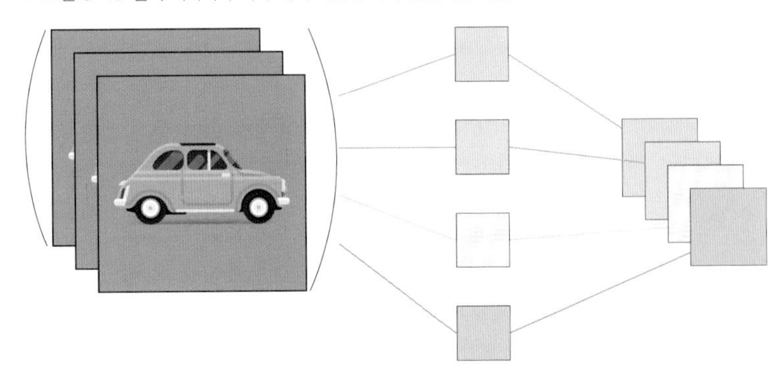

패딩

패딩(padding)은 입력 데이터의 주변에 특정 값(pad)을 추가하는 과정을 의미하며, 주로 0으로 이루어진 테두리를 사용합니다. 패딩은 합성곱 층의 연산 중 발생하는 다양한 이유로 인해 필요하게 되었습니다. 가장 큰 이유는 합성곱 연산을 거친 후의 출력 사이즈를 조절하기 위해서입니다. 패딩 없이 합성곱 연산을 수행하면, 출력의 사이즈는 입력보다 작아지게 됩니다. 이미지가 합성곱 층을 여러 번 통과할 경우 사이즈가 점점 줄어들게 되며 중요한 정보가 손실될 수 있습니다. 패딩을 통해 정보 손실을 방지할 수 있습니다.

▼ 그림 3-19 패딩 연산 과정

5	5	5	5	5	5
5					
5	5	5			
		5	5	5	5
					5
	5	5	5	5	

0	0	0
1	1	1
0	0	0

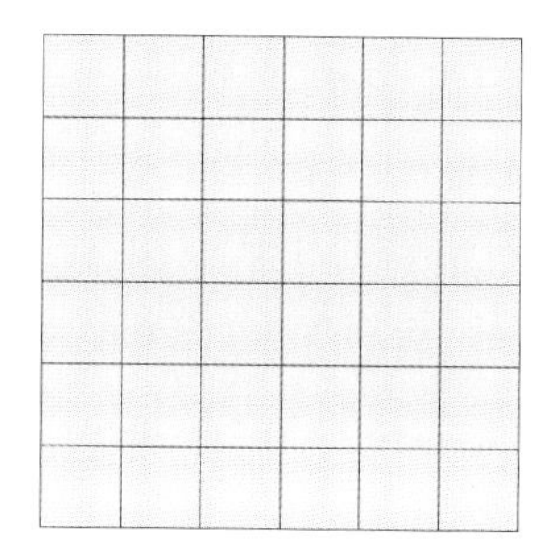

0	0	0			
1	1	1	5	5	5
0	0	0			
5	5	5			
		5	5	5	5
					5
	5	5	5	5	

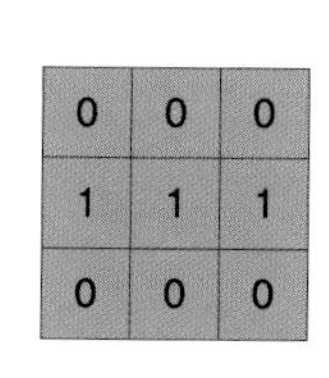

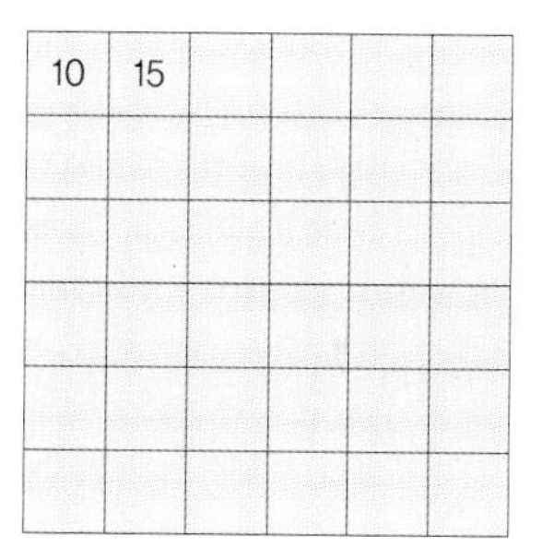

대부분의 이미지 데이터에는 피사체가 중앙에 위치하지만, 경우에 따라 이미지의 가장자리 부분에 있는 정보도 중요할 수 있습니다. 패딩을 사용하지 않으면, 가장자리의 정보는 다른 부분에 비해 연산에 덜 참여하게 되므로, 그 정보가 손실될 위험이 있습니다. 패딩은 이러한 정보의 손실을 방지하며, 이미지의 모든 부분이 누락되지 않고 연산에 참여하게끔 돕습니다.

다음은 텐서플로에서 합성곱 층을 불러오는 예시 코드입니다.

```
from tensorflow.keras.layers import Conv2D

conv_layer = Conv2D(filters=32, kernel_size=(3, 3), activation='relu', padding='same')
```

케라스에서 제공하는 합성곱 층에서 패딩은 padding 인수를 통해 조절할 수 있습니다. 사용하는 합성곱 커널의 사이즈에 따라 연산 시 줄어드는 데이터의 가로 및 세로 사이즈는 달라집니다. 가령 커널의 사이즈가 (3, 3)이라면 출력되는 데이터는 가로 세로 각각 2픽셀씩 줄어듭니다. 이 경우 패딩을 더하기 위해 커널의 사이즈를 복잡하게 연산할 필요 없이, 인수의 값을 same으로 지정할 경우 상황에 맞는 사이즈로 입력 데이터에 패딩이 더해집니다. padding='valid'로 설정하면 패딩을 적용하지 않을 수 있습니다.

스트라이드

합성곱 필터는 이미지 데이터의 채널을 제외한 나머지 두 축의 방향으로 이동합니다. 이렇게 합성곱 필터가 입력된 데이터의 한쪽 끝에서 다른 쪽 끝까지 순차적으로 이동하는 움직임을 슬라이딩 윈도우(sliding window) 기법이라고 합니다. 이때 합성곱 필터가 연산을 한 번 수행한 후 움직이는 거리를 스트라이드(stride)라 부릅니다. 스트라이드가 작으면 윈도우는 더 자주 이동하며, 스트라이드가 크면 데이터의 반대편 끝까지 도달하는 데 이동하는 횟수가 감소합니다.

다음 그림은 스트라이드 값이 다른 두 필터의 이동 방식을 표현한 그림입니다.

▼ 그림 3-20 스트라이드

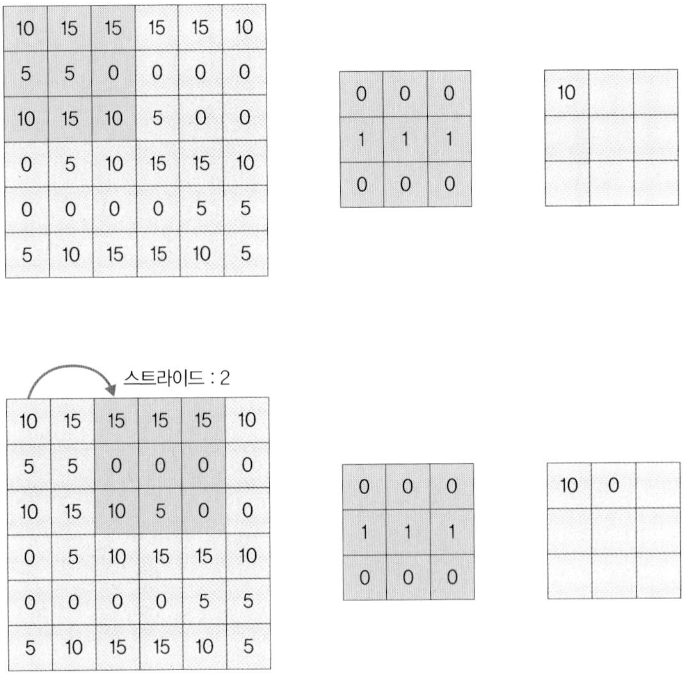

10	15	15	15	15	10
5	5	0	0	0	0
10	15	10	5	0	0
0	5	10	15	15	10
0	0	0	0	5	5
5	10	15	15	10	5

0	0	0
1	1	1
0	0	0

10		

스트라이드 : 2

10	15	15	15	15	10
5	5	0	0	0	0
10	15	10	5	0	0
0	5	10	15	15	10
0	0	0	0	5	5
5	10	15	15	10	5

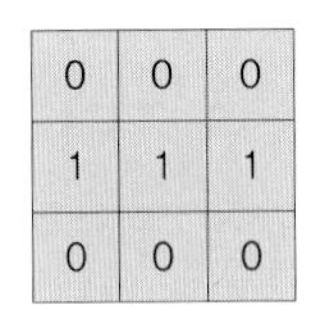

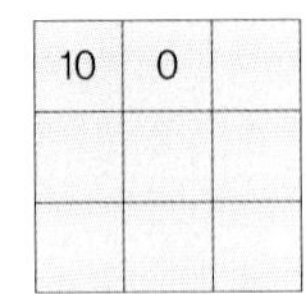

케라스의 Conv2D 층에서는 stride 인수를 통해 한 번에 필터가 이동할 거리를 조절할 수 있으며, 초기 값은 (1, 1)로 설정되어 있습니다. 이때 인수의 값을 정수로 정할 경우 가로와 세로로 이동할 거리가 같아집니다. 가로와 세로 방향의 스트라이드를 다르게 설정하기 위해선 인수가 요구하는 값을 리스트나 튜플로 제공하면 됩니다. 가령, 가로 방향으로는 합성곱 필터를 두 칸씩 이동하지만, 세로 방향으로 세 칸씩 이동하는 합성곱 층을 설계한다고 가정하겠습니다. 인수의 값을 stride=[2, 3] 혹은 stride=(2, 3)으로 입력할 경우 이렇게 복잡한 이동 방식도 구현할 수 있습니다.

예를 들어 다음과 같이 스트라이드를 코드에서 두 가지 방식으로 표현할 수 있습니다.

```
from tensorflow.keras.layers import Conv2D

conv_layer = Conv2D(filters=32, kernel_size=(3, 3), activation='relu', padding='same',
stride=(1, 1))

# 또는
conv_layer = Conv2D(filters=32, kernel_size=(3, 3), activation='relu', padding='same',
stride=1)
```

스트라이드를 크게 설정할 경우 합성곱 층에서 출력되는 데이터의 가로 세로 사이즈가 줄어들게 됩니다. 합성곱 연산이 이루어지는 간격이 늘어나고 빈도가 줄어들게 되므로, 적은 연산을 통해 이미지 데이터의 정보를 추출할 수 있다는 장점이 있습니다. 다만 스트라이드가 합성곱 커널의 사이즈에 비해 지나치게 커진다면 문제가 발생할 수 있습니다.

일부 픽셀이 연산의 범위에 포함되지 않아 중요한 특징이나 패턴을 놓칠 수 있다는 점이 첫 번째 문제입니다. 둘째로는 출력 특징 맵의 사이즈가 크게 감소한다는 점입니다. 특징 맵이 작아지면 연산상의 이점이 존재하지만, 이와 동시에 단점도 존재합니다. 합성곱 층을 여러 번 반복하여 사용하는 CNN 모델의 특성상 특징 맵의 사이즈가 지나치게 작아질 경우 유용한 정보를 포착하기 어렵기도 하고, 이로 인하여 합성곱 층을 깊게 쌓기 어려워집니다.

합성곱 연산 과정

합성곱 연산은 합성곱 층에 입력되는 데이터와 합성곱 필터 사이에서 일어납니다. 가로 및 세로 사이즈가 224픽셀이고, RGB 채널이 존재하는 이미지를 두 개의 합성곱 층에 통과시키는 경우를 예시로 생각해보겠습니다. 다음 예시 코드에서 이미지의 형태는 (224, 224, 3)으로 표현됩니다.

```
from tensorflow.keras.models import Sequential
from tensorflow.keras.layers import Conv2D

input_shape = (224, 224, 3)
```

이 이미지는 합성곱 신경망 모델을 통과하며, 이 모델에는 다음과 같은 특성을 지닌 두 합성곱 층이 존재합니다.

- 첫 번째 합성곱 층: 3×3 사이즈의 필터가 32개 존재하고, 한 번에 한 픽셀씩 이동하며, 출력 데이터의 사이즈 축소 방지를 위하여 패딩 적용.
- 두 번째 합성곱 층: 5×5 사이즈의 필터가 64개 존재하고, 한 번에 두 픽셀씩 이동하며, 출력 데이터에 패딩이 적용되지 않음.

이렇게 정의한 합성곱 모델은 케라스에서 예를 들어 다음과 같은 방식으로 생성할 수 있습니다.

```
model = Sequential()

model.add(Conv2D(32, kernel_size=(3, 3), strides=(1, 1), padding='same',
activation='relu', input_shape=input_shape))
model.add(Conv2D(64, kernel_size=(5, 5), strides=(2, 2), padding='valid',
activation='relu'))
```

이제 각 층을 통과할 경우 데이터의 형태가 어떻게 변형되는지 확인해보겠습니다.

첫 번째 합성곱 층에 이미지 데이터가 입력될 경우, 연산에 사용하기 위해 합성곱 필터가 생성됩니다. 필터의 사이즈는 합성곱 층을 선언할 경우 입력한 kernel_size를 따라 가로와 세로 사이즈가 모두 3입니다. 필터의 채널 수는 입력된 이미지와 동일한 3이므로, 필터의 사이즈는 (3, 3, 3)이라 할 수 있습니다. 이 필터가 이미지의 가장 좌측 상단에 위치합니다. 동일한 위치에 존재하는 이미지 픽셀 값과 필터의 가중치 값이 곱해지고, 이때 생성된 27개의 값이 전부 합쳐져 하나의 값으로 표현됩니다.

▼ 그림 3-21 합성곱 필터와 이미지 간의 연산

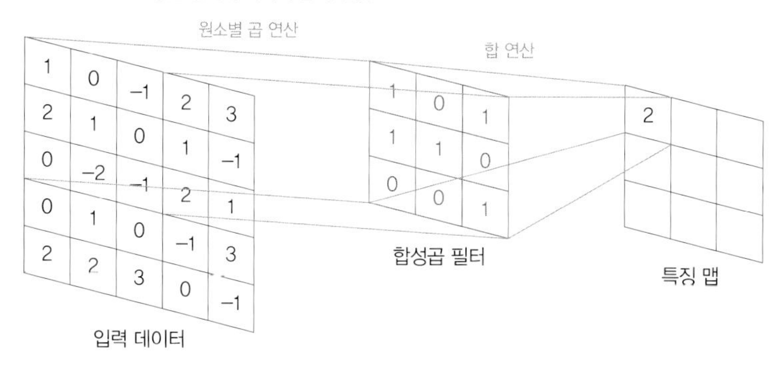

곱 연산과 합 연산이 끝났다면 합성곱 신경망이 이미지의 좌측 상단에서 출발하여 오른쪽으로 한 칸씩 이동합니다. 이동할 때마다 앞에서와 같은 가중치와 입력 데이터 간의 곱 연산(element-wise product)과 합 연산이 동일한 방식으로 수행되어, 출력 벡터를 구성할 원소가 생성됩니다. 합성곱 필터가 이미지의 우측 상단에 다다르게 된다면 아래로 한 칸 내려가, 좌측 끝에서 우측 끝까지 한 칸씩 이동하며 합성곱 연산을 계속합니다.

이런 방식으로 합성곱 필터가 이미지의 모든 영역에 대한 합성곱 연산과 이동을 마치면, 출력 데이터가 생성되며, 이 데이터는 패딩을 적용하였기에 가로와 세로 사이즈가 줄어들지 않은 (224, 224, 1)의 형태를 갖게 됩니다. 합성곱 층에서 필터의 수를 32로 설정하였기에, 서로 다른 32개의 필터에 대하여 합성곱 연산을 진행합니다. 그 결과물인 특징 데이터들이 채널 방향으로 축적되어, 최종적으로 (224, 224, 32) 형태의 특징 맵이 만들어지게 됩니다.

두 번째 합성곱 층에 입력되는 데이터는 첫 번째 합성곱 층의 출력 데이터인 특징 맵입니다. 해당 데이터의 채널 사이즈가 32이고, 합성곱 층 선언 시 커널의 사이즈를 (5, 5)로 설정하였기에 생성된 합성곱 필터의 사이즈는 (5, 5, 32)입니다. 가로와 세로의 사이즈가 5인 필터를 사용하면, 더 많은 가중치를 이용하여 더 큰 영역의 정보를 한 번에 고려할 수 있습니다. 이는 이미지의 더 넓은 맥락을 포착하는 데 도움이 될 수 있습니다.

입력된 데이터에 대하여 합성곱 필터는 좌측 상단으로부터 우측 하단 방향으로 이동하며 합성곱 연산을 수행합니다. 그러나 이번엔 스트라이드 값이 2이므로 합성곱 필터가 한 번에 두 픽셀씩 우측으로 이동하고, 패딩이 적용되지 않아 출력되는 데이터의 사이즈가 감소합니다. 좌측에서부터 첫 번째 픽셀에서 연산을 시작하여 두 칸씩 이동하게 될 경우 마지막에는 219번 픽셀부터 223번까지의 영역에 대하여 연산이 이루어집니다. 이렇게 연산이 깔끔하게 나누어 떨어지지 않고, 필터를 더 이상 이동할 수 없는 상황이 발생하면, 필터는 해당 픽셀들에 대한 연산이 불가능한 것으로 간주하고 아래 방향으로 이동하여 합성곱 연산이 이루어집니다.

대부분의 신경망 모델은 고정된 사이즈의 데이터만을 입력받아 연산할 수 있고, 이 원칙은 합성곱 신경망 기반의 모델에도 동일하게 적용됩니다. 그러므로 신경망을 설계하는 과정에서 각 합성곱 층을 통과할 때 데이터의 사이즈가 어떻게 변하는지 정확하게 계산해야 합니다. 합성곱 층에 입력되는 데이터의 가로 또는 세로의 사이즈를 input size, 합성곱 필터의 가로 또는 세로 사이즈를 filter size, 스트라이드 값을 stride라 할 때, 출력 데이터의 가로 또는 세로 사이즈 output size와 이들 간의 관계는 다음 식으로 표현할 수 있습니다.

$$\text{output size} = \frac{\text{input size} - \text{filter size}}{\text{stride}} + 1$$

다만 주의할 점은, 이 식은 합성곱 연산 과정 중 패딩 등의 다른 연산을 적용하지 않고 오직 필터 사이즈와 스트라이드 값을 조정한 결과만 반영한다는 것입니다. 또한 식의 결과 값이 정수가 아닐 경우, 소수점 이하의 값은 절삭해야 올바른 연산 결과를 반영할 수 있습니다. 가령 앞에서 예를 들었던 두 번째 합성곱 층의 연산을 식으로 표현한다면 다음과 같습니다

$$\frac{224 - 5}{2} + 1 = 110.5$$

데이터의 사이즈는 정수 형태만 가능하므로, 위 식의 결과에서 소수점 아래 값을 버린 110이 특징 맵의 가로 및 세로 사이즈가 됩니다.

합성곱 신경망을 활용한 모델들이 분류 분야에서 큰 성과를 보인 이후로 다양한 형태의 합성곱 신경망이 등장하였습니다. 4장에서 소개할 VGG, GoogLeNet(구글넷), ResNet(레스넷) 등이 이에 해당합니다. 그러나 합성곱 필터의 연산 방식을 수정한 기법들도 다양하게 연구되었습니다.

▼ 그림 3-22 확장 합성곱(dilated convolution)

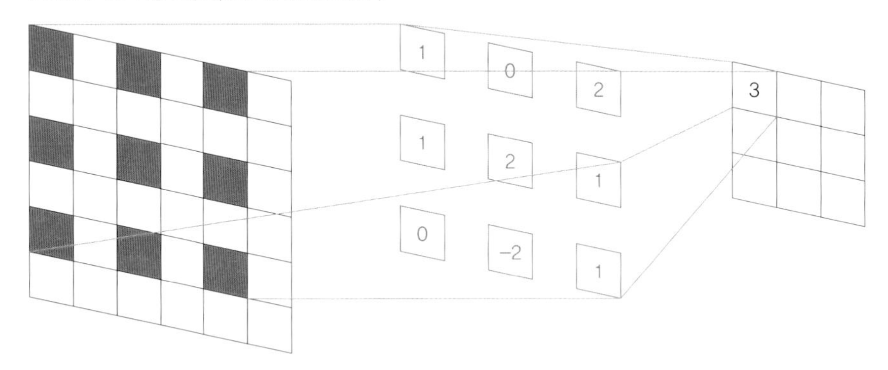

기존 합성 곱이 데이터의 사이즈를 축소하며 유의미한 정보를 추출하는 데 사용되었다면, 이와 반대로 전치 합성곱(transposed convolution)은 특징 맵의 사이즈를 확장하는 데 이용됩니다. 합성곱 필터가 인접한 여러 개의 픽셀들에 대하여 연산을 수행하였다면, 확장 합성곱(dilated convolution 또는 atrous covolution) 필터는 이와 달리 일정한 간격만큼 떨어진 픽셀과 연산을 수행합니다. 깊이별 합성곱(depth wise convolution)은 모든 채널의 정보를 전부 합하여 출력 데이터를 생성한 기존의 방식과는 달리, 각 채널이 독립적으로 처리됩니다. 이 외에도 성능을 개선하거나 특별한 이미지 처리 프로젝트를 위한 다양한 합성곱 연산 방식이 존재합니다.

풀링

딥러닝을 위한 신경망은 입력된 데이터의 차원과 부피를 늘리거나 줄여가며 데이터가 갖는 표현을 학습합니다. 합성곱 신경망 또한 이미지 데이터가 입력될 경우, 상황에 따라 데이터의 부피를 줄여가며 핵심적인 특징을 추출할 수 있도록 가중치 값을 조정합니다. 일반적인 합성곱 신경망은 합성곱 층을 여러 번 배치하여 입력된 데이터의 채널의 사이즈는 늘리되, 가로와 세로 사이즈를 줄여가며 학습을 수행합니다.

그러나 합성곱 층만 사용하여 입력 데이터의 사이즈를 줄이는 것은 그다지 효율적인 방법이 아닙니다. 합성곱 층에는 가중치가 내재되어 있기에, 필연적으로 컴퓨터의 연산량이 증가하고 모델의 복잡도가 증가하기 때문입니다. 그러므로 합성곱 층과 함께 풀링 층을 사용하는 것이 더 나은 선택이 될 수 있습니다.

풀링은 특징 맵의 사이즈를 줄이는 데 사용되는 기법입니다. 데이터의 사이즈를 축소하는 과정에서 합성곱 층과 같이 매개변수를 사용하지 않고, 제한된 영역에서 대표적인 값을 추출하여 정보를 압축합니다. 풀링 층을 통해 데이터의 사이즈를 줄이는 과정은 합성곱 층을 이용한 방법보다 더 빠르게 연산할 수 있으며, 메모리를 적게 사용할 수 있습니다. 즉, 학습이나 추론 단계에서 전력 사용량을 줄일 수 있고, 더 많은 학습 데이터를 사용할 수 있다는 뜻으로도 해석할 수 있습니다.

계산 과정에서의 효율성뿐만 아니라 풀링은 모델을 강건하게 학습시킬 수 있는 수단으로도 활용될 수 있습니다. 이미지 내의 객체가 약간 이동하더라도 풀링을 여러 번 거친 후 출력 값의 차이는 크게 달라지지 않기 때문입니다. 그렇다고 객체의 공간 정보가 손실되는 것은 아닙니다. 풀링 연산은 이미지의 가로와 세로 사이즈를 요약할 뿐, 공간상 무관한 정보끼리 곱하거나 더하지는 않습니다.

케라스에서 제공하는 풀링 층들은 합성곱 층과 마찬가지로 윈도우(커널)의 사이즈, 스트라이드, 패딩 등의 인수를 통해 연산 방식과 범위를 제어할 수 있습니다. 합성곱 층에서는 윈도우 형태의 커널이 이동하며 범위 내 픽셀들에 대한 합성곱 연산을 수행하였다면, 풀링 층에서는 윈도우가 합성곱 필터와 유사한 방식으로 이동하며 범위 내에서 하나의 값을 반환합니다. 풀링 층은 주로 합성곱 층의 뒤에 붙여 특징 맵을 입력으로 받고, 풀링 연산을 수행한 결과를 출력합니다.

다음은 합성곱 신경망에서 풀링 층을 사용하는 방법을 보여주는 예시 코드입니다.

```
from tensorflow.keras.models import Sequential
from tensorflow.keras.layers import Conv2D, Maxpooling2D

input_shape = (224, 224, 3)
model = Sequential()
model.add(Conv2D(32, kernel_size=(3, 3), activation='relu', input_shape=input_shape))
model.add(MaxPooling2D(pool_size=(2, 2)))
model.add(Conv2D(64, kernel_size=(3, 3), activation='relu'))
model.add(MaxPooling2D(pool_size=(2, 2)))
```

pool_size 인수는 풀링 연산을 수행할 범위(윈도우)를 지칭하며, Conv2D 층의 kernel_size 인수와 마찬가지로 정수, 리스트, 튜플 형태의 입력을 요구합니다. 위 코드에는 표현되지 않지만 strides 인수가 존재하며, 이는 Conv2D 층과 동일하게 윈도우의 이동 범위를 의미합니다. 단, 차이점은 위의 코드와 같이 인수를 명시하지 않을 경우 초기 값은 pool_size와 동일한 값으로 설정됩니다. 즉, 윈도우가 이동하며 풀링 연산을 수행할 때, 원소들에 대하여 중복 연산을 수행하거나 누락시키지는 않습니다.

▼ 그림 3-23 최대 풀링과 평균 풀링

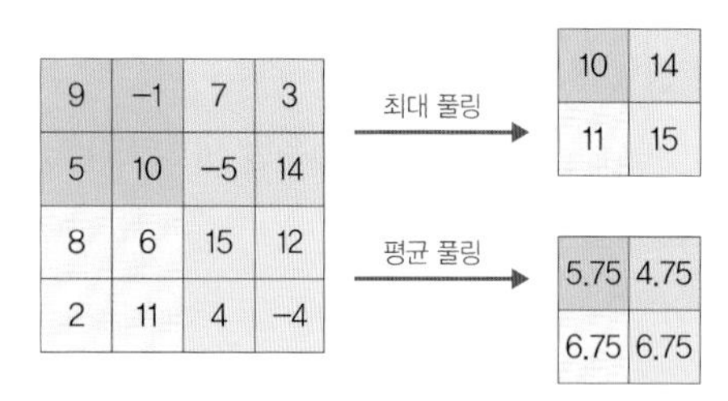

입력된 데이터에서 대표 값을 추출하는 방법은 다양합니다. 이들 중 가장 자주 사용되는 방법은 영역 내 최대 값을 출력하는 최대 풀링(max pooling)입니다. 예를 들어 2×2 윈도우에서 최대 풀링을 사용할 경우 네 개의 픽셀 중 가장 큰 값을 출력으로 사용합니다. 같은 원리로 윈도우 내 픽셀들 중 평균을 계산하여 사용하는 방법을 평균 풀링(average pooling)이라 합니다. 이외에도 최소 값을 선택하는 최소 풀링(min pooling), 특징 맵의 전역에서 대표 값을 추출하는 전역 풀링(global pooling) 등의 방법도 있습니다.

앞서 소개한 합성곱 층과 풀링 층은 3차원 공간에서 제시된 데이터를 가로 및 세로 방향으로 이동하며 읽어나갑니다. 이미지 데이터의 공간적 정보를 다른 신경망보다 더 잘 반영하여 이해할 수 있다는 강점이 있습니다. 합성곱 층 하나는 이미지를 구성하는 작은 범위의 픽셀들을 관찰하지만, 여러 층으로 쌓인 합성곱 층과 풀링 층은 정보를 축약하고 더 넓은 범위의 맥락을 이해하여 이미지 속의 내용을 학습할 수 있습니다. 이 두 층은 합성곱 신경망의 기본 골격으로, 컴퓨터 비전 분야에서 꾸준히 우수한 성과를 자랑하고 있습니다.

3.1.3 생성적 적대 신경망(GAN)

신경망을 활용한 이미지 생성 분야에서 지대한 영향력을 끼친 모델이 있습니다. 바로 생성적 적대 신경망입니다. 모델 이름만큼이나 이미지 생성 과정 또한 복잡하며 직관적인 이해가 어렵습니다. 이번 절에서는 이미지 생성이라는 문제 정의 과정과 이를 해결하기 위한 다양한 시도들을 살펴보겠습니다.

이미지 생성

장님과 코끼리에 관한 우화에서는 코끼리를 한 번도 보지 못한 마을의 한 화가가 장님이 코끼리를 묘사하는 설명만을 듣고 코끼리를 그려내는 이야기를 해학적으로 풀어냅니다. 제 아무리 화가의 그림 실력이 뛰어나고 상상력이 풍부하더라도 이미지의 특징을 제대로 파악하지 못한다면 그 결과물은 현실과의 괴리가 있기 마련입니다.

그림을 그릴 때, 그림에는 우리가 대상을 관찰하여 파악한 정보를 활용합니다. 물론 지역에 따라 동일한 관념이 다른 형태를 가질 수 있습니다. 열대 지방에 사는 사람은 바다의 색을 더 연하게 그리는 반면, 추운 지방에 사는 사람은 물빛을 어둡게 표현하고 빙하도 그릴 수 있습니다. 그러나 서로 다르게 묘사한 그림에는 넓은 수면을 그렸다는 크나큰 공통점이 존재합니다.

우리가 신경망 모델을 활용하여 바다와 같은 이미지를 생성하기 위해선, 인간과 마찬가지로 관념에 관한 일반적인 지식을 주입해야 합니다. 신경망은 다양한 자료에서 정보를 파악하고, 이를 일반화하는 데에 특화되어 있기 때문입니다. 이는 비단 이미지에만 해당하지 않습니다. 텍스트를 생성하는 모델, 음성과 음악을 만들어내는 모델 모두 정보에서 자주 등장하는 패턴을 학습하고, 이를 일반화시켜 재구성하여 결과물을 '그럴듯'하게 만들어냅니다.

그렇다면 이미지를 포함한 데이터에서 특징은 어떤 형태로 존재하기에 신경망이 이를 감지하고 학습할 수 있을까요? 정답은 바로 분포라는 추상적 개념을 통해 설명할 수 있습니다. 초등학교 미술 시간에 학생들에게 비행기를 그리는 숙제를 냈다고 합시다. 다음 날 대다수의 아이들은 넓고 푸른 하늘을 배경 삼아 비행기가 날아가는 장면을 그려 올 것입니다. 아이들의 그림에는 주로 비행기의 옆모습이 그려져 있고, 그 뒤에는 하늘색 하늘과 흰 구름이 한두 개 떠 있습니다. 종종 창의력이 좋은 아이들은 비행기를 땅에서 올려다본 듯 묘사해 올 것이고, 노을이 지는 저녁 하늘이나 밤하늘을 그린 아이도 가끔 보입니다.

아이들의 숙제로 그려 온 결과는 비행기라는 대상이 관측된 분포를 표현합니다. 아이들은 저녁이나 늦은 밤에 자주 돌아다니지 않으니 하늘을 나는 비행기를 주로 낮에 관찰할 것입니다. 데이터가 관측된 과정에서 작용한 시간적 제약이 생성된 이미지에도 반영된 것입니다. 또한 많은 아이들이 비행기를 육안으로 보는 상황보다 매체를 통하여 접하는 경우가 빈번합니다. 뉴스, 인터넷 광고, 드라마, 영화 등의 매체에서는 비행기가 날아가는 장면을 사실적으로 묘사하기 위해 비행기의 아랫면보다 측면을 더 많이 비춥니다. 경비행기나 전투기보다 여객 항공기가 그림에서 많이 그려지는 이유도 위에서 설명한 바와 크게 다르지 않습니다.

▼ 그림 3-24 이미지와 확률 분포 간의 상관 관계

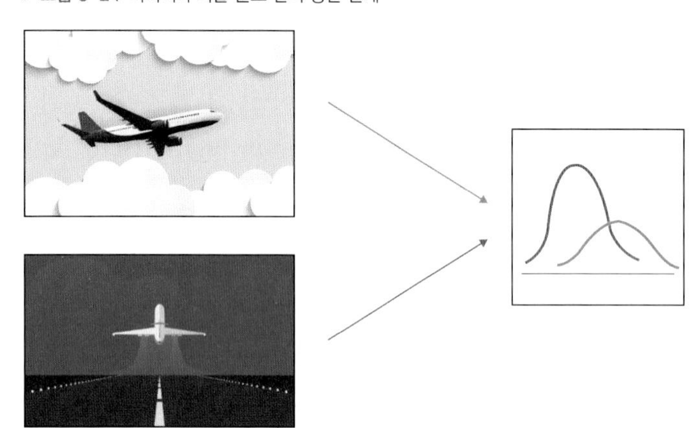

수집된 이미지를 모델에 입력하여 새로운 이미지를 생성하는 과정도 아이들이 그림을 그리는 과정과 같은 원리로 작동합니다. 데이터의 분포를 바탕으로 이미지를 구성하기에, 데이터 세트에 자주 등장하여 포착된 객체의 특징은 생성된 이미지에서도 묘사될 확률이 높습니다. 이미지를 학습하는 과정에서 등장한 몇몇 특징들의 빈도가 모델의 가중치에 확률 분포의 형태로 해석될 수 있고, 생성 모델은 학습한 정보를 역이용하여 데이터를 재구성할 수 있는 셈입니다.

이미지 생성 모델에 필요한 요소

단순한 관점에서 본다면, 초기 생성 모델인 GAN부터 DALL-E, 디퓨전(Diffusion) 등의 우수한 생성 모델 모두 앞에서 설명한 원리를 바탕으로 동작합니다. 그렇기에 이들에게 필요한 능력들을 나열한다면 우선 이미지에서 특징을 추출하는 능력을 꼽을 수 있습니다. 이 능력은 이미지를 표현하는 특징들에는 무엇이 있고, 이들이 어느 정도로 분포하고 있는지 포착할 수 있는 힘을 뜻합니다. 사실 이 능력은 그리 간단한 능력이 아닙니다. 우수한 모델은 점, 직선, 곡선, 단색과 그라데이션 등 이미지의 세부적이고 단순한 특징(low-level features)을 파악하고, 더 나아가 이들이 모였을 때 표현되는 넓은 영역의 이미지 조각이 어떤 추상적이고 복합적인 의미(high-level features)를 갖는지도 이해할 수 있어야 합니다.

이미지 생성 모델의 최우선 목표는 사실적이고 정밀한 이미지를 출력하는 것입니다. 그러므로 데이터 세트에서 학습한 패턴을 바탕으로, 데이터 세트에 못지않은 수준의 이미지가 만들어져야 합니다. 이를 세분화하여 표현하자면, 우선 생성된 이미지 내에서 표현된 객체가 물리적으로 정밀하게 표현되어야 합니다. 객체 간 구분이 뿌옇게 그려져 모호하게 표현되거나, 밝기, 음영, 색상 등이 섞이지 않고 시각적으로 명확하게 구분할 수 있어야 합니다. 또한 생성된 이미지에 비의도적인 노이즈가 발견되어서도 안 됩니다. 이러한 점에서 표현력이 떨어지는 모델은 마치 물감을 여러 번 짜 섞은 팔레트처럼 그림이 그려지곤 합니다.

둘째로 모델은 이미지를 사실적으로 묘사할 수 있어야 합니다. 세부적으로 우수한 표현력을 가져 객체가 그럴듯한 이미지를 만들어낸다 하더라도, 현실 세계의 객체와 다른 특징을 갖는다면 굉장히 곤란한 상황이 연출됩니다. 예를 들어 이미지 내에서 객체의 그림자가 존재하지 않는 경우, 또는 신체 등 객체의 구성 요소가 정상 범주보다 많거나 적은 경우가 포함될 수 있습니다. 특정 모델의 경우 인물의 행동 묘사가 올바르지 않게 표현되는 경우도 발견됩니다. '국수를 먹는 사람'을 그리려 할 때, 우리의 통념과 달리 숟가락을 사용하거나 심지어 손으로 면발을 집어먹는 이미지가 생성됩니다. 이 경우 생성 모델에는 사회적, 문화적 맥락에 맞게끔 인물의 동작을 제어할 수 있는 능력이 요구되며, 이러한 점을 해결하지 않으면 모델을 사용할 가치와 범주가 제한되어버립니다.

마지막으로 모델에서 생성된 이미지의 품질을 평가하는 능력도 필요합니다. 현실에서는 작품을 수치화하여 비교하는 경우를 찾아보기 힘듭니다. 유명한 두 화가 피카소와 램브란트의 작품을 비교할 때, 평론가들은 어느 한 사람의 그림이 더 훌륭하다고 평가하지 않습니다. 설령, 실력의 차이가 확연하게 보이는 두 화가의 작품을 비교하더라도, 두 화가의 작품이 수치상 얼마만큼 차이가 난다고 말하지도 않습니다.

그러나 모델의 학습 과정에 있어서는 생성된 이미지의 완성도를 반드시 수로 표현해야 합니다. 모델의 학습 속도와 방향은 손실 함수에 의해 결정되며, 손실은 모델이 만들어낸 이미지가 얼마나 완벽하지 않은지를 계산해야 하기 때문입니다. 그러므로 '이미지가 훌륭하다'는 명제가 주관적이고 상대적이라 할 지라도, 이 정의을 수식으로 구현할 수 있어야만 이미지 생성 모델을 만들고 학습시켜 높은 수준의 이미지를 만들 수 있습니다.

이미지 생성과 비지도 학습

지도 학습은 모델에 데이터와 레이블을 제공하고, 모델이 데이터를 입력받아 연산한 결과와 레이블을 비교하며 모델의 성능을 개선시키는 학습법을 의미합니다. 주어진 데이터를 바탕으로 모델이 생성한 예측 값은 레이블과 함께 손실 함수에 입력되어 그 차이가 수치로 환산됩니다. 지도 학습의 손실 계산은 학습 과정에서 아주 강력한 가이드라인을 모델에 제공합니다. 이 손실 값을 잘 활용하면 모델의 어느 부분을 어떻게 개선해야 할지 알 수 있기 때문입니다.

그러나 지도 학습의 큰 이점은 동시에 큰 단점으로 작용합니다. 지도 학습을 위한 레이블을 만드는 과정은 많은 시간과 비용, 노동력을 요구합니다. 더 좋은 모델을 만들기 위해선 더 많은 양의 데이터가 필요하지만, 데이터를 모으기 위해 감당할 자원의 양도 부담이 됩니다. 오늘날 모델의 일반화 성능을 학습하기 위해 사용되는 있는 여러 벤치마크(benchmark) 데이터 세트들도 개인의 힘으로 구축되지 않고, 유관 기관의 협력과 기업, 정부 등의 투자를 통해 형성된 것이 대부분입니다. 일반적이지 않은 업무를 위해 모델이 필요할 경우, 이 모델을 학습시키기 위한 재원이 필요합니다. 이에 규모가 작은 기업과 연구 기관에서는 딥러닝 모델 도입을 주저하게 되는 요소 중 하나가 바로 데이터 세트라 할 수 있습니다.

지도 학습 데이터 세트를 구축하는 과정에서는 위와 같이 재정적 부담이 주된 장벽이지만, 때로는 레이블을 생성하기 위한 논리적인 근거가 충분하지 않아 지도 학습 데이터 세트를 못 만드는 경우도 존재합니다. 이미지 생성을 위한 데이터 세트가 후자에 속합니다.

생성된 이미지에 대해 인간은 주관을 도입하여 다양한 측면을 평가할 수 있습니다. 생성된 이미지가 회화 등 그림일 경우, 그림의 색채, 세부 묘사가 디테일한 정도, 그림에서 느껴지는 감정과 분위기 등이 평가 요소가 될 수 있습니다. 실제 이미지를 생성하는 작업에서는 이미지의 정밀함, 이미지 속 개채들의 배치와 행동의 개연성 등의 항목을 검토해볼 수 있습니다. 그러나 이러한 주관의 영역을 통일하여 수치화하는 과정에는 전문가 간의 합의가 필요하므로, 이러한 평가지표를 만드는 것은 현실적이지 못합니다.

이렇게 지도 학습 데이터를 만들기 어려운 경우, 우리는 비지도 학습(unsupervised learning)을 통해 모델을 학습시킬 수 있습니다. 비지도 학습이란 지도 학습과 달리 입력 데이터만을 사용하여 데이터의 구조나 패턴을 찾아내는 학습 방식을 말합니다. 비지도 학습에서는 정답 레이블이나 지도 정보 없이 데이터 자체의 특성만을 기반으로 학습을 진행합니다. 이 방식은 레이블링된 데이터를 얻기 어려운 상황에서 유용하게 활용될 수 있으며, 데이터의 숨겨진 구조나 패턴을 발견하는 데 효과적입니다.

전통적인 기계 학습 분야에서 비지도 학습은 사용할 수 있는 범주가 제한적이었습니다. 비지도 학습에 해당하는 대표적인 알고리즘에는 군집화(clustering), 차원 축소(dimensionality reduction), 연관 규칙 학습(association rule learning)이 있습니다. 군집화는 유사한 특성을 가진 데이터를 그룹으로 묶는 기법으로, 예를 들어 고객 세분화나 문서 군집화 등에 사용됩니다. 군집화는 지도 학습의 분류 문제와 유사해 보이지만, 대상을 나누는 기준과 방법이 다릅니다. 분류의 경우 사용자가 지정한 클래스를 기준으로 모델이 데이터와 클래스 레이블 간의 차이를 학습합니다. 반면 군집화는 모델이 여러 데이터 간의 패턴의 차이를 구분하며, 그 기준을 인간이 제시하지 않고 기계가 스스로 알아냅니다.

아래 그림은 비지도 학습의 대표적인 알고리즘입니다.

▼ 그림 3-25 차원 축소와 군집화

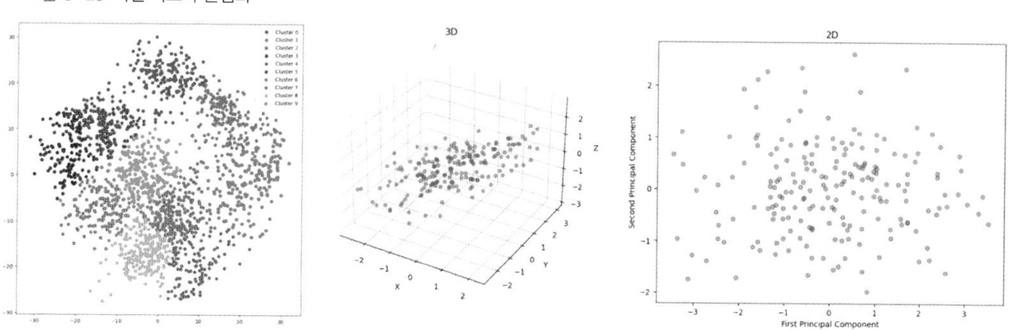

차원 축소는 고차원의 데이터를 저차원의 데이터로 변환하는 알고리즘입니다. 결과로 데이터의 복잡성을 줄이고, 시각화를 용이하게 하며, 계산 비용을 절감하는 데 도움을 줍니다. 그러나 이 알고리즘은 주요 정보를 최대한 보존하려는 목적으로 진행되므로 모델에 의해 고차원의 데이터에서 불필요한 정보를 배제하고 유용한 것들만 최대한 선별됩니다. 연관 규칙 학습은 데이터베이스 내의 항목 간의 연관성을 찾아내는 알고리즘입니다. 주로 대규모의 데이터에서 항목들 간의 관계를 분석하는 데 사용되며, 마케팅, 소매, 재고 관리 등 다양한 분야에서 활용됩니다.

그러나 이들의 공통점은 레이블을 전혀 활용하지 못하는 상황에서 모델을 학습시키기에 지도 학습만큼 강력한 학습 효율을 낼 수 없다는 것입니다. 이는 이미지 생성 모델을 만들기 위한 상황에 전혀 달가운 소식이 아닙니다. 그러므로 이미지 생성을 신경망으로 해결한 생성적 적대 신경망에서는 레이블 없이 이미지 데이터를 모아 학습시키되, 간이 레이블을 만들어 우회적으로 지도 학습의 방식을 수행해냅니다.

오토 인코더

생성적 적대 신경망이 이미지 생성 모델로 등장하기 전, 심층 신경망 기술을 활용한 이미지 생성 기법은 이미 몇 차례 존재하였습니다. 이들은 생성적 적대 신경망에 많은 영감을 제시하였으며, 그중 가장 대표적인 것이 바로 오토 인코더(auto encoder)입니다. 오토 인코더는 아주 간단한 아이디어로 손쉽게 이미지를 생성하며, 심층 신경망을 활용하여 기존에 존재했던 여타 이미지 생성 모델에 비해 강력한 성능을 자랑하였습니다. 다음 그림은 오토 인코더 알고리즘을 간단하게 표현한 것입니다.

▼ 그림 3-26 오토 인코더의 구조

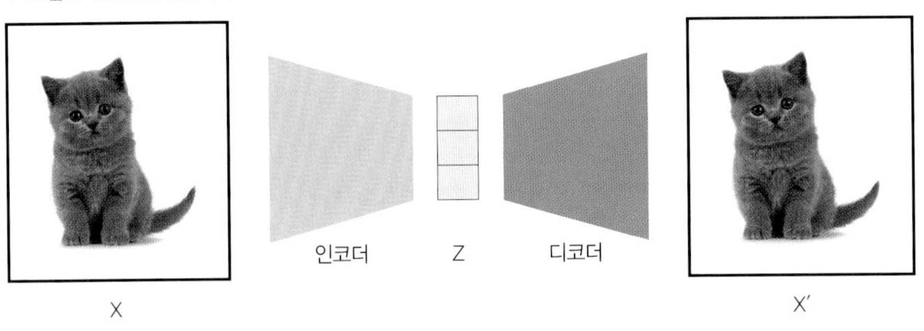

오토 인코더는 이미지 생성을 위해 크게 두 과정을 거칩니다. 첫 번째는 이미지의 표현을 파악하고, 이 정보를 작은 사이즈로 압축하는 과정입니다. 이어 두 번째는 압축된 정보를 원본 이미지의 사이즈와 비슷하게 재구성하는 과정입니다. 전자를 인코딩(encoding), 후자를 디코딩(decoding)이라 칭하며, 두 과정을 수행하기 위한 기능적 단위들을 각각 인코더(encoder)와 디코더(decoder)라 합니다. 인코더(f)에서는 입력 데이터 x를 x보다 작고 밀도 높은 표현인 잠재 공간(latent space, z)으로 매핑하며, 이를 수식으로는 다음과 같이 표현할 수 있습니다.

$$z = f(x)$$

디코더에서는 인코더(g)에서 생성한 잠재 공간 z를 다시 원래의 데이터 x'로 복원하는 과정을 거칩니다.

$$x' = g(z)$$

이 과정에 있어서 궁극적인 목표는 인코더와 디코더를 통과하여 재생성된 이미지(x')가 원본 이미지(x)와 차이나지 않도록 모델을 학습시키는 것이며 다음과 같이 표현할 수 있습니다.

$$x \approx x'$$

우리는 이 과정을 통해 오토 인코더가 비지도 학습을 수행하고 있음을 확인하게 됩니다. 입력 이미지 x가 동시에 레이블로 사용되기 때문입니다. 그러므로 레이블 없이 데이터만 수집할 경우에도 쉽고 강력한 모델을 만들 수 있었던 것입니다. 오토 인코더의 인코더-디코더 구조는 이미 생성 분야에 큰 기틀을 마련할 뿐만 아니라, 이미지 분할, 텍스트 생성 등 다양한 작업에서도 발견할 수 있습니다. 다음은 MNIST 데이터 세트(위)를 통해 훈련한 오토 인코더로 생성한 숫자 이미지(아래)의 예시입니다.

▼ 그림 3-27 오토 인코더를 통한 이미지 생성: 훈련 데이터(위)와 생성된 이미지(아래)

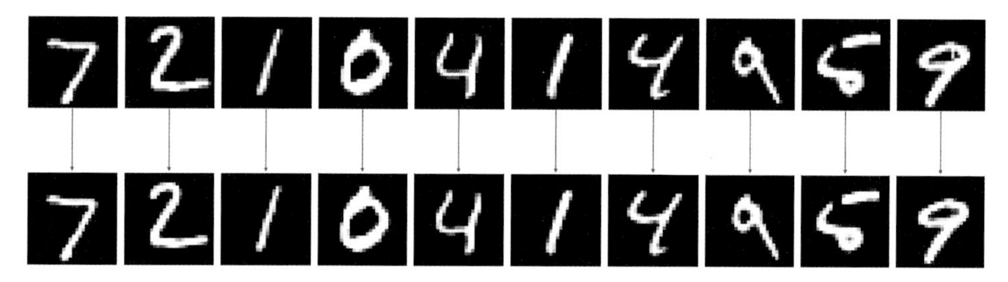

인코더

오토 인코더의 인코더는 비지도 학습의 대표적 알고리즘인 차원 축소와 비슷한 역할을 수행합니다. 인코더는 여러 층의 신경망으로 구성되며, 고차원의 복잡한 데이터인 이미지를 받아 이미지의 차원을 축소하고 잠재 공간으로 표현합니다. 인코더는 학습을 통해 이미지의 차원을 줄여나가는 과정에서 이미지를 표현할 수 있는 가장 중요하고 의미 있는 정보를 탐색합니다.

오토 인코더 이전의 전통적인 차원 축소 방법들은 선형적인 특성만을 고려하는 경우가 많았습니다. PCA(Principal Component Analysis)와 같은 방법들은 선형적인 관계에는 효과적이지만, 비선형적인 관계를 잘 표현하지 못했습니다. 오토 인코더는 이러한 비선형 특성까지 고려할 수 있어 차원 축소에 유용하게 사용됩니다.

디코더

디코더는 인코더에 의해 생성된 잠재 공간 표현을 원래의 데이터 공간으로 복원하는 역할을 합니다. 즉, 원본 이미지와 같은 사이즈로, 유사한 이미지를 생성해내도록 학습되는 셈입니다. 인코더와 마찬가지로 디코더도 심층 신경망을 통해 형성되며, 디코더는 일반적으로 인코더의 구조를 반대로 따릅니다. 예를 들어 인코더가 세 개의 층으로 구성되어 있다면, 디코더도 세 개의 층으로 구성될 가능성이 높습니다. 인코더가 데이터를 압축하는 과정이라면, 디코더는 그 압축을 풀어 원래의 데이터를 복원하는 과정입니다.

오토 인코더의 다양한 응용과 한계

인코더-디코더 구조는 이미지의 표현을 학습하고 재현하는 능력을 집중적으로 학습합니다. 그러므로 만일 모델에 사람의 얼굴, 자동차 등 동일한 이미지를 끊임없이 제공할 경우, 모델은 입력받은 데이터들의 일반적인 표현을 찾습니다. 사람 얼굴의 경우 이목구비의 위치와 일반적인 색, 얼굴과 배경의 거리와 윤곽 표현, 헤어 스타일 등이 학습 대상에 포함됩니다. 이렇게 잘 학습된 오토 인코더의 인코더 부분만을 따로 떼어낸다면 훌륭한 특징 추출기로 사용할 수 있습니다.

오토 인코더는 이미지 생성뿐만 아니라 이미지 복원에도 사용할 수 있습니다. 게다가 오토 인코더를 이미지 복원에 사용하는 방법은 상당히 직관적입니다. 기본 아이디어는 노이즈가 추가된 데이터를 입력으로 사용하고, 노이즈가 없는 원본 데이터를 목표로 설정하여 오토 인코더를 학습시키는 것입니다. 이렇게 하면 오토 인코더는 노이즈가 있는 입력에서 노이즈를 제거한 유용한 특징을 추출하고, 이미지를 복원하는 작업을 수행할 수 있습니다. 아래는 오토 인코더를 활용하여 훼손된 이미지를 복원한 예시입니다.

▼ 그림 3-28 오토 인코더를 활용한 이미지 복원(출처: Image Restoration Using Convolutional Auto-encoders with Symmetric Skip Connections, CVPR2016)

그러나 이러한 오토 인코더의 단순하고 강력한 학습법에는 몇 가지 단점이 존재합니다. 우선 가장 큰 한계는 이미지를 입력받아야만 이미지를 생성할 수 있다는 점입니다. 즉, 우리가 원하는 형태의 이미지를 생성하기 위해선 이에 상응하는 이미지를 입력으로 주는 것이 전제된다는 것입니다. 이는 이미지 생성 과정에서 자유도를 크게 제한합니다. 특정 이미지를 생성하기 위해 텍스트로 지시를 내리기엔 모델의 구조가 지나치게 단순합니다.

또한 구조의 단순함에서 기인하는 표현의 제한도 문제가 됩니다. 이미지를 받아 재구성하는 데에만 집중하다 보니 이미지를 생성할 때 입력받은 이미지들의 특징만을 재현할 수 있을 뿐, 입력된 이미지 이외의 표현을 묘사할 수 없는 것은 당연하며 학습된 이미지 내의 표현들을 별도로 그려낼 수도 없습니다. 즉, 사람의 얼굴만을 그릴 수 있는 오토 인코더는 사람의 눈, 코, 입만 따로 그릴 줄은 모르는 셈이죠. 이렇게 정밀한 표현을 구사하고 의미적 이해까지 뒤따르는 모델을 만들기 위해선 추가적인 아이디어를 모델의 다른 부분으로 구현해내야 합니다.

생성적 적대 신경망의 아이디어

오토 인코더는 이미지에 다른 레이블이 없어도, 이미지의 데이터 분포를 학습하여 비슷한 분포를 만들어낸다는 점이 강점입니다. 이와 비슷하게 이미지에 레이블이 따로 없더라도, 진짜 같은 이미지를 만들기 위한 참신한 이미지 생성 인공지능 모델이 있습니다. 바로 생성적 적대 신경망(Generative Adversarial Networks, GANs)입니다. 앞서 본 합성곱 신경망은 이미지에서 여러 가지 내용들을 추출하여, 정답을 맞추도록 학습을 유도했습니다.

생성적 적대 신경망의 학습 구조에서는 정답이 없는 상태에서도 정답이 있는 것처럼 학습할 수 있습니다. 기본 아이디어는 실제 데이터와 유사한 생성 데이터를 만드는 '생성자(Generator)'와 생성된 데이터가 원본인지 판별하는 '판별자(Discriminator)'가 서로 경쟁하는 구조입니다. 학습시킬 이미지 데이터만 있다면, 정답 데이터가 따로 없어도, 현재 있는 데이터는 진짜, 생성자가 가짜로 만든 데이터는 가짜라는 정답 데이터가 만들어지게 됩니다. 이러한 데이터로 어떻게 생성자와 판별자가 경쟁하며 함께 학습이 이루어질 수 있는지 한번 살펴보겠습니다.

▼ 그림 3-29 생성자와 판별자의 학습

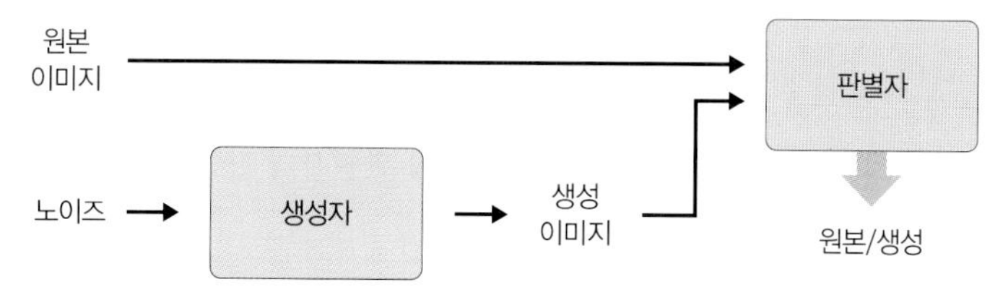

생성자

생성자는 생성적 적대 신경망에서 실제 데이터와 유사한 가짜 데이터를 생성하는 역할을 담당합니다. 생성자의 주된 목적은 판별자를 속여 가짜 데이터를 실제 데이터로 분류하게 만드는 것입니다. 이를 통해 생성자는 점차적으로 실제 데이터의 분포를 학습하게 됩니다.

생성자는 랜덤 노이즈 또는 잠재 공간(latent space)에서 샘플링된 벡터를 입력으로 받습니다. 이 벡터는 생성자 신경망을 통과하면서 다양한 층과 활성화 함수를 지나게 되고, 최종적으로 실제 데이터와 동일한 차원과 형태를 가진 데이터를 출력하게 됩니다.

생성자의 학습은 판별자와의 게임이라고 볼 수 있습니다. 판별자가 가짜 데이터를 진짜로 구별할 확률을 최소화하려고 노력하는 동안, 생성자는 그 확률을 최대화하려고 노력합니다. 이러한 과정을 통해 생성자는 점점 원본에 가까운 데이터를 생성하게 됩니다.

생성자의 성능은 학습이 진행됨에 따라 향상되며, 이는 판별자 또한 더욱 정교하게 이를 구별해야 함을 의미합니다. 이러한 상호 작용을 통해 GAN은 높은 품질의 생성 데이터를 만들게 됩니다.

판별자

판별자의 주된 역할은 입력으로 주어진 샘플이 실제 데이터 분포에서 왔는지, 아니면 생성자가 만든 가짜 샘플인지를 구별하는 것입니다.

판별자는 이진 분류 문제를 해결하는 모델입니다. 입력 샘플을 받아 처리한 후, 시그모이드 활성화 함수를 통해 0과 1 사이의 값을 출력합니다. 이로써 진짜 샘플은 1, 가짜 샘플은 0으로 예측함으로써 생성자와 적대적 관계에서 학습이 이루어집니다. 생성자가 만든 샘플이 실제와 구별이 어려울수록 판별자는 더 정확하게 분류해야 합니다.

이를 위해 판별자에서는 이진 교차 엔트로피 손실 함수(binary cross-entropy loss function)를 사용하고, 이 손실 함수는 실제 레이블과 판별자의 출력 사이의 차이를 최소화하려고 합니다.

학습은 다음과 같은 과정을 거칩니다.

1. 생성자로 가짜 샘플을 만듭니다.
2. 실제 데이터 샘플과 가짜 샘플을 각각 입력받아 판별자가 출력하는 확률 값을 계산합니다.
3. 진짜 샘플에 대한 손실과 가짜 샘플에 대한 손실을 합하여 총 손실을 계산합니다.
4. 총 손실에 대한 그레이디언트를 계산하고, 이를 사용하여 생성자와 판별자의 가중치를 업데이트합니다.

이러한 학습 과정을 통해 판별자는 점차적으로 생성자가 만든 가짜 샘플과 실제 샘플을 더 잘 구별하게 됩니다. GAN의 훈련이 진행될수록 판별자의 정확도는 개선되며, 이는 다시 생성자에게 더 높은 질의 샘플을 생성하도록 요구합니다.

텐서플로를 활용한 생성적 적대 신경망의 학습 실습

이러한 과정이 어떻게 일괄적으로 이루어지는지 알기 위해서 코드와 함께 구체적으로 확인해보겠습니다. 먼저 데이터와 모델 구성부터 시작합니다.

```
import numpy as np
import tensorflow as tf
from tensorflow.keras.layers import Dense, Flatten, Reshape
from tensorflow.keras.models import Sequential
from tensorflow.keras.datasets import mnist
from tqdm import tqdm
from google.colab.patches import cv2_imshow

(train_images, _), (_, _) = mnist.load_data()
train_images = (train_images - 127.5) / 127.5
```

필요한 라이브러리를 가져온 후 mnist 데이터를 받아옵니다. 해당 데이터는 0부터 9까지 숫자 손글씨가 들어 있는 데이터입니다.

다음처럼 이미지를 하나만 출력시켜보면 숫자 5가 출력되는 것을 볼 수 있습니다.

```
cv2_imshow(train_images[0]*127.5+127.5)
```

모델 생성

다음으로는 모델을 생성합니다. 모델은 생성자, 판별자 두 가지를 만들 것입니다.

```
def build_generator(input_dim):
    model = Sequential()
    model.add(Dense(512, input_dim=input_dim, activation='relu'))
    model.add(Dense(28*28, activation='tanh'))
```

```
    model.add(Reshape((28, 28)))
    return model
```

다음은 랜덤 노이즈를 받아 다층 퍼셉트론을 통과하여, 판별자 모델을 만드는 함수입니다. 이미지가 원본인지, 생성된 이미지인지 판별합니다.

```
def build_discriminator():
    model = Sequential()
    model.add(Flatten(input_shape=(28, 28)))
    model.add(Dense(256, activation='relu'))
    model.add(Dense(1, activation='sigmoid'))
    return model
```

그리고 나중에 사용할 하이퍼파라미터를 정의합니다.

```
INPUT_DIM = 50
BATCH_SIZE = 64
EPOCHS = 10
BUFFER_SIZE = 600
```

INPUT_DIM은 랜덤 노이즈의 차원 수, BATCH_SIZE는 미니 배치의 사이즈, EPOCHS는 전체 데이터를 총 학습할 횟수, BUFFER_SIZE는 데이터 세트를 섞어줄 단위를 뜻합니다. 데이터 세트를 반드시 섞어줘야만 하는 것은 아니지만, 전체를 잘 나타내는 미니 배치를 구성시키기 위해 이렇게 섞어주는 기법을 이용합니다.

다음처럼 모델과 최적화 기법을 선언합니다.

```
generator = build_generator(INPUT_DIM)
discriminator = build_discriminator()

generator_optimizer = tf.keras.optimizers.Adam(1e-3)
discriminator_optimizer = tf.keras.optimizers.Adam(1e-2)
```

그리고 학습시킬 데이터를 학습에 용이하도록 tf.data.Dataset으로 변형합니다. .from_tensor_slices 함수를 사용하면 배열 형태로 담겨 있는 데이터를 tf.data.Dataset 형태로 변형시켜, 학습을 용이하게 도와줍니다.

```
train_dataset = tf.data.Dataset.from_tensor_slices(train_images).shuffle(BUFFER_SIZE).
batch(BATCH_SIZE)
```

손실 함수 정의

모델을 학습시키기 위한 손실 함수를 정의하겠습니다. 생성적 적대 신경망에서 손실 함수는 개념상 매우 중요한 위치를 차지합니다. 생성자와 판별자의 손실 함수를 따로 정의하여, 서로 학습의 결과로써 이루려는 바를 정의합니다. 판별자는 원본과 생성본을 잘 구분하는지를, 생성자는 판별자를 많이 속였는지를 기준으로 정의합니다.

```
binary_cross_entropy = tf.keras.losses.BinaryCrossentropy()

def discriminator_loss(real_output, fake_output): # ①
    real_loss = binary_cross_entropy(tf.ones_like(real_output), real_output)
    fake_loss = binary_cross_entropy(tf.zeros_like(fake_output), fake_output)
    total_loss = real_loss + fake_loss
    return total_loss

def generator_loss(fake_output):
    return binary_cross_entropy(tf.ones_like(fake_output), fake_output)
```

① real_output은 원본 이미지를 보고 나온 판별자의 결과 값으로 1이 정답입니다. 또 fake_output은 생생자의 생성 이미지를 보고 판별자가 판단한 결과 값으로 0이 정답입니다. 판별자의 손실 함수(discriminator_loss)에서는 이 정답을 잘 맞히는지에 대해서 손실을 계산하지만, 생성자의 손실 함수(generator_loss)에서는 fake_output이 1과 얼마나 가까운지로 손실을 판별합니다.

그리고 이를 이용하여 학습하는 함수를 작성합니다. 이전까지는 텐서플로의 학습 API인 .fit 메서드를 사용하여 간편하게 학습했지만, 생성적 적대 신경망에서는 다소 번거롭게 학습 구조를 설계해야 합니다. 그 이유로는 먼저 학습시킬 모델이 두 가지이며, 두 모델의 손실 함수가 하나로 정의될 수 없기 때문입니다. 즉, 서로 경쟁하며 학습을 진행하기 때문입니다.

다음과 같은 구조로 학습 함수를 정의할 수 있습니다.

```
@tf.function  # ①
def train_step(images):
    noise = tf.random.normal([BATCH_SIZE, INPUT_DIM])

    with tf.GradientTape() as gen_tape, tf.GradientTape() as disc_tape:
```

```
        generated_images = generator(noise, training=True) # ②

        real_output = discriminator(images, training=True)
        fake_output = discriminator(generated_images, training=True)

        gen_loss = generator_loss(fake_output)                 # ③
        disc_loss = discriminator_loss(real_output, fake_output) # ③

    gradients_of_generator = gen_tape.gradient(gen_loss, generator.trainable_
variables)          # ④
    gradients_of_discriminator = disc_tape.gradient(disc_loss, discriminator.
trainable_variables) # ④

    generator_optimizer.apply_gradients(zip(gradients_of_generator, generator.
trainable_variables))                   # ⑤
    discriminator_optimizer.apply_gradients(zip(gradients_of_discriminator,
discriminator.trainable_variables)) # ⑤
    return gen_loss, disc_loss, generated_images
```

train_step()은 단 한 번의 가중치 업데이트를 위한 함수입니다. tf.GradientTape()는 연산을 기록하고, 이를 사용하여 손실 함수로부터 그레이디언트를 계산합니다(②). 여기서 생성자와 판별자의 손실(gen_loss, disc_loss)이 계산되고(③), 이를 바탕으로 그레이디언트가 계산됩니다(④). 마지막으로 이 그레이디언트를 사용하여 생성자와 판별자의 가중치를 업데이트합니다(⑤). @tf.function 데코레이터는 텐서플로의 그래프 컴파일 기능을 사용하여 함수를 최적화하고, 연산 속도를 빠르게 합니다(①).

모델 학습

다음 코드로 실제 모델을 학습해보겠습니다.

```
for epoch in range(1,EPOCHS+1):
    t = tqdm(train_dataset)
    for image_batch in t:
        g_loss, d_loss, fake_image = train_step(image_batch)
        t.set_description_str(f"Epoch - {epoch}")
        t.set_postfix({"G_loss":"%0.3f" %g_loss.numpy(),
                       "D_loss":"%0.3f" %d_loss.numpy()})
    cv2_imshow(np.concatenate(
        list(fake_image.numpy()[:10]*127.5+127.5),axis=1))
```

```
Epoch - 1: 100%|██████████| 938/938 [00:24<00:00, 37.97it/s, G_loss=16.524,
D_loss=0.698]
```

```
Epoch - 2: 100%|██████████| 938/938 [00:21<00:00, 42.99it/s, G_loss=29.119,
D_loss=0.403]
```

```
Epoch - 3: 100%|██████████| 938/938 [00:23<00:00, 39.91it/s, G_loss=3.476,
D_loss=0.218]
```

```
Epoch - 4: 100%|██████████| 938/938 [00:22<00:00, 41.73it/s, G_loss=3.533,
D_loss=0.270]
```

```
Epoch - 5: 100%|██████████| 938/938 [00:40<00:00, 22.91it/s, G_loss=6.317,
D_loss=0.329]
```

```
Epoch - 6: 100%|██████████| 938/938 [00:21<00:00, 42.68it/s, G_loss=3.824,
D_loss=1.208]
```

```
Epoch - 7: 100%|██████████| 938/938 [00:21<00:00, 43.80it/s, G_loss=6.351,
D_loss=0.736]
```

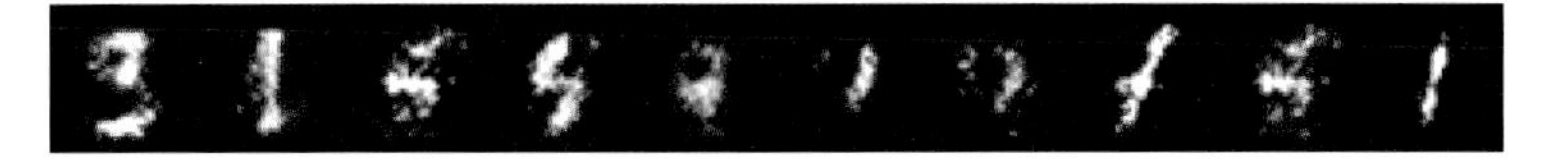

```
Epoch - 8: 100%|██████████| 938/938 [00:40<00:00, 22.91it/s, G_loss=3.387,
D_loss=0.339]
```

```
Epoch - 9: 100%|██████████| 938/938 [00:22<00:00, 42.42it/s, G_loss=3.288,
D_loss=0.679]
```

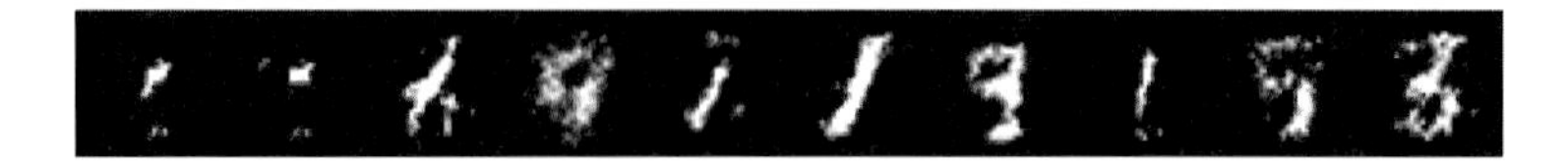

```
Epoch - 10: 100%|██████████| 938/938 [00:22<00:00, 42.06it/s, G_loss=5.529,
D_loss=0.769]
```

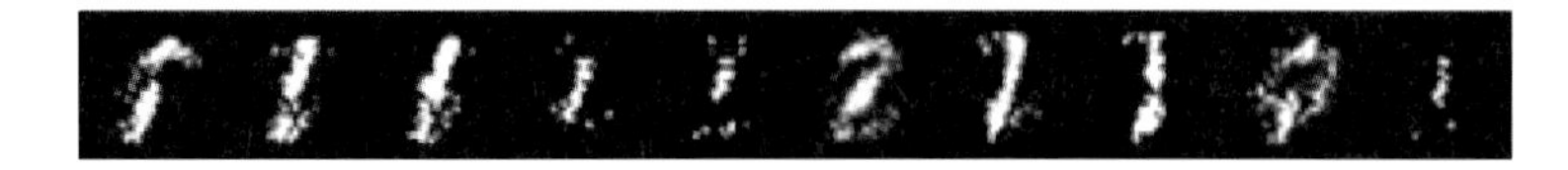

여기서 G_loss는 생성자의 손실 값, D_loss는 판별자의 손실 값을 의미합니다. 학습 양상을 보면 손실 값이 고르게 증가 혹은 감소하지는 않지만, 이미지가 점차 뚜렷해지고 숫자처럼 보이는 내용들을 확인할 수 있습니다. 이와 같이 단순히 노이즈 값만 받아서 마치 원본 같은 이미지를 만들어 내는 인공지능을 만들어볼 수 있습니다.

생성적 적대 신경망의 한계

생성적 적대 신경망은 여러 분야에서 혁신적인 결과를 가져왔지만, 아직도 극복해야 할 몇 가지 주요한 한계점이 존재합니다.

크게는 다음과 같은 내용들을 생각해볼 수 있습니다.

- 노이즈로부터 만들어지는 이미지
- 개체 인식 불가능
- 학습의 불안정성

이러한 한계점들은 극복해야 할 과제가 되어 연구자들을 자극하고, 생성적 적대 신경망을 발전시키는 토대가 됩니다. 하나씩 살펴봅시다.

노이즈로부터 만들어지는 이미지

노이즈로 만들어진 이미지는 어느 정도 실제 이미지와 유사하고, 생성 결과가 제한적이지 않고, 다양하다는 장점이 있습니다. 하지만 일관성 없는 결과나 예측할 수 없는 변동이 발생할 수 있습니다.

▼ 그림 3-30 무작위로 반환되는 생성자의 결과 값

즉, 숫자 이미지를 만들어내는 현재 모델이 제공된 노이즈를 받아 2를 만들어낼지, 3을 만들어낼지 알 수 없습니다. 이러한 인공지능 모델은 학습 이미지 원본과 닮은 이미지를 만들기 위해서는 적절하게 사용할 수 있지만, 구체적으로 원하는 이미지를 만들기는 어렵습니다. 이러한 점을 극복하기 위한 다양한 연구들이 진행되고 있습니다. 이 노이즈와 레이블 벡터나, 추가적인 특성을 나타내는 벡터를 함께 입력하여 좀 더 원하는 모양을 만들어낼 수 있고, 이로 다양한 특성을 직접 추출하여 조종하는 GAN 모델이 만들어지고 있습니다.

▼ 그림 3-31 정답 정보를 노이즈와 함께 받아 정답에 맞춰 이미지를 만드는 생성자

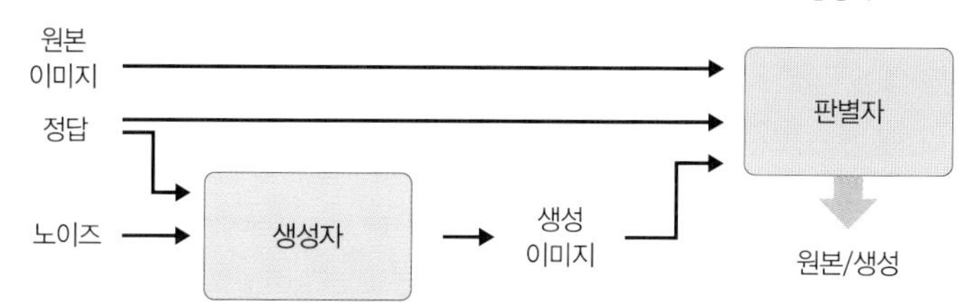

개체 인식 불가능

기본 생성적 적대 신경망 모델은 이미지 내 개체의 세부적인 특성이나 위치 등을 인식하거나 조절하는 데 한계가 있습니다. 이에 대한 다양한 확장 모델들이 개발되고 있지만 아직 완전한 해결책이 제시되지 않은 시점입니다. 예를 들어 앞에서 본 조건부 생성적 적대 신경망은 정답 데이터를 판별자에게 같이 알려주며 학습을 시켜 정답에 따라 생성자가 다른 이미지를 만들 수 있게 유도합니다. 더 나아가서는 문장을 입력하여 이미지를 해석해내기도 합니다.

학습의 불안정성

생성적 적대 신경망은 생성자와 판별자가 서로 경쟁하는 구조를 가지고 있습니다. 이러한 경쟁적인 특성으로 인해 학습 과정은 상당히 불안정할 수 있습니다. 생성자와 판별자 간의 균형을 유지하는 것이 핵심이지만 쉽지 않습니다. 예를 들어 판별자가 너무 빨리 학습되면 생성자가 충분한 그레이디언트를 얻지 못하여 학습이 진행되지 않을 수 있습니다. 반대로 생성자가 판별자보다 빨리 학습되면 모드 붕괴(mode collapse) 문제가 발생할 수 있습니다. 이러한 문제는 학습이 수렴하지 않게 하거나 모델의 성능을 저하시킬 수 있습니다.

다양한 연구들을 통해 이러한 학습 불안정성을 해결하려는 시도가 이루어지고 있습니다. 예를 들어 WGAN(Wasserstein GAN)은 Earth Mover's Distance를 손실 함수로 사용하여 학습의 안정성을 향상시킨 모델입니다. 또한 Spectral Normalization 등의 정규화 기법도 학습의 안정성을 향상시키는 방안으로 제안되었습니다.

3.2 딥러닝을 활용한 이미지 처리

IMAGE PROCESSING

3.1절에서 딥러닝 모델을 구축하는 데 필요한 기초적인 개념들을 배웠습니다. 이번 절에서는 이 내용을 바탕으로 딥러닝을 활용한 여러 이미지 처리 과업들을 소개해보겠습니다.

3.2.1 이미지 분류

신경망을 활용하여 이미지를 분류하는 전체 파이프라인 코드를 작성해봅시다. 나아가 성능을 개선하기 위해 널리 사용되는 방법들을 알아보겠습니다. 이미지를 분류하는 총 두 가지 모델을 사용하겠습니다. 하나는 단순 밀집층을 쌓은 다층 퍼셉트론 모델, 다른 하나는 합성곱 신경망 모델입니다.

이미지 분류를 위한 데이터 전처리

본격적으로 다층 퍼셉트론 모델과 합성곱 신경망 모델을 만들어보겠습니다. 먼저 필요한 모듈을 가져옵니다.

모듈 불러오기

다층 퍼셉트론과 합성곱 신경망에서 공통으로 사용할 모듈을 불러옵니다. 앞서 배웠듯 사용자 친화적으로 모델을 생성하도록 도와주는 케라스를 사용합니다.

```
import matplotlib.pyplot as plt
from tensorflow.keras.datasets import cifar10
from tensorflow.keras.models import Sequential
```

```
from tensorflow.keras.layers import Dense, Flatten
from tensorflow.keras.callbacks import ModelCheckpoint, EarlyStopping
```

데이터 불러오기

tensorflow.keras.datasets 모듈에서는 사용자들이 머신 러닝 및 딥러닝을 학습할 때 사용할 수 있는 몇 가지 데이터 세트를 제공합니다. 데이터 세트를 불러올 때는 load_data 함수를 사용합니다.

```
# CIFAR-10 데이터 세트를 불러옵니다.
(train_images, train_labels), (test_images, test_labels) = cifar10.load_data()
```

load_data 함수는 데이터 세트를 훈련과 테스트로 나누어 반환하는데, 훈련 데이터는 모델을 학습시키는 데 사용되고, 테스트 데이터는 학습된 모델의 성능을 평가하는 데 사용됩니다. 훈련 데이터와 테스트 데이터는 각각 2개의 튜플로 구성되어 있습니다. 데이터 세트는 랜덤하게 섞여서 반환됩니다.

데이터 확인하기

훈련과 테스트로 나눈 데이터 세트의 개수, 행 길이 그리고 열 길이를 확인합니다.

```
print(train_images.shape, train_labels.shape)
print(test_images.shape, test_labels.shape)
```

```
(50000, 32, 32, 3) (50000, 1)
(10000, 32, 32, 3) (10000, 1)
```

훈련 데이터 세트와 테스트 데이터 세트의 개수는 각각 50,000개와 10,000개로 이루어진 것을 확인할 수 있습니다. image 변수들은 각각 32×32 픽셀의 컬러 이미지 데이터이고 레이블 변수들은 0과 9까지의 정수로 이루어진 레이블 데이터입니다.

다음처럼 레이블에서 각 정수는 이미지가 어떤 클래스에 속하는지 나타냅니다.

▼ 표 3-4 CIFAR-10 레이블 표

0	1	2	3	4	5	6	7	8	9
비행기	자동차	새	고양이	사슴	개	개구리	말	배	트럭

▼ 그림 3-32 훈련과 테스트, 이미지와 레이블

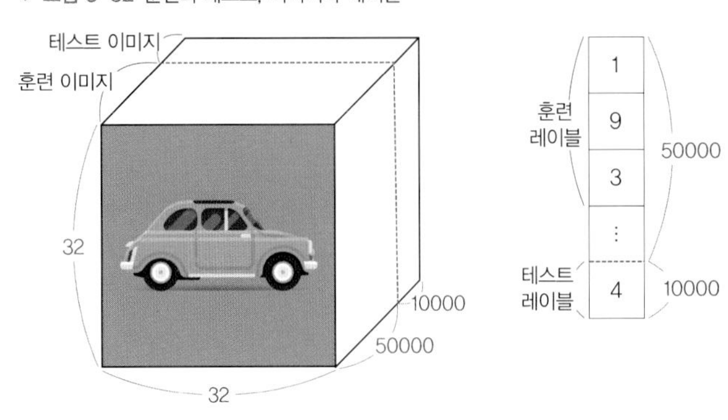

데이터 정규화

이미지 데이터의 높이, 너비, 채널을 확인해보겠습니다.

```
# 정규화된 이미지 데이터를 하나 확인합니다.

train_images[0]
```

```
ndarray (32, 32, 3)
```

확인을 위해 다음 코드로 출력해봅시다.

```
plt.figure(figsize=(1, 1))
plt.imshow(train_images[32])
```

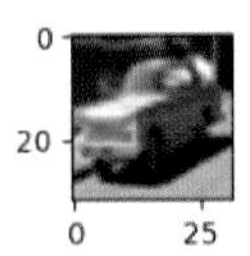

이제 정규화를 위해 255로 나눕니다.

```
train_images = train_images / 255.0
test_images = test_images / 255.0
```

train_images[0]을 출력해보면 32×32 픽셀의 컬러 이미지 데이터가 출력됩니다. 각 픽셀은 0에서 255 사이의 정수로 이루어져 있습니다. 이를 실수로 바꾸기 위해 255로 나누었습니다.

이렇게 하면 모든 픽셀은 0에서 1 사이의 값을 가지게 됩니다. 이 과정을 **정규화**(normalization)라고 합니다. 정규화를 통하여 입력 데이터의 범위를 조정하여 최적화 단계에서 경사 하강법 알고리즘이 더 빠르게 수렴하고, 더 나은 결과를 얻게 만들 수 있습니다.

다시 한번 train_images[0]을 출력하여 정규화된 모습을 확인해보겠습니다.

```
train_images[0]
```

```
array([[[0.23137255, 0.24313725, 0.24705882],
[0.16862745, 0.18039216, 0.17647059],
[0.19607843, 0.18823529, 0.16862745],
…(중략)…
[0.84705882, 0.72156863, 0.54901961],
[0.59215686, 0.4627451 , 0.32941176],
[0.48235294, 0.36078431, 0.28235294]]])
```

정규화는 **데이터 전처리 과정** 중 하나입니다. 데이터 전처리는 모델을 학습시키기 전에 데이터를 미리 가공하는 과정을 의미합니다. 데이터 전처리는 모델의 성능 향상에 매우 중요한 역할을 합니다.

현재 실습에서 사용된 cifar10은 이미지의 사이즈와 구도가 정제되어 있는 데이터 세트이기 때문에 모델 학습을 위한 최소한의 데이터 전처리만 진행했지만, 실제로 가공되어 있지 않은 데이터 세트를 사용한다면 다양한 기법을 활용하여 많은 시간을 들여 데이터 전처리를 수행합니다.

데이터 분할(훈련, 검증)

모델을 학습시킬 때 주로 데이터 세트를 다음과 같이 세 종류로 나눕니다. 훈련, 검증 그리고 테스트입니다.

- **훈련** 데이터 세트는 학습에 직접적으로 사용됩니다.
- **검증** 데이터 세트는 학습 중간마다 얼마나 잘 학습했는지 확인하기 위해 사용됩니다.
- **테스트** 데이터 세트는 학습을 마친 후 모델의 성능을 확인하기 위해 사용됩니다.

모델의 학습 과정을 수험생의 수험 공부와 자주 비교합니다. 이때 훈련 데이터 세트는 참고서, 검증 데이터 세트는 모의고사 시험지 그리고 테스트 데이터 세트는 수능 시험지로 비유합니다. 수험

생은 참고서를 통해 공부하고, 중간마다 모의고사 시험지를 풀며 성취도를 확인하고 마지막에 수능 시험지로 평가받습니다. 모델에게 학습시킬 때도 훈련 데이터 세트를 통해 학습하고, 중간마다 검증 데이터 세트로 성취도를 확인하고 마지막에 테스트 세트로 모델을 평가합니다.

▼ 그림 3-33 모델 학습과 수험 공부

다음 코드로 훈련 데이터 세트를 훈련 데이터 세트와 검증 데이터 세트로 나누어주겠습니다. 검증 데이터 세트는 훈련 데이터 세트에서 일부를 떼어 만들 것입니다. 또한 훈련 데이터 세트에서 5,000개의 데이터를 검증 데이터 세트로 사용하겠습니다.

```
val_images = train_images[45000:]
val_labels = train_labels[45000:]

train_images = train_images[:45000]
train_labels = train_labels[:45000]
```

검증 데이터 세트를 만들기 위하여 train_images와 train_labels에서 각각 5,000개의 데이터를 떼어 val_images와 val_labels로 만들겠습니다. 이렇게 하면 train_images와 train_labels는 각각 45,000개의 데이터를 가지게 됩니다.

▼ 그림 3-34 훈련, 검증 그리고 테스트로 나누기

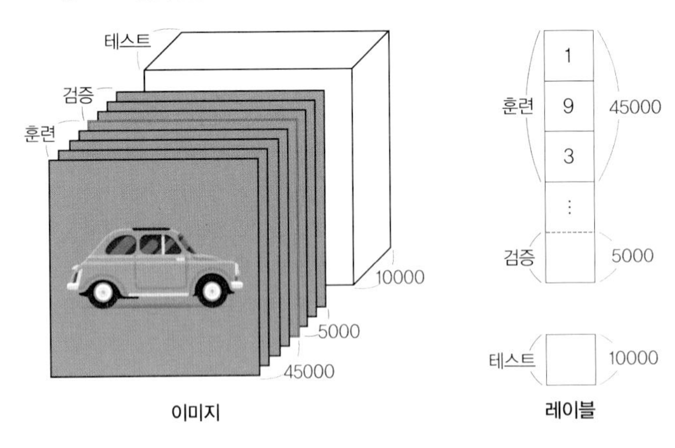

총 5단계를 거쳐 데이터를 불러오고, 모델이 학습 가능하도록 전처리를 진행했습니다. 이제 본격적으로 신경망 모델을 만들어봅시다.

다층 퍼셉트론을 활용한 이미지 분류

먼저 다층 퍼셉트론 모델을 만들어보겠습니다. 다층 퍼셉트론은 뉴런들끼리 모두 결합되어 있어 합성곱 신경망에서는 다층 퍼셉트론 층을 완전 연결 신경망(fully-connected neural network)이라고도 부릅니다. 우리가 구현할 모델은 총 3개의 은닉층을 쌓은 다층 퍼셉트론 모델입니다. 이를 위해 Sequential API를 사용하겠습니다.

전체 모델 학습 파이프라인은 모델 생성, 컴파일, 학습 그리고 평가 총 4단계로 이루어집니다.

모델 생성하기

```
mlp_model = Sequential([
    Flatten(input_shape=(32, 32, 3)),
    Dense(512, activation='relu'),
    Dense(256, activation='relu'),
    Dense(128, activation='relu'),
    Dense(10, activation='softmax')
])
```

Sequential 클래스는 모델을 순차적인 레이어의 스택으로 정의하는 데 사용됩니다. 이는 레이어를 순서대로 쌓아 올릴 때 사용하는 가장 간단한 방법입니다. 모델을 구성하는 층 하나하나에 대해 바로 이어서 살펴봅시다.

Note **model.add 메서드를 활용한 방식**

앞의 코드는 Sequential 생성 함수를 호출할 때 인수로 모델 층들을 배열로 넣어주었습니다. 앞서 3.1.2절에서 다루었던 것처럼 model.add 메서드를 활용하여 층을 하나하나 쌓는 방식은 다음과 같습니다.

```
mlp_model = Sequential()
mlp_model.add(Flatten(input_shape=(32, 32, 3)))
mlp_model.add(Dense(512, activation='relu'))
mlp_model.add(Dense(256, activation='relu'))
mlp_model.add(Dense(128, activation='relu'))
mlp_model.add(Dense(10, activation='softmax'))
```

▼ 그림 3-35 완전연결 신경망 모델 구조

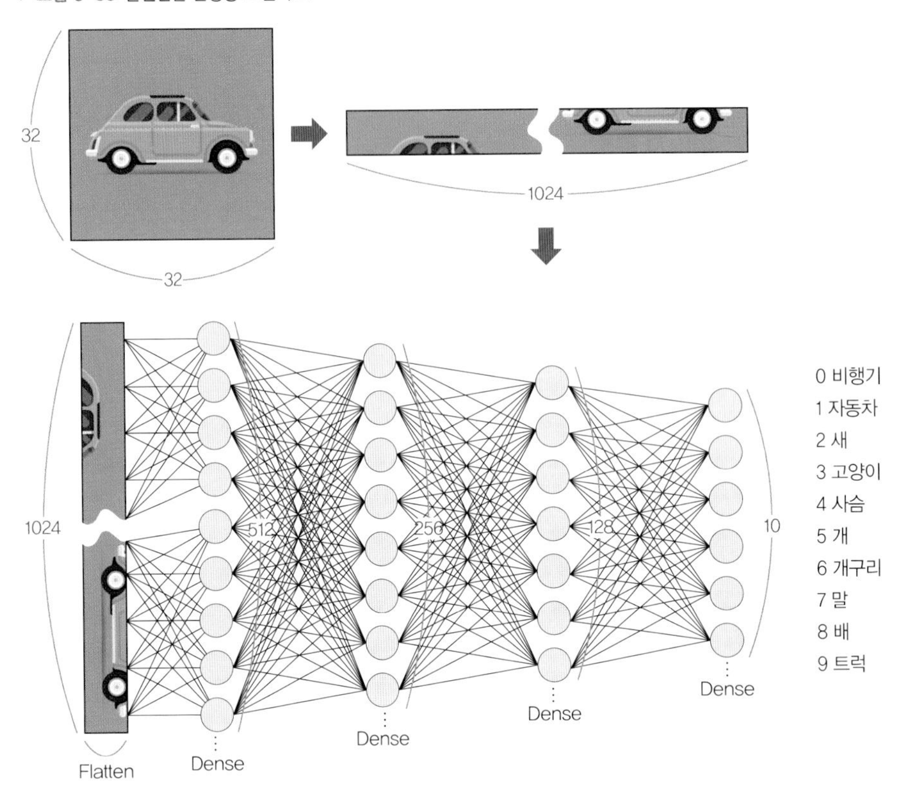

신경망 모델의 구성 요소인 입력층, 은닉층, 출력층을 구성하기 위해 Flatten과 밀집층을 사용합니다. 다음은 입력층, 은닉층, 출력층에 대한 설명입니다.

1. 입력층

입력층은 입력 데이터의 사이즈에 맞게 Flatten 층을 사용하여 32×32×3의 3차원 이미지를 3,072개의 1차원 벡터로 변환하고, 이를 밀집층에 연결합니다. 입력층의 뉴런 개수는 입력 데이터의 사이즈에 따라 결정됩니다. 다음은 예시 코드입니다.

```
Flatten(input_shape=(32, 32, 3))
```

이 코드의 입력층은 32×32×3의 이미지를 입력으로 받아 3,072개의 뉴런을 가집니다.

2. 은닉층

은닉층은 입력층과 출력층 사이에 위치하는 1개 이상의 층입니다. 신경망의 핵심적인 부분으로 입력 데이터의 **비선형 관계를 학습**하는 역할을 합니다. 다수의 은닉층을 포함할수록 복잡한 비선형 문제의 표현이 가능해집니다. 다음은 예시 코드입니다.

```
Dense(512, activation='relu'),
Dense(256, activation='relu'),
Dense(128, activation='relu'),
```

3. 출력층

출력층은 신경망에서 최종적으로 나오는 결과 값을 표현하는 층입니다. 은닉층과 같이 밀집층을 사용합니다. 분류 문제에서는 각 클래스에 대한 확률을 출력하고, 회귀 문제에서는 연속적인 값을 출력합니다. 출력층의 뉴런 개수는 우리가 예측하려는 레이블의 개수로 설정합니다. 다음은 예시 코드입니다.

```
Dense(10, activation='softmax')
```

이 코드의 출력층은 10개의 클래스에 대한 확률을 출력하므로 10개의 뉴런을 가집니다. **softmax 활성화 함수를 사용하여 10개의 클래스의 합이 1이 되도록 만듭니다.**

summary 메서드를 사용하면 다음 예시처럼 모델의 구조를 확인할 수 있습니다.

```
mlp_model.summary()
```

```
Model: "sequential_1"
_________________________________________________________________
 Layer (type)                Output Shape              Param #
=================================================================
 flatten_1 (Flatten)         (None, 3072)              0

 dense_4 (Dense)             (None, 512)               1573376

 dense_5 (Dense)             (None, 256)               131328

 dense_6 (Dense)             (None, 128)               32896

 dense_7 (Dense)             (None, 10)                1290
```

```
=================================================================
Total params: 1738890 (6.63 MB)
Trainable params: 1738890 (6.63 MB)
Non-trainable params: 0 (0.00 Byte)
_________________________________________________________________
```

표의 맨 윗줄의 왼쪽부터 차례대로 층의 이름, 층의 타입, 출력 형태, 학습 매개변수 개수를 나타냅니다.

❶ Layer(type): 모델이 사용하는 층의 이름과 타입을 나타냅니다. 모델을 만들 때 층의 name 인수를 지정하지 않으면 자동으로 이름이 부여됩니다.

❷ Output Shape: 층의 출력 형태를 나타냅니다. 밀집층의 경우 출력 형태는 (배치 사이즈, 출력 형태)입니다. 여기서 배치 사이즈는 한 번에 학습하는 데이터의 개수를 의미합니다. 출력 형태는 층의 출력 사이즈를 의미합니다. 모든 배치 사이즈가 None인 이유는 모델을 학습시키기 전에는 배치 사이즈를 알 수 없기 때문입니다.

❸ Param #: 층의 학습 매개변수 개수를 나타냅니다. 밀집층의 경우 학습 매개변수 개수는 다음처럼 계산합니다.

$$\text{훈련 가능한 매개변수 수} = \text{입력 뉴런 수} \times \text{출력 뉴런 수} + \text{출력 뉴런 수}$$

예를 들어 우리가 정의한 모델을 살펴보면, 첫 번째 밀집층의 경우 입력 뉴런 수는 3,072이고, 출력 뉴런 수는 512입니다. 따라서 첫 번째 밀집층의 학습 매개변수의 개수는 1,573,376개입니다.

모델 컴파일하기

compile 메서드를 사용하여 모델을 컴파일합니다.

```
mlp_model.compile(optimizer='adam',
                  loss='sparse_categorical_crossentropy',
                  metrics=['accuracy'])
```

compile 메서드는 모델 학습을 위해 필요한 설정을 지정하는 메서드입니다. 3.1.1절에서 배웠던 손실 함수와 모델 최적화 함수 그리고 평가지표 등을 인수로 받습니다.

- optimizer: 최적화 알고리즘을 설정합니다.
- loss: 손실 함수를 설정합니다.
- metrics: 모델의 평가 방법을 설정합니다.

loss로 사용되는 sparse_categorical_crossentropy는 3.1.1절에서 살펴보았던 다중 분류 모델에 사용하는 손실 함수입니다.

모델 훈련하기

fit() 메서드를 사용하여 정의된 모델을 학습 데이터에 맞게 학습시킵니다. 이 메서드는 모델을 주어진 데이터에 대해 여러 번 반복 학습시키면서, 지정된 손실 함수를 최소화하고, 설정된 최적화 알고리즘을 사용하여 모델의 가중치를 업데이트합니다.

```
mlp_model.fit(train_images, train_labels, epochs=5, validation_data=(val_images,
val_labels))
```

epochs는 5로 설정하여 데이터 세트를 5번 학습하도록 만듭니다.

- epochs: 학습을 반복할 횟수를 의미합니다. 각 에포크(epoch)마다 모델은 주어진 훈련 데이터를 사용하여 학습을 수행하고, 그 성능을 개선하기 위해 내부 매개변수를 조정합니다. 예시 코드에서는 epochs=5로 지정하여 총 5번 동안 학습합니다.
- batch_size: 위 코드에서는 batch_size를 따로 지정해주지 않아 기본 값인 32로 설정됩니다. 앞서 3.1.1절의 모델 최적화에서 배운 미니 배치 경사 하강법에서 하나의 배치에 해당하는 데이터의 개수를 의미합니다. 관례로 배치 사이즈는 보통 2의 제곱수를 사용합니다. 통상적으로 256이나 512를 사용하며, GPU 메모리가 부족하여 오류가 발생한다면 사이즈를 줄여 128, 64, 32 등을 사용합니다.

▼ 그림 3-36 에포크, 이터레이션, 배치 사이즈 정리

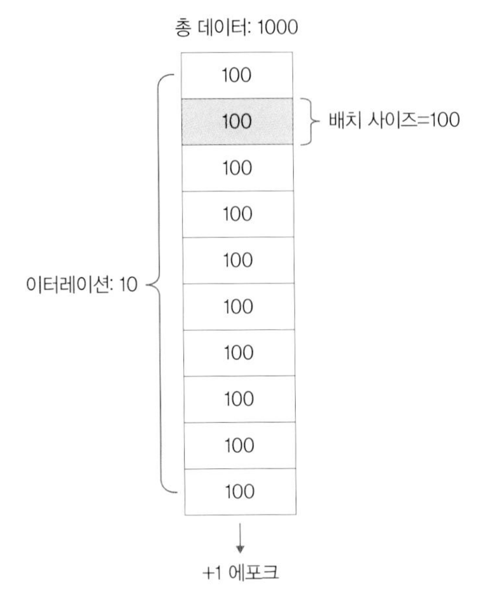

fit 메서드 호출을 통한 출력 결과를 확인해보겠습니다.

```
Epoch 1/5
1407/1407 [==============================] - 11s 4ms/step - loss: 1.8948 - accuracy:
0.3116 - val_loss: 1.7832 - val_accuracy: 0.3550
Epoch 2/5
1407/1407 [==============================] - 6s 4ms/step - loss: 1.7078 - accuracy:
0.3844 - val_loss: 1.6489 - val_accuracy: 0.4118
Epoch 3/5
1407/1407 [==============================] - 6s 4ms/step - loss: 1.6245 - accuracy:
0.4168 - val_loss: 1.6039 - val_accuracy: 0.4206
Epoch 4/5
1407/1407 [==============================] - 6s 4ms/step - loss: 1.5605 - accuracy:
0.4397 - val_loss: 1.5898 - val_accuracy: 0.4300
Epoch 5/5
1407/1407 [==============================] - 6s 4ms/step - loss: 1.5219 - accuracy:
0.4543 - val_loss: 1.5161 - val_accuracy: 0.4628
```

batch_size가 기본 값인 32로 설정되었기 때문에 45,000개의 데이터를 32개씩 묶어서 학습합니다. 따라서 에포크마다 총 1,407번의 이터레이션이 이루어지는 것을 확인할 수 있습니다.

5번째 에포크에서 검증용 데이터 세트의 손실은 약 1.5 그리고 정확도는 약 46%를 기록한 것을 확인하였습니다. 해당 수치는 모델을 학습시킬 때마다 차이가 존재합니다. 이제 테스트 세트를 활용하여 검증합니다.

모델 평가하기

evaluate() 메서드를 사용하여 모델의 성능을 평가하겠습니다.

```
mlp_model.evaluate(test_images, test_labels)
```

```
313/313 [==============================] - 2s 6ms/step - loss: 1.5007 - accuracy:
0.4610
[1.5006858110427856, 0.460999995470047]
```

테스트용 데이터 세트에서 손실은 약 1.5 그리고 정확도는 약 46%를 기록하였습니다.

위와 같이 간단하게 이미지를 분류하는 모델을 만들어보았습니다. 하지만 이미지 처리에서 다층 퍼셉트론을 활용하는 것은 다음과 같은 한계가 존재합니다.

- **고차원 데이터 처리의 비효율성**: 이미지는 고차원 데이터입니다. 예를 들어 256×256 픽셀의 컬러 이미지는 256×256×3(색상 채널) = 196,608개의 특성을 가집니다. 다층 퍼셉트론은 모든 입력 특성을 개별적으로 처리하기 때문에 높은 해상도의 이미지를 처리할수록 필요한 가중치 수가 급격히 증가합니다.
- **공간적 구조 정보의 손실**: 다층 퍼셉트론은 입력 이미지의 픽셀 값을 일렬로 펼쳐서 처리합니다. 이 과정에서 이미지 내 픽셀 간의 공간적 관계와 구조 정보가 손실됩니다. 이미지 내 객체의 형태나 위치 같은 중요한 정보를 충분히 활용하지 못하므로, 이미지 분류의 정확도가 떨어질 수 있습니다.
- **스케일과 변형에 대한 민감성**: 이미지 내 객체의 사이즈, 방향, 위치 변화에 다층 퍼셉트론은 취약합니다. 이미지의 작은 변화에도 민감하게 반응할 수 있으며, 이는 동일한 객체를 다른 형태로 인식하는 문제로 이어질 수 있습니다.

더 높은 성능과 효율을 위하여 이번에는 이미지 처리에 강점을 가지고 있는 합성곱 신경망을 활용해보겠습니다.

합성곱 신경망을 활용한 이미지 분류

앞선 다층 퍼셉트론 모델에 비교하여 합성곱 신경망은 이미지의 공간적인 구조 정보를 유지하면서 이미지의 특징을 추출하는 데 탁월한 성능을 보입니다.

합성곱 신경망 역시 데이터 전처리가 필요합니다. 따라서 앞서 진행한 데이터 전처리를 그대로 활용하고 모델 구현부터 시작해보겠습니다. 먼저, 합성곱 신경망 모델의 층을 쌓는 데 필요한 모듈을 불러옵니다.

```
from tensorflow.keras.layers import Conv2D, MaxPooling2D, Dropout
```

합성곱 신경망에서 배운 합성곱 층과 최대 풀링 층 그리고 드롭아웃 층을 가져옵니다. 드롭아웃 층은 학습 과정에서 랜덤하게 뉴런을 꺼주어 학습 데이터에 지나치게 치우쳐서 학습되는 과적합 현상을 방지하기 위해 사용합니다. 이때 주의해야 할 점은 학습 과정에서만 랜덤하게 뉴런을 꺼주고, 테스트 과정에서는 모든 뉴런을 사용한다는 점입니다.

모델 생성하기

앞서 다층 퍼셉트론 모델을 구현할 때와 마찬가지로 Sequential API를 사용하여 모델을 구현합니다.

```
cnn_model = Sequential([
    Conv2D(32, (3, 3), padding='same', activation='relu', input_shape=(32, 32, 3)), # ①
    MaxPooling2D((2, 2)), # ②
    Conv2D(64, (3, 3), padding='same', activation='relu'),
    MaxPooling2D((2, 2)),
    Conv2D(64, (3, 3), padding='same', activation='relu'),
    Flatten(),
    Dropout(0.3), # ③
    Dense(64, activation='relu'),
    Dropout(0.5),
    Dense(10, activation='softmax') # ④
    ])
```

▼ 그림 3-37 합성곱 연결 신경망 모델 구조

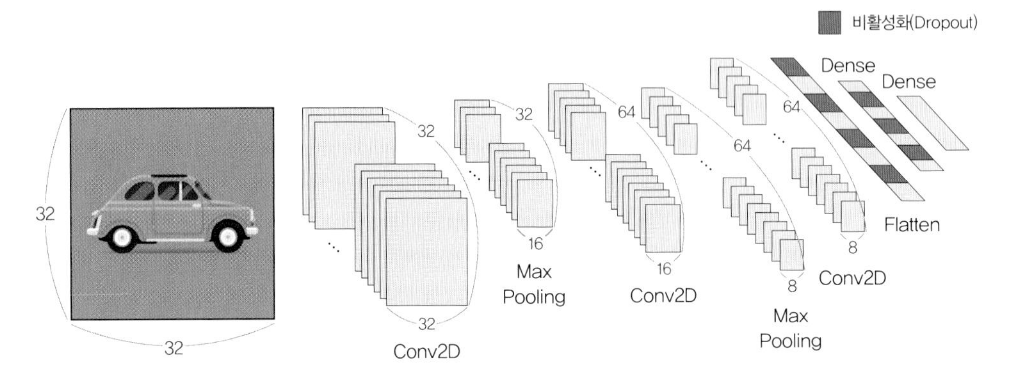

합성곱 신경망 모델은 그림 3-37처럼 총 9개의 층을 쌓았습니다. 코드를 나눠서 간단하게 살펴보겠습니다.

1. 합성곱 층

```
Conv2D(32, (3, 3), padding='same', activation='relu', input_shape=(32, 32, 3))
```

Conv2D 층의 첫 번째 매개변수는 필터의 개수를 의미합니다. 예시 코드에서는 32개의 필터를 사용하였습니다. 두 번째 매개변수는 필터의 사이즈를 의미합니다. 예시 코드에서는 3×3 사이즈의 필터를 사용하였습니다. 세 번째 매개변수는 패딩을 의미합니다. 패딩은 이미지의 가장자리에 지정된 개수의 픽셀만큼 행과 열을 추가하는 것을 의미합니다.

앞의 예시 코드에서는 padding='same'을 사용하여 입력 이미지와 출력 이미지의 사이즈가 같도록 설정하였습니다. 네 번째 매개변수는 활성화 함수를 의미합니다. 예시 코드에서는 activation='relu'를 사용하여 활성화 함수로 ReLU 함수를 사용하였습니다. 마지막으로 input_shape는 합성곱 신경망의 첫 번째 합성곱 층에 필요한 인수이고 입력 이미지의 사이즈를 의미합니다. 예시 코드에서는 32×32×3의 이미지를 입력으로 받습니다.

2. 풀링 층

```
MaxPooling2D((2, 2))
```

MaxPooling2D 층은 풀링의 사이즈를 설정할 수 있습니다. 예시 코드에서는 풀링의 사이즈는 2×2로 설정하였습니다.

3. 드롭아웃 층

```
Dropout(0.3)
```

Dropout(0.3) 기법을 적용하여, 학습 과정에서 무작위로 선택된 30%의 뉴런을 일시적으로 비활성화시켜 네트워크 과적합을 방지합니다.

4. 밀집층

```
Dense(64, activation='relu')
```

밀집층은 앞서 배웠던 밀집층과 같습니다. 예시 코드에서는 총 두 개의 밀집층이 존재합니다. 첫 번째 밀집층은 64개의 뉴런을 가지고 있고, 두 번째 밀집층은 10개의 뉴런을 가지고 있습니다. 첫 번째 밀집층은 1차원으로 변환된 특징 맵의 뉴런 개수를 줄여주고 두 번째 밀집층은 10개의 클래스에 대한 확률을 출력합니다.

```
cnn_model.summary()
```

코드를 실행하면 일반적으로 다음처럼 출력됩니다.

```
Model: "sequential_1"
_________________________________________________________________
 Layer (type)                Output Shape              Param #
=================================================================
 conv2d (Conv2D)             (None, 32, 32, 32)        896

 max_pooling2d (MaxPooling2  (None, 16, 16, 32)        0
 D)

 conv2d_1 (Conv2D)           (None, 16, 16, 64)        18496

 max_pooling2d_1 (MaxPoolin  (None, 8, 8, 64)          0
 g2D)

 conv2d_2 (Conv2D)           (None, 8, 8, 64)          36928

 flatten_1 (Flatten)         (None, 4096)              0

 dropout (Dropout)           (None, 4096)              0

 dense_4 (Dense)             (None, 64)                262208

 dropout_1 (Dropout)         (None, 64)                0

 dense_5 (Dense)             (None, 10)                650

=================================================================
Total params: 319178 (1.22 MB)
Trainable params: 319178 (1.22 MB)
Non-trainable params: 0 (0.00 Byte)
_________________________________________________________________
```

합성곱 신경망 모델의 구조를 확인합니다. 다층 퍼셉트론 모델과 다르게 합성곱 층과 풀링 층의 출력 형태는 (배치 사이즈, 높이, 너비, 채널 수)입니다. 예시 코드에서는 합성곱 층과 풀링 층의 출력 형태가 (None, 16, 16, 32)와 (None, 8, 8, 64)입니다. 합성곱 층과 풀링 층을 통과하면서 이미지의 사이즈가 줄어들었음을 의미합니다.

앞선 다층 퍼셉트론 모델과 비교했을 때, 모델의 총 매개변수가 약 174만 개였던 것과 비교하여 상대적으로 적은 약 32만 개의 총 매개변수로 구성된 것을 볼 수 있습니다. 하지만 모델의 사이즈는 줄었지만 합성곱 신경망 모델은 이미지의 특징을 더 잘 추출할 수 있다는 장점을 가집니다.

모델 컴파일하기

```
cnn_model.compile(optimizer='adam',
                  loss='sparse_categorical_crossentropy',
                  metrics=['accuracy'])
```

다층 퍼셉트론 모델을 학습시킬 때와 동일한 인수를 사용했습니다.

이제 모델을 학습시킬 일만 남았습니다. 그런데 기존 모델 학습에서 정해진 에포크만큼 모델을 학습시키는 것은 다음과 같은 문제점들이 있습니다.

- 모델을 얼마만큼 학습해야 과소 적합과 과대 적합이 아닌 적절한 성능을 가진 모델을 얻을 수 있는지 알 수 없습니다.
- 마지막 에포크 전에 가장 좋은 성능을 기록한 모델이 있어도 가져올 수 없습니다.

이와 같은 문제들을 하기 위해서 학습 시 콜백(callback)을 많이 활용합니다.

콜백 정의하기

텐서플로에서 콜백은 모델을 학습시키는 도중에 어떤 작업을 수행할 수 있도록 도와주는 역할을 합니다. 예를 들어 모델의 학습이 끝난 후에 모델의 성능을 평가하거나, 모델의 학습이 끝난 후에 모델을 저장할 수 있습니다.

```
from tensorflow.keras.callbacks import EarlyStopping, ModelCheckpoint

early_stopping = EarlyStopping(monitor='val_loss', patience=5)
save_best_only = ModelCheckpoint('best_cifar10_cnn_model.h5', save_best_only=True)
```

우리는 일정한 횟수 이상 검증 손실을 줄이지 못할 때 사용하는 `EarlyStopping` 콜백과 가장 좋은 성능을 기록한 모델을 저장하도록 도와주는 `ModelCheckpoint` 콜백을 사용하겠습니다.

`EarlyStopping` 인수는 다음과 같습니다.

- `monitor`: 어떤 값을 기준으로 삼을 것인지를 정합니다. 예시 코드에서는 `val_loss`를 사용하여 검증 손실을 기준으로 삼았습니다.

- patience: 얼마나 기다릴 것인지를 정합니다. 예시 코드에서는 patience=5로 지정하여 5번 이상 검증 손실이 감소하지 않으면 학습을 중단합니다.

ModelCheckPoint 인수는 다음과 같습니다.

- filepath: 모델을 저장할 파일 경로를 지정합니다. 예시 코드에서는 best_cifar10_cnn_model.h5를 사용하여 모델을 저장합니다.
- save_best_only: 가장 좋은 성능을 기록한 모델만 저장할 것인지를 정합니다. 예시 코드에서는 save_best_only=True를 사용하여 가장 좋은 성능을 기록한 모델만 저장합니다.

앞의 두 인수뿐만 아니라 ModelCheckpoint 콜백도 monitor 인수가 존재합니다. 이때 기본 값이 val_loss이기 때문에 생략하였습니다. 앞서 소개한 EarlyStopping 콜백 역시 기본 값이 동일하게 val_loss입니다.

모델 학습하기

```
history = cnn_model.fit(train_images, train_labels, batch_size=512, epochs=100,
validation_data=(val_images, val_labels), callbacks=[early_stopping, save_best_only])
```

fit 메서드는 모델을 학습시키는 메서드입니다. 앞서 다루었던 것처럼 학습용 이미지 세트와 레이블을 통해 모델을 학습시키고, 검증용 이미지 세트와 레이블을 통해서 모델의 성능을 평가합니다. 앞에서 정의한 early_stopping과 save_best_only를 리스트에 담아 callbacks의 인수로 넘겨주어 활용합니다.

```
Epoch 1/100
88/88 [==============================] - 11s 41ms/step - loss: 1.9721 - accuracy:
0.2768 - val_loss: 1.6128 - val_accuracy: 0.4206
Epoch 2/100
88/88 [==============================] - 2s 26ms/step - loss: 1.6560 - accuracy: 0.3981
- val_loss: 1.4617 - val_accuracy: 0.4738
…(중략)…
Epoch 38/100
88/88 [==============================] - 2s 19ms/step - loss: 0.6768 - accuracy: 0.7556
- val_loss: 0.7183 - val_accuracy: 0.7566
…(중략)…
Epoch 42/100
88/88 [==============================] - 2s 20ms/step - loss: 0.6416 - accuracy: 0.7710
- val_loss: 0.7213 - val_accuracy: 0.7568
Epoch 43/100
```

```
88/88 [==============================] - 2s 19ms/step - loss: 0.6464 - accuracy: 0.7664
- val_loss: 0.7401 - val_accuracy: 0.7496
```

38번째 에포크에서 검증 손실이 0.7183으로 가장 작은 수치를 기록하였습니다. EarlyStopping 콜백에 따라 5번을 더 진행했음에도 검증 손실이 더 낮아지지 않아 **43번째 에포크에서 학습이 중단된 것을 확인**할 수 있습니다.

이터레이션을 반복할 때마다 학습 손실과 검증 손실을 출력합니다. 이때 학습 손실과 검증 손실이 꾸준히 감소하는 것을 확인할 수 있습니다. 이는 모델이 학습을 통해 점차 성능이 향상되고 있다는 것을 의미합니다.

```
plt.plot(history.history['loss'], 'b--')
plt.plot(history.history['val_loss'], 'r--')
plt.xlabel('epoch')
plt.ylabel('loss')
plt.legend(['train loss', 'validation loss'])
plt.show()
```

코드를 실행하면 다음처럼 시각화됩니다.

▼ 그림 3-38 출력 결과: 합성곱 신경망 모델 학습 시각화

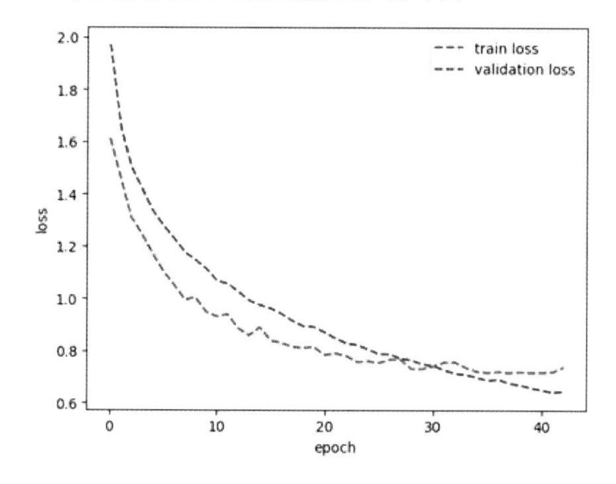

일반적으로 학습 손실은 검증 손실보다 낮은 값을 가집니다. 하지만 우리 모델의 학습에서는 초반에 학습 손실이 검증 손실에 비해 높게 나온 것을 확인할 수 있습니다. 드롭아웃을 통하여 학습 과정에서 랜덤하게 뉴런을 꺼주어 학습 데이터에 과적합되는 것을 방지했기 때문입니다.

모델 평가하기

미리 나눠놓은 테스트 데이터 세트를 사용하여 모델의 성능을 평가하겠습니다.

```
cnn_model.evaluate(test_images, test_labels)
```

```
313/313 [==============================] - 1s 3ms/step - loss: 0.7634 - accuracy:
0.7431
[0.7633823156356812, 0.7430999875068665]
```

모델의 평가 결과, 다층 퍼셉트론 모델의 46.1%보다 약 27% 정도 높은 약 74.3%의 정확도를 얻었습니다. 합성곱 신경망 모델이 다층 퍼셉트론 모델보다 학습 매개변수 숫자가 적음에도 불구하고 이미지 처리에 탁월한 성능을 보여주는 것을 확인할 수 있습니다.

추가로 실제 테스트 세트의 몇 가지 이미지를 가져와 실제 레이블과 모델이 예측한 레이블을 비교해서 시각화해보겠습니다.

예측 결과 시각화

먼저 예측 레이블 배열을 생성합니다.

```
predicted_labels = cnn_model.predict(test_images)
predicted_labels.shape
```

```
313/313 [==============================] - 1s 2ms/step
(10000, 10)
```

하나의 레이블에 대하여 길이 10의 배열이 반환됩니다. 이는 10개의 클래스에 대한 확률을 의미합니다.

이 중 가장 큰 값을 가지는 색인을 뽑아내어 다음처럼 예측 레이블로 사용하도록 합니다.

```
import tensorflow as tf

predicted_labels = tf.argmax(predicted_labels, axis=1)
predicted_labels
```

```
<tf.Tensor: shape=(10000,), dtype=int64, numpy=array([3, 8, 8, ..., 5, 1, 7])>
```

그리고 레이블의 정수 값에 클래스 이름을 대응시켜 딕셔너리를 생성합니다.

```
label_to_name = {
    0: 'airplane', 1: 'automobile', 2: 'bird', 3: 'cat', 4: 'deer',
    5: 'dog', 6: 'frog', 7: 'horse', 8: 'ship', 9: 'truck'
}
```

그다음 각 테스트 이미지에 대한 실세 값과 예측 값을 비교합니다. 4행 4열, 총 16개의 이미지를 출력합니다. 레이블이 일치할 때는 검은색으로, 레이블이 일치하지 않을 때는 빨간색으로 출력합니다.

```
import matplotlib.pyplot as plt

plt.figure(figsize=(10, 10))
for i in range(16):
    plt.subplot(4, 4, i+1)
    plt.xticks([])
    plt.yticks([])
    plt.imshow(test_images[i], cmap=plt.cm.binary)
    xlabel = f"{label_to_name[int(test_labels[i][0])]} ({label_to_name[int(predicted_
labels[i])]})"
    plt.xlabel(xlabel, color='red' if test_labels[i][0] != predicted_labels[i] else
'black')
```

3 인공지능과 이미지 처리

Matplotlib을 활용하여 이미지에 해당하는 예측 레이블과 실제 레이블을 시각화했습니다. 맨 왼쪽 가장 아래쪽에 강아지 사진을 사슴으로 예측한 경우를 제외하고는 대부분의 이미지 레이블을 잘 예측하는 것을 확인할 수 있습니다.

지금까지 이미지 분류를 위하여 데이터를 전처리하고, 다층 퍼셉트론과 합성곱 신경망 모델을 구현해보았습니다. 이 장에서 소개한 함수들은 모델을 학습시킬 때 필수로 사용되는 함수들이며 뒤에서 반복하여 등장하므로 반드시 이해하고 넘어가는 것이 좋습니다.

3.2.2 객체 인식

초기의 객체 탐지 방법은 주로 특징 추출과 머신 러닝 기반 알고리즘을 사용했습니다. 이러한 방법은 3.1.1절에서 소개했던 하르 캐스케이드와 같은 기술을 포함합니다. 여기서는 이처럼 전통적인 방법과 합성곱 신경망을 사용한 객체 탐지 기술에 대해 소개합니다.

하르 캐스케이드

2001년, 객체 탐지 분야에서 폴 비올라(Paul Viola)와 마이클 존스(Michael Jones)는 하르 캐스케이드 분류기라는 새로운 객체 탐지 알고리즘을 소개했습니다. 이 기술은 이 분야에 큰 관심을 불러일으켰습니다. 이들의 연구는 효과적인 특징 추출과 에이다부스트(Adaboost) 알고리즘을 사용하여 작동하는 새로운 탐지 방법론을 선보였습니다. 이는 매우 복잡하고 다양한 이미지 데이터에서도 얼굴과 같은 객체를 빠르게 탐지할 수 있게 했습니다. 이 논문은 컴퓨터 비전 연구자들에게 큰 영감을 주었으며, 머신 러닝과 딥러닝 분야의 연구자들에게도 영향을 미쳤습니다. 이 분류기의 성공은 머신 러닝 알고리즘의 효과성을 증명했고, 이는 이 분야의 연구와 개발을 더욱 촉진시켰습니다.

특징 추출

하르 캐스케이드 분류기의 원리를 이해하기 위해서는 먼저 이미지에서 특징을 추출하는 방법을 알아야 합니다. 이미지는 픽셀의 그리드로 구성되어 있으며, 각 픽셀은 색상 및 강도 정보를 포함합니다. 하르 캐스케이드 분류기는 이러한 픽셀 정보를 사용하여 이미지의 특정 영역에서 특징을 추출합니다. 합성곱 신경망에서 이용한 특징 추출이 아닌 하르 캐스케이드 분류기 자체의 커널을 사용하여 특징을 추출합니다.

▼ 그림 3-39 하르 캐스케이드 분류기의 특징 추출 필터들

1. 에지 특징

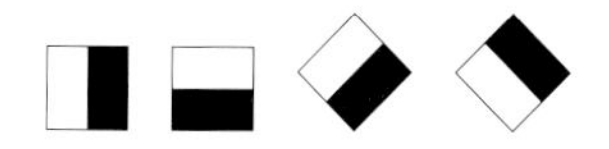

2. 선 특징

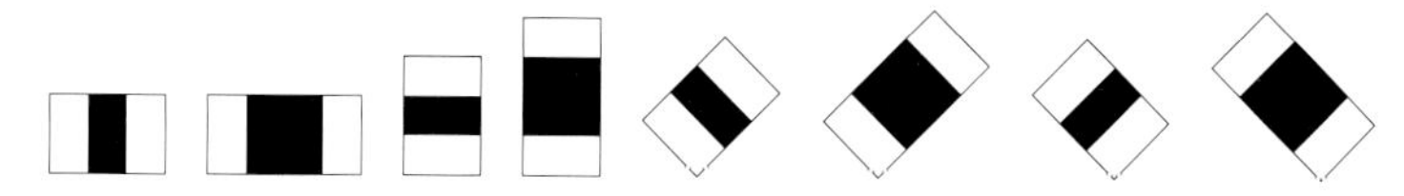

3. 중앙 특징

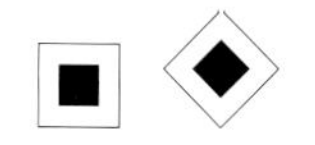

하르 캐스케이드의 특징은 일반적으로 흰색과 검은색의 직사각형 영역으로 구성되어 있습니다. 일부 커널은 수평 또는 수직 방향의 픽셀 강도 변화를 포착하며, 다른 커널은 대각선 방향의 픽셀 강도 변화를 포착할 수 있습니다. 또한 다양한 사이즈와 모양의 하르 캐스케이드 특징을 사용하여 이미지의 다양한 특성을 포착할 수 있습니다. 각 영역에서 픽셀 강도의 차이를 계산하여 특징 값을 추출합니다.

하르 캐스케이드 특징의 스케일과 위치

이미지 내의 객체 탐지는 그 객체의 사이즈, 모양, 위치에 따라 크게 달라질 수 있습니다. 예를 들어 카메라 앞에서 사람의 얼굴을 탐지하는 경우, 그 사람이 카메라에 가까이 있을 수도 있고 멀리 떨어져 있을 수도 있습니다. 따라서 탐지 알고리즘은 다양한 사이즈와 위치에서의 객체를 모두 고려해야 합니다. 하르 캐스케이드의 특징은 이러한 문제를 해결하기 위해 이미지의 다양한 위치와 다양한 사이즈로 스캔됩니다. 그렇기에 두 가지 사항을 고려하여 다양한 스케일에서 들어오는 이미지들에 대해 생각해야 합니다.

- **이미지 스케일링**: 원본 이미지를 다양한 사이즈로 재조정하여 여러 스케일의 이미지 세트를 생성합니다. 각 스케일마다 하르 캐스케이드 특징을 추출하면, 다양한 사이즈의 객체를 탐지하는 데 도움이 됩니다.
- **특징의 스케일링**: 하르 캐스케이드 특징 자체의 사이즈를 조절하여 다양한 사이즈의 특징을 검출합니다. 이 방법은 특정 사이즈의 특징 패턴을 탐지하는 데 유용합니다.

또한 이미지 내의 다양한 위치에서 탐지하고자 하는 객체가 나타날 수 있기 때문에 위치를 검출하기 위해 사용하는 대표적인 방법론은 다음과 같습니다.

- **슬라이딩 윈도우**: 이미지 전체를 횡단하면서 지정된 사이즈의 윈도우를 슬라이드시키는 기법입니다. 각 윈도우 위치에서 하르 캐스케이드 특징을 추출하여 해당 위치에서의 객체를 탐지합니다.
- **스트라이드**: 슬라이딩 윈도우를 얼마나 빠르게 이동시킬 것인지 결정하는 값입니다. 작은 스트라이드 값은 더 높은 해상도의 탐지를 가능하게 하지만, 계산 비용이 증가합니다.

▼ 그림 3-40 슬라이딩 윈도우

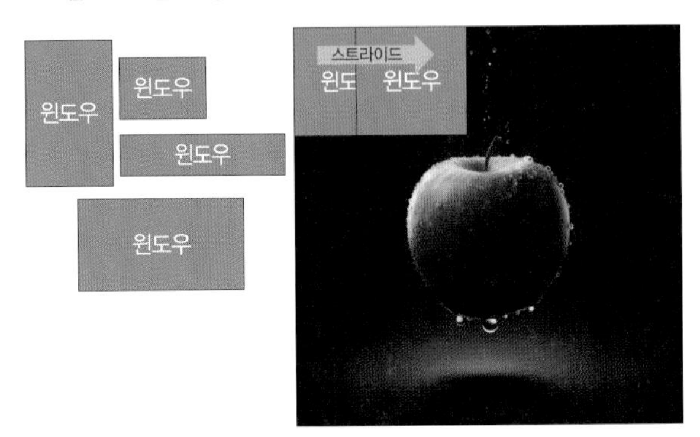

하르 캐스케이드 특징을 사용해 이미지에서 특징을 추출한 후, 이 특징들을 분류기에 입력으로 제공합니다. 하지만 단일 분류기만 사용하는 것은 때때로 제한적일 수 있어 여러 개의 분류기를 결합하여 더 강력하고 안정적인 모델을 만드는 앙상블 기법의 필요성이 대두되었습니다.

에이다부스트

▼ 그림 3-41 에이다부스트 모델의 원리

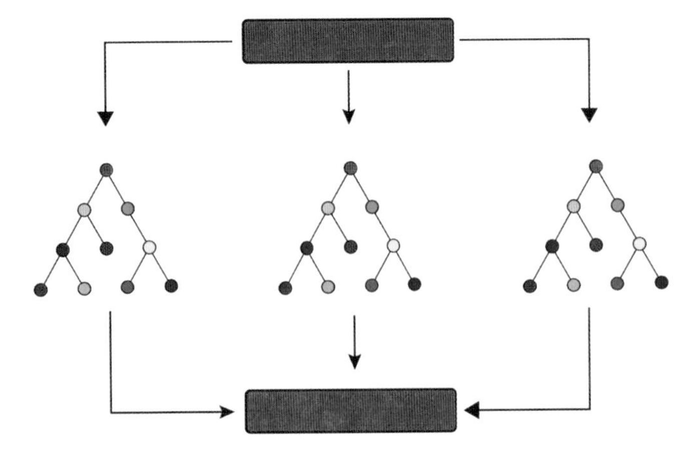

앙상블은 조합, 집합을 뜻하는 프랑스어입니다. 머신 러닝에서 모델의 성능을 향상시키기 위한 중요한 전략 중 하나인 앙상블은 여러 개의 모델을 조합하여 하나의 강력한 모델을 생성하는 기법을 나타냅니다. 앙상블 기법의 핵심 아이디어는 여러 개의 개별 모델의 예측을 결합함으로써 전체 모델의 정확도와 안정성을 향상시키는 것입니다. 전통적인 머신 러닝 단독 모델은 특정 부분의 데이터에 과적합될 가능성이 있습니다. 앙상블 기법은 다양한 모델의 예측을 조합하여 이러한 과적합을 완화시키며, 전반적으로 더 안정적인 예측 성능을 제공합니다.

부스팅(Boosting)은 머신 러닝의 앙상블 기법 중 하나로, 여러 개의 개별 모델을 결합하여 하나의 성능이 높은 모델을 생성하는 방법입니다. 에이다부스트(AdaBoost)는 이러한 부스팅 기법 중 가장 유명하고 널리 사용되는 방법 중 하나입니다. 1995년 요아브 프룬드(Yoav Freund)와 로버트 샤파이어(Robert Schapire)가 처음으로 소개했으며, 그 이후로 여러 연구와 응용 분야에서 큰 성공을 거두었습니다. 그중 **에이다부스트**는 다음과 같은 학습 알고리즘으로 진행됩니다.

▼ 그림 3-42 부스팅 모델의 학습 순서도

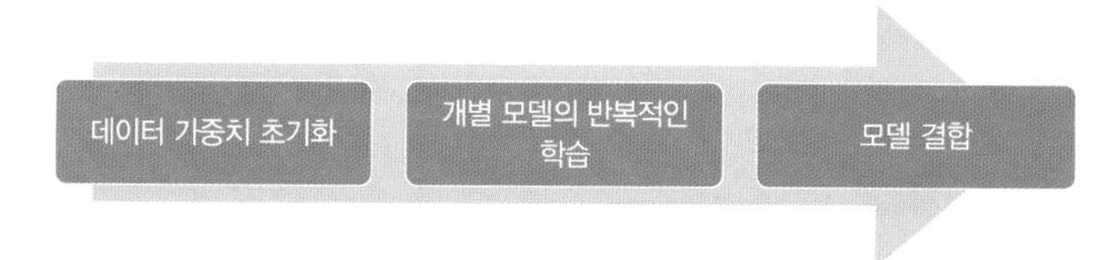

데이터 샘플과 가중치 초기화

에이다부스트 알고리즘의 시작은 학습 데이터 세트의 모든 데이터 샘플에 동일한 가중치를 할당하는 것에서부터 시작됩니다. 여기서 '데이터 샘플'이란 학습 데이터 세트의 각 개별 데이터 포인트를 의미합니다. 예를 들어 1,000개의 이미지로 구성된 이미지 분류 문제에서 각 이미지는 하나의 '샘플'로 간주됩니다. 수식으로 나타내면 다음과 같습니다.

$$w_i = \frac{1}{N}$$

w_i는 i번째 샘플의 가중치, N은 전체 샘플의 수입니다. 초기에 모든 샘플마다 동일한 가중치를 부여하는 이유는 아직 어떤 샘플이 중요한지, 어떤 샘플이 알고리즘에 도움이 되는지 알 수 없기 때문입니다.

반복적인 학습

에이다부스트에서 사용되는 '약한 학습기(weak learner)'는 단순한 학습 모델을 의미합니다. 이 '약한 학습기'는 학습 데이터 세트의 일부분에 대해서만 잘 동작할 수 있으며, 그 자체로는 전체 데이터 세트에 대한 높은 정확도를 달성하기 어렵습니다. 각 반복마다 약한 학습기는 현재의 가중치가 부여된 학습 데이터 세트에 적용됩니다. 이 학습기는 데이터 샘플의 가중치를 고려하여 학습되므로, 이전 반복에서 잘못 분류된 샘플에 더 집중합니다. 학습된 약한 학습기의 성능을 평가하여, 그 오차를 기반으로 학습기 자체에 가중치를 부여합니다.

학습기 오차를 구하는 내용을 수식으로 나타내면 다음과 같습니다.

$$\in = \frac{\sum_{i=1}^{N} w_i error(i)}{\sum_{i=1}^{N} w_i}$$

$\in$는 약한 학습기의 가중치 오차, w_i는 i번째 샘플의 가중치, $error(i)$는 i번째 샘플에 대한 예측 오차(올바르게 분류되면 0, 그렇지 않으면 1)입니다. 학습기의 오차는 각 샘플의 가중치와 예측 오차를 고려하여 계산됩니다. 잘 동작하는 학습기는 더 높은 가중치를 받게 됩니다. 학습기의 가중치는 다음과 같이 계산됩니다.

$$\alpha = \frac{1}{2}\log(\frac{1-\epsilon}{\epsilon})$$

α는 학습기의 가중치, ϵ는 약한 학습기의 오차 값을 의미하며 학습기가 잘 작동할수록(ϵ이 작을수록) α 값이 커지는 원리입니다. 이는 해당 학습기가 최종 모델에서 더 큰 역할을 하게 됨을 의미합니다.

샘플의 가중치는 그 샘플이 현재의 약한 학습기에 의해 올바르게 분류되었는지 여부에 따라 업데이트됩니다. 잘못 분류된 샘플의 가중치는 증가시키고, 올바르게 분류된 샘플의 가중치는 감소시킵니다. 수식으로 나타내면 다음과 같이 계산이 됩니다.

$$w_i = w_i \times \exp(-\alpha \times y_i \times h(x_i))$$

w_i는 i번째 샘플의 가중치, y_i는 i번째 샘플의 실제 레이블, $h(x_i)$는 i번째 샘플에 대한 학습기의 예측 값입니다. 학습기의 오류를 계산하고, 이를 기반으로 학습기에 가중치를 부여합니다.

결합

모든 약한 학습기를 결합하여 강한 학습기를 생성합니다. 각 학습기의 결정은 그에 부여된 가중치에 따라 조절됩니다.

$$F(x) = \sum_{t=1}^{T} \alpha_t h_t(x)$$

$F(x)$는 최종 모델의 예측, T는 전체 학습기의 수를 의미합니다. 이러한 수식들을 통해 에이다부스트는 반복적으로 학습 데이터 세트에 대한 약한 학습기를 훈련시키고, 그 결과를 바탕으로 최종적인 강한 학습기를 구축합니다.

OpenCV를 활용한 하르 캐스케이드 구현 실습

이론은 복잡해 보이지만, 실제로는 OpenCV를 활용해 간단하게 구현할 수 있습니다.

하르 캐스케이드는 그레이 스케일 이미지에서 작동하기 때문에 먼저 이미지를 불러온 후 그레이 스케일로 변환합니다. 하르 캐스케이드 작동 이후 다시 색조 이미지로 시각화할 예정입니다.

```
import cv2
import matplotlib.pyplot as plt

!wget https://raw.githubusercontent.com/Lilcob/test_colab/main/three%20young%20man.jpg

# 이미지 로드
image_path = "/content/three young man.jpg"
image = cv2.imread(image_path)
gray = cv2.cvtColor(image, cv2.COLOR_BGR2GRAY)
```

다음으로 하르 캐스케이드 객체 탐지 모델을 불러오겠습니다.

```
# 하르 캐스케이드 로드

face_cascade = cv2.CascadeClassifier(cv2.data.haarcascades + "haarcascade_frontalface_
default.xml")
```

cv2.CascadeClassifier()는 하르 캐스케이드 분류기를 로드하는 함수입니다. OpenCV에는 사전 훈련된 여러 하르 캐스케이드 XML 파일이 포함되어 있습니다. 여기서는 얼굴을 탐지하기 위한 분류기를 로드합니다. cv2에서 제공하는 하르 캐스케이드를 위한 사전 훈련된 XML 파일들은 여러 개 있습니다. 이 파일들은 다양한 객체와 특징을 탐지하기 위해 사용됩니다.

다음은 일부 주요 XML 파일들의 목록입니다

- haarcascade_frontalface_default.xml – 정면 얼굴 탐지
- haarcascade_profileface.xml – 프로필 얼굴(측면 얼굴) 탐지
- haarcascade_eye.xml – 눈 탐지
- haarcascade_eye_tree_eyeglasses.xml – 안경을 착용한 눈 탐지
- haarcascade_smile.xml – 웃는 얼굴 탐지
- haarcascade_upperbody.xml – 상체 탐지
- haarcascade_lowerbody.xml – 하체 탐지
- haarcascade_fullbody.xml – 전체 몸체 탐지
- haarcascade_mcs_nose.xml – 코 탐지
- haarcascade_mcs_mouth.xml – 입 탐지
- haarcascade_mcs_ear.xml – 귀 탐지

이러한 XML 파일들은 OpenCV 라이브러리의 설치 경로 내의 data/haarcascades 디렉터리에 위치하고 있습니다. 이제 불러온 모델로 얼굴의 좌표를 받아보겠습니다. face_cascade.detectMultiScale()은 그레이 스케일 이미지에서 얼굴을 탐지하는 메서드입니다.

```
# 얼굴 탐지
faces = face_cascade.detectMultiScale(gray, scaleFactor=1.1, minNeighbors=5,
minSize=(30, 30))
print(faces)
```

```
[[449 111 173 173]
 [721 106 170 170]
 [159 148 160 160]
 [371 376 116 116]]
```

반환되는 faces는 탐지된 얼굴의 위치(x, y)와 사이즈(width, height)를 나타내는 사각형의 목록입니다.

이제 모델에서 받은 좌표 값으로 이미지 위에 사각형을 그려보겠습니다. cv2.rectangle()은 이미지에 사각형을 그리는 함수입니다. 파란색(255, 0, 0) 사각형으로 탐지된 얼굴 영역을 표시합니다. 가장 끝 인수는 선의 굵기(2)입니다.

```
# 탐지된 얼굴에 사각형 그리기
for (x, y, w, h) in faces:
    cv2.rectangle(image, (x, y), (x+w, y+h), (255, 0, 0), 2)

# 결과 표시
plt.imshow(cv2.cvtColor(image, cv2.COLOR_BGR2RGB))
plt.axis('off')  # 축 정보 숨기기
plt.show()
```

얼굴은 모두 잘 탐지하였지만 일부 아쉬운 결과가 나왔습니다. 하르 캐스케이드 방법은 이미지 내의 객체를 빠르게 탐지하는 데 매우 효과적입니다. 그러나 출력 결과에서 볼 수 있듯이, 모든 상황에서 완벽한 결과를 제공하는 것은 아닙니다. 이미지의 조명, 객체의 방향, 이미지 내의 다른 객체와의 상호 작용 등 여러 요소로 인해 탐지가 완벽하지 않을 수 있습니다.

이 방법은 적은 자원으로 실시간 처리와 같은 상황에서 빠른 탐지가 필요할 때 특히 유용합니다. 그러나 높은 정확도와 정밀도가 필요한 애플리케이션의 경우 추가적인 최적화와 세밀한 조정이 필요할 수 있습니다. 후반에 나올 5장에서는 객체 탐지 심화 내용을 탐구하며, 이러한 한계를 극복하고 탐지 성능을 최적화하는 방법에 대해 자세히 알아보겠습니다. 그리고 다양한 실제 상황에서의 적용 사례와 함께, 고급 기술과 전략을 통해 어떻게 더 나은 객체 탐지 성능을 달성할 수 있는지도 배워보겠습니다.

3.2.3 스타일 전이

같은 사물도 어떻게 보는지에 따라 천차만별로 다르게 보입니다. 이미지도 마찬가지로 색감을 조절하거나, 밝기를 바꿔서 다르게 보일 수 있습니다. 이미지의 스타일을 바꿔볼 수 있는 스타일 전이 기법에 대해 소개합니다.

스타일 전이란?

스타일 전이(style transfer)는 이름에서도 알 수 있듯이 한 이미지의 '스타일'을 다른 이미지에 '전이' 시키는 기술을 의미합니다. 예를 들어 후기 인상주의 작가 반 고흐의 그림 스타일을 좋아한다고 가정해봅시다. 이때 가지고 있는 사진을 반 고흐 작가의 스타일로 바꿔서 그려보고 싶을 수 있을 것입니다. 이러한 일은 아주 많은 노력이 들어가지만, 인공지능을 사용해서 재현해볼 수 있습니다. 이때 사진을 예술가의 그림 스타일로 변환해주는 것이 바로 스타일 전이의 핵심 아이디어입니다.

▼ 그림 3-43 빈센트 반 고흐(1853~1890)의 별이 빛나는 밤에

초기의 스타일 전이 방법들은 간단한 텍스처 매핑이나 히스토그램 지정 같은 기술을 사용했습니다. 텍스처 매핑 기법은 3D 이미지 등에서 특정 위치에 이미지를 연결시키는 기법이며, 히스토그램 지정 기법은 이미지의 명암이나 색조를 원하는 스타일로 바꿀 때 사용하는 기법입니다. 이러한 기법들은 특정 상황에는 유용하나, 스타일을 변형시키는 다양성에 있어서는 부족함이 있었습니다. 딥러닝의 등장 후, 합성곱 신경망의 중간 층을 통한 특성 추출을 기반으로 한 신경 스타일 전이가 제안되었습니다.

✔ 그림 3-44 합성곱 신경망을 이용한 스타일 전이 예시(출처: Image Style Transfer Using Convolutional Neural Networks)

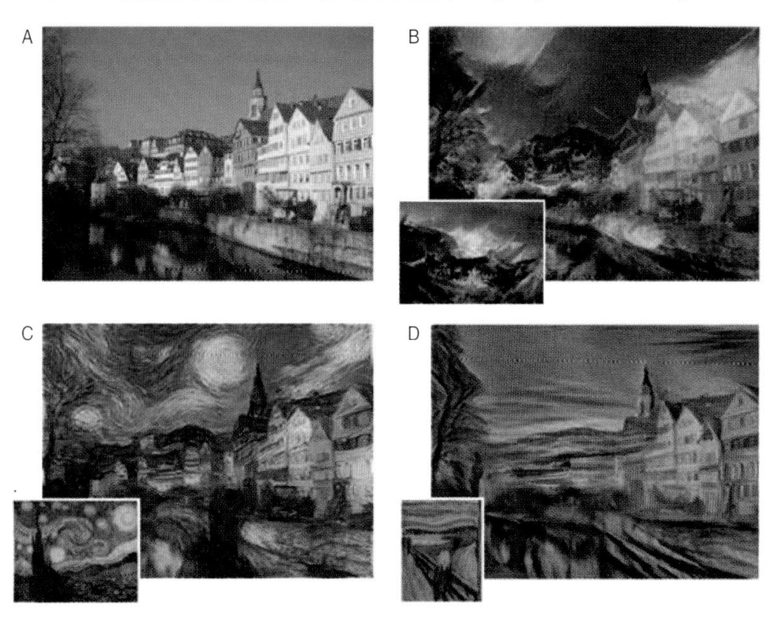

스타일 전이 과정에는 두 가지 핵심 개념이 등장합니다. 바로 **스타일 표현**(style representation)과 **콘텐츠 표현**(content representation)입니다. 콘텐츠는 이미지의 기본적인 형태와 객체를 의미하며, 그림 속의 산, 건물, 사람 등 주된 객체나 특성이 여기에 포함됩니다. 한편 스타일은 그림의 '느낌'이나 '방식'을 나타내는 요소로, 색상의 조합, 붓질, 텍스처 등이 여기에 해당합니다. 가지고 있는 사진을 피카소 작가의 작품처럼 변경하고 싶다는 상황에서 필요한 것은, 가지고 있는 사진의 내용(콘텐츠 표현)과 반 고흐 작가의 화풍(스타일 표현)일 것입니다. 즉, 이미지의 내용을 추출할 수 있는 인공지능 모델과 이미지의 스타일을 추출할 수 있는 모델, 두 가지 특성을 결합하여 이미지를 생성할 수 있는 인공지능 모델이 적용되어야 할 것입니다.

이러한 기술은 예술과 창의성 영역의 모델인 만큼 또 다양한 분야에서 활용할 수 있습니다. 실제 예술과 디자인의 영역에서 예술가들의 보조 도구 역할을 수행할 수도 있으며, 흥미로운 영상물이나 광고를 제작하는 데에도 사용될 수 있습니다. 또한 패션 디자인, 인테리어 디자인, 그리고 게임 디자인 등에서도 큰 역할을 할 수 있습니다.

VAE를 활용한 잠재 벡터 추출

앞서 딥러닝 모델이 이미지를 잘 구분해는 것을 확인해보았습니다. 컴퓨터에게 이미지란 단순히 픽셀의 숫자 집합인 것을 감안하면, 딥러닝 모델이 이미지를 해석하고 구분해낼 수 있었던 이유는 숫자 집합에서 그 패턴과 특징을 추출해낼 수 있었기 때문입니다. 이러한 특징에는 우리가 앞서 이야기하였던, 콘텐츠 표현과 스타일 표현도 포함될 수가 있습니다. 하지만 인공지능 모델로 특징을 추출해내고, 추출된 표현으로 다시 이미지를 생성해낸다는 것은 좀처럼 쉬운 일이 아닙니다. 이러한 인공지능을 만들어내고 싶을 때, 우리는 먼저 이것이 인공지능으로 학습이 가능할지 먼저 생각해 봐야 합니다.

이미지 생성 모델의 구현 가능성

모델의 구현 가능성 판단은 보통 직관과 수학적 접근으로 이루어집니다. 원하는 특징을 가진 다양한 이미지를 생성하는 인공지능 모델을 만들고 싶다면, 특징 값, 즉 특징 벡터를 입력으로 받아 원하는 특징을 결과 값으로 반환하는 모델 구조를 상상해볼 수 있을 것입니다. 여기서 특징을 표현하는 벡터를 **잠재 벡터**(Latent Vector)라 지칭합니다.

▼ 그림 3-45 잠재 공간의 데이터 표현

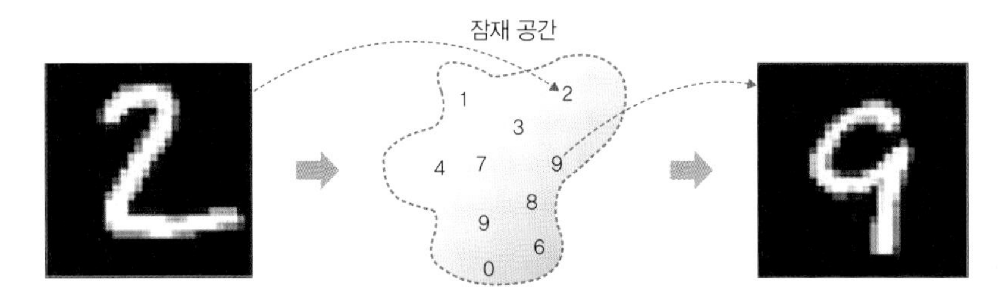

잠재적으로 사람이 이미지를 보고 느낀 특징을 표현할 수 있는 벡터들이 있고, 여기에 대해서 원하는 이미지를 생성하는 것이 학습될 수 있다면, 인공지능 모델을 구현해볼 수 있을 것입니다. 이에 대해 인공지능 연구진들은 간단한 수식적 증명과 함께 인공지능 모델을 구현해냅니다. 원하는 특징에 대한 이미지를 만들기 위해 가장 기본적이면서도 대표적인 모델로 VAE(Variational AutoEncoder)를 생각해볼 수 있습니다.

VAE의 목적은 '원하는 특징을 가진 이미지를 만들어낼 수 있는가?'입니다. 그리하여 원하는 특징, 즉 잠재 벡터 z를 받아 이미지를 만들어주는 디코더 모델 θ, 모델 θ에 따른 확률 분포 p_θ(이하 p_θ)를 생각할 수 있습니다. 그리고 실제 생성해내고 싶은 이미지 데이터 세트의 분포를 x라고 하면, x와 z의 동시 등장 확률을 의미하는 확률 분포 $p_\theta(x, z)$ 값을 최대로 만들어주는 모델 θ와 잠재 벡터 z를 찾는 것이 현재 모델 구현의 목적이라고 할 수 있습니다. 여기서 데이터 세트의 분포 x는 전체 데이터 세트 X로 부터 관측된 변하지 않는 값이고, 모델 θ와 잠재 벡터 z는 찾아내야 할 값입니다.

베이즈 정리에 의하면 아래와 같은 수식이 성립합니다.

$$p_\theta(x,z) = p_\theta(z)p_\theta(x|z) = p_\theta(x)p_\theta(z|x)$$

일반적으로 전체 데이터 분포 X를 모두 관측할 수는 없기 때문에 $p_\theta(X)$를 알아낼 수 없으며, 때문에 원하는 이미지 x를 만들기 위한 $p_\theta(z|x)$도 쉽게 얻어낼 수 없습니다.

이를 해결하기 위해 또 한 번(기존의 인공지능 모델을 학습시키는 행위도 일종의 근사이기 때문에)의 근사 기법을 사용합니다.

$$q_\varphi(z|x) \approx p_\theta(z|x)$$

바로 데이터 원하는 이미지 x를 만들기 위한 잠재 벡터 z를 찾기 위한 모델 φ를 하나 더 구성하는 것입니다. 이렇게 모델 φ가 이미지 x의 특성을 잘 표현하는 이상적인 잠재 벡터 z를 찾아준다면, 우리는 원하는 이미지의 특성을 조절하여 이미지를 변화시켜 볼 수 있을 것입니다. 하지만 여기에는 약간의 문제가 있습니다.

▼ 그림 3-46 인코더와 디코더 모델에 데이터가 지나가는 과정

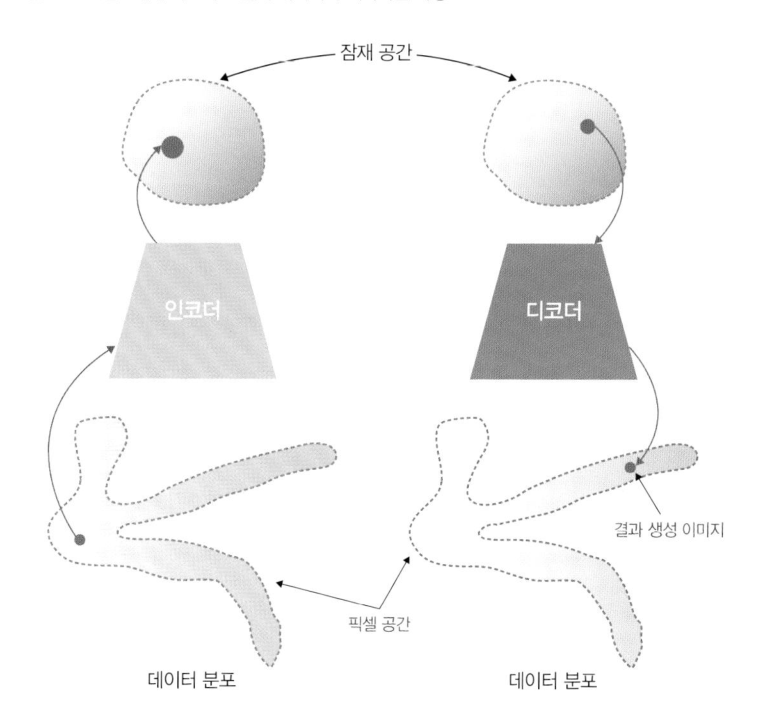

바로 픽셀의 집합인 이미지에서는 같은 특성도 크게 다르게 나타나기도 한다는 것입니다. 그래서 각 상황마다 이미지에 무수히 많은 정답 데이터를 연결시켜 놓을 수도 없고, 적절히 모델 φ가 학습되기도 어렵습니다. 이를 해결하기 위해 변분 참조(variational inference) 트릭이 사용됩니다. 바로 모델 φ가 만들어낸 결과 값을 참조해서 잠재 벡터 z를 랜덤 추출해내는 방식입니다.

$$(\mu, log\ \sigma) = EncoderNeuralNet_{\varphi}(x)$$

$$q_{\varphi}(z|x) = N(z;\ \mu, diag(\sigma))$$

위 식에서 $N(z;\ \mu,\ diag(\sigma))$는 평균 μ, 표준편차 σ를 따르는 정규분포를 뜻합니다. 신비롭게도 이렇게 한 번 랜덤 추출된 벡터는 모델이 데이터의 특성을 좀 더 잘 학습할 수 있게끔 도와줍니다. 이렇게 해서 만들어지는 모델은 다음과 같습니다.

▼ 그림 3-47 VAE의 모델 구조: 인코더에서 생성된 평균 μ, 표준편차 $log(\sigma)$를 사용해 잠재 벡터를 랜덤 추출

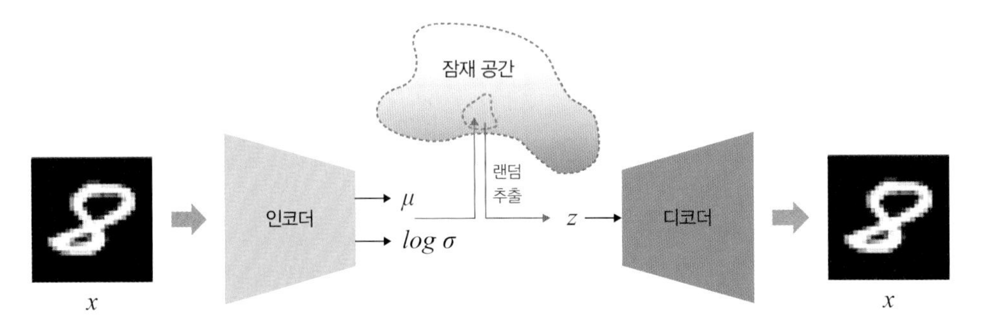

이렇게 특이하게도 앞서 설명한 오토 인코더와 매우 유사한 구조를 이루게 되며, VAE라는 이름을 갖게 되었습니다. 이러한 구조에서 학습이 진행되면 이미지의 스타일을 적절히 나타낼 수 있는 잠재 벡터 z의 잠재 공간이 도출되며, 학습을 마친 후에는 디코더 모델 θ만 사용하여, 변하는 잠재 벡터 z에 따라 변화하는 이미지를 확인해볼 수 있습니다.

모델 학습을 위한 목적 함수 설계

모델 학습 구조가 만들어진 후에는 적절한 목적 함수를 선정해야 합니다. 여기서 목적 함수라 함은 모델을 학습하는 과정에서 역전파를 하기 위한 함수, 즉 손실 함수를 뜻합니다. 먼저 다음 전체 확률 분포에 대해서 적분식으로 다음과 같이 표기할 수 있습니다.

$$p_{\theta}(x) = \int p_{\theta}(z)p_{\theta}(x|z)dz$$

하지만 실제 비선형 함수는 적분 불가능한 경우가 매우 많습니다. 매개변수 θ로 이루어진 수식은 잠재 벡터 z에 대해서 적분 불가능한 경우가 대부분입니다. 따라서 각각의 확률 분포가 독립 항등 분포($i.i.d.$)임을 가정하고, 각각 확률 값을 모두 곱한 연산을 기준으로 수식을 전개합니다. 이때 확률에서의 연산에는 곱셈 연산이 많이 등장하기 때문에, 모든 곱셈 연산을 손쉽게 표기하기 위해 log 함수를 활용하여 다음과 같이 표기합니다.

$$log\, p_\theta(x) = log(p_\theta(x,z) - log\, p_\theta(x|z)) \quad \text{-------} ①$$

$$= E_{q_\varphi(z|x)}[log\, q_\varphi(z|x) - log\, p_\theta(x|z)] \quad \text{-------} ②$$

$$+$$

$$E_{q_\varphi(z|x)}[-log\, q_\varphi(z|x) + log\, p_\theta(x,z)] \quad \text{------} ③$$

여기서 수식 ①은 단순히 위에서 보았던 베이즈 정리를 log 수식 안에서 적용시켜 정리한 부분입니다. 이는 다시 정리하여 수식 ②와 수식 ③의 합으로 표현합니다. 여기서 수식 ②는 쿨백-라이블러 발산(KL-divergence)이라 불리는 값으로 이상적인 확률 분포와 이를 근사하기 위한 확률 분포, 두 확률 분포의 차이를 구할 때 사용합니다. 쿨백-라이블러 발산은 항상 0보다 큰 값을 가지고 해당 값이 0에 가까운 상황이 이상적이기 때문에 아래 식이 성립합니다.

$$log\, p_\theta(x) \geq L(\theta,\varphi;\, x) = E_{q_\varphi(z|x)}[-\, log\, q_\varphi(z|x) + log\, p_\theta(x,z)]$$

수식 ③은 ELBO(Evidence of Lower Bound)라 불리며 모델을 학습시킬 때, 최대화시키고자 하는 값 $L(\theta,\ \varphi;\ x)$으로 사용하게 됩니다. 최종적으로 $L(\theta,\ \varphi;\ x)$ 값은 다음처럼 정리됩니다.

$$log\, p_\theta(x) = D_{KL}(q_\varphi(z|x)||p_\theta(z|x)) + L(\theta,\varphi;\, x)$$

$$L(\theta,\varphi;x\,) = -D_{KL}(q_\varphi(z|x\,)||p_\theta(z)) + E_{q_\varphi(z|x)}\, logp_\theta(x\,|z)$$

결과적으로 목적 함수 $L(\theta,\ \varphi;\ x)$를 최대화하면서 모델은 데이터의 잠재적 특성을 효과적으로 학습하게 됩니다. 쿨백-라이블러 발산은 자연스레 최소화되고 잠재 공간의 분포를 정규화하는 역할을 하며, 생성 이미지의 재구성 오차는 줄어듭니다.

다음으로는 해당 목적 함수를 파이썬 코드로 구현해보겠습니다.

텐서플로를 활용한 VAE 모델 구현 및 학습

한 번 코드를 살펴보겠습니다. 먼저 필요 라이브러리를 가져옵니다.

```
from IPython import display
import glob
import imageio
import matplotlib.pyplot as plt
import numpy as np
import tensorflow as tf
import tensorflow_probability as tfp
import time
```

데이터 세트 준비

이어서 학습을 위한 데이터 세트를 준비합니다. 이전에 생성적 적대 신경망과 어떻게 다른지도 살펴보기 위해 사용해봤던 MNIST 데이터 세트를 사용하겠습니다. 원활한 학습을 위해서 np.where(images > .5, 1.0, 0.0)을 사용해 노이즈를 제거합니다.

```
(train_images, _), (_, _) = tf.keras.datasets.mnist.load_data()

def preprocess_images(images):
    images = images.reshape((images.shape[0], 28, 28, 1)) / 255.
    return np.where(images > .5, 1.0, 0.0).astype('float32')

train_images = preprocess_images(train_images)
train_shuffle = 60000
batch_size = 32
train_dataset = (tf.data.Dataset.from_tensor_slices(train_images)
                 .shuffle(train_shuffle).batch(batch_size))
```

모델 구현

tf.keras.Model을 상속하여 모델을 구현합니다. 인코더 부분과 디코더 부분을 따로 정의해 원본 이미지를 재생성하는 방식으로 학습합니다. 앞서 살펴본 다층 퍼셉트론에 해당하는 밀집층으로 2개 층씩 통과시켜 얻어진 벡터를 다시 밀집층 하나를 통과시켜 벡터를 얻는 과정을 거칩니다.

$$(\mu, log\ \sigma) = EncoderNeuralNet_{\varphi}(x)$$

그렇게 마지막으로 거쳐 나온 Dense 층에는 활성화 함수를 통과시키지 않고 값을 얻어, 수식의 μ 값(mean)과 log σ 값(logvar)으로 사용하게 됩니다. 그 후에 각각 sample, encode, reparameterize, decode 메서드를 만듭니다.

```
class VAE(tf.keras.Model):
    """Variational Autoencoder."""

    def __init__(self, latent_dim):
        super(VAE, self).__init__()
        self.latent_dim = latent_dim
        self.encoder = tf.keras.Sequential(
            [
                tf.keras.layers.InputLayer(input_shape=(28, 28, 1)),
                tf.keras.layers.Flatten(),
                tf.keras.layers.Dense(512, activation='relu'),
                tf.keras.layers.Dense(512, activation='relu'),
                # No activation
                tf.keras.layers.Dense(latent_dim + latent_dim),
            ]
        )

        self.decoder = tf.keras.Sequential(
            [
                tf.keras.layers.InputLayer(input_shape=(latent_dim,)),
                tf.keras.layers.Dense(512, activation='relu'),
                tf.keras.layers.Dense(512, activation='relu'),
                # No activation
                tf.keras.layers.Dense(28*28*1),
                tf.keras.layers.Reshape(target_shape=(28, 28, 1)),
            ]
        )

    @tf.function
    def sample(self, eps=None):
        if eps is None:
            eps = tf.random.normal(shape=(100, self.latent_dim))
        return self.decode(eps, apply_sigmoid=True)

    def encode(self, x):
        mean, logvar = tf.split(self.encoder(x), num_or_size_splits=2, axis=1)
        return mean, logvar
```

```
    def reparameterize(self, mean, logvar):
        eps = tf.random.normal(shape=mean.shape)
        return eps * tf.exp(logvar * .5) + mean

    def decode(self, z, apply_sigmoid=False):
        logits = self.decoder(z)
        if apply_sigmoid:
            probs = tf.sigmoid(logits)
            return probs
        return logits
```

해당 메서드는 각각 다음과 같은 역할을 합니다.

- sample: 랜덤 변수를 생성해 그로부터 이미지를 생성합니다. 혹은 잠재 벡터를 사용할 수도 있습니다.
- encode: 이미지를 잘 나타낼 수 있는 잠재 벡터로 옮겨줍니다.
- reparameterize: μ, $\log \sigma$ 값들을 받아 랜덤 변수를 생성해줍니다. 이때 역전파를 위해 표준정규분포를 먼저 생성한 후, μ와 σ 값을 곱하는 형식으로 사용합니다.
- decode: 잠재 벡터를 받아 이미지를 생성합니다.

그러면 이제 이 모델을 학습할 코드를 작성해봅시다. 손실 함수를 정의하고, 최적화 기법 Adam을 활용합니다.

```
optimizer = tf.keras.optimizers.Adam(1e-4)

def log_normal_pdf(sample, mean, logvar, raxis=1):
    log2pi = tf.math.log(2. * np.pi)
    return tf.reduce_sum(
        -.5 * ((sample - mean) ** 2. * tf.exp(-logvar) + logvar + log2pi), axis=raxis)

def compute_loss(model, x):
    mean, logvar = model.encode(x)
    z = model.reparameterize(mean, logvar)
    x_logit = model.decode(z)
    cross_ent = tf.nn.sigmoid_cross_entropy_with_logits(logits=x_logit, labels=x)
    logpx_z = -tf.reduce_sum(cross_ent, axis=[1, 2, 3])
    logpz = log_normal_pdf(z, 0., 0.)
    logqz_x = log_normal_pdf(z, mean, logvar)
    return -tf.reduce_mean(logpx_z + logpz - logqz_x)
```

```
@tf.function
def train_step(model, x, optimizer):
    with tf.GradientTape() as tape:
        loss = compute_loss(model, x)
    gradients = tape.gradient(loss, model.trainable_variables)
    optimizer.apply_gradients(zip(gradients, model.trainable_variables))
```

다소 복잡한 손실 함수를 연산하고 있는 것을 볼 수 있을 것입니다. 이는 앞에서 살펴봤던 확률 분포를 최적화하기 위한 수식을 연산해서 도출한 결과로 생각해볼 수 있습니다.

이제 이를 통해서 학습을 진행합니다.

모델 학습

```
epochs = 50
# 2차원 잠재 벡터를 준비합니다.
latent_dim = 2
num_examples_to_generate = 25

# 생성(예측)을 위해 랜덤 벡터를 일정하게 유지하여
# 개선 사항을 더 쉽게 볼 수 있습니다.
random_vector_for_generation = tf.random.normal(
    shape=[num_examples_to_generate, latent_dim])
model = VAE(latent_dim)
```

위와 같이 모델을 정의한 후, 학습 중간에 진행 사항을 확인하기 위한 함수와 데이터를 정해서 사용하겠습니다.

```
def generate_and_save_images(model, epoch, test_sample):
    mean, logvar = model.encode(test_sample)
    z = model.reparameterize(mean, logvar)
    predictions = model.sample(z)
    fig = plt.figure(figsize=(4, 4))

    for i in range(predictions.shape[0]):
        plt.subplot(5, 5, i + 1)
        plt.imshow(predictions[i, :, :, 0], cmap='gray')
        plt.axis( ' off')

    plt.savefig( ' image_at_epoch_{:04d}.png'.format(epoch))
    plt.show()
```

```
# 학습 중간에 확인할 데이터를 정해줍니다.
assert batch_size >= num_examples_to_generate
for test_batch in train_dataset.take(1):
    test_sample = test_batch[0:num_examples_to_generate, :, :, :]
```

이제 정의된 모델을 사용하여 학습을 진행합니다. 중간중간 시각화된 결과가 어떻게 숫자로 변해 가는지 확인할 수 있습니다.

```
generate_and_save_images(model, 0, test_sample)

for epoch in range(1, epochs + 1):
    start_time = time.time()
    for train_x in train_dataset:
        train_step(model, train_x, optimizer)
    end_time = time.time()

    loss = tf.keras.metrics.Mean()
    for test_x in train_dataset:
        loss(compute_loss(model, test_x))
    elbo = -loss.result()
    display.clear_output(wait=False)
    print('Epoch: {}, ELBO: {}, time elapse for current epoch: {}'
          .format(epoch, elbo, end_time - start_time))
    generate_and_save_images(model, epoch, test_sample)
```

```
…(중략)…
Epoch: 20, ELBO: -141.30718994140625, time elapse for current epoch: 5.390263557434082
```

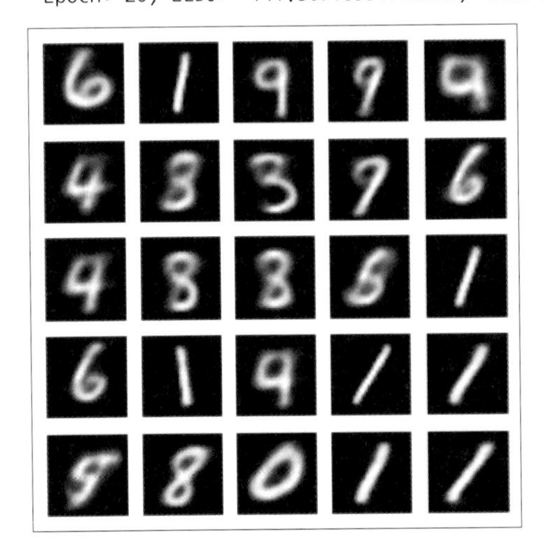

이 결과 예시는 학습 결과의 마지막 출력입니다. 학습이 모두 끝나면 적절한 잠재 공간에서 숫자 이미지가 생성될 수 있습니다.

다음 코드로 2차원 잠재 공간의 벡터로부터 숫자가 어떻게 생성되는지 확인해보겠습니다.

```
def plot_latent_images(model, n, digit_size=28):
    """Plots n x n digit images decoded from the latent space."""

    norm = tfp.distributions.Normal(0, 1)
    grid_x = norm.quantile(np.linspace(0.05, 0.95, n))
    grid_y = norm.quantile(np.linspace(0.05, 0.95, n))
    image_width = digit_size*n
    image_height = image_width
    image = np.zeros((image_height, image_width))

    for i, yi in enumerate(grid_x):
        for j, xi in enumerate(grid_y):
            z = np.array([[xi, yi]])
            x_decoded = model.sample(z)
            digit = tf.reshape(x_decoded[0], (digit_size, digit_size))
            image[i * digit_size: (i + 1) * digit_size,
                  j * digit_size: (j + 1) * digit_size] = digit.numpy()

    plt.figure(figsize=(10, 10))
    plt.imshow(image, cmap='Greys_r')
    plt.axis('Off')
    plt.show()

plot_latent_images(model, 20)
```

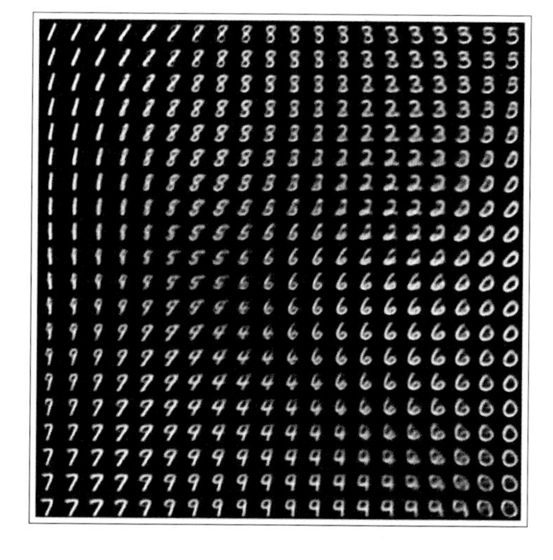

이와 같이 잠재 벡터가 변화함에 따라 생성되는 이미지도 연속적으로 변화하는 모습을 확인할 수 있습니다. 그러면 이제 VAE의 디코더는 연속하는 특징을 표현할 수 있는 잠재 벡터로부터 이미지를 생성할 수 있게 됩니다. 이렇게 인공지능 모델이 이미지의 잠재적인 특징을 학습할 수 있음을 수식과 코드를 통해 확인해봤습니다.

하지만 내가 원하는 사진을 다른 스타일로 변화시키려면 이보다 좀 더 복잡한 과정을 거쳐야 합니다. 그 결과, 콘텐츠 표현과 스타일 표현을 구분해서 학습시킬 방안을 고려하게 됩니다.

콘텐츠 표현과 스타일 표현의 추출

콘텐츠 표현(content representation)은 이미지의 기본적인 구조와 형태를 표현하며, 일반적으로 합성곱 신경망의 중간 층에서 추출됩니다. 중간 층은 상대적으로 원본 이미지에 가깝기 때문에 이미지의 기본적인 구조를 잘 표현해냅니다.

스타일 표현(style representation)은 일반적으로 합성곱 신경망의 여러 층에서 추출된 특징 맵을 사용하여 계산됩니다. 각 층에서의 특징 맵을 이용해 Gram Matrix(스타일 행렬)를 계산하고, 이를 통해 이미지의 텍스처와 패턴을 표현합니다.

콘텐츠와 스타일, 이 두 특징은 사람이 이미지를 인식하고 이해하는 데 중요한 역할을 합니다. 앞서 본 사례와 같이 딥러닝 모델은 이미지에서 다양한 특징을 추출할 수 있는 특징이 있습니다. 또 그 방법이 앞서 본 방식에 국한되지 않고 굉장히 다양한 방식으로 이루어지고 있습니다.

다음 이미지는 앞으로 살펴볼 이미지 분류 모델로부터 이미지의 각 특성을 추출해내는 작업을 설명하고 있습니다.

▼ 그림 3-48 합성곱 신경망을 사용하여 적용되는 스타일 전이 과정

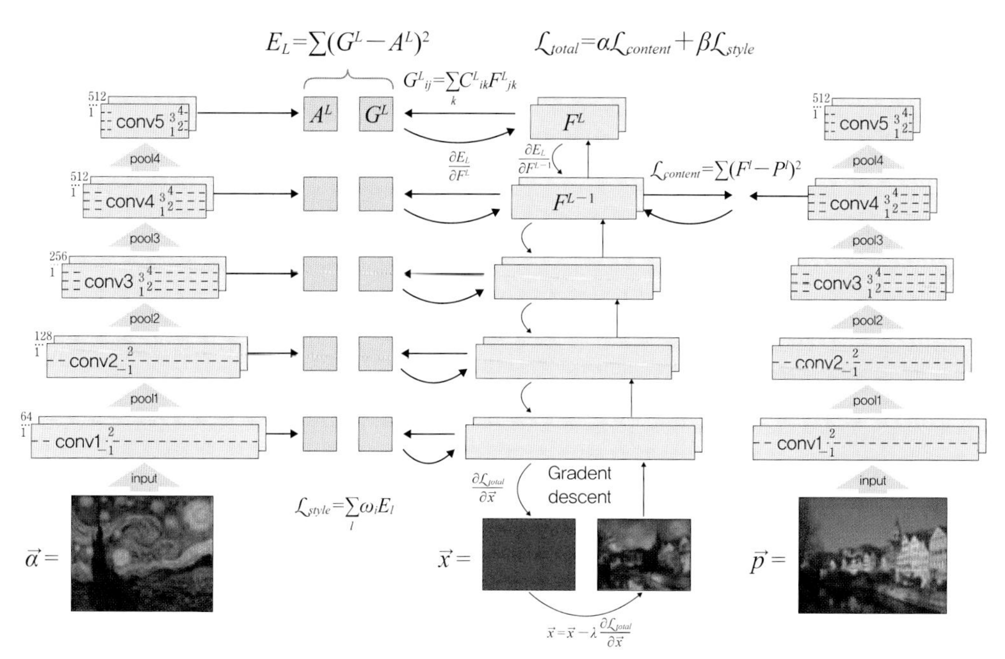

이렇게 추출된 콘텐츠와 스타일 표현은 최종적으로 스타일 전이 과정에서 목표 이미지를 생성하는 데 사용됩니다. 목표 이미지는 원본 이미지의 콘텐츠 표현을 보존하면서 동시에 다른 이미지의 스타일 표현하게 됩니다. 이 과정에서 손실 함수 L은 다음과 같이 정의할 수 있습니다.

$$L_{total} = \alpha L_{content} + \beta L_{style}$$

이 식에서 $L_{content}$는 콘텐츠 표현의 손실, L_{style}은 스타일 표현의 손실을 의미하며, α 값과 β 값에 따라 이미지에 스타일이 적용되는 정도를 조절할 수 있습니다.

이 장에서는 인공지능이 이미지 처리 분야에 어떻게 혁명적인 변화를 가져왔는지를 살펴보았습니다. 고전적인 방법론에서 벗어나 딥러닝 기반의 접근법이 어떻게 픽셀 배열 너머에 이미지 속 의미와 패턴을 인식하고, 이를 바탕으로 더 깊은 분석과 예측을 할 수 있는지도 배웠습니다.

다음 장에서는 이러한 기술의 진화가 어떻게 이미지 분류, 객체 탐지, 그리고 이미지 생성 같은 분야에서 구체적으로 적용되고 있는지를 탐구할 것입니다. 또한, 인공지능이 어떻게 우리가 보는 세상을 다시 구성하고, 새로운 시각적 현실을 창조할 수 있는지를 보여줄 것입니다.

4장

이미지 분류

4.1 구글넷과 레즈넷
4.2 최적화된 모델 살펴보기
4.3 비전 트랜스포머

4~6장에서는 이미지 처리 분야별로 과거부터 최신 모델까지 살펴볼 것입니다. 그중 4장에서는 이미지 처리 및 컴퓨터 비전 분야에서 중요한 주제인 이미지 분류 기술에 대하여 심도 있게 탐구해보겠습니다. 초창기의 간단한 모델부터 시작해서 비전 트랜스포머까지 이어지는 다양한 모델과 그 안의 여러 가지 기법들을 살펴봅니다. 이를 통해 이미지 분류의 기술적 측면과 실용적 적용에 대한 심층적인 지식을 얻을 수 있습니다. 이론 설명뿐만 아니라 중간에 모델을 만들고 활용하는 코드로 복잡한 개념들을 쉽게 이해해봅니다.

4.1 구글넷과 레즈넷

이 절에서는 알렉스넷(AlexNet)에서 시작하여 VGG, 구글넷(GoogLeNet)과 레즈넷(ResNet)까지 이어지는 초기 이미지 분류 모델에 대해서 살펴보겠습니다. 초기 이미지 분류 모델들의 발전 과정은 모델의 층을 늘리는 동시에, 이를 효율적으로 구성하여 더 나은 성능을 달성하려는 노력의 연속이었습니다. 이러한 노력의 일환으로, 알렉스넷이 큰 성공을 거둔 후, 구글넷과 레즈넷이 등장하며 패러다임에 큰 변화를 가져왔습니다.

4.1.1 초기 신경망 모델

앞으로 다양한 이미지 분류 모델들을 설명할 것입니다. 모델들을 소개하기 전에 **이미지 분류 모델들의 성능을 평가하기 위한 벤치마크로 자주 사용되는 이미지넷**에 대해서 먼저 알아보겠습니다.

이미지넷

이미지넷(ImageNet)은 컴퓨터 비전 분야에서 널리 알려진 대규모 데이터 세트입니다. 120만 개 이상의 데이터와 2만 개 이상의 레이블로 구성되어 있습니다. 이미지넷은 주로 이미지 인식 및 분류 모델을 훈련하는 데 사용됩니다.

해당 데이터 세트를 활용하여 모델의 성능을 측정하는 ILSVRC(ImageNet Large Scale Visual Recognition Challenge) 대회가 있는데, 2012년부터는 다음에 살펴볼 알렉스넷이 1위를 차지하기 시작하면서 딥러닝 모델이 지속적으로 우승을 차지했습니다.

이미지넷은 연구자들이 비상업용으로 사용할 수 있도록 무료로 제공되며 컴퓨터 비전과 딥러닝 연구를 발전시키는 데 중요한 역할을 해온 프로젝트입니다.

알렉스넷

알렉스넷(AlexNet)은 합성곱 신경망(CNN) 개발의 중요한 이정표이며 컴퓨터 비전 분야에 지대한 영향을 미쳤습니다. 알렉스 크리제브스키, 일리야 서츠케버, 제프리 힌튼이 개발한 알렉스넷은 앞서 말한 것처럼 2012년 ILSVRC에서 top-5 오차율 15.35%를 기록하여 2위와 10%p가 넘는 압도적인 성능 차이로 우승했습니다.

알렉스넷의 우승 이후, 딥러닝은 이미지 처리에서 딥러닝이 기존 방법보다 뛰어난 것을 입증하며, 인공지능 연구의 최전선에 서게 되었습니다. 또한 이미지 분류 작업에 대한 CNN의 잠재력을 보여주어 합성곱 신경망이 널리 확산되는 계기가 되었습니다.

▼ 그림 4-1 알렉스넷 모델 구조

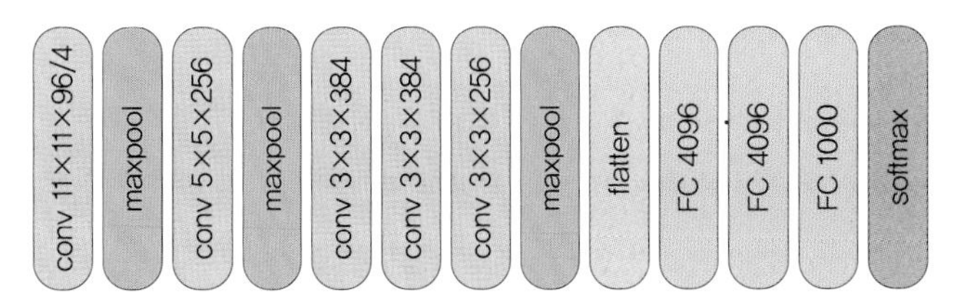

위 알렉스넷 모델 구조에서 볼 수 있듯이 앞선 실습을 통하여 익숙한 다수의 합성곱 층, 최대 풀링 층, 드롭아웃 층, 그리고 완전 연결 층으로 구성되어 있습니다. 이러한 구조는 이미지의 특징을 효과적으로 추출하고 과적합을 방지하는 데 도움을 줍니다.

다음은 알렉스넷에서 사용되는 학습 기법 중 오늘날에도 널리 쓰이는 기법들입니다.

1. **데이터 증강**

   데이터 증강은 레이블 값을 변화시키지 않고 원 데이터만 변형하는 방식으로 데이터 양을 늘리는 기법입니다. 좌우 반전, 이미지 랜덤 추출, 색상 채널 임의 변경 등의 기법을 적용하여 데이터를 증강하였습니다.

2. **ReLU 함수**

   기존에는 활성화 함수로 tanh나 시그모이드(sigmoid)를 주로 사용했던 것에 반하여 알렉스넷에서는 ReLU 함수를 사용하였습니다. ReLU는 비선형성을 도입하여 빠른 학습 속도와 효율적인 역전파를 가능하게 합니다. 이후 딥러닝 아키텍처에서 활성화 함수로 널리 사용되었습니다.

3. **드롭아웃**

   앞에서도 보았던 드롭아웃은 과적합을 방지하는 효과적인 방법 중 하나로, 학습 과정에서 무작위로 뉴런의 일부를 활성화하지 않음으로써 모델의 일반화 능력을 향상시킵니다. 이 기법은 널리 사용되며, 모델의 복잡성을 줄이고 과적합을 방지하는 데 도움을 줍니다. 총 두 개의 전결합층에서 드롭아웃 층을 사용하여 과적합을 방지하였습니다.

그밖에도 지역 응답 정규화(Local Response Normalization)라는 정규화 기법을 사용했다는 것도 큰 특징 중 하나이지만 현재는 잘 사용하지 않습니다.

하지만 이러한 알렉스넷도 다음과 같은 한계가 있었습니다.

1. **매우 큰 11x11 필터**

   11×11 필터는 이미지의 넓은 영역을 커버하기 때문에 많은 계산량이 필요합니다. 이는 학습 시간과 메모리 사용량 증가로 이어집니다. 또한 11×11 필터는 이미지의 모든 픽셀에 동일한 중요도를 부여합니다. 하지만 실제로는 특정 픽셀들이 특징 추출에 더 중요할 수 있습니다. 마지막으로 11×11 필터는 많은 매개변수를 가지고 있어 과적합 가능성이 높아집니다.

2. **충분하지 않은 깊이**

   알렉스넷 신경망의 층은 8개에 불과합니다. 따라서 저수준 특성을 잘 추출하지만, 복잡한 문제에서 요구되는 고수준 특성을 추출하는 데는 한계가 있습니다. 따라서 모델의 표현력이 떨어져 정확도가 제한됩니다. 이후 등장한 네트워크 구조들은 이러한 고수준 특성을 더 잘 학습하는 방법을 제시하며 100개 이상의 층을 사용합니다.

3. **세 개의 최종 완전 연결 층**

   세 개의 최종 완전 연결 층에는 2,600만 개의 학습 가능 가중치가 있습니다. 이는 모든 합성곱 층을 합친 것보다 많은 숫자입니다. 완전 연결 층은 이미지의 공간 정보를 고려하지 않기 때문에 과적합 가능성이 높아집니다.

VGG

앞선 알렉스넷의 문제에는 11×11과 같은 매우 큰 합성곱 필터와 8개에 불과한 신경망 층이 있었습니다. VGG는 3×3 필터만으로 최대 19개의 깊은 층을 쌓아 아키텍처를 구성하여 문제를 해결합니다.

▼ 그림 4-2 VGG 모델 구조

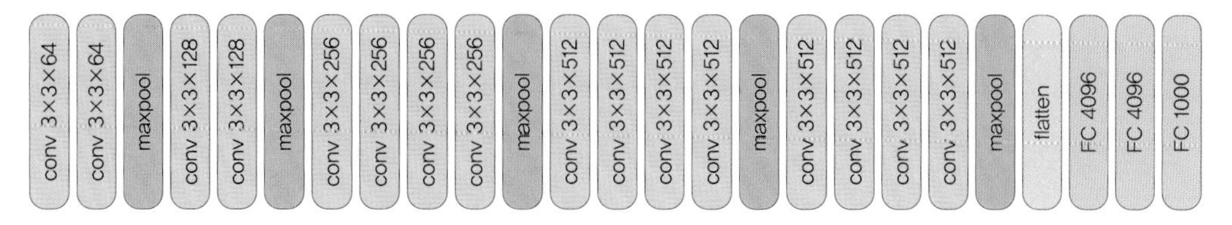

VGG 모델은 작은 사이즈의 커널(3×3)을 사용하는 여러 층의 합성곱 층으로 구성되어 있습니다. 이러한 구조는 네트워크의 깊이를 증가시키면서도 매개변수의 수를 효율적으로 관리할 수 있게 합니다.

VGG는 각각 신경망 층이 16개로 구성되어 있는지, 아니면 19개의 층으로 구성되어 있는지에 따라 VGG16과 VGG19로 나뉩니다. 활성화 함수로는 기존의 방식을 이어받아 은닉층에서는 ReLU, 출력층에서는 소프트맥스를 사용합니다.

VGG는 알렉스넷에 비해 층수가 많고 매개변수가 더 많지만, 알렉스넷보다 더 빨리 수렴합니다. VGG가 작은 사이즈의 합성곱 필터(주로 3×3)를 사용하여 네트워크의 깊이를 늘리면서도 매개변수의 총 수를 효율적으로 관리하고, 더 깊은 네트워크를 통해 더 복잡한 특징을 학습할 수 있게 설계되었기 때문입니다. 작은 합성곱 필터를 사용함으로써, 각 층에서의 학습이 더 효율적이며, 여러 층을 거치며 더 세밀한 특징을 추출할 수 있습니다. 이는 더 빠른 수렴 속도와 더 나은 성능으로 이어집니다. 또한 VGG는 균일한 아키텍처를 사용하여 각 층에서 비슷한 계산을 반복함으로써 학습 과정을 더욱 최적화하고 안정화시킵니다. 이러한 설계 방식은 깊은 네트워크의 학습을 용이하게 하여 알렉스넷보다 더 빨리 수렴하게 합니다.

VGG는 바로 이어서 설명할 구글넷(ILSVRC 2014 대회 1위)에 비해 간단한 구조로 되어 있어 오늘날까지도 머신 러닝을 공부하는 사람들이 모델을 구현하는 데 많이 활용되어왔습니다.

하지만 이 간단한 구조는 VGG를 대표로 하는 초기 모델의 한계이기도 합니다. 초기 이미지 분류 모델의 개발은 주로 모델의 깊이, 즉 층(layer)의 수를 늘리는 방향으로 진행되었습니다. 이러한 추세는 모델의 성능 향상에 큰 기여를 했으나, 동시에 '그레이디언트 소실(Vanishing Gradient)' 문제와 같은 새로운 도전 과제를 만들어냈습니다. 층이 깊어질수록 학습 과정에서 초기 층으로의 그레이디언트 전파가 약해져 모델 학습이 제대로 이루어지지 않는 현상이 발생했습니다.

뒤에서 배울 구글넷과 레즈넷은 독자적인 모듈을 제안하여 이러한 문제에 대한 혁신적인 해결책을 제시했습니다.

4.1.2 구글넷

먼저 소개할 모델은 구글넷(GoogleNet)입니다. 2014년에 구글의 연구자들이 개발했으며, 그해 ILSVRC 2014 대회에서 우승을 차지했습니다. 구글넷은 이전 모델들과 비교하여 훨씬 더 깊은 네트워크 구조를 가지고 있으면서도, 모델 파라미터의 수를 효율적으로 줄여 계산 비용을 낮추는 것이 특징입니다. 구글넷은 당시 2년 전 우승한 알렉스넷보다 12배 적은 모델 파라미터를 사용하면서도 훨씬 더 정확한 결과를 얻을 수 있습니다.

▼ 그림 4-3 구글넷 모델 구조

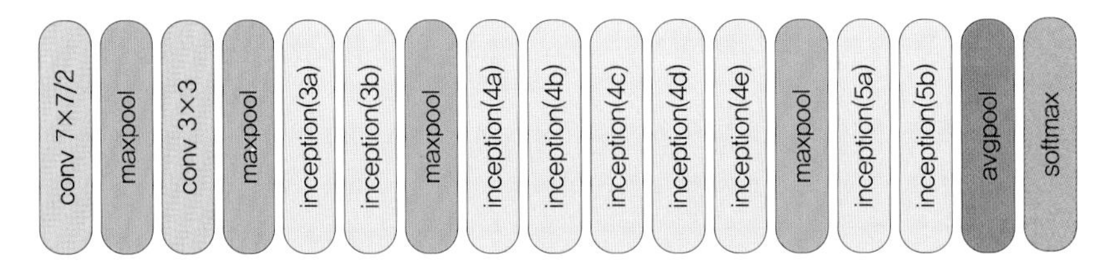

구글넷은 9개의 인셉션 모듈을 포함하여 총 22개의 층으로 구성되어 있고, 풀링 층까지 포함하면 27개의 층으로 구성되어 있습니다.

기존 모델에 비해 적은 파라미터로 더 깊은 모델을 만들 수 있었던 핵심 아이디어는 '인셉션 모듈(Inception module)'이라 불리는 구조를 도입한 것입니다. 일반적으로 네트워크의 사이즈가 증가하면 사이즈에 걸맞은 학습 데이터를 만드는 문제와 컴퓨터 리소스 사용량이 증가하는 등의 문제가 있었습니다. 인셉션은 이 문제를 해결하기 위해 완전히 연결된 아키텍처가 아닌 간헐적으로 연결된 아키텍처를 사용합니다. 인셉션 모듈은 여러 사이즈의 필터(1×1, 3×3, 5×5)를 동시에 적용하고, 그 결과를 병합하는 방식으로 구성되어 있습니다. 이를 통해 다양한 스케일의 특징을 효과적으로 추출할 수 있게 됩니다.

인셉션 모듈

▼ 그림 4-4 인셉션 모듈

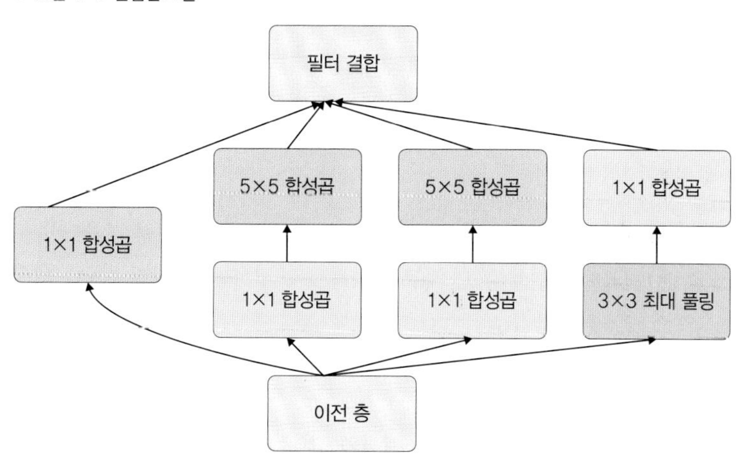

인셉션 모듈에서는 입력으로 주어진 이미지에 대해 여러 가지 사이즈의 필터를 동시에 사용하여 다양한 사이즈의 특징 맵을 생성합니다. 이를 통해 네트워크는 다양한 사이즈에서 추상화된 특징을 학습할 수 있습니다.

하나의 인셉션 모듈에서는 3×3, 5×5 합성곱 층과 3×3 최대 풀링 층을 사용합니다. 모든 층의 출력은 채널 축을 따라 합쳐져(concatenation) 모듈 내부의 최종 출력을 생성해 다음 층으로 전달합니다. 따라서 인셉션 모듈은 입력 데이터에 대해 다양한 사이즈와 깊이의 필터를 사용하여 병렬로 연산할 수 있습니다. 이는 인셉션 모듈이 다양한 사이즈의 특징을 동시에 학습하여 네트워크의 성능을 향상시키는 데 도움을 줍니다.

인셉션 모듈에서 남아 있는 문제점은 5×5 합성곱 층이 학습에 큰 비용을 차지한다는 점입니다. 또한 풀링 층의 출력과 합성곱 층의 출력이 병합하여 출력 수를 증가시킵니다. 결과적으로 매우 비효율적으로 처리가 되며 계산 폭증으로 이어집니다. 이때 학습 비용을 줄이기 위하여 합성곱 층 앞에 1×1 합성곱 층을 배치합니다.

1x1 합성곱

1×1 컨볼루션, 종종 '포인트와이즈 컨볼루션'이라고 불리는 이 기술은 합성곱 신경망에서 깊이 차원을 조절하는 데 효과적인 방법입니다. 처음 보기에는 그저 하나의 픽셀만을 가지고 연산을 수행하는 것처럼 단순하고 무의미하게 보일 수 있지만, 실제로는 다음과 같은 여러 중요한 역할과 효과가 있습니다.

1. **차원 축소**

1×1 합성곱은 특성 맵의 깊이를 줄이는 데 사용될 수 있습니다. 예를 들어, 입력 특성 맵이 256개의 채널을 가지고 있고, 1×1 합성곱 필터가 64개의 출력 채널로 구성된 경우, 이는 깊이를 256에서 64로 줄이는 효과를 가지며, 이는 모델의 파라미터 수와 계산량을 줄이는 데 도움이 됩니다.

2. **특성 조합**

1×1 합성곱은 깊이 방향으로 채널 간의 정보를 효과적으로 결합할 수 있습니다. 이는 각 위치에서 모든 입력 채널을 통해 정보를 집계하고, 새로운 특성을 생성하여 더 복잡하거나 고차원의 특성 표현을 학습하는 데 도움을 줍니다.

3. **계산 효율성 향상**

특히 깊은 네트워크에서는 구글넷에서의 인셉션 모듈에서와 같이 1×1 합성곱을 통해 차원을 축소하고 다시 확장하는 방법으로 계산량을 크게 줄일 수 있습니다. 이는 모델의 효율성을 높이고, 과적합을 방지하는 데도 도움이 됩니다.

4. **네트워크 내 비선형성 증가**

1×1 합성곱 연산 뒤에 비선형 활성화 함수(예 ReLU)를 적용함으로써, 모델의 표현력을 높이고 복잡한 함수를 학습할 수 있습니다. 이는 모델이 더 복잡한 패턴과 관계를 학습하는 데 필수적입니다.

▼ 그림 4-5 1x1 합성곱 층 유무 비교

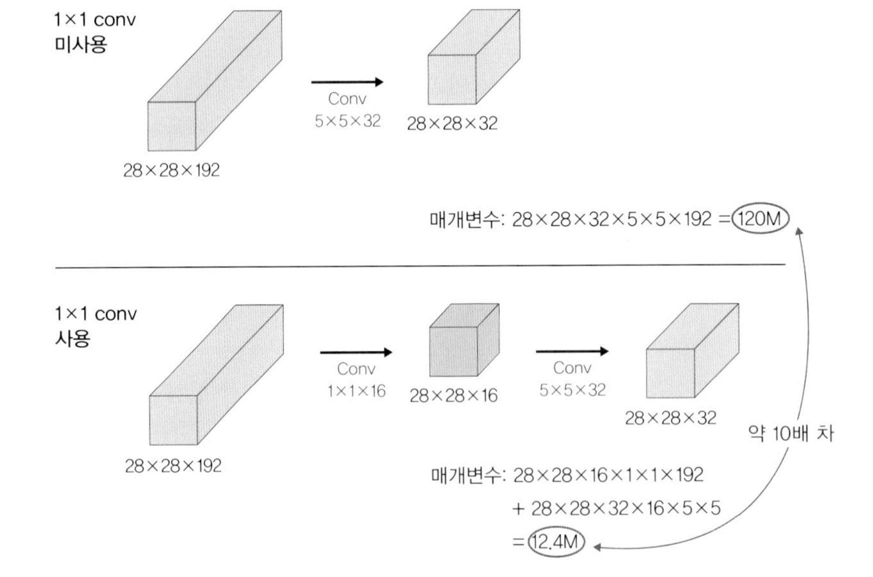

그림 4-5는 입력 특징 맵을 5×5 합성곱 층으로 학습하여 출력 특징 맵을 만드는 과정입니다. 패딩 값을 주어 입력과 출력을 맞추어 준 상황을 가정합니다. 연산해보면 5×5 합성곱 앞에 1×1 합성곱 층을 배치하여 학습 매개변수의 수를 약 10배가량 줄인 것을 확인할 수 있습니다. 이렇게 1×1 합성곱 층은 3×3, 5×5 합성곱 층 앞에 배치되어 채널 사이즈를 줄여 결과적으로 계산 비용을 크게 줄입니다.

1×1 합성곱 층은 인셉션 모듈 이후에 많은 딥러닝 아키텍처에서 활용됩니다. 대학원 혹은 회사 면접에서 질문으로 많이 나오는 내용이기도 합니다.

인셉션 모듈 구현

다음 예시 코드는 텐서플로를 활용하여 구현한 구글넷의 인셉션 모듈입니다.

```
from tensorflow.keras import layers, models

def inception_module(x, filters):
    branch1x1 = layers.Conv2D(filters[0], kernel_size=1, activation='relu')(x)

    branch3x3 = layers.Conv2D(filters[1], kernel_size=1, activation='relu')(x)
    branch3x3 = layers.Conv2D(filters[2], kernel_size=3, padding='same',
activation='relu')(branch3x3)

    branch5x5 = layers.Conv2D(filters[3], kernel_size=1, activation='relu')(x)
    branch5x5 = layers.Conv2D(filters[4], kernel_size=5, padding='same',
activation='relu')(branch5x5)

    branch_pool = layers.MaxPooling2D(pool_size=3, strides=1, padding='same')(x)
    branch_pool = layers.Conv2D(filters[5], kernel_size=1, activation='relu')
(branch_pool)

    outputs = layers.concatenate([branch1x1, branch3x3, branch5x5, branch_pool],
axis=-1)
    return outputs
```

앞서 배운 인셉션 모듈은 합성곱 층을 병렬로 쌓은 다음, 마지막 층에서 병렬로 쌓은 층들을 채널 방향으로 결합(concatenate)해주는 역할을 합니다. 이를 통해 다양한 사이즈의 필터로 특징을 추출할 수 있어 모델 성능을 향상시키는 데 도움이 됩니다.

functional API

해당 코드에서는 functional API를 사용해 인셉션 모듈을 정의하고 있습니다. functional API는 기존에 사용되던 sequential API와 달리 다양한 네트워크 아키텍처를 더 유연하게 구성할 수 있는 방법입니다. sequential API는 층들을 순차적으로 쌓아나갈 수 있는 반면, functional API는 층들을 그래프 형태로 연결하여 다중 입력, 다중 출력 네트워크를 설계할 수 있습니다.

다음 두 가지 코드 예제는 같은 신경망 아키텍처를 생성하지만, 다른 방식으로 구현되어 있습니다. 첫 번째 예제는 sequential API 모델을 사용하고, 두 번째 예제는 functional API를 사용하여 같은 신경망을 구축합니다.

1. **sequential API를 사용한 방법**

   다음은 지금까지 다룬 예제 코드들에서 모델을 만들었던 방법입니다.

   ```
   mlp_model = Sequential()
   mlp_model.add(Flatten(input_shape=(32, 32, 3)))
   mlp_model.add(Dense(128, activation='relu'))
   mlp_model.add(Dense(10, activation='softmax'))
   ```

   sequential 모델은 층을 순차적으로 추가하는 방식으로 신경망을 생성합니다. 위의 코드에서는 sequential 객체를 만들고, add() 메서드를 사용하여 각 층을 추가합니다.

2. **functional API를 사용한 방법**

   functional API는 Input 객체로 모델의 입력을 정의하고, 다른 층들을 연결하여 모델을 구성합니다. 다음 예시 코드에서는 Input 객체를 이용해 입력 데이터의 모양을 정의합니다.

   ```
   inputs = Input(shape=(32, 32, 3))
   x = Flatten()(inputs)
   x = Dense(128, activation='relu')(x)
   outputs = Dense(10, activation='softmax')(x)
   mlp_model = Model(inputs=inputs, outputs=outputs)
   ```

   그다음 Flatten 층을 호출하고 입력을 해당 층에 전달합니다. 호출된 층은 입력을 신경망에 통과시킵니다. 이때 중요한 점은 층이 함수처럼 호출되면서, 이전 층의 출력을 입력으로 받는다는 것입니다. 같은 방식으로 밀집층들을 호출하여 이전 층의 출력을 입력으로 사용하고, 생성된 반환 값은 다음 층의 입력으로 사용됩니다. 마지막으로 Model 객체를 생성하여 입력과 출력을 제공하면, 모델이 생성됩니다.

functional API를 사용하면 연결된 다양한 층으로 복잡한 구조의 신경망을 구축할 수 있으며, 다양한 데이터 흐름 구조를 구현할 수 있습니다. sequential 모델보다 유연하고 강력한 기능을 제공하므로 다중 입출력 모델 설계, 공유 층 사용 또는 복잡한 신경망 구조를 구현하고자 할 때 특히 유용합니다.

바로 다음에 실습 코드에서도 인셉션 모듈을 설계하기 위해 functional API를 사용하고 있습니다. 합성곱 층을 병렬로 쌓고, concatenate 층을 사용하여 병렬 층들을 결합하고 있습니다. 이를 통해 인셉션 모듈을 구성하고, 모듈을 여러 번 반복하여 쌓아 구글넷 모델을 구성합니다.

텐서플로를 활용한 구글넷 구현

구글넷 모델의 전체 코드를 살펴보겠습니다. 먼저 다음과 같이 구글넷 모델을 구성하기 위한 모듈과 신경망 층 구성 요소를 불러옵니다.

```
import tensorflow as tf
from tensorflow.keras import Model, regularizers
from tensorflow.keras.layers import Flatten, Dense, Dropout, Conv2D, MaxPool2D,
BatchNormalization, Activation, Input, AveragePooling2D, concatenate
from tensorflow.keras.callbacks import ReduceLROnPlateau
import matplotlib.pyplot as plt
```

이번 실습에서는 3.2절에서 활용한 cifar10 데이터 세트로 구글넷을 훈련시키고, 그 성능을 측정해보겠습니다. 다음 코드는 케라스에서 훈련 데이터를 다운로드해서 이를 네 변수 train_x, train_y, test_x, test_y에 할당한 후, 학습 데이터의 일부를 시각화합니다. 이 데이터 세트는 이미 행렬로 변환이 완료되었기에, Matplolib을 통해 간편하게 시각화하거나 모델에 입력할 수 있습니다.

```
(train_x, train_y), (test_x, test_y) = tf.keras.datasets.cifar10.load_data()
num_classes = 10

plt.figure(figsize=(10, 2))
for i in range(5):
    plt.subplot(1, 5, i + 1)
    plt.imshow(train_x[i])
    plt.title(f"Label: {train_y[i][0]}")
    plt.axis('off')
plt.show()
```

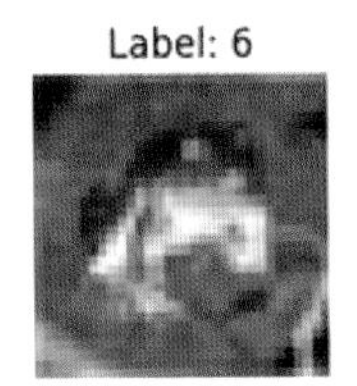

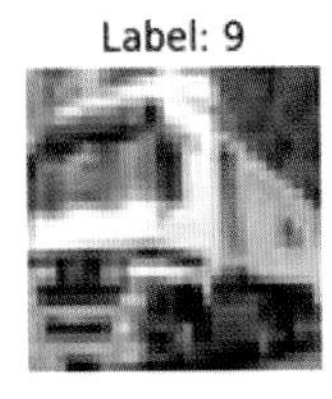

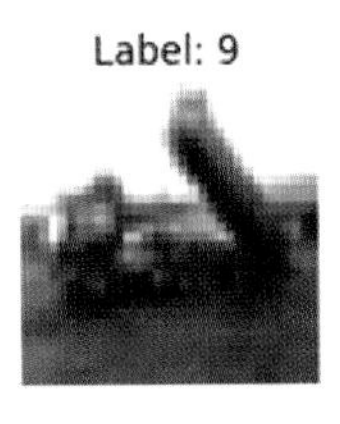

우리가 활용할 데이터는 행렬 형태로 변환이 완료되었지만, 각 픽셀이 갖고 있는 값의 범위가 0 이상 255 이하로 매우 큰 편입니다. 모델이 학습할 수의 범위가 크다면 손실 수렴 속도가 느려질 뿐만 아니라 이상치에 민감하게 반응할 수 있습니다. 따라서 스케일링을 통한 범위 조정이 필요합니다. 다음 코드는 모든 픽셀 값의 범위를 0과 1 사이로 제한하는 코드입니다. 모든 값을 255로 나누면 가장 큰 값은 1이, 가장 작은 값은 0이 됩니다. 숫자 255 뒤에 마침표를 붙이는 이유는, 분모를 실수형 데이터 타입으로 변환하여, 나눗셈 연산의 결과 또한 실수형 데이터 타입으로 변환하기 위해서입니다

```
print(f"스케일링 전 픽셀의 최대 값과 최소 값: {train_x.min()} ~ {train_x.max()}")
train_x = train_x/255.
test_x = test_x/255.
print(f"스케일링 후 픽셀의 최대 값과 최소 값: {train_x.min()} ~ {train_x.max()}")
```

```
스케일링 전 픽셀의 최대 값과 최소 값: 0 ~ 255
스케일링 후 픽셀의 최대 값과 최소 값: 0.0 ~ 1.0
```

데이터가 준비되었다면, 다음과 같이 학습에 필요한 몇 가지 주요 하이퍼파라미터를 설정합니다.

```
image_size = (32, 32)
batch_size = 64
weight_decay = 5e-4
learning_rate = 1e-2
epochs = 40
```

cifar10은 가로 세로 사이즈가 각 32픽셀인 작은 이미지 데이터 세트입니다. 이 이미지를 배치 하나에 64개씩 묶어 학습합니다. weight_decay는 가중치 규제를 위한 L2 규제 계수를 의미합니다. 학습률은 0.01로 설정하였으며 학습은 전체 데이터를 40회 순회합니다.

구글넷의 핵심 구성 요소 중 하나인 인셉션 모듈을 구현해보겠습니다. 이 모듈의 구조는 앞서 제시한 예시 코드와 유사하지만, 몇 가지 차이점이 있습니다. 먼저 다음 코드에서 인셉션 모듈을 구성하는 합성곱 블록인 conv2d_bn_relu부터 살펴보겠습니다.

```
def conv2d_bn_relu(x, filters, kernel_size, weight_decay=.0, strides=1):
    x = Conv2D(filters=filters,
               kernel_size=kernel_size,
               strides=strides,
               padding='same',
               kernel_regularizer=regularizers.l2(weight_decay))(x)
    x = BatchNormalization(scale=False, axis=3)(x)
    x = Activation('relu')(x)
    return x
```


인셉션 모듈에서 사용되는 합성곱 블록은 입력 데이터 x를 합성곱 층에 통과시킨 뒤, 이어서 배치 정규화 층과 ReLU 활성화 함수 층을 거치게 합니다. 이 블록은 구글넷뿐만 아니라 여러 합성곱 신경망에서 살펴볼 수 있는 패턴으로, 모델이 이미지 데이터의 다양한 표현력을 빠르게 학습할 수 있다는 특징을 갖습니다. 합성곱 층 중간에 삽입되는 L2 규제는 모델의 과적합을 방지합니다.

이제 인셉션 모듈 함수를 살펴보겠습니다.

```
def inception_module(x, filters_num_array, weight_decay=.0):
    (br0_filters, br1_filters, br2_filters, br3_filters) = filters_num_array
    br0 = conv2d_bn_relu(x, filters=br0_filters, kernel_size=1, weight_decay=
weight_decay)
    br1 = conv2d_bn_relu(x, filters=br1_filters[0], kernel_size=1, weight_decay=
weight_decay)
    br1 = conv2d_bn_relu(br1, filters=br1_filters[1], kernel_size=3, weight_
decay=weight_decay)
    br2 = conv2d_bn_relu(x, filters=br2_filters[0], kernel_size=1, weight_decay=
weight_decay)
    br2 = conv2d_bn_relu(br2, filters=br2_filters[1], kernel_size=5)
    br3 = MaxPool2D(pool_size=3, strides=(1, 1), padding='same')(x)
    br3 = conv2d_bn_relu(br3, filters=br3_filters, kernel_size=1, weight_decay=
weight_decay)
    x = concatenate([br0, br1, br2, br3], axis=3)
    return x
```

앞서 설명된 모듈의 구조와 비슷하게, 모듈은 입력 데이터를 받아 이를 네 개의 합성곱 블록에서 병렬적으로 처리합니다. br0 블록에서는 1×1 합성곱 층이, br1에서는 3×3 합성곱 층이, br2에서는 5×5 합성곱 층이 내재되어 있습니다. br3에서는 최대 풀링 후 1×1 합성곱 층을 통해 채널 수를 조정합니다. 마지막으로 concatenate 함수를 사용해 이들을 결합하며, 결합 방향을 채널 방향인 axis=3으로 설정합니다. 함수의 인수 중 filters_num_array는 각 블록마다 적용될 필터의 수를 담은 배열로, 총 네 개의 값을 요구합니다.

모듈이 준비되었다면 이를 순서에 맞게 쌓아보겠습니다. 다음은 구글넷 아키텍처를 구축하기 위한 함수입니다. 다만 이번 실습 때는 사이즈가 작은 이미지를 사용하기 때문에 모델의 구조가 원본과는 다소 다르게 조정되었음을 알립니다.

```
def googlenet(input_shape, classes, weight_decay=.0):
    input = Input(shape=input_shape)
    x = input
    x = conv2d_bn_relu(x, filters=64, kernel_size=1, weight_decay=weight_decay) # ①
    x = conv2d_bn_relu(x, filters=192, kernel_size=3, weight_decay=weight_decay)
    x = MaxPool2D(pool_size=3, strides=2, padding='same')(x)
    x = inception_module(x, (64, (96, 128), (16, 32), 32), weight_decay=weight_
decay) # ②
    x = inception_module(x, (128, (128, 192), (32, 96), 64), weight_decay=weight_
decay)
    x = MaxPool2D(pool_size=2, strides=2, padding='same')(x) # ③
    x = inception_module(x, (192, (96, 208), (16, 48), 64), weight_decay=weight_
decay)
    x = inception_module(x, (160, (112, 224), (24, 64), 64), weight_decay=weight_
decay)
    x = inception_module(x, (128, (128, 256), (24, 64), 64), weight_decay=weight_
decay)
    x = inception_module(x, (112, (144, 288), (32, 64), 64), weight_decay=weight_
decay)
    x = inception_module(x, (256, (160, 320), (32, 128), 128), weight_decay=weight_
decay)
    x = MaxPool2D(pool_size=2, strides=2, padding='same')(x) # ③
    x = inception_module(x, (256, (160, 320), (32, 128), 128), weight_decay=weight_
decay)
    x = inception_module(x, (384, (192, 384), (48, 128), 128), weight_decay=weight_
decay)
    x = AveragePooling2D(pool_size=4, strides=1, padding='valid')(x) # ④
    x = Flatten()(x)
    output = Dense(classes, activation='softmax')(x)
    model = Model(input, output)
    return model
```

① 모델은 Input 함수를 사용하여 입력 텐서를 정의하고, 이후 초기 합성곱 층을 거쳐 특징을 추출합니다. 인셉션 모듈을 통과하기 전, 합성곱 블록과 최대 풀링을 통해 이미지의 사이즈가 축소됩니다. ② 이후 데이터는 총 9번의 인셉션 모듈을 거치게 됩니다. 이 과정은 모델이 좀 더 복잡하고 다양한 이미지 특징을 학습할 수 있도록 해줍니다. ③ 인셉션 모듈 사이에는 최대 풀링 층이 위치해 있어, 특징 맵의 사이즈를 줄이고 중요한 특징만을 보존합니다. 또한 이는 계산량을 감소시키고, 과적합을 방지하는 역할도 수행합니다. ④ 네트워크의 마지막 부분에는 평균 풀링 층과 밀집 연결 층이 있습니다. 풀링 층은 특징 맵을 작은 사이즈의 벡터로 압축하며, 밀집 연결 층은 정해진 클래스 수만큼 데이터의 확률을 표현하여 분류합니다. 활성화 함수로는 다중 분류를 위한 소프트맥스 함수를 사용합니다.

다음 코드는 함수를 사용해 모델을 생성하고, 컴파일하는 과정입니다.

```
googlenet = googlenet(input_shape=(image_size[0], image_size[1], 3),
                      classes=num_classes,
                      weight_decay=weight_decay)
optimizer = tf.keras.optimizers.SGD(learning_rate=learning_rate, momentum=0.9)
googlenet.compile(optimizer=optimizer,
                  loss='sparse_categorical_crossentropy',
                  metrics=["accuracy"])
```

옵티마이저는 확률적 경사 하강법인 SGD를 사용하며, 손실 함수는 다중 분류를 위한 sparse_categorical_crossentropy를 사용합니다. 여기에서 momentum 인수는 옵티마이저에 관성의 개념을 도입하여, 학습 과정에서 이전의 업데이트가 다음 업데이트에 영향을 미치도록 하는 파라미터입니다. 공이 경사면을 굴러 내려올 때 속도가 붙듯이, 모멘텀은 가중치 업데이트 시 이전 업데이트의 관성을 추가하며 지역 최소 값에 갇히지 않도록 도움을 줍니다. 모델 성능은 분류 작업 중 가장 일반적인 척도인 정확도로 평가합니다.

모델을 학습시키도록 하겠습니다. 다음 코드는 케라스의 콜백 중 모델의 학습 정도에 따라 동적으로 학습률을 조정하는 ReduceLROnPlateau를 불러오고, 모델의 학습 과정을 history에 저장합니다.

```
reduce_lr = ReduceLROnPlateau(monitor='val_loss', factor=0.5,
                              patience=4, min_lr=1e-7, verbose=1)
history = googlenet.fit(x=train_x,
                        y=train_y,
                        batch_size=batch_size,
```

```
                    epochs=epochs,
                    validation_split=0.2,
                    callbacks = [reduce_lr])
```

ReduceLROnPlateau 콜백은 모델이 학습 과정에서 정체되거나 개선이 더디게 진행될 때, 학습률을 줄여서 좀 더 세밀한 학습이 이루어지도록 도와줍니다. 이 방식을 통해 모델이 지역 최소 값에 갇히는 것을 방지하고, 전역 최소 값에 더 가깝게 접근할 수 있도록 합니다. monitor 인수는 모니터링할 지표를 지정하며, 여기에서는 검증 손실 값에 집중합니다. factor는 학습률에 곱할 값을 의미합니다. 이 값이 0.5일 경우 기존 학습률에 0.5를 곱하여 값을 반으로 축소시킵니다. patience=4는 4 에포크 동안 검증 손실에 개선이 없을 경우 학습률을 조정함을 의미합니다. min_lr은 학습률의 하한선을 의미합니다.

모델의 학습 방식은 앞서 선언한 인수들의 값에 의해 배치 사이즈와 에포크 수가 결정되었습니다. validation_split 인수는 학습 데이터 중 일부를 검증용으로 사용할 수 있도록 기능을 제공합니다. 학습 코드를 실행하고 완료가 될 경우 다음과 같은 결과를 확인할 수 있습니다.

```
Epoch 1/40
625/625 [==============================] - 75s 85ms/step - loss: 5.1052 - accuracy:
0.4977 - val_loss: 4.7838 - val_accuracy: 0.5541 - lr: 0.0100
Epoch 2/40
625/625 [==============================] - 52s 84ms/step - loss: 4.2457 - accuracy:
0.6718 - val_loss: 4.2988 - val_accuracy: 0.5984 - lr: 0.0100
Epoch 3/40
625/625 [==============================] - 51s 82ms/step - loss: 3.6713 - accuracy:
0.7538 - val_loss: 3.6589 - val_accuracy: 0.7030 - lr: 0.0100
…(중략)…

Epoch 40/40
625/625 [==============================] - 51s 82ms/step - loss: 0.2162 - accuracy:
1.0000 - val_loss: 0.7614 - val_accuracy: 0.8835 - lr: 0.0050
```

콜백을 정의한 덕에 검증 손실 값이 개선되지 않을 시 해당 에포크에서 학습률이 감소되었다는 문구가 표시됩니다. 모델이 잘 학습되었다면 다음과 같이 Matplotlib 라이브러리를 활용하여 학습 내역을 시각화시키겠습니다.

```
plt.figure(figsize=(14, 5))

plt.subplot(1, 2, 1)
```

```
plt.plot(history.history['loss'], label='Training Loss')
plt.plot(history.history['val_loss'], label='Validation Loss')
plt.title('Training and Validation Loss')
plt.xlabel('Epoch')
plt.ylabel('Loss')
plt.legend()

plt.subplot(1, 2, 2)
plt.plot(history.history['accuracy'], label='Training Accuracy')
plt.plot(history.history['val_accuracy'], label='Validation Accuracy')
plt.title('Training and Validation Accuracy')
plt.xlabel('Epoch')
plt.ylabel('Accuracy')
plt.ylim(0, 1)
plt.legend()
```

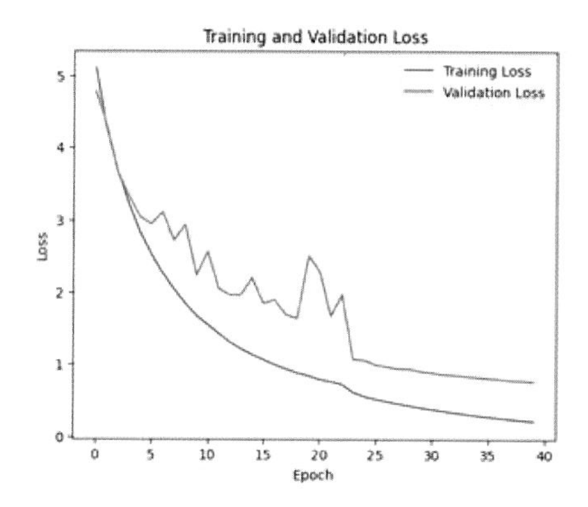

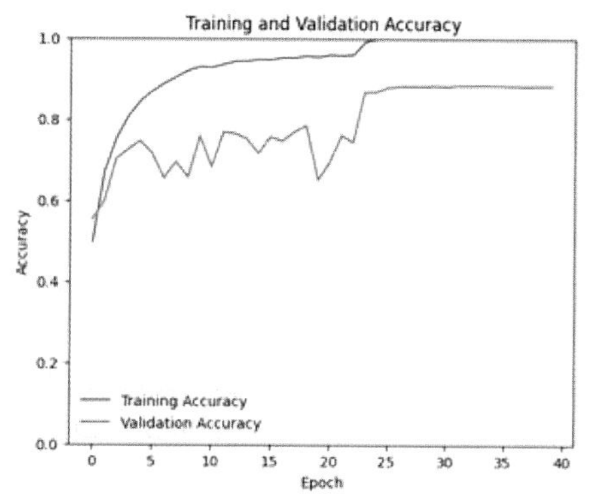

검증 손실(좌측 그래프 주황색) 값이 수렴하고 이에 맞게 검증 정확도 값이 상승함을 확인할 수 있습니다. 이어서 테스트 데이터 세트로 모델의 최종 성능을 평가하겠습니다.

```
googlenet.evaluate(test_x, test_y)
```

```
313/313 [==============================] - 7s 16ms/step - loss: 0.7952 - accuracy:
0.8825
[0.7951570153236389, 0.8824999928474426]
```

최종적으로 정확도 88%의 모델이 학습되었습니다. 추가적인 실험을 통해 모델의 구조와 파라미터 사이즈, 옵티마이저와 학습률 등을 조정하여 해당 모델의 성능을 더 높일 수 있습니다.

4.1.3 레즈넷

앞서 보았듯이 딥러닝 모델은 깊이가 깊어질수록 표현할 수 있는 능력이 향상되어 성능이 증가하지만 모델이 특정 깊이 이상으로 너무 깊어지게 되면 성능이 증가하지 않거나 심지어 감소(degradation)하는 경향이 있습니다. 인셉션 모듈을 활용한 구글넷처럼 이 문제를 해결하는 창의적인 아이디어를 제시한 모델 중 하나가 바로 레즈넷(ResNet) 모델입니다.

레즈넷은 앞선 모델들과 비교했을 때 훨씬 깊은 신경망을 구축합니다. 이전의 VGG 네트워크보다 무려 8배 더 깊은 최대 152개의 층으로 구성되어 있습니다. 하지만 오히려 더 적은 수의 학습 가능한 매개변수를 가지며 깊은 신경망에서 더 높은 정확도를 보입니다.

이렇게 심층적인 네트워크의 훈련을 용이하게 돕는 것이 바로 잔차 연결(residual connection)입니다. 잔차 연결은 입력과 출력 간의 차원이 다른 경우에도 정보를 잃지 않고 전달할 수 있게 해줍니다. 이를 통해 네트워크가 층을 깊게 쌓는 것이 더 쉬워지고, 기울기 소실과 팽창 문제를 완화할 수 있습니다.

잔차 연결은 입력과 출력 사이를 건너뛰는 형태로 구성됩니다. 입력은 합성곱 층을 통과한 후 출력과 더해집니다. 이렇게 작업을 수행함으로써 잔차 연결은 층을 건너뛰기 때문에 기존의 깊은 네트워크에서 발생할 수 있는 문제를 개선합니다.

잔차 연결

▼ 그림 4-6 잔차 블록

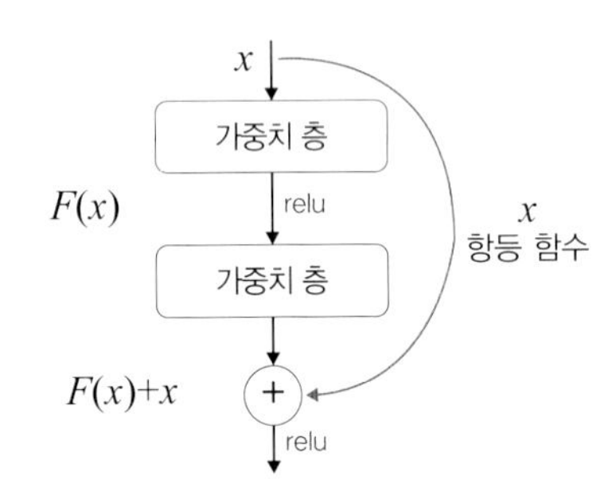

일반적인 신경망에서는 층이 쌓이면서 입력과 출력의 차원이 달라지는 경우, 차원을 맞추기 위해 선형 변환을 통과시켜야 합니다. 이러한 변환 작업은 다양한 문제를 유발할 수 있습니다. 예를 들어 일부 정보가 손실될 수 있거나 기울기 소실과 팽창 등의 문제가 발생할 수 있습니다.

하지만 잔차 연결을 사용하면 입력 데이터를 더하여 출력과 합치는 방식으로 정보를 전달할 수 있기 때문에 입력과 출력 간의 차원이 다를 경우에도 잔차 연결을 통해 기존의 정보를 보존할 수 있습니다. 이전 층의 결과를 현재 층의 출력에 더함으로써 층이 더 깊어지더라도 그 차원에 대한 수렴이 좀 더 쉬워집니다.

잔차 연결은 신경망의 깊이를 증가시키고, 모델의 학습 성능을 향상시키는 데 도움을 줍니다. 레즈넷은 이러한 잔차 연결을 통해 수백 개의 층을 쌓아도 가중치의 흐름을 원활하게 유지하면서 더 깊은 네트워크에서도 높은 성능을 달성할 수 있게 되었습니다.

레즈넷은 다양한 깊이의 모델들을 제공하며 ILSVRC 2015년 대회에서도 우승을 차지합니다. 레즈넷은 오랜 기간 동안 딥러닝 컴퓨터 비전에서 가장 유명하고 널리 사용되는 모델 중 하나입니다.

keras applications를 활용한 레즈넷 실습

우리가 지금까지 살펴본 모든 모델을 밑바닥부터 구현한 다음에 컴퓨팅 자원을 소모해서 학습시킨다면 많은 인적, 물리적 자원이 필요할 것입니다. tensorflow.keras.applications는 사전 학습된 가중치와 함께 사용할 수 있는 딥러닝 모델들을 제공하는 모듈입니다.

레즈넷은 논문에서 제안한 구조를 따라 구현되었으므로, tf.keras.applications에서 제공하는 레즈넷 모델은 논문에 기술된 아키텍처와 매개변수를 그대로 사용합니다. 따라서 우리는 논문에 따라 훈련시킨 모델을 따로 준비할 필요 없이 tf.keras.applications를 이용해 바로 사용할 수 있습니다.

레즈넷 모델을 불러오는 코드를 작성해보겠습니다.

```
!gdown 1WI3FPChY3DFnrNEP3Fk_C61bcMxkr4-b
```

먼저, 모델 추론에 사용할 이미지를 gdown 명령어를 통하여 가져옵니다.

```
import tensorflow as tf
from tensorflow.keras.applications import ResNet50   # ①
from tensorflow.keras.preprocessing import image
from tensorflow.keras.applications.resnet import preprocess_input, decode_predictions

# ResNet 모델 불러오기
resnet_model = ResNet50(weights='imagenet', include_top=True) # ②
```

이처럼 import 문과 모델을 불러오는 코드 한 줄로 쉽게 tensorflow.keras.applications에 있는 다양한 사전 학습 모델들을 사용할 수 있습니다. ResNet50 함수를 사용하여 ResNet50 모델을 불러옵니다(①). weights='imagenet'는 ImageNet 데이터 세트로 훈련된 가중치를 사용하겠다는 것을 의미하며, include_top=True는 모델의 최상단 층(분류 층)을 포함시킬 것인지를 지정합니다(②).

임의로 저장된 이미지를 가져와서 분류하는 전체 코드는 다음과 같습니다.

```
# 이미지 전처리 및 예측
PATH = './'
FILE_NAME = '4-7-푸들.png'
img = image.load_img(PATH + FILE_NAME, target_size=(224, 224))  # ①
input_image = image.img_to_array(img)                           # ①
input_image = preprocess_input(input_image)                     # ①
input_image = tf.expand_dims(input_image, axis=0)  # ②
predictions = resnet_model.predict(input_image)    # ②
decoded_predictions = decode_predictions(predictions, top=3)[0] # ③
for class_id, class_name, probability in decoded_predictions:   # ③
    print(f"{class_name} 확률: {probability:.2f}%")  # ④
```

① **이미지 전처리**

이미지를 불러와서 모델에 적합한 사이즈인 224×224로 리사이징합니다. image.img_to_array를 사용하여 이미지를 배열로 변환하고, preprocess_input 함수로 이미지 데이터를 전처리합니다. 이는 모델이 효과적으로 이미지를 해석하는 데 필요한 단계입니다.

▼ 그림 4-7 푸들

② **예측 수행**

tf.expand_dims를 사용하여 이미지 배열에 새로운 차원을 추가합니다. 이는 모델이 배치로 데이터를 처리할 수 있도록 하기 위함입니다. resnet_model.predict를 호출하여 이미지에 대한 예측을 수행합니다.

③ **예측 결과 해석**

decode_predictions 함수는 예측 결과를 해석하여 가장 가능성 높은 클래스들의 이름과 확률을 반환합니다. top=3은 상위 3개의 결과를 보여주겠다는 의미입니다.

④ 마지막으로 반복문을 통해 각 클래스의 이름과 확률을 출력합니다.

```
1/1 [==============================] - 1s 1s/step
miniature_poodle 확률: 0.68%
toy_poodle 확률: 0.29%
standard_poodle 확률: 0.02%
```


tf.keras.applications는 레즈넷 외에도 VGG16, InceptionV3, MobileNet, Xception 등 많은 사전 학습된 모델을 제공합니다. 이러한 모델은 대규모 공개 데이터 세트에서 훈련되어 다양한 비전 태스크를 수행하는 데 사용될 수 있습니다. 해당 모델들은 전이 학습에도 많이 사용됩니다.

전이 학습

전이 학습은 한 분야나 작업에서 학습된 모델을 다른 관련 분야나 작업에 적용하는 기술입니다. 기존에 학습된 모델은 대부분 대규모 데이터 세트에서 잘 훈련된 상태이며, 이 모델을 새로운 문제에 적용하기 위해서는 해당 문제에 맞는 데이터 세트를 사용하여 모델을 학습해야 합니다. 그러나 새로운 문제에 충분한 양의 데이터를 수집하는 것은 어렵고 비용이 많이 들 수 있습니다. 이럴 때 전이 학습은 매우 유용합니다.

전이 학습을 적용하는 방법은 크게 두 가지로 나뉩니다.

- **파인 튜닝**(fine-tuning): 사전에 훈련된 모델의 일부 또는 전체를 새로운 데이터 세트에 대해 다시 학습시키는 과정입니다. 이때 학습률을 낮게 설정하여 이미 학습된 가중치를 크게 변화시키지 않도록 합니다.
- **특징 추출**(feature extraction): 사전에 훈련된 모델의 일부를 고정시키고, 모델의 마지막 몇 층만을 새로운 태스크에 맞게 학습시킵니다. 이는 모델의 초기 층이 일반적인 특성을, 마지막 층이 특정 태스크에 특화된 특성을 학습한다는 가정에 기반합니다.

그리고 다음과 같은 장점을 가지고 있습니다.

- **적은 데이터 세트로도 학습 가능**: 전이 학습은 새로운 문제에 대한 데이터 세트가 적은 경우에도 좋은 성능을 낼 수 있습니다.

- **시간과 비용 절감**: 전이 학습은 미리 학습된 모델을 사용하기 때문에 새로운 모델을 처음부터 학습하는 것에 비해 시간과 비용을 절약할 수 있습니다.
- **더 나은 성능을 갖는 모델**: 기존의 학습된 모델은 대부분 많은 데이터와 시간을 투자하여 학습되었기 때문에 해당 모델을 사용하면 오류율이 낮아질 수 있습니다.

하지만 전이 학습에는 몇 가지 한계가 존재합니다.

- 전이 학습은 출발점과 목표점 간의 관련성이 높을 때 가장 잘 작동합니다. 두 분야가 너무 다를 경우, 성능이 저하될 수 있습니다.
- 파인 튜닝 과정에서 과적합이 발생할 수 있습니다.

지금까지 다룬 모델들은 모델을 더 깊이 쌓기 위해 다양한 노력들을 시도해왔습니다. 뒤에서 나오는 모델들은 어떻게 모델을 최적화시켜 좋은 성능을 내는지 살펴봅니다.

4.2 최적화된 모델 살펴보기

이번 절에서는 레즈넷 이후 이피션트넷(EffecientNet)까지의 합성곱 신경망 계열 모델들을 살펴보겠습니다.

4.2.1 레즈넷 이후의 모델들

레즈넷 이후에도 계속해서 모델을 최적화하기 위한 시도들이 있었습니다. 이러한 모델들에는 스퀴즈넷(SqueezeNet), 나스넷(NasNet), 모바일넷(MobileNet) 등이 있습니다.

스퀴즈넷

스퀴즈넷은 경량화된 신경망 아키텍처입니다. 앞에서는 정확도를 더 높이기 위한 모듈들을 나열했다면, 스퀴즈넷은 메모리가 효율적인 모델을 만드는 데 집중합니다.

효율적인 메모리

알렉스넷과 비교하여 비슷한 수준의 이미지넷 정확도를 기록함과 동시에 학습된 모델에 모든 매개변수를 저장하는 데 필요한 바이트 수인 모델 사이즈는 240MB인 알렉스넷에 비교하여 4.8MB로 무려 $\frac{1}{50}$에 불과합니다.

발화 모듈

스퀴즈넷은 발화 모듈(fire module)이라고 불리는 특별한 구조를 가지고 있습니다. 발화 모듈은 스퀴즈넷의 기본 구성 요소 중 하나로, 입력 특징 맵을 압축하는 효과적인 방법을 제공합니다. 발화 모듈은 작은 모델 사이즈와 빠른 속도를 제공하면서도 일정 수준의 성능을 유지할 수 있는 효율적인 설계 요소입니다.

▼ 그림 4-8 발화 모듈

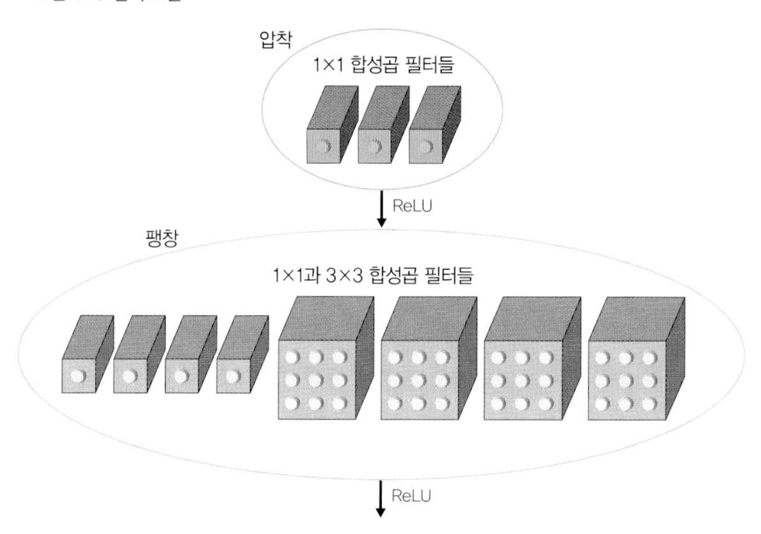

발화 모듈은 다음처럼 압착(squeeze)과 팽창(expand) 두 부분으로 이루어져 있습니다.

▼ 그림 4-9 스퀴즈넷 레이어들 중 fire2 모듈 예시

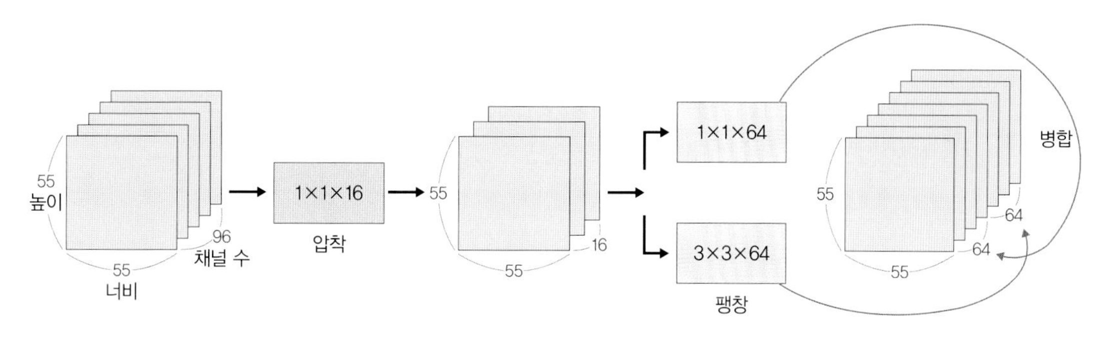

압착 단계에서는 입력 데이터를 작은 사이즈의 특징 맵으로 압축하는 역할을 수행합니다. 작은 사이즈로 압축하기 위하여 1×1 합성곱 필터를 사용합니다. 1×1 합성곱 필터를 사용하여 모델의 매개변수 수를 줄이고 계산 비용을 낮추며, 중요한 특징을 보존할 수 있습니다.

팽창 단계에서는 팽창 단계에서 압축된 특징 맵을 더 넓은 범위의 특징으로 확장합니다. 1×1 합성곱 필터와 3×3 합성곱 필터를 사용하여 이 작업을 수행합니다. 1×1 합성곱 필터는 채널 수를 늘리기 위해 사용되고, 3×3 합성곱 필터는 공간적으로 특징을 확장하는 역할을 합니다. 이 과정을 통해 다양한 사이즈의 필터를 사용하지 않고도 여러 가지 복잡한 표현을 할 수 있습니다.

▼ 그림 4-10 스퀴즈넷 모델 구조

스퀴즈넷은 발화 모듈을 여러 개의 스택으로 구성하여 신경망을 구성합니다. 이렇게 함으로써 모델 사이즈를 크게 줄이면서도 단순한 구조를 유지할 수 있습니다.

나스넷

앞선 모델들에서 보았듯이 신경망 이미지 분류 모델을 개발하기 위해서 여러 합성곱, 풀링 층 등에 다양한 연산을 조합해왔습니다. 기존의 딥러닝 모델은 사람들이 디자인하여 사용되는 구조입니다. 이미 많은 성과와 발전이 이루어졌지만 사람들이 디자인한 구조를 통해 가능한 최적의 성능을 도출하는 것은 어렵습니다. 더불어 상당한 아키텍처 엔지니어링을 필요로 합니다. 나스넷은 직접 모델 아키텍처를 학습하는 방법을 연구합니다.

나스넷은 Neural Architecture Search Network의 준말로, 신경망 구조 탐색을 자동화하는 기술입니다. 이 기술은 머신 러닝을 통해 최적의 신경망 구조를 찾아내는 것을 목표로 합니다.

나스넷은 신경망 아키텍처의 구조를 자동으로 탐색하고 최적의 구조를 찾아내기 위해 강화 학습과 경사도(gradient) 기반 최적화를 조합합니다. 이를 통해 인공지능이 자동으로 다양한 구조들을 시험해보고, 성능이 우수한 구조들을 식별해낼 수 있습니다.

▼ 그림 4-11 컨트롤러와 자식 네트워크

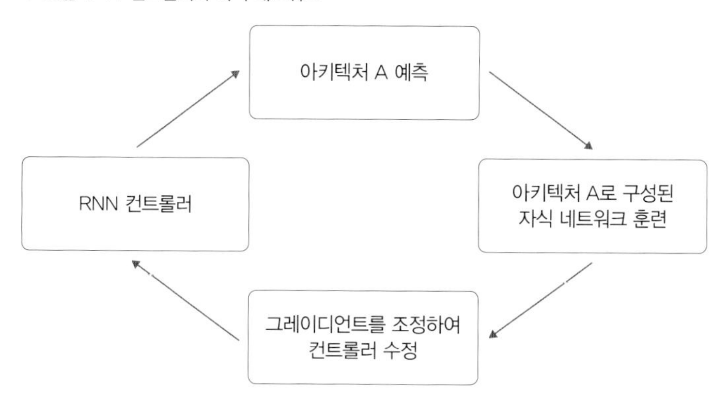

나스넷은 크게 컨트롤러(controller)와 자식 네트워크(child network), 이렇게 두 가지 요소로 구성됩니다.

컨트롤러

첫 번째는 컨트롤러입니다. 컨트롤러는 뉴럴 네트워크의 구조를 탐색하는 데 사용되며, 순환 신경망(Recurrent Neural Network, RNN)으로 구성됩니다. 컨트롤러는 현재까지의 탐색 결과와 경사도 정보를 바탕으로 다음에 시도해볼 구조를 결정합니다.

▼ 그림 4-12 나스넷의 검색 공간. 순환 신경망으로 구성된 컨트롤러가 사용할 필터와 조합을 찾음

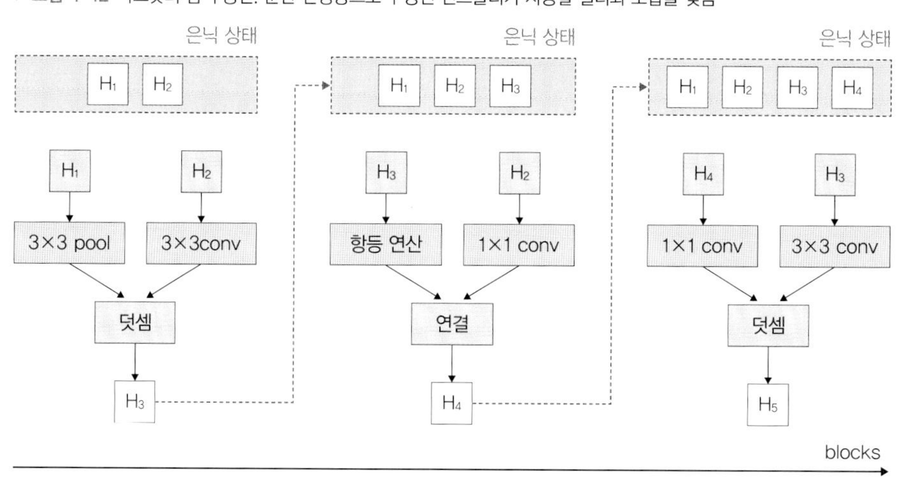

순환 신경망은 합성곱 신경망(CNN)처럼 딥러닝의 한 종류로, 시퀀스 형태의 입력 데이터에 대해 작동하는 신경망입니다. 일반적인 신경망과 달리 순환 신경망은 기억 혹은 상태(state)를 가지며, 이전 단계에서 계산한 정보를 현재 단계의 입력에 함께 활용합니다.

순환 신경망은 시퀀스 데이터를 처리하는 데 강점을 지니고 있습니다. 예를 들어 문장이나 음악 등의 연속된 데이터, 언어 번역이나 문장 생성과 같은 작업에서 주로 사용됩니다. 이러한 작업에서 순환 신경망은 이전 단어나 음표 등을 입력으로 받아 그다음 단어나 음표를 예측하거나 생성할 수 있습니다.

순환 신경망의 핵심 요소는 순환 구조로, 이전 단계의 출력 값을 현재 단계의 입력과 함께 처리합니다. 이를 통해 순환 신경망은 이전 단계에서 계산한 정보를 현재 단계에서 계속 유지하며, 장기 의존성(long-term dependency) 문제를 처리할 수 있습니다. 순환 신경망이 가지는 상태는 과거 정보를 저장하고 현재 상황에 맞게 복잡한 계산을 수행하는 데 도움을 줍니다.

검색 공간

나스넷에서 컨트롤러는 순환 신경망을 사용하여 뉴럴 네트워크의 구조를 검색 공간(search space)에서 탐색합니다.

검색 공간은 신경망 구조를 형성하는 각 구성 요소의 조합으로 이루어져 있습니다. 이 구성 요소는 층의 개수, 필터 사이즈, 매개변수의 수, 연결 패턴 등과 같은 다양한 매개변수를 포함하고 있습니다. 이 조합들을 통해 새로운 네트워크 아키텍처를 생성하고 평가하는 것이 가능합니다.

컨트롤러는 이전의 탐색 결과와 경사도 정보를 사용하여 다음에 시도해볼 구조를 결정합니다. 즉, 컨트롤러는 순환 신경망을 사용하여 네트워크의 일련의 결정을 수행하고, 이를 통해 최적의 구조를 찾아 나갑니다.

자식 네트워크

두 번째 요소는 자식 네트워크입니다. 자식 네트워크는 컨트롤러가 생성한 구조를 바탕으로 구성되며, 구조 간의 비교와 성능 평가를 진행합니다. 자식 네트워크는 여러 개의 신경망 구조 중에서 최적의 구조를 찾아내는 역할을 수행합니다.

나스넷은 이러한 요소들의 조합을 통해 훈련시키며, 주어진 태스크에 대한 최적의 신경망 구조를 자동으로 탐색합니다. 이를 통해 인공지능 모델을 개선하고, 기존의 인력과 시간을 절약하는 데 기여할 수 있습니다.

깊이 분리 가능한 합성곱 층

나스넷은 기존에 배웠던 합성곱 층과는 다르게 깊이 분리 가능한 합성곱(depthwise separable convolution)을 사용합니다. 깊이 분리 가능한 합성곱 층은 다양한 합성곱 층의 한 유형입니다. 이 모듈은 두 단계로 구성됩니다. 깊이별 합성곱 층과 점별 합성곱 층입니다.

▼ 그림 4-13 기존 합성곱과 깊이 분리 가능한 합성곱의 비교

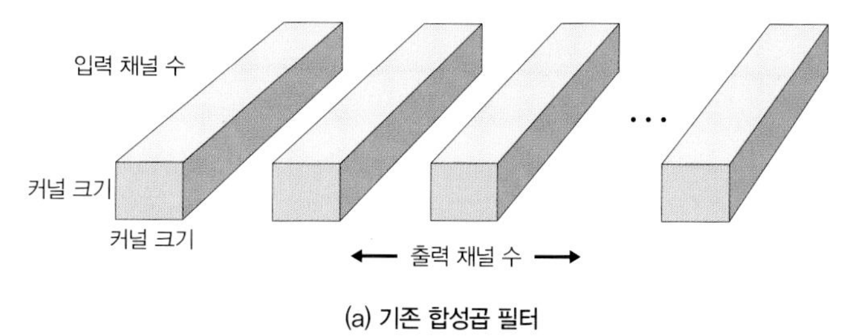

(a) 기존 합성곱 필터

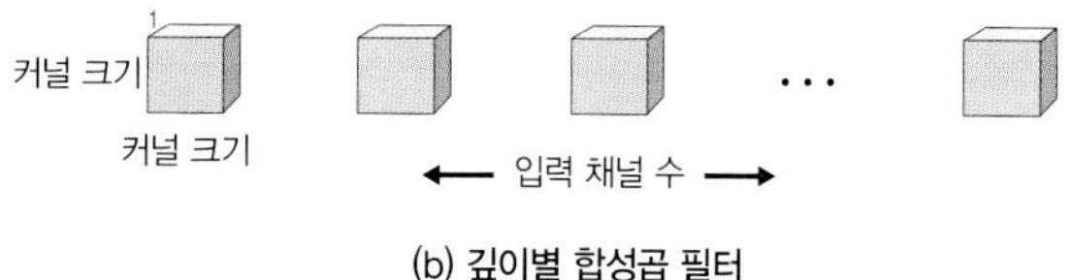

(b) 깊이별 합성곱 필터

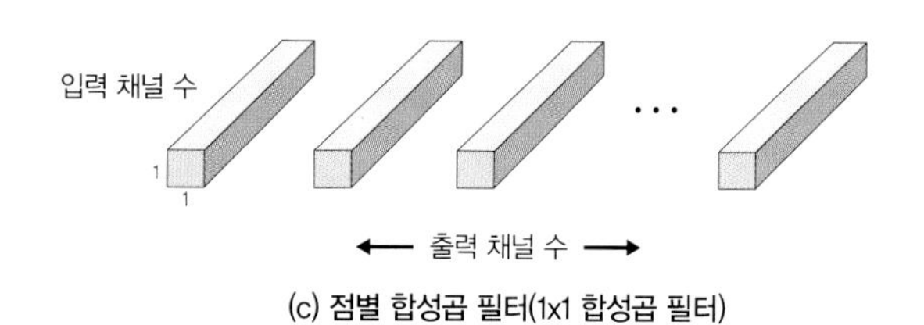

(c) 점별 합성곱 필터(1x1 합성곱 필터)

1. **깊이별 합성곱**(depthwise convolution)
   - 입력 채널마다 따로따로 사용하는 합성곱 층입니다.
   - 입력 채널 수에 맞춰 각 채널에 대한 필터가 적용됩니다.
   - 채널 간 정보 교환이 이루어지지 않으므로, 연산량을 줄이고 매개변수 수를 감소시킵니다.
   - 출력은 입력의 각 채널에서 각각 생성되는 특징 맵의 모음입니다.
2. **점별 합성곱**(pointwise convolution)
   - 1×1 사이즈의 커널로 모든 깊이 채널에 대해 합성곱 연산을 수행합니다.
   - 입력 채널 간의 상호 작용을 담당하며, 특징 맵을 변환합니다.
   - 출력은 깊이마다 요소별 곱셈과 덧셈으로 생성됩니다.
   - 필터의 개수를 제어하여 출력 공간의 차원을 조정할 수 있습니다.

깊이 분리 가능한 합성곱 연산은 기존의 합성곱 연산과 비교하여 학습 가능한 매개변수 수를 크게 줄이면서도 비슷한 수준의 성능을 보장할 수 있습니다. 이로 인해 모델의 사이즈를 줄이고 연산량을 줄일 수 있습니다. 특히 모델이 작거나 제한된 자원을 가지고 있는 환경에서 효과적입니다.

▼ 그림 4-14 일반 셀과 축소 셀

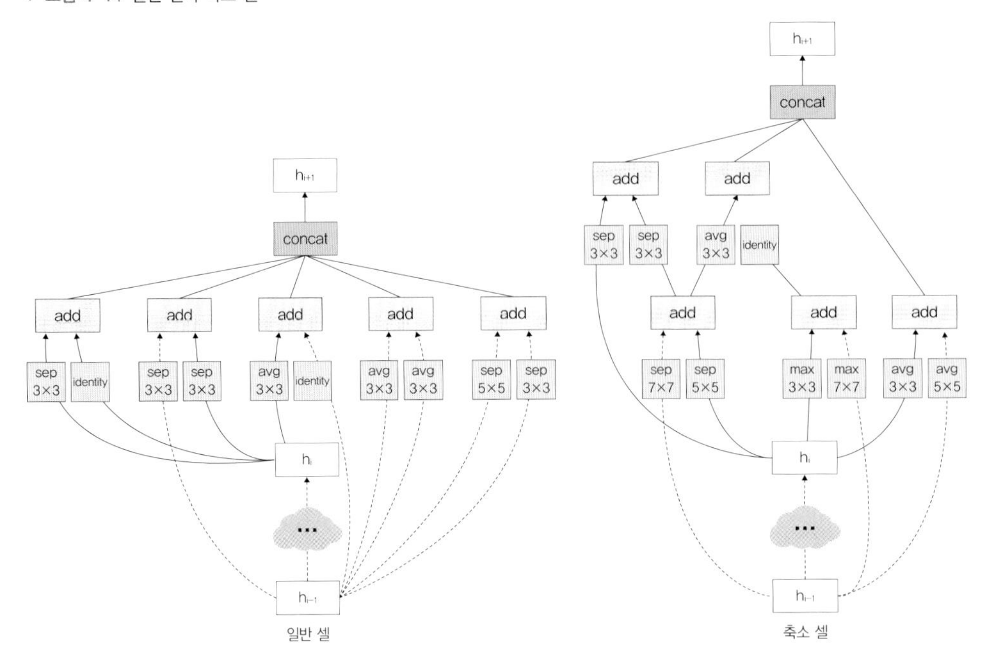

나스넷은 최적의 아키텍처를 찾을 수 있도록 일반 셀(normal cell)과 축소 셀(reduction cell)이라는 두 가지 종류의 셀을 사용하여 네트워크 구조를 탐색합니다. 일반 셀과 축소 셀은 나스넷의 자동화된 구조 탐색 기술의 핵심 요소입니다. sep로 시작되는 층은 위에서 배운 분리 가능한 합성곱 층을 의미합니다.

일반 셀은 네트워크 내에서 일반적인 구조를 탐색하는 데 사용됩니다. 일반 셀은 순환 신경망(RNN) 형태로 구성되어 있으며, 컨트롤러가 이를 통해 현재까지의 탐색 결과와 경사도 정보를 활용하여 다음에 시도해볼 구조를 결정합니다. 일반 셀 네트워크의 일반적인 구성 요소로, 일련의 신경망과 연결되어 있어 정보의 흐름을 담당합니다. 컨트롤러를 통해 일반 셀의 구성 요소들이 결정되고, 이를 통해 다양한 네트워크 구조가 실험적으로 탐색됩니다.

축소 셀은 네트워크 내에서 네트워크의 사이즈를 줄이는 역할을 합니다. 축소 셀은 일반 셀과 유사한 구조를 가지지만, 더 작은 사이즈의 네트워크를 생성하도록 설계되어 있습니다. 일반적으로 입력과 출력의 차원을 줄이기 위해 사용되며, 네트워크 구조를 축소하기 위해 다양한 다운샘플링 연산을 포함할 수 있습니다. 축소 셀은 네트워크 구조 탐색 과정에서 주로 사용되며, 신경망의 사이즈와 매개변수 수를 제한하는 데 도움이 됩니다.

일반 셀과 축소 셀은 나스넷의 아키텍처를 탐색하는 동안 실제로 여러 가지 구조를 시험하고 평가하는 과정에서 사용됩니다. 컨트롤러가 생성한 구조에 따라 이 셀들이 조합되고 중첩되어 네트워크의 전체 구조가 형성됩니다. 이렇게 구성된 네트워크는 학습 데이터에 대해 훈련되어 최상의 성능을 발휘할 수 있습니다.

다음은 나스넷의 모델 아키텍처입니다. 앞에서 배운 일반 셀과 축소 셀을 반복하여 구성됩니다. 축소 셀 사이에 쌓이는 일반 셀의 횟수, 즉 N은 실험에 따라 달라질 수 있습니다.

▼ 그림 4-15 나스넷의 모델 구조

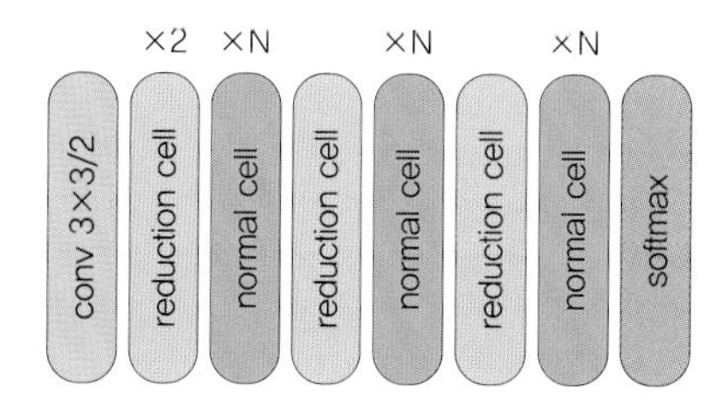

나스넷은 기존의 구조를 사람들이 디자인하는 것보다 더 나은 성능을 도출하는 데 도움을 주며, 인력과 시간을 절약할 수 있습니다. 따라서 나스넷은 딥러닝 모델 개선에 매우 유용한 기술입니다.

모바일넷

모바일넷은 구글에서 개발한 경량화된 신경망 구조입니다. 앞서 배운 스퀴즈넷과 마찬가지로 정확도가 아닌 효율성에 초점을 맞추고 있습니다. 모바일넷은 로봇 공학, 자율 주행 자동차, 증강 현실과 같은 많은 실제 애플리케이션에서 제한된 자원을 가지고 수행할 수 있도록 모바일 기기와 같이 컴퓨팅 자원이 제한된 환경에서 사용하기 위해 만들어졌습니다.

모바일넷은 기존의 더 크고 무거운 신경망 구조에 비해 매우 가벼우며, 작은 모바일 기기에서도 효율적으로 실행될 수 있습니다. 이러한 경량화는 메모리 사용량과 연산 속도를 크게 줄여주므로, 실시간 이미지 처리와 컴퓨터 비전 작업에 특히 유용합니다.

모바일넷도 기존 합성곱 층과 함께 분리 가능한 합성곱 층을 사용합니다.

▼ 그림 4-16 모바일넷의 모델 구조(v1)

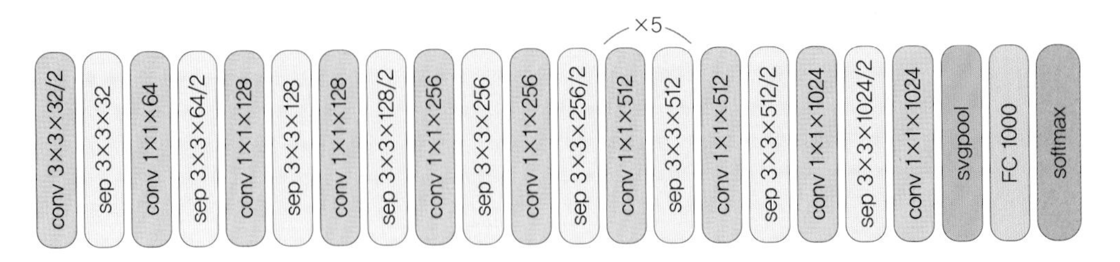

모바일넷은 맨 앞의 3×3 합성곱 층 배치를 시작으로 3×3 분리 가능한 합성곱 층과 1×1 합성곱 층을 번갈아가면서 층을 쌓습니다. 이때 깊이별 합성곱 층과 점별 합성곱 층마다 배치 정규화와 ReLU 활성화 함수를 사용합니다.

▼ 그림 4-17 기존 합성곱 층과 분리 가능한 합성곱 층 이후 배치 정규화와 ReLU 활성화 배치

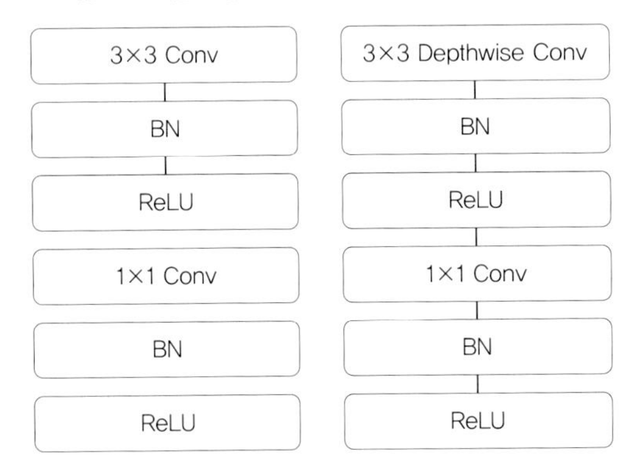

역전된 잔차 블록

역전된 잔차 블록은 모바일넷에서 향상된 버전인 모바일넷 v2의 핵심 구성 요소 중 하나로, 이 모델의 성능과 효율성을 향상시키는 역할을 합니다.

역전된 잔차 블록은 전통적인 잔차 블록과는 달리, 입력 특징 맵의 차원을 늘리는 대신 줄이는 방향으로 작동합니다. 이러한 접근 방식은 계산 비용을 줄이고, 매개변수 수를 감소시키면서 모델의 성능을 유지할 수 있게 해줍니다.

▼ 그림 4-18 역전된 잔차 블록

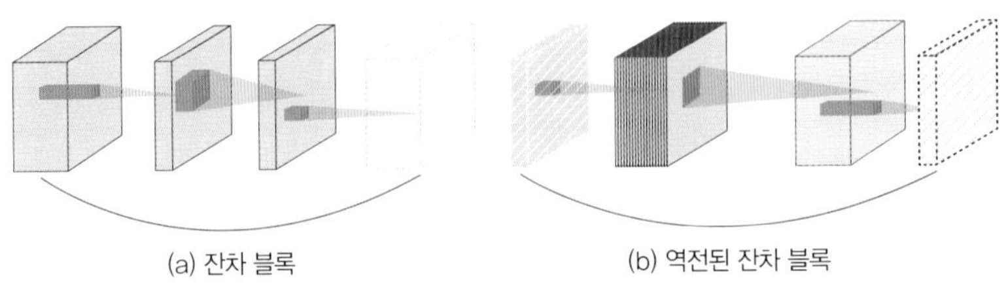

(a) 잔차 블록 (b) 역전된 잔차 블록

역전된 잔차 블록의 세 가지 주요 구성 요소

1. 입력 특징 맵을 저차원 특징 공간으로 재구성하는 1×1 **합성곱**(convolution)이 있습니다. 이렇게 저차원으로 재구성된 특징 맵은 계산 비용을 줄이는 역할을 합니다.
2. 저차원 특징 맵을 다시 원래 차원으로 확장하는 **확장 단계**가 있습니다. 이 단계에서는 확장된 특징 맵의 합성곱 연산을 사용하여 차원을 늘립니다. 이 확장 단계는 선형 활성화 함수를 통해 비선형성을 도입하며, 모델이 특징의 비선형적인 관계를 모델링할 수 있게 합니다.
3. 원래 차원으로 다시 줄이는 **저차원 병목** 단계가 있습니다. 이 단계에서는 다시 1×1 합성곱을 사용하여 차원을 줄여줍니다. 이러한 저차원 병목은 모델의 매개변수 수를 줄여주고 계산 비용을 감소시키면서도 특징 맵을 충분히 표현할 수 있게 해줍니다.

선형 병목

선형 병목(linear bottleneck)은 모바일넷 v2에서 사용되는 또 다른 중요한 구성 요소입니다. 이러한 구조는 모델이 비선형성을 유지하면서도 매개변수 수와 계산 비용을 최소화할 수 있도록 도와줍니다.

▼ 그림 4-19 선형 병목

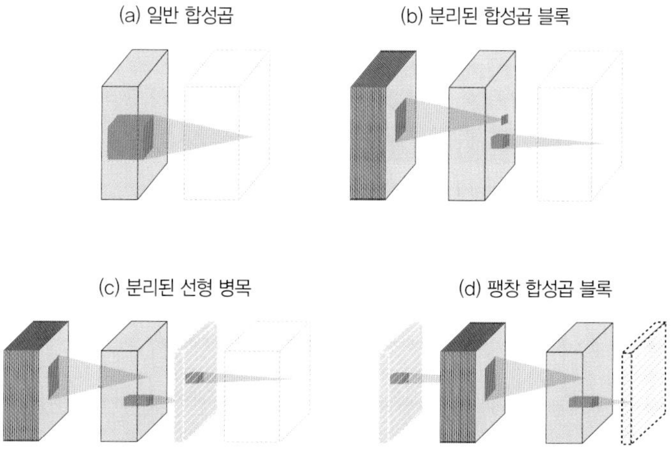

(a) 일반 합성곱

(b) 분리된 합성곱 블록

(c) 분리된 선형 병목

(d) 팽창 합성곱 블록

선형 병목의 세 가지 주요 단계

1. 확장 단계입니다. 이 단계에서는 입력 특징 맵의 차원을 확장하기 위해 합성곱 연산을 사용합니다.

2. 확장된 특징 맵상에 깊이 분리 가능한 합성곱을 적용하는 단계입니다. 이 단계는 각 채널이 독립적으로 특징을 추출하기 위해 깊이 합성곱을 사용하며, 이후에는 다른 차원의 정보를 혼합하기 위해 점별 합성곱을 사용합니다.

3. 저차원으로 다시 줄이는 단계입니다. 이 단계에서는 다시 1×1 합성곱을 사용하여 특징 맵의 차원을 줄여줍니다. 이러한 구조적인 특징은 모델을 더욱 경량화시키면서도 비선형성을 표현할 수 있게 해줍니다.

4.2.2 이피션트넷

앞선 모델들의 주요 과제는 신경망 모델의 성능을 극대화시키는 것입니다. 이전 모델들은 종종 성능 향상을 위해 네트워크의 사이즈를 단순히 키우는 방법을 사용했지만, 이는 계산 비용과 자원 사용의 증가로 이어졌습니다. 이러한 문제를 해결하기 위해 등장한 것이 바로 이피션트넷(EfficientNet)입니다. 이피션트넷은 높은 성능을 유지하면서도 신경망의 사이즈와 계산 비용을 최소화한 혁신적인 모델입니다.

복합(폭/깊이/해상도) 조정

이피션트넷은 모델 스케일링을 체계적으로 연구하고 네트워크 깊이, 폭, 해상도의 균형을 신중하게 조정하면 성능이 향상될 수 있음을 확인합니다. 이러한 관찰을 바탕으로 간단하면서도 매우 효과적인 복합 계수를 사용하여 폭/깊이/해상도의 모든 차원을 균일하게 스케일링하는 복합 조정(compound scaling) 방법을 제안합니다.

복합 조정 방법은 직관적으로 입력 이미지 사이즈가 커질수록 네트워크가 더 깊고 더 넓어져야 하며, 더 세밀한 패턴을 캡처하기 위해 더 많은 채널이 필요하다는 것을 반영합니다. 이피션트넷은 이러한 네트워크 폭, 깊이, 해상도의 세 차원 간의 관계를 경험적으로 정량화하여 공식화한 최초의 모델입니다.

실제로 모델 확장의 효과는 기준 네트워크에 따라 다르기 때문에, 이피션트넷은 신경 구조 검색을 통해 새로운 기준 네트워크를 개발하고 이를 확장하여 구성되었습니다. 이를 통해 이피션트넷은 기존 모델보다 더 큰 성능을 발휘하면서도 효율적인 모델 구조를 구축할 수 있었습니다.

▼ 그림 4-20 복합(폭/깊이/해상도) 조정

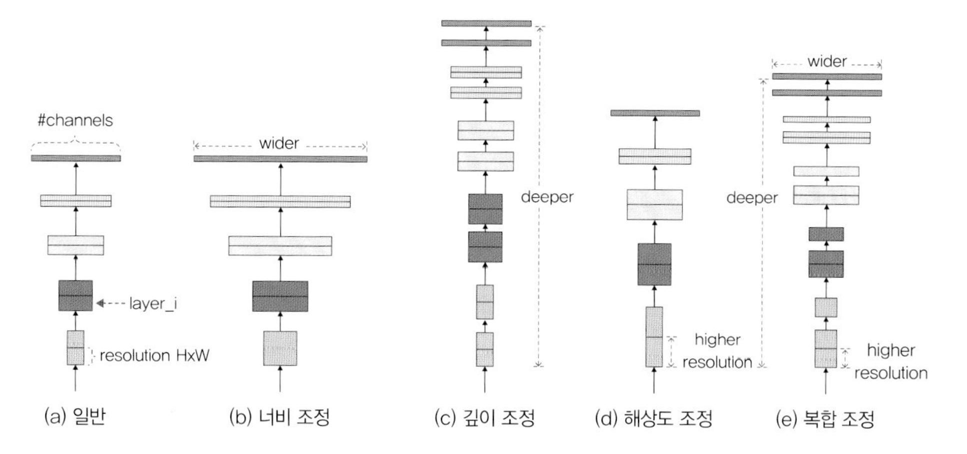

이피션트넷 실습

4.1.3절에서 진행했던 레스넷 코드에서 모델만 이피션트넷으로 수정해 `tensorflow.keras.applications.EfficientNetB0`와 tensorflow.keras.applications.efficientnet만 변경하여 다음처럼 진행했습니다. 다음은 저장된 모델을 불러오고, 구조를 살펴보는 코드입니다. 모델을 구성하는 신경망이 200층을 넘어가므로, 출력 값 중 일부만 발췌하겠습니다.

```
!gdown 1WI3FPChY3DFnrNEP3Fk_C61bcMxkr4-b
```

먼저 사용할 이미지를 gdown 명령어를 통하여 가져옵니다.

```
import tensorflow as tf
from tensorflow.keras.applications import EfficientNetB0
from tensorflow.keras.preprocessing import image
from tensorflow.keras.applications.efficientnet import preprocess_input, decode_
predictions

# 이피션트넷 모델 불러오기
efficientnet_model = EfficientNetB0(weights='imagenet', include_top=True)
efficientnet_model.summary()
```

```
Model: "efficientnetb0"
______________________________________________________________________________
 Layer (type)                Output Shape         Param #   Connected to
==============================================================================
```

```
input_1 (InputLayer)        [(None, 224, 224, 3)]  0          []

rescaling (Rescaling)       (None, 224, 224, 3)    0          ['input_1[0][0]']

normalization (Normalizati  (None, 224, 224, 3)    7          ['rescaling[0][0]'] on)

rescaling_1 (Rescaling)     (None, 224, 224, 3)    0          ['normalization[0][0]']
…(중략)…
top_dropout (Dropout)       (None, 1280)           0          ['avg_pool[0][0]']

predictions (Dense)         (None, 1000)           1281000    ['top_dropout[0][0]']

==================================================================================
Total params: 5330571 (20.33 MB)
Trainable params: 5288548 (20.17 MB)
Non-trainable params: 42023 (164.16 KB)
__________________________________________________________________________________
```

모델은 입력된 데이터를 받아 스케일링과 정규화 등 전처리를 수행합니다. 이어 데이터는 초기 특징 맵을 추출하는 stem 블록을 거쳐 block1부터 block7까지의 깊은 층을 통과합니다. 각 블록의 이름 뒤에는 숫자와 알파벳이 한 글자씩 붙어 있습니다. 이렇게 블록에 이름을 지은 까닭은 이피션트넷의 복잡도를 관리하며 다양한 사이즈로 모델의 규모를 확장시킬 때 성능을 비교 분석하기 위함입니다. 블록의 숫자는 1부터 7까지 사용되며, 1은 입력부에 가깝고 수가 커질수록 모델의 출력부에 가까워집니다.

블록 내의 알파벳은 동일한 블록 번호 내에서의 변형을 나타냅니다. 예를 들어 block2a와 block2b는 모두 block2 그룹에 속하지만, 커널 수와 일부 파라미터 수 등 세부 구성에 차이가 있습니다. 블록별 변형된 알파벳의 수는 다음과 같습니다.

- block1: 1개의 알파벳으로 구성 (a)
- block2: 2개의 알파벳으로 구성 (a, b)
- block3: 2개의 알파벳으로 구성 (a, b)
- block4: 3개의 알파벳으로 구성 (a, b, c)
- block5: 3개의 알파벳으로 구성 (a, b, c)
- block6: 4개의 알파벳으로 구성 (a, b, c, d)
- block7: 1개의 알파벳으로 구성 (a)

블록 안에는 다음과 같은 층들이 규칙적으로 배열되어 있습니다.

- **확장**(expand) **계층**: 앞 층에서 입력받은 특징 맵을 확장하기 위해 사용되며, 이는 모델이 더 복잡하고 추상적인 정보를 학습할 수 있게 합니다. 합성곱 층, 배치 정규화, 활성화 함수가 사용됩니다.
- **깊이별 합성곱 층**: 입력된 데이터의 채널에 대해 독립적으로 합성곱 연산을 하며, 이는 연산량을 줄이는 동시에 공간적 특징을 효율적으로 추출하는 장점을 제공합니다.
- **순차적 자극**(SE, Sequential Excitation): 순차적 자극 모듈은 특징 맵 내 채널의 중요도를 동적으로 조절하여, 모델이 중요한 특징에 더 집중하고 덜 중요한 정보는 억제하는 기능을 제공합니다. 여기에서 '순차적'은 앞서 설명한 일련의 과정이 데이터의 흐름 속에서 연속적으로 이루어짐을 의미합니다. '자극'은 모델이 데이터의 사이즈를 압착시키고 다시 팽창시키며 얻어진 채널별 중요도 가중치를 원래 특징 맵에 곱하는 연산을 묘사합니다. 특징 맵의 수축은 풀링 층과 합성곱 층을 통해, 팽창은 1×1 합성곱 층을 통해 수행되며, Multiply 층에서는 특징 맵과 수축-팽창 과정을 통해 얻어진 채널별 가중치를 곱합니다. 이 과정에서 네트워크의 전체적인 성능이 향상됩니다.
- **프로젝트**(project) **모듈**: 순차적 자극 모듈을 통과하여 가중치가 반영된 특징 맵에 대해 일반적인 합성곱 층과 배치 정규화를 적용합니다.
- **드롭아웃**: 배치 정규화를 거친 특징 맵에 드롭아웃을 적용하여 과적합을 방지합니다.
- **합산**(add): 배치 정규화만 거친 특징 맵과 드롭아웃까지 적용된 특징 맵을 더하여 잔차 연결을 수행합니다. 이는 레즈넷에서 살펴보았듯 안정적인 학습에 기여를 합니다.

이러한 모듈들은 블록에 따라 커널의 사이즈와 수 등이 달라지며, 우리가 사용한 이피션트넷 B0가 아닌 그 다른 버전을 사용할 경우 블록의 사이즈와 배열 순서 등에 다소 차이가 생깁니다. 이피션트넷 B7으로 갈수록 모델의 깊이와 너비가 넓어지고, 복잡도와 연산량 또한 이에 맞게 증가합니다. 그러나 더 높은 해상도의 이미지를 처리하고 좋은 결과를 얻을 수 있습니다.

다음은 이미지넷 데이터 세트로 사전 훈련된 모델을 통하여 추론을 수행하는 코드입니다.

```
# 이미지 전처리 및 예측
PATH = './'
FILE_NAME = '4-7-푸들.png'
img = image.load_img(PATH + FILE_NAME, target_size=(224, 224))
input_image = image.img_to_array(img)
input_image = preprocess_input(input_image)
input_image = tf.expand_dims(input_image, axis=0)

predictions = efficientnet_model.predict(input_image)
decoded_predictions = decode_predictions(predictions, top=3)[0]

for class_id, class_name, probability in decoded_predictions:
    print(f"{class_name} 확률: {probability:.2f}%")
```

```
1/1 [==============================] - 3s 3s/step
toy_poodle 확률: 0.55%
miniature_poodle 확률: 0.34%
standard_poodle 확률: 0.04%
```

상위 3개 모두 푸들의 한 종류로 잘 예측하는 것을 확인할 수 있습니다.

4.3 비전 트랜스포머

트랜스포머(transformer)는 딥러닝 모델 중 하나로, 자연어 처리(Natural Language Processing, NLP) 작업에서 가장 좋은 성능을 내고 있는 모델 구조입니다. 가장 널리 사용되는 AI 서비스 중 하나인 ChatGPT 역시 트랜스포머 구조를 기반으로 한 GPT(Generative Pre-trained Transformer) 모델을 활용하고 있습니다.

이렇게 자연어 처리에서 좋은 성능을 보이던 트랜스포머 구조를 이미지 처리에서도 활용하려는 시도들이 이어져왔습니다. ViT(Vision Transformer)는 합성곱 신경망을 사용하지 않고 완전히 트랜스포머 아키텍처를 기반으로 이미지넷 벤치마크에서 최고 성능을 기록한 모델입니다.

4.3.1 트랜스포머

ViT를 소개하기에 전, ViT를 이해하기 위한 트랜스포머 모델의 핵심 개념을 알아보겠습니다. 가장 먼저 셀프 어텐션(self-attention)입니다. 셀프 어텐션을 이해하기에 앞서 어텐션부터 무엇인지 살펴보겠습니다.

어텐션

어텐션(attention) 메커니즘은 트랜스포머에서 가장 중요한 개념 중 하나입니다. 어텐션은 딥러닝 모델이 입력 데이터의 다른 부분에 다른 가중치를 부여하도록 하는 기술입니다. 이는 모델이 입력 데이터의 중요한 부분에 **집중**하도록 돕습니다. 어텐션 메커니즘을 통해 입력 데이터의 중요한 부분에 집중함과 동시에 합성곱 신경망처럼 지역으로 한정된 수용 공간(receptive filed)이 아니라 좀 더 전역으로 수용 공간을 가져 학습 과정에서 이미지 전체를 참조할 수 있습니다.

▼ 그림 4-21 합성곱 층과 어텐션 층의 수용 영역 비교

합성곱 층

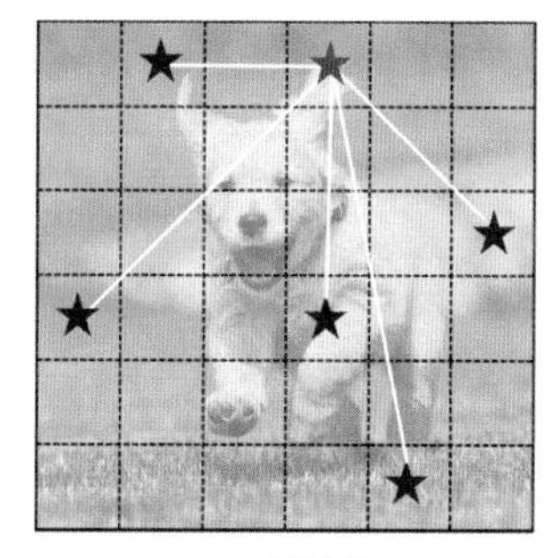

ViT 어텐션 층

그림 4-21은 합성곱 신경망과 ViT의 수용 영역을 비교한 그림입니다. 수용 영역은 입력 이미지에서 특정 뉴런의 출력에 영향을 미치는 영역을 말하며, 이는 신경망이 어떤 정보를 집중적으로 처리하는지를 나타냅니다. 합성곱 신경망과 ViT는 이 수용 영역을 다루는 방식에서 중요한 차이점을 가지며, 이 차이는 각각의 모델이 내재한 귀납적 편향(inductive bias)에서 비롯됩니다.

합성곱 신경망은 공간적 근접성의 귀납적 편향을 가지고 있습니다. 이는 CNN이 이미지의 지역적 패턴과 텍스처를 효율적으로 인식하도록 설계되었음을 의미합니다. CNN의 수용 영역은 일반적으로 작고, 이웃하는 뉴런 사이에 겹치며, 이는 모델이 지역적인 정보를 잘 추출할 수 있도록 합니다. 하지만 이런 설계는 전체 이미지를 통한 글로벌 패턴 인식에는 제약을 줄 수 있습니다. CNN

은 계층을 거치면서 점점 더 넓은 영역의 정보를 통합하지만, 초기 계층에서의 이러한 귀납적 편향 때문에 글로벌 컨텍스트를 학습하는 데 상대적으로 비효율적일 수 있습니다.

반면에 뒤에서 배울 ViT는 이미지를 여러 작은 조각(패치)으로 분할하고, 이 패치들 간의 관계를 직접 모델링합니다. ViT의 귀납적 편향은 주로 시퀀스 모델링에서 비롯되며, 이는 이미지 전체를 통한 글로벌 컨텍스트 이해에 더 유리합니다. ViT는 각 패치를 독립적인 입력 데이터로 처리하고, 트랜스포머 아키텍처를 통해 이들 간의 복잡한 관계를 학습합니다. 이 접근 방식은 ViT가 합성곱 신경망이 갖는 지역적 귀납적 편향의 제약을 극복하게 하며, 이미지의 전체적인 맥락을 더 잘 파악하게 합니다. 또한 ViT는 아키텍처의 유연성 덕분에 다양한 사이즈와 형태의 이미지에 적용될 수 있는 장점을 가지고 있습니다.

이러한 차이는 CNN과 ViT가 서로 다른 유형의 문제에 더 적합할 수 있음을 의미합니다. CNN은 지역적인 특징과 텍스처가 중요한 이미지 처리 작업에 강점을 보이는 반면, ViT는 이미지의 글로벌 패턴과 컨텍스트를 이해해야 하는 고급 이미지 분석 작업에서 뛰어난 성능을 발휘할 수 있습니다.

셀프 어텐션

트랜스포머 모델에서는 여러 어텐션 매커니즘 중 셀프 어텐션(self-attention)을 활용합니다. 셀프 어텐션은 주어진 입력에 대해 내부적으로 서로 다른 위치들 간에 어떤 관계가 있는지를 학습하는 방법입니다.

앞에서 나스넷 모델을 설명할 때, 순환 신경망(RNN)을 언급했습니다. 기존의 순환 신경망에서 연산은 입력 데이터의 순서나 위치에 의존합니다. 이는 시간에 따른 정보를 사용하며, 예를 들어 이전에 말한 것이 다음에 말할 것에 영향을 줍니다. 그러나 이 방식은 긴 문장을 번역할 때 오역이 발생할 수 있는 단점이 있습니다.

셀프 어텐션은 '어텐션' 방식을 사용할 때 문장이 길어질수록 성능이 낮아지는 문제를 해결합니다. 또한 데이터를 순환 신경망처럼 순차적으로 처리할 필요가 없으며, 문장 전체를 병렬 구조로 번역해 멀리 있는 단어까지도 연관성을 만들 수 있습니다.

셀프 어텐션은 주로 트랜스포머 모델에서 사용되며, 기계 번역, 텍스트 분류, 질의 응답 등 다양한 자연어 처리 작업에 적용됩니다. 셀프 어텐션의 장점은 문장 내의 각 단어가 전체 문맥에서 어떻게 관련되는지를 파악할 수 있게 해줍니다. 이는 더 정확한 언어 이해를 가능하게 합니다. 또한 입력 시퀀스의 길이에 상관없이 효과적으로 상호 작용을 모델링할 수 있어서 긴 시퀀스나 긴 의존성을 가진 데이터에 적합합니다. 마지막으로 셀프 어텐션은 병렬 연산이 가능하므로 효율적인 학습과 추론이 가능하다는 장점도 있습니다.

셀프 어텐션은 입력 시퀀스의 모든 요소를 동시에 고려하여 각 요소의 중요도를 계산하는 방법입니다. 각 입력 요소는 쿼리(query), 키(key) 및 값(value)으로 표현됩니다.

$$Attention(Q,K,V) = softmax\left(\frac{QK^T}{\sqrt{d_k}}\right)V$$

여기서 Q, K, V는 각각 쿼리, 키, 값에 해당하는 행렬이며, d_k는 키의 차원입니다. 소프트맥스 함수는 쿼리와 각 키의 유사도를 계산한 뒤, 이를 확률 분포로 변환하여 각 값에 대한 가중치로 사용합니다.

1. **쿼리**: 어텐션 메커니즘의 입력으로 사용되는 쿼리는 주로 새로운 입력 요소에 대해 얻으려는 정보를 나타내는 벡터입니다. 쿼리는 어텐션의 '질문' 역할을 수행하며, 어떤 부분에 주의를 기울여야 하는지를 결정합니다.
2. **키와 값**: 주로 입력 시퀀스의 요소들이 키와 값 쌍으로 구성되며, 쿼리와 비교되고 합산됩니다. 키는 주의할 대상을 식별하는 역할을 하고, 값은 해당 키에 대한 정보를 가지고 있습니다.
3. **점수**: 쿼리와 키 사이의 유사도를 측정하는 점수는 어텐션 메커니즘의 핵심입니다. 일반적으로 내적(dot product), 유클리드 거리 등과 같은 계산 방법을 사용하여 점수를 얻을 수 있습니다. 결과적으로 어떤 요소들이 서로 더 관련이 깊은지를 나타냅니다.

다음 그림은 자연어 처리 모델에서 어텐션 가중치가 계산되는 과정을 시각화해주는 라이브러리인 버트비즈(BertViz)의 결과물입니다. 왼쪽에 crawled라는 단어에 대해서 서로 다른 색깔의 가중치로 표현된 것을 볼 수 있습니다. 서로 관련이 있는 단어들끼리는 가중치가 표현되는 색깔이 짙은 모습입니다.

▼ 그림 4-22 BertViz 결과물 예시(출처: https://github.com/jessevig/bertviz)

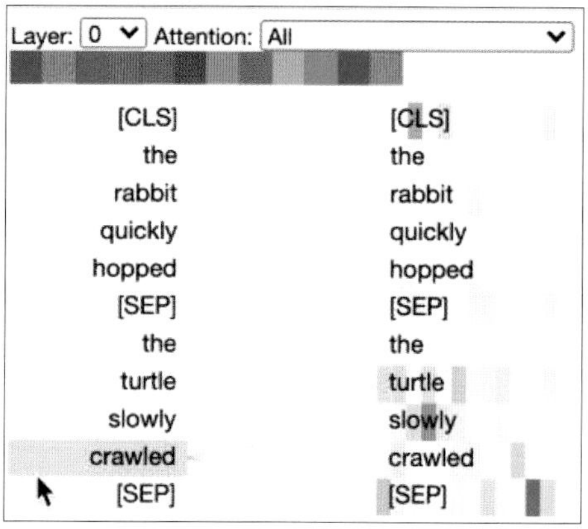

Layer: 0 Attention: All
[CLS] the rabbit quickly hopped [SEP] the turtle slowly crawled [SEP]
[CLS] the rabbit quickly hopped [SEP] the turtle slowly crawled [SEP]

트랜스포머 모델 구조

다음은 트랜스포머 모델의 구조입니다.

▼ 그림 4-23 트랜스포머 모델 구조

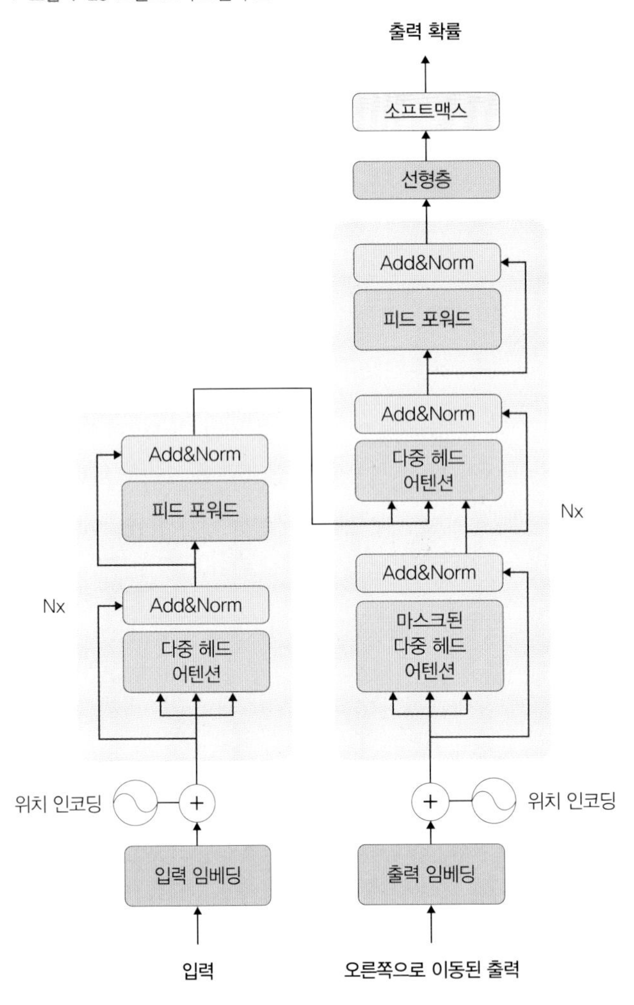

다중 헤드 어텐션

다중 헤드 어텐션은 단일 어텐션 메커니즘을 여러 번 병렬로 수행하는 것을 의미합니다. 이는 입력 데이터의 서로 다른 특성(subspace)을 동시에 모델링할 수 있게 해줍니다. 구체적으로는 다음과 같은 과정을 거칩니다.

✔ 그림 4-24 다중 헤드 어텐션 과정

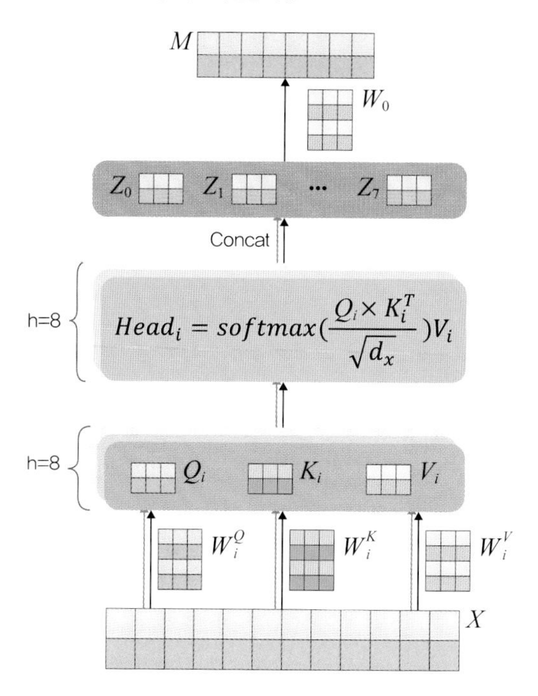

❶ **선형 변환**: 입력 Q, K, V는 각각 다른 가중치 행렬 W_i^Q, W_i^K, W_i^V을 사용하여 h번 변환됩니다. 이는 데이터를 여러 서브스페이스로 투영하는 효과를 가집니다.

❷ **병렬 어텐션 계산**: 변환된 Q_i, K_i, V_i에 대해 독립적으로 어텐션 메커니즘을 수행합니다. 각각의 어텐션 결과는 다른 관점에서 입력 데이터를 해석한 것입니다.

❸ **결합 및 최종 선형 변환**: 모든 어텐션 헤드의 출력을 결합하고, 추가적인 가중치 행렬 W_o을 사용해 최종 결과를 생성합니다.

여러 헤드를 통해 입력 시퀀스의 다양한 부분에 집중하여 더 풍부한 정보를 추출할 수 있고, 다양한 정보를 추출하여 모델의 표현력을 향상시키고 더 정확한 예측을 수행할 수 있습니다. 또한 서로 다른 위치의 정보를 동시에 고려해서 문맥에 대한 이해가 향상됩니다. 더불어 여러 어텐션 헤드를 동시에 계산할 수 있어 효율적인 학습과 추론이 가능합니다.

포지셔널 인코딩

포지셔널 인코딩(positional encoding)은 입력 시퀀스의 단어나 토큰이 문장 내에서 차지하는 위치 정보를 모델에 제공하는 중요한 기법입니다. 트랜스포머 모델은 기본적으로 순서에 민감하지 않은 구조를 가지고 있기 때문에 문장의 순서 정보를 모델에 알려주기 위해 포지셔널 인코딩이 필요합니다.

문장의 순서 정보를 알려주기 위한 시도들은 다음과 같습니다.

1. **선형 포지셔널 인코딩**

   초기에는 위치 정보를 선형적인 방식으로 인코딩하는 아이디어가 고려되었습니다. 즉, 첫 번째 위치에는 1, 두 번째 위치에는 2와 같이 각 위치에 대해 선형적으로 증가하는 값을 할당하는 방식입니다. 이 방법은 구현이 간단하고 직관적이라는 장점이 있지만, 몇 가지 문제점을 가지고 있습니다.

   - **규모 민감성**: 시퀀스의 길이가 길어질수록 포지셔널 값이 크게 증가하여, 모델이 위치 정보를 처리할 때 불필요한 편향을 가질 수 있습니다.
   - **일반화 문제**: 모델이 훈련 데이터에서 본 최대 길이를 넘어서는 시퀀스를 처리할 때, 새로운 위치 값에 대한 일반화가 어렵습니다.

2. **정규화된 선형 포지셔널 인코딩**

   선형 포지셔널 인코딩의 규모 민감성 문제를 해결하기 위해 포지셔널 값에 정규화 과정을 추가하는 방법이 고려되었습니다. 이는 포지셔널 값의 범위를 제한하여 모델이 위치 정보를 더 일관되게 처리할 수 있도록 합니다. 하지만 이 방법 역시 시퀀스의 길이에 대한 모델의 일반화 능력을 근본적으로 해결하지 못했습니다.

3. **사인과 코사인 함수의 도입**

   이러한 문제들을 해결하기 위해 트랜스포머는 사인과 코사인 함수를 사용하여 포지셔널 인코딩을 생성하는 방법을 도입했습니다.

   - **주기성**: 사인과 코사인 함수는 주기적인 패턴을 가지고 있어 모델이 임의의 길이의 시퀀스를 처리할 때 일관된 방식으로 위치 정보를 인코딩할 수 있습니다. 이는 모델이 훈련 중에 보지 못한 길이의 시퀀스에 대해서도 일반화하는 능력을 향상시킵니다.
   - **상대적 위치 정보**: 사인과 코사인 함수를 통해 생성된 포지셔널 인코딩은 각 위치 간의 상대적인 차이를 유지할 수 있습니다. 이는 모델이 단어 간의 상대적인 위치 관계를 더 잘 이해하고 활용할 수 있게 해줍니다.

- **차원 독립성**: 다양한 주파수의 사인과 코사인 함수를 사용함으로써 모델이 다른 차원에서 위치 정보를 독립적으로 인코딩할 수 있게 합니다. 이는 모델이 더 복잡한 패턴과 관계를 학습하는 데 도움이 됩니다.

포지셔널 인코딩의 원리

포지셔널 인코딩은 각 위치에 대해 고유한 인코딩을 생성하여, 입력 토큰의 임베딩과 합산함으로써 위치 정보를 포함시킵니다. 트랜스포머에서는 주로 사인(sine) 함수와 코사인(cosine) 함수의 조합을 사용하여 이 인코딩을 생성합니다.

각 위치 pos와 차원 i에 대한 포지셔널 인코딩은 다음과 같이 정의됩니다.

$$PE_{(pos,2i)} = sin(pos/10000^{2i/d_{model}})$$

$$PE_{(pos,\,2i\,+\,1)} = cos(pos/10000^{2i/d_{model}})$$

여기서 pos는 단어의 위치, i는 차원의 인덱스, d_{model}은 모델의 임베딩 차원을 나타냅니다. 이렇게 생성된 포지셔널 인코딩은 각 단어의 임베딩 벡터와 더해져 입력으로 사용됩니다.

포지셔널 인코딩의 특징

- **순서 정보의 제공**: 포지셔널 인코딩을 통해 트랜스포머 모델은 문장 내에서 단어의 위치 정보를 고려할 수 있게 됩니다. 이는 문맥 이해에 중요한 역할을 합니다.
- **학습이 필요 없는 고정된 인코딩**: 포지셔널 인코딩은 모델 학습 과정에서 학습되는 파라미터가 아니라, 미리 정의된 함수에 의해 생성됩니다. 이는 추가적인 학습 부담 없이 위치 정보를 모델에 통합할 수 있게 해줍니다.
- **길이 제한**: 포지셔널 인코딩은 미리 정의된 최대 시퀀스 길이에 의존합니다. 따라서 모델이 처리할 수 있는 입력의 최대 길이가 제한됩니다. 이를 극복하기 위한 연구도 활발히 이루어지고 있습니다.

4.3.2 비전 트랜스포머

ViT

▼ 그림 4-25 ViT의 모델 구조

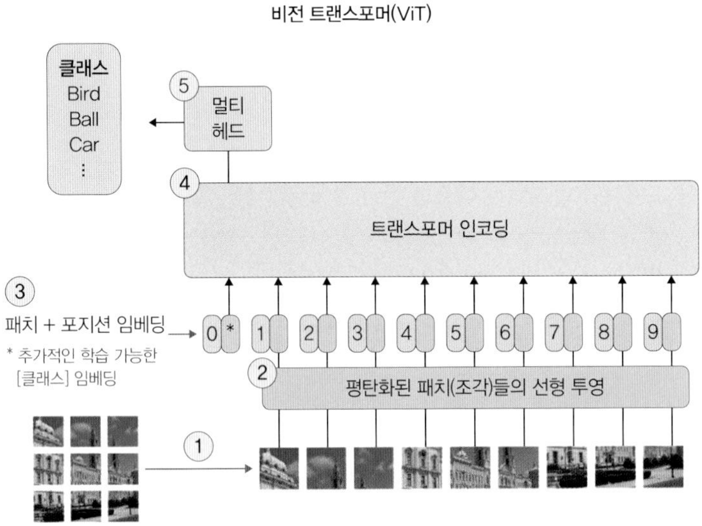

기존의 합성곱 신경망 역시 이미지 처리에 매우 효과적인 모델이지만, ViT는 합성곱 층 없이 완전한 트랜스포머 모델을 기반으로 이미지넷에서 최고 성능을 갱신합니다.

❶ 자연어로 이루어진 문장이 아닌 이미지를 처리하기 위해 ViT는 문장을 단어 토큰으로 쪼개듯이 입력 이미지를 N×N의 작은 정사각형 조각(patch)으로 쪼갭니다.

❷ 트랜스포머의 인코더는 1차원 벡터를 입력으로 받기 때문에 N×N 이미지 조각을 입력으로 넣어줄 수 없습니다. 따라서 각 조각을 평탄화하여 1차원 벡터로 변환합니다.

❸ 기존 셀프 어텐션에서 입력 시퀀스의 단어 순서 정보를 모델에 제공하기 위해 위치 정보인 포지셔널 인코딩(positional encoding)을 제공했던 것과 동일하게 이미지의 위치 정보를 모델에게 제공하기 위해 평탄화된 조각 벡터의 위치 정보를 추가하여 트랜스포머 인코더로 주입합니다. 이때 ViT는 분류 작업을 위해 입력 시퀀스의 맨 앞에 특별한 [CLS] 토큰을 추가합니다. 이 토큰은 모델을 통과하며 전체 이미지에 대한 정보를 집약합니다.

❹ 임베딩된 이미지 조각은 ViT의 트랜스포머 인코더 블록의 입력으로 들어옵니다. 인코더 블록에서 다중 헤드 어텐션을 통하여 서로 다른 이미지 조각에서의 관련성을 학습합니다. 기존 트랜스포머 인코더와 비교했을 때, 정규화의 위치가 바뀐 것을 제외하고는 큰 차이가 없습니다.

✔ 그림 4-26 ViT의 트랜스포머 인코더와 기존 인코더 비교

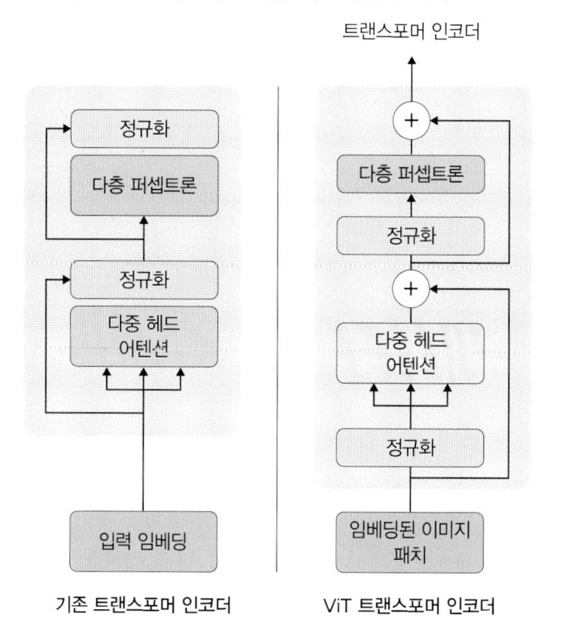

❺ ViT에서 마지막 MLP(Multi-Layer Perceptron) Head는 모델의 최종 출력을 생성하는 역할을 합니다. 앞선 단계에서 이미지를 여러 개의 조각으로 나누고, 이 조각들을 트랜스포머 인코더에 입력하여 이미지에 대한 풍부한 특징을 추출합니다. 트랜스포머 인코더를 통과한 [CLS] 토큰의 출력은 이미지 전체를 대표하는 고차원 특징 벡터가 됩니다. 이 벡터가 MLP의 입력으로 사용됩니다. 이 과정에서 학습된 특징들은 모델의 깊은 층을 통해 전달되며, 최종적으로 MLP Head를 통해 이미지 분류에 필요한 출력 형태로 변환됩니다.

ViT는 기존의 합성곱 신경망 대신 트랜스포머 구조를 사용함으로써 전역적인 이미지 정보를 적절하게 포착하고 처리할 수 있습니다. 합성곱 신경망은 지역 특징 추출에 적합한 구조를 가지며, 이미지의 공간적 정보를 보존하면서 인접한 픽셀 간의 관계를 탐색합니다. 반면에 ViT는 이미지 조각 단위로 이미지의 전역적인 정보를 고려합니다. 이미지 전체를 참조하기 위해 트랜스포머의 어텐션 메커니즘을 통해 문맥 정보를 학습합니다.

한편 ViT는 다른 트랜스포머 모델과 마찬가지로 합성곱 신경망보다 훨씬 더 많은 데이터가 필요합니다. 따라서 공개된 모델을 파인 튜닝하여 사용하는 것을 권장합니다.

ViT 모델 구현 실습

지금부터 ViT 모델을 실제로 구현하는 실습을 진행하겠습니다. 다음 코드에서 모델 학습에 필요한 라이브러리를 불러옵니다.

```
import numpy as np
import tensorflow as tf
import matplotlib.pyplot as plt
from tensorflow.keras import layers
```

cifar100 데이터 세트를 불러옵니다. 데이터 세트를 잘 불러왔는지 간단하게 시각화하여 확인합니다.

```
(train_x, train_y), (test_x, test_y) = tf.keras.datasets.cifar100.load_data()
num_classes = 100

plt.figure(figsize=(10, 2))
for i in range(5):
    plt.subplot(1, 5, i + 1)
    plt.imshow(train_x[i])
    plt.title(f"Label: {train_y[i][0]}")
    plt.axis('off')
plt.show()
```

다음으로 정규화를 진행합니다.

```
print(f"스케일링 전 픽셀의 최대 값과 최소 값: {train_x.min()} ~ {train_x.max()}")
train_x = train_x/255.
test_x = test_x/255.
print(f"스케일링 후 픽셀의 최대 값과 최소 값: {train_x.min()} ~ {train_x.max()}")
```

```
스케일링 전 픽셀의 최대 값과 최소 값: 0 ~ 255
스케일링 후 픽셀의 최대 값과 최소 값: 0.0 ~ 1.0
```

그리고 모델의 파라미터를 정의합니다.

```
input_shape = (32, 32, 3)
batch_size = 64

image_size = 72
patch_size = 6
num_patches = (image_size // patch_size) ** 2

learning_rate = 1e-3
weight_decay = 1e-4
epochs = 30

transformer_layers = 4
projection_dim = 64
num_heads = 4
transformer_units = [projection_dim * 2, projection_dim]
mlp_head_units = [2048, 1024]
```

다음은 각 변수에 대한 설명입니다.

- input_shape: 입력되는 이미지 사이즈.
- batch_size: 한 번에 모델이 학습하는 데이터 샘플의 개수인 배치 사이즈. 트랜스포머는 대규모 병렬 처리가 용이하므로 배치 사이즈를 키워보는 것도 좋습니다.
- image_size: 패치 분할을 위해 입력 이미지를 재조정할 사이즈. 입력 이미지 사이즈와 다릅니다.
- patch_size: 이미지를 나눌 패치의 사이즈. 각 이미지는 patch_size x patch_size 사이즈의 패치로 분할합니다.
- num_patches: 이미지에서 추출될 패치의 총 개수. 이는 이미지 사이즈를 패치 사이즈로 나눈 몫의 제곱으로 계산합니다.
- weight_decay: 가중치 감소는 오버피팅을 방지하기 위해 사용되는 규제 기법 중 하나입니다. 이는 학습 과정에서 가중치의 사이즈를 제한하여, 모델의 복잡도를 줄입니다.
- transformer_layers: 트랜스포머 내부의 인코더 레이어 수. 더 많은 레이어는 모델의 복잡도와 학습 능력을 증가시키지만, 계산 비용이 더 많이 듭니다.

- projection_dim: 패치를 투영할 때의 차원 수. 이는 트랜스포머의 내부 차원과 관련이 있습니다.
- num_heads: 멀티 헤드 어텐션에서의 헤드 수. 여러 개의 헤드를 사용하면 모델이 다양한 정보를 병렬로 처리할 수 있습니다.
- transformer_units: 트랜스포머의 피드포워드 네트워크에서 사용되는 유닛의 수. 이 배열은 각 레이어에서의 유닛 수를 나타냅니다.
- mlp_head_units: 모델의 최종 부분에 위치하는 다층 퍼셉트론(MLP)의 유닛 수. 앞의 코드에 따르면 dense_layer(2048), dense_layer(1024) 두 층이 쌓입니다(다음에 나오는 다층 퍼셉트론 mlp 함수를 참조하세요).

다음으로 트랜스포머 인코더의 입력으로 넣어줄 이미지 조각을 만들어주는 클래스를 정의합니다.

```
class PatchTokenization(layers.Layer):
    def __init__(self, image_size=image_size, patch_size=patch_size, num_patches=num_
patches, projection_dim=projection_dim, **kwargs):
        super().__init__(**kwargs)
        self.image_size = image_size
        self.patch_size = patch_size
        self.half_patch = patch_size // 2
        self.flatten_patches = layers.Reshape((num_patches, -1))
        self.projection = layers.Dense(units=projection_dim)
        self.layer_norm = layers.LayerNormalization(epsilon=1e-6)

    def call(self, images):
        patches = tf.image.extract_patches(
            images=images,
            sizes=[1, self.patch_size, self.patch_size, 1],
            strides=[1, self.patch_size, self.patch_size, 1],
            rates=[1, 1, 1, 1],
            padding="VALID",
        )
        flat_patches = self.flatten_patches(patches)
        tokens = self.projection(flat_patches)
        return (tokens, patches)
```

이미지를 패치로 분할하고, 이 패치들을 트랜스포머 모델의 토큰으로 변환하는 PatchToken ization 클래스입니다. ViT 모델에서 중요한 첫 단계는 입력 이미지를 작은 패치들로 나누고, 각 패치를 벡터로 평탄화한 후, 이를 투영(projection)하여 트랜스포머의 입력 토큰으로 사용하는 것입니다.

- **이미지 사이즈, 패치 사이즈, 패치 수, 투영 차원**: 이 클래스의 생성자(init 메서드)에서는 이미지 사이즈(image_size), 패치 사이즈(patch_size), 패치의 총 수(num_patches), 투영 차원(projection_dim)을 초기화합니다.
- **패치 추출**: call 메서드 내에서 tf.image.extract_patches 함수를 사용해 입력 이미지를 패치로 분할합니다. 이 함수는 이미지에서 지정된 사이즈(patch_size)와 간격(strides)으로 패치를 추출합니다. padding="VALID"는 이미지 가장자리를 잘라내어 정확히 패치가 맞도록 조성합니다.
- **패치 평탄화**: 추출된 패치들은 flatten_patches 층(layers.Reshape)을 통해 평탄화됩니다. 각 패치는 하나의 긴 벡터로 변환되어, 트랜스포머 모델이 처리할 수 있는 형태로 만들어집니다.
- **패치 투영**: 평탄화된 패치들은 projection 층(layers.Dense)을 통해 주어진 투영 차원(projection_dim)으로 투영됩니다. 이는 각 패치를 고정된 사이즈의 벡터로 매핑하여, 트랜스포머의 입력으로 사용될 수 있게 합니다.
- **레이어 정규화**: 선택적으로 layer_norm(layers.LayerNormalization)은 투영된 패치 토큰들을 정규화하여 모델 학습을 안정화하고 가속화할 수 있습니다. 여기서는 사용되지 않았지만, 일반적인 비전 트랜스포머 아키텍처에서는 입력 토큰에 레이어 정규화를 적용하는 것이 일반적입니다.

시각화를 통하여 이미지가 패치 단위로 쪼개진 것을 확인합니다.

```
image = train_x[np.random.choice(range(train_x.shape[0]))]
resized_image = tf.image.resize(tf.convert_to_tensor([image]), size=(image_size,
image_size))

(token, patch) = PatchTokenization()(resized_image)
(token, patch) = (token[0], patch[0])
n = patch.shape[0]
count = 1
plt.figure(figsize=(4, 4))
for row in range(n):
    for col in range(n):
        plt.subplot(n, n, count)
        count = count + 1
        image = tf.reshape(patch[row][col], (patch_size, patch_size, 3))
        plt.imshow(image)
        plt.axis("off")
plt.show()
```

이 코드는 train_x 데이터 세트에서 무작위로 선택한 이미지를 사용하여 PatchTokenization 레이어의 작동 과정을 시각화합니다. PatchTokenization 레이어는 이미지를 여러 패치로 분할하고, 각 패치를 트랜스포머 모델에 적합한 형태로 변환하는 역할을 합니다. 이 코드는 분할된 패치들을 추출하고, 각각의 패치를 개별 이미지로서 시각화하는 과정을 보여줍니다.

1. **이미지 선택과 리사이징**: train_x에서 무작위로 이미지를 하나 선택하고, tf.image.resize 함수를 사용하여 지정된 image_size로 이미지 사이즈를 조정합니다. 이는 PatchTokenization 레이어에 입력하기 전에 필요한 사전 처리 단계입니다.
2. **패치 토큰화**: 조정된 이미지를 PatchTokenization 레이어에 전달하여, 이미지를 패치로 분할하고 각 패치를 투영합니다. 이 과정에서 두 개의 출력을 받습니다. 투영된 토큰(token)과 원래의 패치(patch)입니다.
3. **패치 시각화**: 분할된 패치들을 시각화하기 위해, 각 패치를 patch_size에 맞게 재구성하고 plt.imshow를 사용하여 시각화합니다. 이를 통해 PatchTokenization 레이어가 이미지를 어떻게 여러 개의 작은 부분으로 나누는지 확인할 수 있습니다.
4. **시각화 설정**: plt.figure를 사용하여 시각화의 전체 사이즈를 설정하고, for 반복문을 통해 모든 패치를 순회하며 각각을 서브 플롯에 배치합니다. plt.axis("off")는 각 서브 플롯 주변의 축을 숨겨 깔끔한 시각화를 도모합니다.

다음은 패치 인코더입니다.

```
class PatchEncoder(layers.Layer):
    def __init__(self, num_patches=num_patches, projection_dim=projection_dim,
**kwargs):
        super().__init__(**kwargs)
        self.num_patches = num_patches
        self.position_embedding = layers.Embedding(input_dim=num_patches, output_
dim=projection_dim)
        self.positions = tf.range(start=0, limit=self.num_patches, delta=1)

    def call(self, encoded_patches):
        encoded_positions = self.position_embedding(self.positions)
        encoded_patches = encoded_patches + encoded_positions
        return encoded_patches
```


PatchEncoder 클래스는 비전 트랜스포머 모델에서 패치의 위치 정보를 인코딩하는 레이어를 정의합니다. 이 클래스는 이미 투영된 패치에 대한 위치 정보를 추가하여, 모델이 패치의 상대적 또는 절대적 위치를 고려할 수 있도록 합니다. 위치 정보는 트랜스포머 모델이 이미지의 전체 구조를 이해하는 데 중요한 역할을 합니다.

1. num_patches: 이미지가 분할되는 총 패치의 수입니다. 이 값은 PatchTokenization 레이어에서 이미지를 분할할 때 결정됩니다.
2. projection_dim: 패치가 투영될 때의 차원 수입니다. 이는 패치를 벡터로 변환할 때의 목표 차원을 의미합니다.
3. position_embedding: 위치 임베딩을 위한 layers.Embedding 레이어입니다. 이 레이어는 각 패치의 위치에 대한 학습 가능한 임베딩을 생성합니다. input_dim은 임베딩을 생성할 위치의 총 수(즉 num_patches)를, output_dim은 각 위치 임베딩의 차원(즉 projection_dim)을 의미합니다.
4. positions: 모든 패치 위치에 대한 인덱스를 생성합니다. tf.range를 사용하여 0부터 num_patches까지의 정수 시퀀스를 생성합니다. 이 시퀀스는 위치 임베딩 레이어에 입력되어 각 위치에 대한 임베딩을 조회합니다.

call 메서드는 인코딩된 패치(encoded_patches)를 입력으로 받습니다. 레이어는 먼저 position_embedding을 사용하여 각 패치 위치에 대한 임베딩을 조회합니다. 그런 다음 이 위치 임베딩을 인코딩된 패치에 더함으로써, 각 패치가 그 위치에 있음을 모델에 알려줍니다. 결과적으로 출력된 패치 인코딩은 원래의 패치 특성뿐만 아니라 위치 정보도 포함하게 됩니다.

이러한 위치 정보의 추가는 트랜스포머 모델이 패치들 사이의 관계와 이미지 내에서 각 패치의 위치를 고려할 수 있게 하여 좀 더 정확한 이미지 이해와 처리를 가능하게 합니다.

다음은 다층 퍼셉트론 함수입니다.

```
def mlp(x, hidden_units, dropout_rate):
    for units in hidden_units:
        x = layers.Dense(units, activation=tf.nn.gelu)(x)
        x = layers.Dropout(dropout_rate)(x)
    return x
```

이 함수는 다층 퍼셉트론(Multi-Layer Perceptron, MLP)을 정의하는 데 사용됩니다. 여기서 사용된 GELU(Gaussian Error Linear Unit) 활성화 함수와 드롭아웃은 최근 딥러닝 모델, 특히 트랜스포머 기반 모델에서 매우 흔히 사용되는 기법입니다.

```
def create_vit_classifier():
    inputs = layers.Input(shape=input_shape)        # ①
    x = layers.Normalization()(inputs)              # ②
    x = layers.Resizing(image_size, image_size)(x) # ②
    (tokens, _) = PatchTokenization()(x)            # ③
    encoded_patches = PatchEncoder()(tokens)        # ④
    for _ in range(transformer_layers):             # ⑤
        x1 = layers.LayerNormalization(epsilon=1e-6)(encoded_patches)
        attention_output = layers.MultiHeadAttention(num_heads=num_heads, key_
dim=projection_dim, dropout=0.1)(x1, x1)
        x2 = layers.Add()([attention_output, encoded_patches])
        x3 = layers.LayerNormalization(epsilon=1e-6)(x2)
        x3 = mlp(x3, hidden_units=transformer_units, dropout_rate=0.1)
        encoded_patches = layers.Add()([x3, x2])

    x = layers.LayerNormalization(epsilon=1e-6)(encoded_patches)
    x = layers.Flatten()(x)
    x = layers.Dropout(0.5)(x)
    x = mlp(x, hidden_units=mlp_head_units, dropout_rate=0.5) # ⑥
    outputs = layers.Dense(num_classes)(x)                    # ⑦
    model = tf.keras.Model(inputs=inputs, outputs=outputs)    # ⑧
    return model
```

ViT 이미지 분류기를 생성하는 함수 create_vit_classifier를 정의합니다.

모델의 구성 단계

1. **입력 정의**: layers.Input을 사용하여 모델의 입력 형태를 정의합니다. input_shape는 이미지 데이터의 형태를 나타냅니다.

2. **데이터 정규화 및 리사이징**: 입력 이미지는 layers.Normalization을 통해 정규화되고, layers.Resizing을 사용하여 지정된 image_size로 사이즈 조정됩니다.

3. **패치 토큰화**: PatchTokenization 레이어를 사용하여 리사이징된 이미지를 패치로 분할하고, 각 패치를 투영합니다.

4. **패치 인코딩**: PatchEncoder를 통해 패치의 위치 정보를 인코딩합니다.

5. **트랜스포머 블록**: 지정된 수의 트랜스포머 레이어(transformer_layers)를 순회하면서, 각 레이어에서 멀티 헤드 어텐션(MultiHeadAttention)과 MLP 블록을 포함한 트랜스포머의 인코더 블록을 적용합니다. 이 과정에서 레이어 정규화(LayerNormalization), 어텐션 메커니즘, 그리고 드롭아웃을 사용하여 입력 패치의 특성을 학습합니다.

6. **피처 플래트닝 및 최종 MLP**: 트랜스포머 블록의 출력을 평탄화하고, 추가적인 MLP 블록을 적용하여 고차원 특성을 추출합니다. 여기서는 또한 드롭아웃을 사용하여 과적합을 방지합니다.

7. **출력 레이어**: layers.Dense를 사용하여 최종 출력 레이어를 정의합니다. num_classes는 모델이 예측할 클래스의 총 수입니다.

8. **모델 구성**: tf.keras.Model을 사용하여 입력부터 출력까지의 모든 레이어를 포함하는 전체 모델을 구성합니다.

다음은 학습률 조정 방법 중 하나인 코사인 감쇠를 구현하기 위한 CosineDecay 클래스입니다.

```
class CosineDecay(tf.keras.optimizers.schedules.LearningRateSchedule):
    def __init__(self, learning_rate_base, total_steps, warmup_learning_rate, warmup_
steps):
        super().__init__()
        self.learning_rate_base = learning_rate_base
        self.total_steps = total_steps
        self.warmup_learning_rate = warmup_learning_rate
        self.warmup_steps = warmup_steps
        self.pi = tf.constant(np.pi)

    def __call__(self, step):
        if self.total_steps < self.warmup_steps:
```

```
            raise ValueError("total_steps 값이 warmup_steps보다 크거나 같아야 합니다.")

        cos_annealed_lr = tf.cos(self.pi * (tf.cast(step, tf.float32) - self.warmup_
steps) / float(self.total_steps - self.warmup_steps))
        learning_rate = 0.5 * self.learning_rate_base * (1 + cos_annealed_lr)

        if self.warmup_steps > 0:
            if self.learning_rate_base < self.warmup_learning_rate:
                raise ValueError(
                    "learning_rate_base 값이 warmup_learning_rate보다 크거나 같아야
합니다.")
            slope = (self.learning_rate_base - self.warmup_learning_rate) / self.
warmup_steps
            warmup_rate = slope * tf.cast(step, tf.float32) + self.warmup_learning_
rate
            learning_rate = tf.where(step < self.warmup_steps, warmup_rate, learning_
rate)
        return tf.where(step > self.total_steps, 0.0, learning_rate, name="learning_
rate")
```

CosineDecay 클래스는 코사인 감쇠 학습률 스케줄링을 구현하는 텐서플로의 LearningRateSchedule을 상속받는 사용자 정의 클래스입니다. 코사인 감쇠 스케줄링은 학습률을 점차 줄여나가면서, 초기에는 빠르게 학습하고 이후에는 느리게 학습하여 국소 최소 값에 빠지는 것을 방지하는 전략입니다. 추가적으로 이 클래스는 웜업 기간 동안 학습률을 점진적으로 증가시키는 기능도 제공합니다. 웜업은 모델 학습 초기에 학습률을 점진적으로 증가시켜, 모델이 안정적으로 학습할 수 있도록 돕습니다.

Note ≡ CosineDecay 클래스의 구성 요소와 작동 원리

CosineDecay 클래스의 주요 구성 요소

- learning_rate_base: 학습 초기에 설정된 기본 학습률입니다.
- total_steps: 전체 학습 과정에서의 스텝(배치 처리) 수입니다.
- warmup_learning_rate: 웜업 기간 동안의 시작 학습률입니다.
- warmup_steps: 웜업 기간 동안의 스텝 수입니다.
- pi: 원주율 π 값입니다. 코사인 함수 계산에 사용됩니다.

계속

작동 원리

- **코사인 감쇠 계산**: step이 warmup_steps를 넘어서면, 코사인 감쇠를 사용하여 학습률을 계산합니다. 이는 cos(π × (step − warmup_steps) / (total_steps − warmup_steps)) 공식을 사용하여 계산되며, learning_rate_base에 비례하여 조정됩니다.
- **웜업 기간**: step이 warmup_steps보다 작은 경우, 웜업 기간으로 간주하고, warmup_learning_rate에서 시작하여 learning_rate_base까지 선형으로 증가시키는 학습률을 적용합니다.
- **예외 처리**: total_steps가 warmup_steps보다 작은 경우, 또는 learning_rate_base가 warmup_learning_rate보다 작은 경우 에러를 발생시킵니다. 이는 논리적으로 올바르지 않은 설정이기 때문입니다.

앞에서 선언한 CosineDecay 스케줄러 인스턴스를 생성합니다.

```
total_steps = int((len(train_x) / batch_size) * epochs)
warmup_epoch_percentage = 0.10
warmup_steps = int(total_steps * warmup_epoch_percentage)
scheduled_lrs = CosineDecay(
    learning_rate_base=learning_rate,
    total_steps=total_steps,
    warmup_learning_rate=0.0,
    warmup_steps=warmup_steps,)
```

각 인수 값을 살펴봅시다.

- learning_rate_base: 앞서 선언한 하이퍼파라미터를 그대로 사용합니다.
- total_steps: 전체 학습 과정에서의 스텝 수입니다. 이 값은 전체 데이터 세트 사이즈, 배치 사이즈, 그리고 에포크 수를 기반으로 계산됩니다.
- warmup_learning_rate: 웜업 기간 동안의 시작 학습률로, 여기서는 0.0으로 설정되어 있습니다. 이는 웜업 기간 동안 학습률을 점진적으로 learning_rate_base까지 증가시킵니다.
- warmup_steps: 웜업을 위해 할당된 스텝 수입니다. total_steps의 일정 비율(warmup_epoch_percentage)로 설정됩니다.

이제 분류기를 생성하고 모델을 컴파일합니다.

```
vit = create_vit_classifier()

optimizer = tf.keras.optimizers.AdamW(
    learning_rate=scheduled_lrs,
```

```
    weight_decay=weight_decay)

vit.compile(
    optimizer=optimizer,
    loss=tf.keras.losses.SparseCategoricalCrossentropy(from_logits=True),
    metrics=[tf.keras.metrics.SparseCategoricalAccuracy(name="accuracy"),
             tf.keras.metrics.SparseTopKCategoricalAccuracy(5, name="top-
5-accuracy")])
```

create_vit_classifier 함수를 사용하여 비전 트랜스포머(Vision Transformer, ViT) 모델을 생성하고, 이를 컴파일하는 과정을 완료했습니다. 모델 컴파일 과정에서는 AdamW 최적화 알고리즘과 코사인 감쇠 학습률 스케줄러(scheduled_lrs), 그리고 가중치 감소(weight_decay)를 사용했습니다. 이는 모델의 학습 과정을 최적화하고, 과적합을 방지하는 데 도움을 줍니다.

- AdamW: Adam 최적화 알고리즘에 가중치 감소를 추가한 변형입니다. 이는 학습률을 동적으로 조정하면서도 가중치의 사이즈를 제한하여 과적합을 방지하는 효과를 기대할 수 있습니다.
- SparseCategoricalCrossentropy(from_logits=True)를 사용하여, 모델의 출력이 소프트맥스 활성화 함수를 거치지 않은 로짓(logit) 값이라고 가정하고, 이를 기반으로 교차 엔트로피 손실을 계산합니다. 이는 다중 클래스 분류 문제에 적합한 손실 함수입니다.
- **평가지표**(metrics): SparseCategoricalAccuracy와 SparseTopKCategoricalAccuracy(5)를 사용하여, 모델의 정확도와 상위 5개 예측 중 정답이 포함된 비율을 각각 측정합니다. SparseTopKCategoricalAccuracy는 클래스가 많은 경우 성능을 객관적으로 평가하기에 유리합니다.

모델을 학습합니다.

```
history = vit.fit(
    x=train_x,
    y=train_y,
    batch_size=batch_size,
    epochs=epochs,
    validation_split=0.2)
```

```
Epoch 1/40
625/625 [==============================] - 61s 70ms/step - loss: 4.9585 - accura-
cy: 0.0136 - top-5-accuracy: 0.0625 - val_loss: 4.4873 - val_accuracy: 0.0230 - val_
```

```
top-5-accuracy: 0.1044
Epoch 2/40
625/625 [==============================] - 40s 64ms/step - loss: 4.4571 - accura-
cy: 0.0252 - top-5-accuracy: 0.1138 - val_loss: 4.2507 - val_accuracy: 0.0456 - val_
top-5-accuracy: 0.1853
…(중략)…
Epoch 39/40
625/625 [==============================] - 42s 67ms/step - loss: 0.3964 - accura-
cy: 0.8783 - top-5-accuracy: 0.9889 - val_loss: 2.8727 - val_accuracy: 0.4234 - val_
top-5-accuracy: 0.7096
Epoch 40/40
625/625 [==============================] - 42s 67ms/step - loss: 0.3772 - accuracy:
0.8839 - top-5-accuracy: 0.9904 - val_loss: 2.8761 - val_accuracy: 0.4251 - val_top-5-
accuracy: 0.7112
```

모델의 결과를 시각화해보겠습니다.

```
plt.figure(figsize=(14, 5))

plt.subplot(1, 3, 1)
plt.plot(history.history['loss'], label='Training Loss')
plt.plot(history.history['val_loss'], label='Validation Loss')
plt.title('Training and Validation Loss')
plt.xlabel('Epoch')
plt.ylabel('Loss')
plt.legend()

plt.subplot(1, 3, 2)
plt.plot(history.history['accuracy'], label='Training Accuracy')
plt.plot(history.history['val_accuracy'], label='Validation Accuracy')
plt.title('Training and Validation Accuracy')
plt.xlabel('Epoch')
plt.ylabel('Accuracy')
plt.ylim(0, 1)
plt.legend()

plt.subplot(1, 3, 3)
plt.plot(history.history['top-5-accuracy'], label='Training Top-5 Accuracy')
plt.plot(history.history['val_top-5-accuracy'], label='Validation Top-5 Accuracy')
plt.title('Training and Validation Top-5 Accuracy')
plt.xlabel('Epoch')
plt.ylabel('Top-5 Accuracy')
plt.ylim(0, 1)
```

```
plt.legend()
plt.show()
```

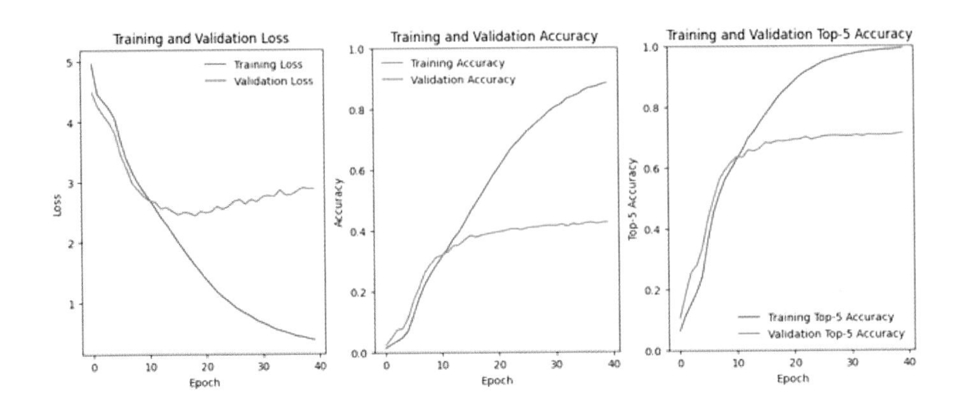

검증 정확도는 약 40%, 가장 높은 확률로 예측한 5개 중 정답이 있는지 판별하는 Top-5 정확도는 약 70%를 기록하였습니다.

마지막으로 테스트 데이터 세트에서의 성능을 확인해보겠습니다.

```
vit.evaluate(test_x, test_y)
```

```
313/313 [==============================] - 5s 17ms/step - loss: 2.7925 - accuracy:
0.4320 - top-5-accuracy: 0.7212
[2.7924680709838867, 0.4320000112056732, 0.7211999893188477]
```

테스트 정확도는 43%, Top-5 정확도는 72%를 기록한 것을 확인할 수 있습니다.

스윈 트랜스포머

스윈 트랜스포머(Swin Transformer)는 ViT의 일부 한계를 효과적으로 해결하는 계층적 트랜스포머 아키텍처를 도입하여 비전 트랜스포머 영역에서 상당한 발전을 이루었습니다. 특히 다양한 컴퓨터 비전 작업을 좀 더 효율적이고 효과적으로 처리하는 데 있어 ViT에 비해 몇 가지 혁신적인 기능과 개선 사항이 포함되어 있습니다. 스윈 트랜스포머의 주요 기능 및 개선 사항은 다음과 같습니다.

1. 계층적 구조

스윈 트랜스포머는 여러 스케일로 이미지를 처리하는 계층적 구조를 채택하여 공간 차원은 점차 줄이면서 특징 차원은 늘립니다. 이 접근 방식은 합성곱 신경망(CNN)의 동작을 모방하여 모델이 다양한 해상도에서 특징을 캡처할 수 있도록 하여 다중 스케일 표현이 중요한 물체 감지 및 의미 분할과 같은 작업을 용이하게 합니다.

▼ 그림 4-27 스윈 트랜스포머와 ViT 비교

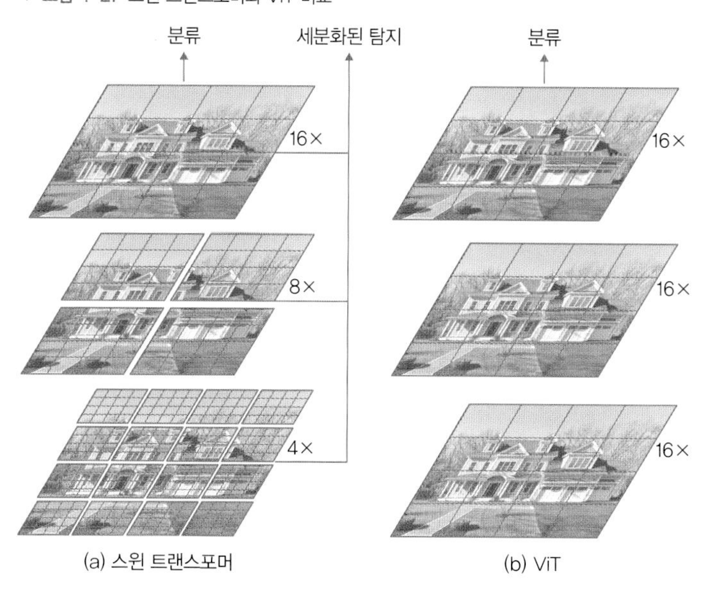

그림 4-27에서 볼 수 있듯이 맨 밑바닥에서는 이미지가 아주 작게 쪼개져 있지만, 네트워크가 깊어질수록 이미지 조각들이 합쳐지는 것을 볼 수 있습니다. 작은 사이즈의 이미지 조각에서 시작하여 더 깊은 트랜스포머 층에서 인접 이미지 조각을 점진적으로 병합하여 서로 다른 해상도에서 얻은 정보들도 같이 고려할 수 있습니다.

2. 시프트된 창 파티셔닝

▼ 그림 4-28 시프트된 창 파티셔닝

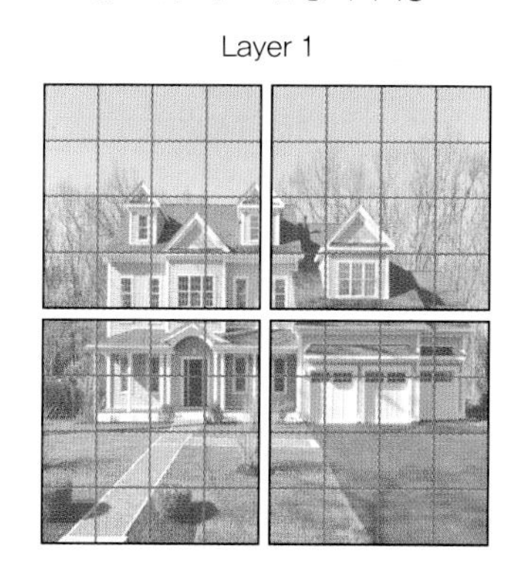

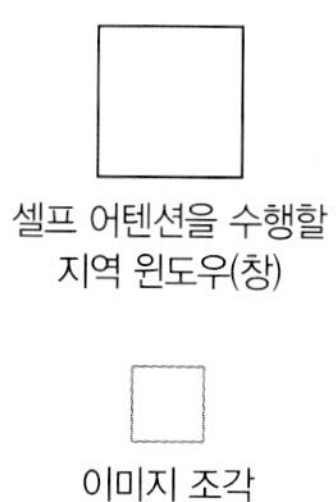

스윈 트랜스포머의 핵심 혁신 중 하나는 셀프 어텐션 계산을 위해 시프트 윈도우를 사용한다는 것입니다. 연속되는 각 트랜스포머 블록에서 창 분할이 시프트되어 창 간 연결 및 정보 교환이 가능합니다. 이 메커니즘은 셀프 어텐션의 계산 복잡성을 이차에서 선형으로 크게 줄여 더 큰 이미지와 데이터 세트에 더 쉽게 확장할 수 있도록 해줍니다.

- **기본 윈도우 파티셔닝**: 먼저 스윈 트랜스포머는 이미지를 여러 개의 작은 윈도우로 분할합니다. 각 윈도우 내에서만 셀프 어텐션을 계산하여 계산 비용을 크게 줄입니다. 이는 각 윈도우가 독립적으로 처리되기 때문에 가능합니다.
- **윈도우 이동**: 계층적 구조를 따라 다음 단계에서는 윈도우 분할이 이전 단계와 약간 차이나게 조정됩니다. 즉, 윈도우의 분할이 이전 계층과 비교하여 작은 오프셋(offset)을 가지고 '이동(shift)'됩니다. 이러한 이동은 인접한 윈도우 간 정보 교환을 가능하게 하며, 전체 이미지에 걸쳐 보다 효과적인 정보 통합을 달성합니다.

예를 들어 첫 번째 계층에서 윈도우 분할이 정사각형 격자 패턴을 따른다면, 다음 계층에서는 이 격자가 약간 이동하여 겹치지 않는 영역에서도 정보가 교환될 수 있게 합니다. 이는 각 윈도우가 자신의 바로 이웃과만 정보를 공유하던 한계를 극복하고, 네트워크가 전체 이미지에 걸쳐 더 풍부한 컨텍스트 정보를 학습할 수 있게 합니다.

3. 효율성 및 확장성

효율성과 확장성은 컴퓨터 비전 분야에서 널리 채택되는 데 결정적인 역할을 하는 요소입니다. 이 두 가지 특성은 스윈 트랜스포머가 다양한 사이즈의 데이터 세트와 다양한 해상도의 이미지를 처리할 수 있게 하며, 특히 자원이 제한된 환경에서도 뛰어난 성능을 발휘할 수 있도록 합니다.

- **효율성**(efficiency): 스윈 트랜스포머의 효율성은 주로 시프트된 창 파티셔닝 메커니즘에 의해 달성됩니다. 이 방법은 셀프 어텐션 계산의 복잡도를 크게 줄이며, 결과적으로 전체 모델의 계산 비용을 감소시킵니다. 전통적인 ViT에서와 달리 스윈 트랜스포머는 이미지를 고정 사이즈의 윈도우로 분할하고 각 윈도우 내에서만 셀프 어텐션을 계산하여, 계산량을 줄입니다. 이러한 접근 방식은 메모리 사용량을 최적화하고, 처리 속도를 향상시키며, 더 큰 이미지와 데이터 세트를 효율적으로 처리할 수 있게 합니다.
- **확장성**(scalability): 스윈 트랜스포머의 확장성은 그 계층적 구조에서 비롯됩니다. 모델은 다양한 해상도의 이미지를 처리할 수 있도록 설계되었으며, 이는 다양한 컴퓨터 비전 작업에 적용될 수 있습니다. 또한 모델의 사이즈는 필요에 따라 쉽게 조정될 수 있으며, 이는 특히 다양한 자원 제약 조건을 가진 환경에서 모델을 배포할 때 중요합니다. 스윈 트랜스포머는

작은 모델에서부터 매우 큰 모델까지, 넓은 범위의 모델 사이즈를 지원하며, 이를 통해 개발자와 연구자들이 특정 작업의 요구 사항과 자원의 가용성에 맞춰 모델을 최적화할 수 있습니다.

스윈 트랜스포머 실습

스윈 트랜스포머의 실습에는 오픈 소스로 공개된 tfswin이라는 패키지를 사용해보겠습니다.

```
!pip install tfswin
```

tfswin과 함께 모델 학습과 시각화에 필요한 라이브러리들을 불러옵니다.

```
import tensorflow as tf
from tensorflow.keras import layers, models
from tfswin import SwinTransformerTiny224, preprocess_input
import matplotlib.pyplot as plt
```

cifar100 데이터 세트를 불러옵니다.

```
(train_x, train_y), (test_x, test_y) = tf.keras.datasets.cifar100.load_data()
num_classes = 100
```

다음으로 모델을 정의합니다. tfswin 모듈을 사용하여 아래와 같이 간편하게 스윈 트랜스포머 모델을 정의할 수 있습니다.

```
inputs = layers.Input(shape=(32, 32, 3), dtype='uint8')
outputs = layers.Lambda(preprocess_input)(inputs)
outputs = SwinTransformerTiny224(include_top=False)(outputs)
outputs = layers.Dense(num_classes, activation='softmax')(outputs)

swin = models.Model(inputs=inputs, outputs=outputs)
```

코드 중 layers.Lambda는 텐서플로의 케라스 API에서 사용되는 함수입니다. 이 함수를 사용하면 사용자가 정의한 함수를 케라스 모델 내의 레이어로 사용할 수 있습니다. 즉, 주어진 입력을 변환하는 사용자 지정 레이어를 만들 수 있습니다.

예를 들어 앞의 코드에서 데이터를 전처리하는 데 사용되는 preprocess_input 함수가 이미 정의되어 있습니다. 이 함수를 사용하여 입력 데이터를 전처리하기 위해 layers.Lambda를 사용할 수 있습니다. 이러한 방식으로 사용자 정의 전처리 로직을 모델 내에서 유연하게 적용할 수 있습니다.

다음으로 모델을 컴파일합니다.

```
optimizer = tf.keras.optimizers.AdamW()

swin.compile(
    optimizer=optimizer,
    loss='sparse_categorical_crossentropy',
    metrics=[tf.keras.metrics.SparseTopKCategoricalAccuracy(1, name="accuracy"),
        tf.keras.metrics.SparseTopKCategoricalAccuracy(5, name="top-5-accuracy")])
```

다중 분류를 위하여 sparse_categorical_crossentropy를 손실 함수로 사용하고 Top-1 정확도와 Top-5 정확도를 평가지표로 설정하였습니다.

모델 학습을 진행하겠습니다.

```
history = swin.fit(x=train_x, y=train_y, batch_size=128, epochs=10, validation_
split=0.2)
```

```
Epoch 1/10
313/313 [==============================] - 77s 113ms/step - loss: 4.0051 - accura-
cy: 0.0806 - top-5-accuracy: 0.2548 - val_loss: 3.0680 - val_accuracy: 0.2098 - val_
top-5-accuracy: 0.5289
…(중략)…
Epoch 10/10
313/313 [==============================] - 30s 94ms/step - loss: 0.3573 - accuracy:
0.8832 - top-5-accuracy: 0.9924 - val_loss: 2.4540 - val_accuracy: 0.5174 - val_top-5-
accuracy: 0.8009
```

훈련과 검증 결과를 시각화해보겠습니다.

```
plt.figure(figsize=(14, 5))

plt.subplot(1, 3, 1)
plt.plot(history.history['loss'], label='Training Loss')
plt.plot(history.history['val_loss'], label='Validation Loss')
plt.title('Training and Validation Loss')
```

```
plt.xlabel('Epoch')
plt.ylabel('Loss')
plt.legend()

plt.subplot(1, 3, 2)
plt.plot(history.history['accuracy'], label='Training Accuracy')
plt.plot(history.history['val_accuracy'], label='Validation Accuracy')
plt.title('Training and Validation Accuracy')
plt.xlabel('Epoch')
plt.ylabel('Accuracy')
plt.legend()

plt.subplot(1, 3, 3)
plt.plot(history.history['top-5-accuracy'], label='Training Top-5 Accuracy')
plt.plot(history.history['val_top-5-accuracy'], label='Validation Top-5 Accuracy')
plt.title('Training and Validation Top-5 Accuracy')
plt.xlabel('Epoch')
plt.ylabel('Top-5 Accuracy')
plt.ylim(0, 1)
plt.legend()
plt.show()
```

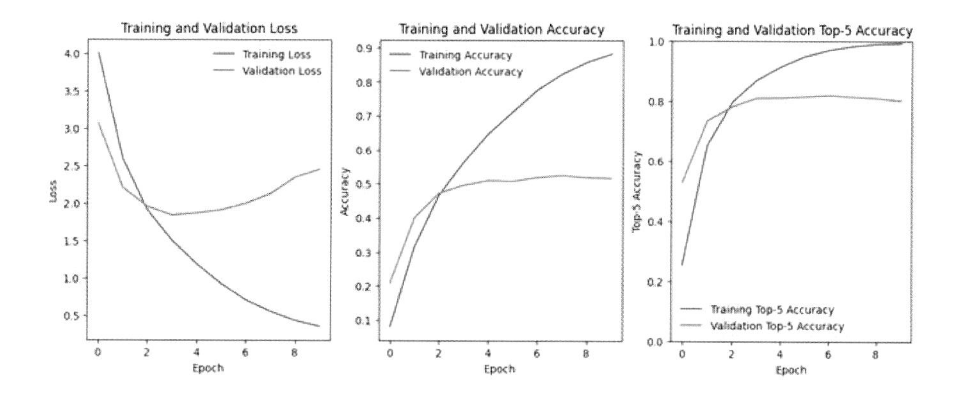

검증 정확도가 약 52%, 검증 Top-5 정확도가 약 80%인 것을 확인할 수 있습니다.

테스트 데이터로 모델을 평가해보겠습니다.

```
swin.evaluate(test_x, test_y)
```

```
313/313 [==============================] - 12s 39ms/step - loss: 2.4060 - accuracy:
0.5210 - top-5-accuracy: 0.8115
[2.4060165882110596, 0.5210000276565552, 0.8115000128746033]
```

테스트 정확도가 약 52%, 테스트 Top-5 정확도가 약 81%인 것을 확인할 수 있습니다.

지금까지 알렉스넷을 시작으로 기초적인 합성곱 신경망 계열의 모델들과 최근 널리 사용되는 비전 트랜스포머 계열 이미지 분류 모델들까지 살펴보았습니다.

5장에서는 이미지 분류에 이어 컴퓨터 비전에서 매우 중요한 태스크 중 하나인 객체 탐지에 대해서 살펴보겠습니다.

5장

객체 탐지

5.1 two-stage detector
5.2 one-stage detector
5.3 이미지 분할

객체 탐지 분야는 끊임없이 발전하고 있습니다. 앞에서는 간단한 객체 인식 알고리즘, 슬라이딩 윈도우(sliding window), 하르 캐스케이드에 대해 살펴보았습니다. 이러한 기본적인 기법에서 발전하여 현대의 객체 탐지 알고리즘은 훨씬 더 복잡하고 정교하게 발전했습니다. 이번 장에서는 머신 러닝과 딥러닝을 기반으로 한 최신의 객체 탐지 알고리즘과 기법에 대해 깊이 이해하고 탐구합니다.

5.1 two-stage detector

객체 탐지 분야는 이미지 내의 여러 객체를 정확하게 식별하고 위치를 찾는 작업을 포함합니다. 이러한 과제를 수행하기 위한 방법 중 하나가 two-stage detector입니다. 이름에서 알 수 있듯이 이 방식은 크게 두 개의 주요 단계로 구성됩니다.

그림 5-1 two-stage detector 프로세스

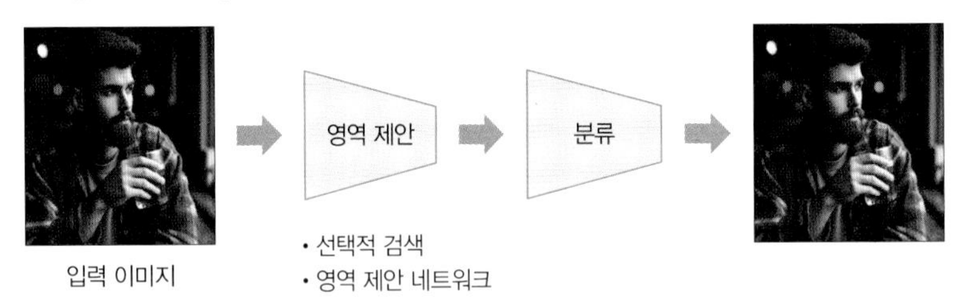

첫 번째 단계: 영역 제안(region proposal)

- 이 단계에서는 이미지 내에서 객체가 존재할 가능성이 있는 영역, 즉 후보 영역을 추출합니다.
- 후보 영역은 수백에서 수천 개에 이르기도 합니다.
- 예를 들면 사진 속에 사람, 자동차, 나무 등 다양한 객체가 있을 경우, 각 객체에 대해 가능한 위치와 사이즈의 영역을 추출합니다.

두 번째 단계: 분류(classification)와 바운딩 박스 회귀(bounding box regression)

- 첫 번째 단계에서 추출된 후보 영역 각각을 딥러닝 모델에 입력으로 제공하여, 해당 영역 내의 객체를 분류합니다.
- 또한 정확한 객체의 위치를 나타내기 위해 경계 상자(바운딩 박스)의 사이즈와 위치를 조절하는 작업도 함께 수행됩니다.

이러한 two-stage 접근 방식의 주요 장점은 높은 정확도를 달성할 수 있다는 것입니다. 객체의 위치와 클래스를 정확하게 탐지하기 위해 두 단계의 과정을 거치기 때문에 많은 정보와 컨텍스트를 활용하여 결과를 도출합니다. 그러나 단계를 두 번 거쳐야 하기 때문에 one-stage detector에 비해 처리 속도가 상대적으로 느릴 수 있습니다. 이런 특성 때문에 two-stage detector는 정확도가 중요한 연구나 응용 분야에서 주로 사용됩니다.

5.1.1 R-CNN

R-CNN(Region with Convolutional Neural Networks)은 객체 탐지 분야에서 큰 변화를 가져온 알고리즘 중 하나입니다. 2013년, 로스 걸식(Ross Girshick), 제프 도나휴(Jeff Donahue), 트레버 대럴(Trevor Darrell), 지텐드라 말릭(Jitendra Malik)이 처음 소개했을 때, 이 방법은 기존의 객체 탐지 방법론에 비해 상당한 성능 향상을 보였습니다.

▼ 그림 5-2 R-CNN 당시 객체 탐지 성능지표(출처: Rich feature hierarchies for accurate object detection and semantic segmentation)

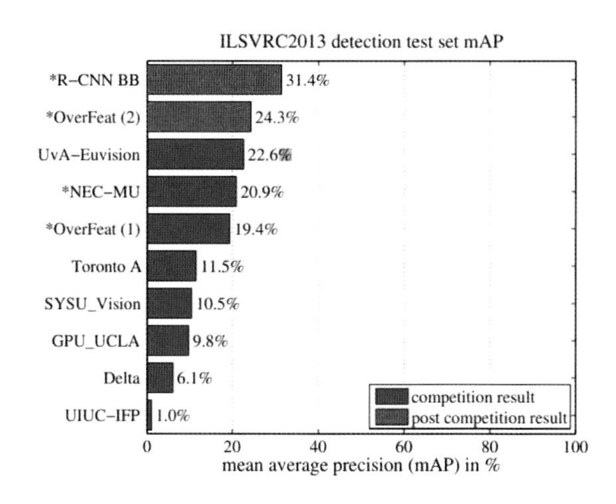

이전의 방법들은 슬라이딩 윈도우 접근법과 같이 이미지의 모든 영역을 독립적으로 평가했습니다. 그러나 R-CNN은 이러한 접근법을 변경하였습니다. 대신 이미지에서의 관심 영역을 먼저 식별하고, 이를 CNN을 통해 분류하도록 설계했습니다. 이러한 방식은 이미지 내에서의 관심 있는 부분만을 중점적으로 처리하므로 불필요한 연산을 크게 줄이고 성능을 향상시킬 수 있었습니다.

선택적 검색(selective search) 알고리즘의 도입은 R-CNN의 핵심 구성 요소 중 하나입니다. 이 알고리즘은 이미지의 다양한 스케일과 색상, 질감 등을 고려하여 잠재적인 객체 후보 영역을 효과적으로 식별합니다. 이렇게 추출된 후보 영역들은 그다음 단계에서 CNN을 통해 분류됩니다.

R-CNN의 이러한 접근법은 객체 탐지의 정확도를 크게 향상시키면서도 연산 효율성을 유지하는 데 중요한 역할을 하였습니다. 이 알고리즘의 도입은 딥러닝 기반의 객체 탐지 분야의 새로운 시대를 열었으며, 이후의 많은 연구와 발전의 기반이 되었습니다.

영역 제안

이전의 객체 탐지 방법에서는 이미지 전체를 슬라이딩 윈도우 방식으로 탐색하여 객체를 찾았습니다. 그러나 이 방식은 이미지 스케일이 커지게 되면, 연산량이 많아져 효율적이지 못했습니다. 이를 해결하기 위해 영역 제안 알고리즘, 즉 이미지 내에서 객체가 있을 법한 영역을 빠르게 식별하는 방법이 도입되었습니다. R-CNN에서 영역 제안은 선택적 검색 방식으로 진행이 되었으며 영역 제안 방식의 주요 절차는 다음과 같습니다.

▼ 그림 5-3 R-CNN 영역 제안 프로세스

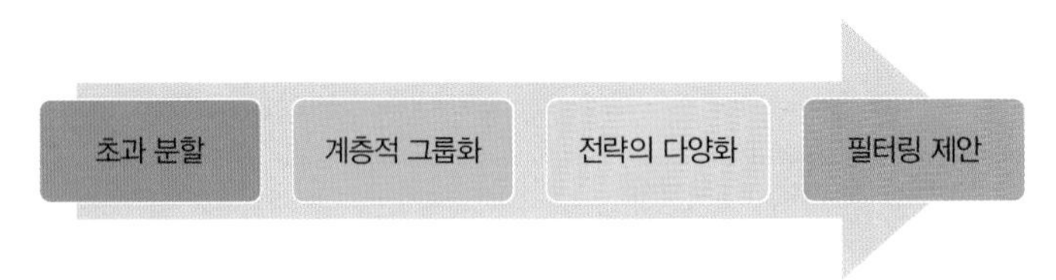

1. 초과 분할

이 단계에서는 원본 이미지를 초과 분할(over-segmentation)하여 많은 수의 작은 지역별 세그먼트를 생성합니다. 이 과정은 주로 비슷한 픽셀 값을 가진 지역을 그룹화하는 것을 목적으로 합니다. 초과 분할 시에는 일반적으로 컬러, 질감, 명도 등의 유사성을 기반으로 픽셀 또는 작은 패치들을 그룹화합니다. 이 단계의 결과로 많은 수의 작은 영역들이 생겨납니다. 이 작은 영역들은 나중 단계에서 병합되어 큰 세그먼트가 됩니다.

✔ 그림 5-4 초과 분할

2. 계층적 그룹화

그림 5-4에서 볼 수 있듯이 초기에 생성된 세그먼트들은 다양한 사이즈와 모양을 가지게 됩니다. 계층적 그룹화(hierarchical grouping)는 이 세그먼트들을 특정 기준에 따라 병합하는 과정입니다.

- **병합 전략**: 색상, 질감, 사이즈 및 형태 유사성을 기반으로 가장 유사한 세그먼트들을 우선적으로 병합합니다.
- **병합 전략 반복**: 병합이 여러 번 반복되어 다양한 사이즈와 형태의 영역을 형성하게 됩니다.

✔ 그림 5-5 계층적 그룹화

3. 전략의 다양화(strategy diversity)

세그먼트를 병합할 때 단일 전략만을 사용하는 것이 아닌, 여러 가지 전략을 동시에 사용하여 다양한 스케일과 모양의 영역을 포착할 수 있도록 합니다. 색상 유사성을 기준으로 한 병합, 질감 패턴을 기준으로 한 병합, 인접한 영역 간의 유사성을 기준으로 한 병합 등 다양한 전략이 적용될 수 있습니다.

4. 필터링 제안

필터링 제안(filtering proposal)은 많은 수의 영역 제안 중에서 가장 유용한 제안만을 선택하는 단계입니다.

- **사이즈 기반 필터링**: 너무 작거나 큰 영역 제안은 제외됩니다. 이는 아주 작은 객체나 이미지의 대부분을 차지하는 큰 객체를 제외하는 데 도움이 됩니다.
- **다양성 최대화**: 서로 비슷한 영역 제안 중에서는 하나만 선택됩니다. 이는 중복되는 제안을 제거하고 다양성을 유지하는 데 도움이 됩니다.
- **제안 수 제한**: 최종적으로 R-CNN에서는 약 2,000개의 영역 제안만을 선택하여 사용합니다.

▼ 그림 5-6 제안 영역 필터링

CNN을 활용한 특징 추출

객체 탐지에서 이미지의 각 부분에 대한 정확한 정보와 패턴을 파악하는 것은 중요합니다. 이를 위해 R-CNN은 선택적 검색으로 추출된 영역 제안들을 합성곱 신경망을 통해 분석합니다.

선택적 검색으로부터 얻은 다양한 사이즈와 형태의 영역 제안들은 일정한 사이즈로 변환되어야 합니다. 이는 CNN이 고정된 사이즈의 입력만을 받아들일 수 있기 때문입니다. R-CNN은 이러한 영역 제안들을 CNN의 입력 사이즈에 맞게 변환하고, 그 후 해당 영역들을 CNN을 통과시켜 각 영역에 대한 특징을 추출합니다. 특징 추출의 핵심은 이미지의 원래 정보나 패턴을 압축하되 객체를 정확하게 분류하고 위치를 지정하는 데 필요한 주요 정보는 유지하는 것입니다. R-CNN에서 사용된 CNN 구조는 이러한 작업을 위해 합성곱 층, 풀링 층, 및 완전 연결 층을 사용합니다.

✔ 그림 5-7 R-CNN 프로세스

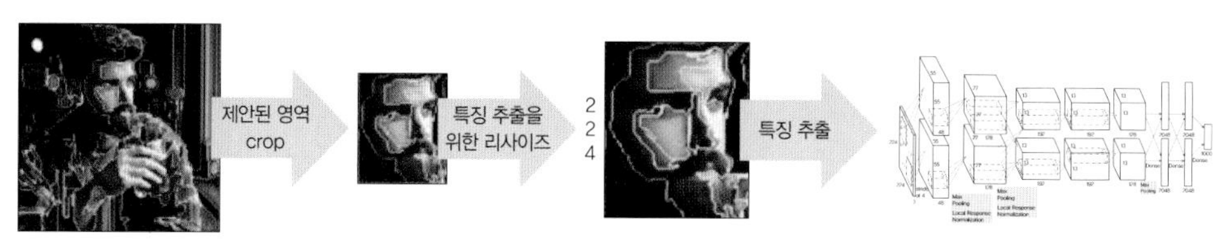

특히 R-CNN에서는 알렉스넷 구조를 활용하여 특징을 추출합니다. 합성곱 층은 이미지의 지역적인 특징을 학습하고, 완전 연결 층은 이미지의 전역적인 정보를 학습합니다. 이러한 층들의 조합을 통해, R-CNN은 이미지 내의 복잡한 패턴과 특성을 효과적으로 파악하며, 이 정보는 후속 과정에서 객체의 분류와 경계 상자의 정밀화를 위해 사용됩니다.

SVM을 활용한 분류

R-CNN에서는 객체 탐지의 마지막 단계로 서포트 벡터 머신(Support Vector Machine, SVM) 분류기를 사용하여 각각의 영역 제안을 특정 객체 클래스로 분류합니다. SVM은 머신 러닝의 분류 문제에서 꾸준히 높은 성능을 보여주는 알고리즘이며, 딥러닝이 대중화되기 전에는 이미지 분류 작업에서 주로 사용되던 방법 중 하나였습니다. 일반적인 고양이와 강아지 사진을 분류한다고 했을 때 각 고양이(△)와 강아지(○)의 특징을 합성곱 신경망으로 추출한 후 2D 공간으로 투영을 시킵니다. 경계선은 다음과 같이 그려집니다.

✔ 그림 5-8 일반적인 분류기 결과 예시

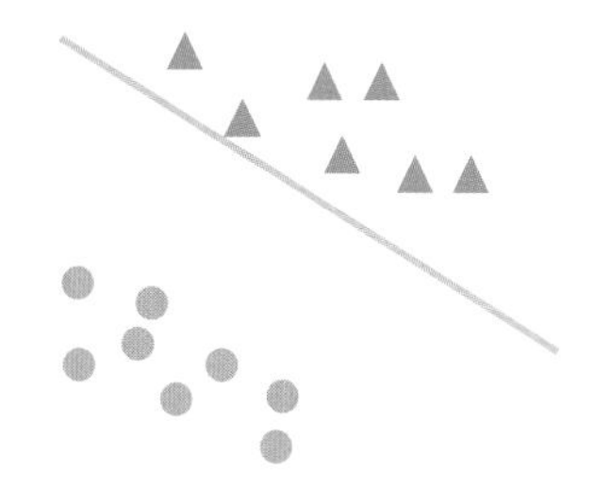

여기서 강아지와 고양이를 구분 짓는 가운데 선을 결정 경계(decision boundary)라고 합니다. 2차원 공간에서 결정 경계는 선이 되며, 3차원이 되면 면이 됩니다. 그러나 SVM에서는 이 선 대신 초평면(hyperplane)을 찾습니다.

▼ 그림 5-9 SVM 분류 결과 예시

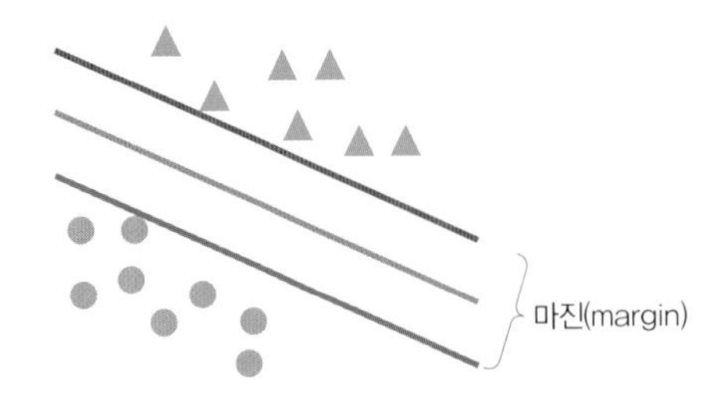

초평면은 n차원 공간에서 (n-1)차원의 부분 공간을 의미하며 2D 공간에서의 초평면은 선이며, 3D 공간에서의 초평면은 평면입니다. 더 높은 차원에서 초평면은 해당 공간을 둘로 나누는 역할을 합니다. 그림 5-9에서 회색선과 주황색선의 거리를 마진(margin)이라고 하며, SVM은 마진이 최대가 되는 초평면을 찾는 것이 목표입니다. 이렇게 초평면을 이용하여 일반적인 분류기보다 오버피팅(overfitting)을 방지할 수 있습니다 SVM은 고차원 데이터에서도 잘 작동하는 특성 덕분에, 복잡한 특징 공간에서도 과적합을 방지하는 데 유리합니다.

바운딩 박스 회귀

선택적 검색을 통한 영역을 제안받고, SVM을 통해 이미지 내의 각 영역 제안이 어떤 클래스에 속하는지 결정할 수 있지만, 이렇게 얻어진 영역 제안은 종종 실제 객체의 위치와 정확하게 일치하지 않을 수 있습니다. 이를 보정하기 위해 R-CNN은 바운딩 박스 회귀를 사용합니다.

R-CNN에서 바운딩 박스 회귀의 타깃은 4개의 값을 가지며, 각각은 GT(Ground Truth, 바운딩 박스)와 영역 제안 간의 상대적인 변화를 나타냅니다. 두 바운딩 박스를 다음과 같이 정의합니다.

- $P=(P_x, P_y, P_w, P_h)$는 영역 제안의 중심 좌표, 너비, 높이입니다
- $G=(G_x, G_y, G_w, G_h)$는 GT의 중심 좌표, 너비, 높이입니다.

이를 통해 타깃 값을 계산합니다.

$$t_x = \frac{G_x - P_x}{P_w}, t_y = \frac{G_y - P_y}{P_h}$$

$$t_w = \log\left(\frac{G_w}{P_w}\right), t_h = \log(\frac{G_h}{P_h})$$

여기서 t_x, t_y, t_w, t_h는 바운딩 박스 회귀를 통해 얻고자 하는 보정된 값을 나타냅니다. 이 값들은 실제 객체의 경계 상자의 위치와 사이즈를 예측하기 위해 사용됩니다. 바운딩 박스 회귀의 학습

목표는 t_x, t_y, t_w, t_h 값들을 예측하는 것입니다. 네트워크가 이 값을 올바르게 예측하면, 제안된 경계 상자를 보정하여 실제 객체의 위치 및 사이즈와 더욱 일치하게 만들 수 있습니다. 이러한 보정을 통해 최종적인 객체 탐지의 정확도가 크게 향상됩니다. 또한 바운딩 박스 회귀는 이렇게 생성된 영역 제안들을 더 정확하게 조정하여 실제 객체를 더 잘 포함하도록 합니다. 예를 들어 선택적 검색으로 생성된 영역 제안이 실제 객체를 조금 벗어난 경우, 이를 보정하여 객체의 경계를 더 정확하게 추정합니다.

NMS와 IoU

단순히 바운딩 박스 회귀만으로는 여러 경계 상자가 동일한 객체에 대해 중복되어 생성될 수 있습니다. 이러한 중복된 검출을 처리하기 위해서는 추가적인 단계가 필요하며, 이때 사용되는 것이 바로 NMS(Non-Maximum Suppression)입니다. NMS의 작동 방식은 다음과 같습니다.

1. 모든 바운딩 박스를 객체 점수(신뢰도)에 따라 내림차순으로 정렬합니다.
2. 사용자가 설정한 임계치 이상의 점수를 가진 바운딩 박스를 선택합니다.
3. 선택된 경계 상자와 중복되는 다른 모든 경계 상자를 제거합니다.

이때 중복되는 정도를 나타내는 점수는 IoU(Intersection over Union) 값을 기준으로 하며 보통 IoU 값이 0.5가 넘어가는 경우 겹치는 박스로 설정합니다. IoU를 계산하는 수식은 다음과 같습니다.

▼ 그림 5-10 IoU 결과 예시

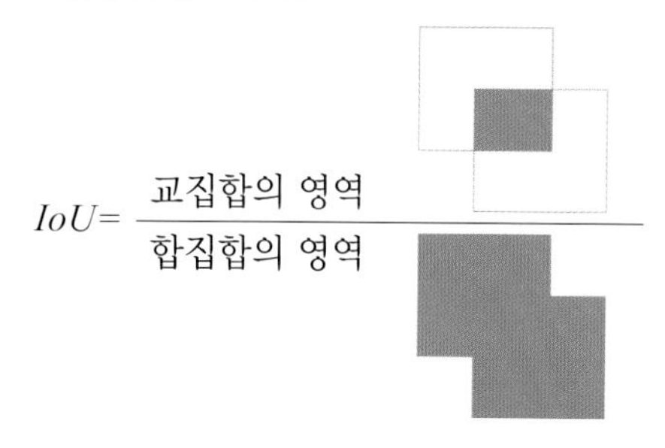

그림 5-10의 수식과 같은 방식으로 두 영역이 얼마나 겹쳤는지를 수치화할 수 있습니다. 이러한 기술적 접근법을 통해 R-CNN은 이미지 내의 객체를 더욱 정확하게 감지하고 위치를 지정하는 데 큰 도움이 되었습니다. NMS의 도입은 R-CNN이 중복 검출을 효과적으로 제거하면서도 높은 정확도를 유지할 수 있게 만들었습니다. 이런 혁신적인 접근법은 R-CNN을 객체 탐지 분야의 핵심 알고리즘으로 자리매김시키며, 이를 바탕으로 많은 후속 연구가 진행되었습니다.

R-CNN은 혁신적인 객체 탐지 알고리즘이었으며, 그 기초 위에 많은 다른 연구가 진행되었습니다. 선택적 검색, 합성곱 신경망을 통한 특징 추출, SVM 분류, 바운딩 박스 회귀의 조합은 이미지 내의 객체를 정확하게 식별하고 위치를 지정하는 데 많은 도움이 되었습니다. 물론 R-CNN 역시 처리 속도의 문제와 복잡성 등 몇 가지 한계점도 가지고 있었지만, 그럼에도 불구하고 이러한 아이디어들은 딥러닝 기반의 객체 탐지 분야의 발전에 크게 기여하였습니다. 특히 R-CNN은 **딥러닝과 전통적인 이미지 처리 기술을 성공적으로 결합**하여 객체 탐지의 새로운 장을 열었습니다. 이후의 발전된 모델들도 R-CNN의 핵심 아이디어 위에 구축되며, 계속해서 이 분야는 발전해나갔습니다. R-CNN은 딥러닝 기반 객체 탐지의 역사에서 중요한 위치를 차지하며, 이를 통해 얼마나 효과적인 접근법이 나타나게 되었는지를 증명했습니다.

5.1.2 Fast R-CNN과 Faster R-CNN

연구의 흐름은 멈추지 않았습니다. R-CNN의 성공을 계승하며, 그보다 더 빠르고 효율적인 방식을 추구한 Fast R-CNN과 Faster R-CNN이 등장했습니다. 이 두 모델은 딥러닝 기반 객체 탐지 기술의 발전에 크게 기여하며, 성능과 속도의 균형을 달성했습니다. 그 과정을 살펴보겠습니다.

Fast R-CNN의 주요 개선점

Fast R-CNN은 R-CNN의 처리 시간 문제를 해결하기 위해 몇 가지 중요한 기술적 개선을 도입했습니다. 가장 두드러진 개선점 중 하나는 RoI(Region of Interest) 풀링입니다. 이 기술을 통해 Fast R-CNN은 이미지 내의 다양한 제안된 영역을 효율적으로 처리할 수 있게 되었습니다.

RoI 풀링

▼ 그림 5-11 Fast R-CNN

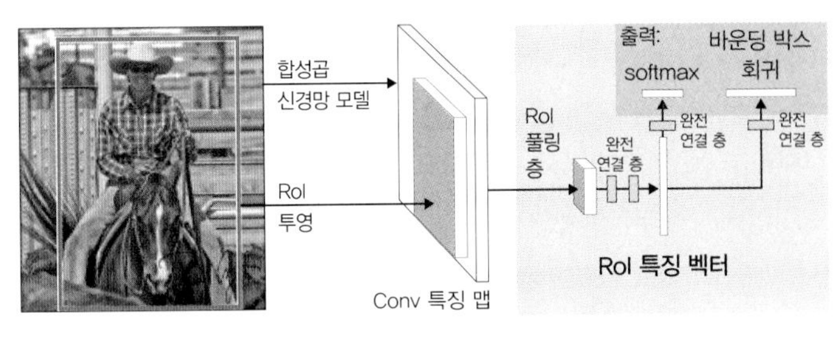

R-CNN의 경우에는 각각의 제안된 영역에 대해 독립적으로 CNN을 통과시켜야 했기 때문에 처리 시간이 오래 걸렸습니다.

▼ 그림 5-12 R-CNN의 비효율적인 프로세스

선택적 검색 방식으로 영역 제안 → 최대 2000개의 영역 후보군 생성 → 모든 영역을 합성곱 신경망에 개별적으로 통과

그러나 Fast R-CNN은 모든 제안 영역을 개별적으로 모델에 넣지 말고, 먼저 합성곱 신경망을 통해 특징 맵을 생성한 후 특징 맵에서 제안받은 영역을 따로 분리하여 분류할 것을 제안합니다.

▼ 그림 5-13 Fast-R-CNN 프로세스

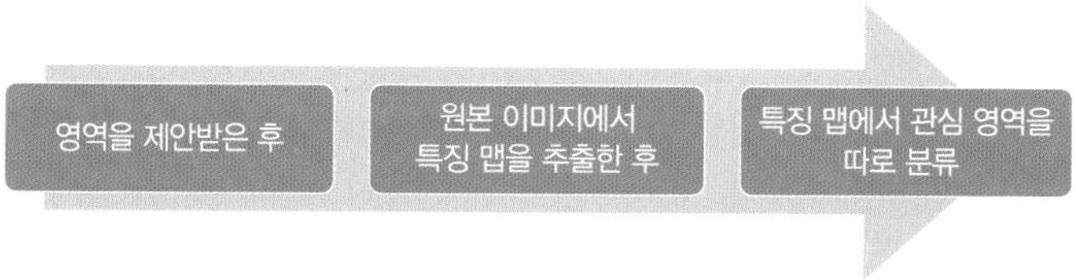

영역을 제안받은 후 → 원본 이미지에서 특징 맵을 추출한 후 → 특징 맵에서 관심 영역을 따로 분류

큰 아이디어는 위와 같지만, 몇 가지 문제점이 존재했습니다. 예를 들어 특징 맵을 추출하는 합성곱 신경망을 앞서 배운 레스넷을 사용했다면 입력 이미지는 224×224 사이즈로 들어오고, 출력 특징 맵은 7×7이 됩니다. 이 경우 원본 이미지 대비 특징 맵은 약 32배 축소된 상태입니다.

그로 인해 탐지하고자 하는 관심 영역 또한 그만큼 작아지게 됩니다. 여기서 관심 영역이 RoI입니다. 이렇게 축소된 RoI는 다른 문제가 있었습니다.

▼ 그림 5-14 RoI 문제점

바로 RoI 좌표가 정수형이 아닌 실수형으로 표현이 될 수밖에 없는 문제입니다. 원본 이미지에서의 RoI 좌표를 [130, 110, 190, 110]으로 가정해봅시다.

이때 해당 RoI 좌표를 특징 맵 상의 좌표로 투영하려면 각 좌표를 32로 나눠주면 됩니다. 따라서 변환된 RoI는 대략 [4.0625, 3.4375, 5.9375, 3.4375]가 됩니다. 하지만 실제 특징 맵에서는 픽셀 단위로 정보를 처리해야 하기 때문에 소수점 이하의 값을 가진 좌표는 적용하기 어렵습니다. 따라서 반올림을 통해 좌표를 정수 값으로 변환해야 합니다. 반올림을 적용한 결과, 특징 맵 상의 RoI 좌표는 대략 [4, 3, 6, 3]으로 예상됩니다.

이렇게 변환된 RoI 좌표를 이용하여 특징 맵에서 해당 영역의 정보를 추출하고, 이를 바탕으로 객체를 탐지하고 분류하는 작업을 수행하게 됩니다. 이런 축소된 상태를 활용하여, 원본 이미지의 RoI 좌표를 특징 맵에 해당하는 RoI 좌표로 변환할 수 있습니다. 이 변환 작업을 'RoI 투영'이라고 합니다. 그러나 이러한 작업을 거치게 된다면 여러 개의 객체가 있을 경우 제 각각의 RoI 사이즈를 가지게 되어 완전 연결 층에 전달할 수 없게 됩니다. 이 문제를 해결하기 위해, RoI 풀링(RoI Pooling)이 사용됩니다. RoI 풀링은 변환된 RoI 영역에서 고정된 크기의 특징 벡터를 추출하여, 모든 RoI를 동일한 차원의 출력으로 변환합니다. 이를 바탕으로 객체를 탐지하고 분류하는 작업을 수행하게 됩니다.

▼ 그림 5-15 RoI 풀링 과정

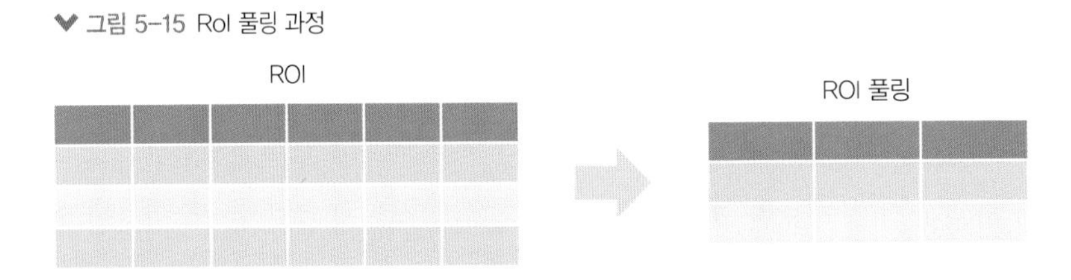

Fast R-CNN에서 가장 중요한 변화는 RoI 풀링 메커니즘이 도입된 것입니다. Fast R-CNN의 RoI 투영, RoI 풀링 방식은 R-CNN과 비교하여 계산 시간을 크게 단축시켰습니다.

Faster R-CNN의 주요 개선점

딥러닝을 활용한 객체 탐지 분야에서 특징 추출은 핵심적인 요소 중 하나이지만 그 이상으로 중요한 부분은 객체를 포함하고 있을 가능성이 가장 높은 영역을 제안하는 부분인 영역 제안 부분입니다. R-CNN과 Fast R-CNN은 바운딩 박스 회귀를 통하여 박스의 위치 값을 조정하긴 하지만 초기 영역 제안을 선택적 영역 알고리즘으로 추천받기 때문에 성능 개선에 한계가 있었습니다.

영역 제안 방식의 변화: 영역 제안 네트워크(RPN)

Faster R-CNN에서는 영역 제안 방식을 선택적 영역 알고리즘을 사용하지 않고, 영역 제안 네트워크(Region Proposal Network, RPN)라는 새로운 딥러닝 기반의 방식을 도입하였습니다.

앵커 박스

Faster R-CNN 또한 Fast R-CNN과 마찬가지로 합성곱 신경망의 특징 맵에서 영역 제안을 진행합니다. 여기서 Faster R-CNN의 RPN은 여러 사이즈와 비율을 가진 고정된 사각형 박스, 즉 '앵커 박스(anchor boxes)'를 사용하여 이미지의 모든 위치에 대해 정의합니다. 일반적으로 3개의 다른 사이즈와 3개의 다른 비율을 사용하여 9개의 앵커를 각 슬라이딩 윈도우 위치마다 정의합니다.

▼ 그림 5-16 앵커 박스

RPN에서 앵커 박스는 크게 두 가지 작업을 진행하게 됩니다.

1. 이진 분류(Objectness 점수)

Objectness 점수는 특정 앵커가 객체를 포함할 확률을 의미합니다. RPN에서는 각 앵커가 배경(background)인지 또는 어떤 객체의 일부인지(object 또는 foreground)를 구분하기 위해 이 Objectness 점수를 사용합니다.

- **배경**: 앵커 내에 특정 객체가 없거나 객체의 작은 부분만 포함되어 있는 경우, 이 앵커는 배경으로 분류됩니다.
- **객체**: 앵커 내에 객체의 중요한 부분이나 큰 부분이 포함되어 있으면, 해당 앵커는 포그라운드 또는 객체로 분류됩니다.

이렇게 구분된 결과는 학습 과정에서 Positive 앵커와 Negative 앵커로 나누어져 사용됩니다. Positive 앵커는 객체의 일부를 포함하며, Negative 앵커는 배경을 나타냅니다.

2. 바운딩 박스 회귀

이 작업에서는 실제 객체의 위치와 사이즈를 더 정확하게 예측하기 위해 앵커의 위치와 사이즈를 보정합니다. 예를 들어 앵커 박스의 중심점이 (x, y)이고, 실제 객체의 중심점이 (x′, y′)라면, 조정해야 하는 값은 (x′-x, y′-y)가 됩니다. 이 값을 오프셋(offset)이라고 합니다. 오프셋 값은 보통 x, y 좌표의 변화와 너비와 높이의 변화로 구성됩니다. 이 값들은 앵커 박스를 조정하여 실제 객체에 더 근접하게 만듭니다. 앵커 박스가 객체의 중심을 조금 벗어났다면, 바운딩 박스 회귀를 통해 이 중심점을 조정하여 객체의 중심에 더 가깝게 만들 수 있습니다. 또한 앵커 박스의 사이즈가 실제 객체의 사이즈와 다르다면, 이 사이즈도 보정됩니다. 이렇게 RPN은 수많은 앵커 박스 중에서 객체를 포함할 가능성이 높은 앵커를 선택하고, 이 앵커의 위치와 사이즈를 보정하여 더 정확한 객체 탐지를 가능하게 합니다.

RPN의 도입으로 인해 R-CNN에서의 주요 단점인 계산 비효율성 문제가 크게 해결되었습니다. 이미지를 한 번만 스캔하면 되므로 처리 시간이 크게 단축되며, 딥러닝 기반의 방식이므로 정확도도 높아집니다. 또한 Fast R-CNN은 객체 분류에는 딥러닝을 사용하지만, 영역 제안 단계에서는 전통적인 방식을 사용했습니다. Faster R-CNN은 한 번에 학습이 가능한 단일 네트워크 구조를 가집니다. 이렇게 한 네트워크 전체를 한 번에 학습시키는 학습 방법론을 **end-to-end** 학습법이라고 합니다. RPN과 분류하는 부분이 모두 동일한 특징 맵을 공유하므로, 한 번의 순전파로 필요한 모든 정보를 추출할 수 있습니다. 이 점은 연산 속도와 학습의 효율성을 모두 향상시킵니다.

텐서플로를 활용한 Faster R-CNN 실습

앞에서 배운 내용들을 텐서플로 Object Detection API를 활용하여 실습해보겠습니다. 이번 섹션에서는 직접 데이터 세트를 만들거나 학습하지 않고 텐서플로를 활용해 사전 학습된 모델을 다운로드하여 실행합니다.

```
!git clone --depth 1 https://github.com/tensorflow/models
```

`git` 명령어를 사용하여 저장소(repository)를 현재 작업 디렉터리에 복제(clone)합니다. `--depth 1` 옵션은 저장소의 전체 이력을 복제하는 대신 가장 최근의 커밋만 복제합니다. 이를 통해 저장소의 사이즈를 줄이고 다운로드 속도를 빠르게 할 수 있습니다.

https://github.com/tensorflow/models는 텐서플로의 공식 모델 저장소 주소입니다. 이 저장소에는 다양한 텐서플로 모델과 예제, 그리고 Object Detection API 관련 코드들이 포함되어 있습니다.

이 코드를 실행하면 텐서플로의 공식 모델 저장소가 현재 작업 디렉터리에 `models`라는 이름으로 복제됩니다.

```
%%bash
sudo apt install -y protobuf-compiler
cd models/research/
protoc object_detection/protos/*.proto --python_out=.
cp object_detection/packages/tf2/setup.py .
python -m pip install .
```

프로토콜 버퍼(PROTOCOL BUFFERS)는 구글에서 개발한 직렬화 데이터 구조로, 텐서플로 Object Detection API에서는 이를 사용하여 구성 파일을 관리합니다. apt install -y protobuf-compiler 명령은 프로토콜 버퍼를 컴파일하기 위한 컴파일러를 설치합니다. .proto 파일들은 프로토콜 버퍼의 정의 파일입니다. protoc 명령어는 이 .proto 파일들을 파이썬 코드로 컴파일합니다. 실행 후 해당 디렉터리에 파이썬용 .py 파일들이 생성됩니다. 다음으로 setup.py를 활용하여 현재 디렉터리에 있는 패키지를 설치합니다. 이를 통해 Object Detection API와 관련된 필요한 패키지와 모듈들이 시스템에 설치됩니다.

```
from object_detection.utils import label_map_util                      # ①
from object_detection.utils import visualization_utils as viz_utils # ②
from object_detection.utils import ops as utils_ops                    # ③
import cv2
import numpy as np
import matplotlib.pyplot as plt
import tensorflow as tf
import tensorflow_hub as hub
%matplotlib inline
```

label_map_util은 레이블 맵(label map)을 처리하기 위한 유틸리티입니다(①). 레이블 맵은 각각의 탐지된 객체 클래스에 대한 ID와 이름을 매핑합니다. 예를 들면 '1: dog', '2: cat'과 같이 매핑됩니다. visualization_utils는 객체 탐지 결과를 이미지 위에 시각화하기 위한 유틸리티입니다(②). 이를 통해 탐지된 객체 주위에 경계 상자(바운딩 박스)를 그리고, 클래스 이름과 점수를 표시할 수 있습니다. Ops는 Object Detection API에서 필요한 다양한 연산과 관련된 유틸리티 함수들을 포함하고 있습니다(③).

다음으로 레이블 맵을 로드하고 텐서플로 허브에서 Faster R-CNN 모델을 가져오겠습니다.

```
PATH_TO_LABELS = './models/research/object_detection/data/mscoco_label_map.pbtxt'
category_index = label_map_util.create_category_index_from_labelmap(PATH_TO_LABELS,
use_display_name=True)
hub_model = hub.load('https://tfhub.dev/tensorflow/faster_rcnn/resnet50_v1_640x640/1')
```

MSCOCO 데이터 세트에 대한 레이블 맵의 경로를 지정합니다. MSCOCO는 대표적인 객체 탐지 데이터 세트 중 하나로, 많은 사전 학습된 모델이 이 데이터 세트를 기반으로 학습되었습니다. mscoco_label_map.pbtxt 파일은 각 객체 카테고리의 ID와 이름을 정의합니다. 다음으로 label_map_util.create_category_index_from_labelmap()을 사용하여 지정된 경로의 레이블 맵 파일을 읽어서 카테고리 키(category key)를 생성합니다. 이 인덱스는 후에 탐지된 객체의 클래스 ID를 실제 이름으로 변환하는 데 사용됩니다 이어서 hub.load()를 사용하여 텐서플로 허브에서 모델을 다운로드하고 로드합니다. 여기서는 Faster R-CNN 모델을 ResNet-50 아키텍처와 함께 사용하며, 입력 이미지의 사이즈는 640×640으로 설정되어 있습니다. /1은 모델의 버전을 나타냅니다.

이제 hub_model 변수에 로드된 모델을 사용하여 이미지에 대한 객체 탐지를 수행하고, category_index를 활용하여 탐지된 객체의 클래스 ID를 실제 이름으로 변환할 수 있습니다.

다음처럼 cv2를 활용하여 이미지를 불러온 후, 텐서플로 모델에 넣기 위해 이미지를 한 번 더 리스트로 감싼 후 np.array를 사용하여 텐서 형태로 만들어줍니다.

```
!wget https://raw.githubusercontent.com/Lilcob/test_colab/main/three%20young%20man.jpg
image_path = '/content/three young man.jpg'
image = cv2.imread(image_path)
image = cv2.cvtColor(image, cv2.COLOR_BGR2RGB)
image_np = np.array([image])
```

다음 코드는 사전 학습된 Faster R-CNN 모델을 사용하여 이미지(image_np)에 대한 객체 탐지를 수행하고, 결과를 시각화하기 위한 준비 과정을 나타냅니다.

```
results = hub_model(image_np) # ①
result = {key: value.numpy() for key, value in results.items()}
print(result.keys())

label_id_offset = 0              # ②
image_np_with_detections = image_np.copy()
```

로드된 Faster R-CNN 모델(hub_model)을 사용하여 이미지(image_np)에 대한 객체 탐지를 수행합니다(①). 결과는 여러 가지 정보(예 탐지된 객체의 경계 상자, 클래스 ID, 점수 등)를 포함하는 딕셔너리 형태로 반환됩니다. result 부분은 텐서플로의 tensor 형식에서 일반 numpy 배열로 변환합니다. 이렇게 변환된 결과는 후속 처리와 시각화에 더 유용하게 사용됩니다.

label_id_offset는 클래스 ID 오프셋입니다(②). 일반적으로 MSCOCO 데이터 세트에서는 0을 사용합니다.

다음 코드로 탐지 결과를 이미지 위에 시각화합니다. 이 과정으로 탐지된 객체의 경계 상자, 클래스 ID, 그리고 점수를 이미지에 표시하여 결과를 직관적으로 확인할 수 있게 해줍니다.

```
viz_utils.visualize_boxes_and_labels_on_image_array(
    image_np_with_detections[0], result['detection_boxes'][0],
    (result['detection_classes'][0] + label_id_offset).astype(int),
    result['detection_scores'][0], category_index, use_normalized_coordinates=True,
max_boxes_to_draw=200, min_score_thresh=.30, agnostic_mode=False)

plt.figure(figsize=(12, 12))
plt.imshow(image_np_with_detections[0])
plt.show()
```

visualize_boxes_and_labels_on_image_array는 텐서플로 Object Detection API에서 제공하는 함수로, 이미지 위에 탐지된 객체의 정보를 시각화합니다. 다음은 함수 인수의 세부 정보 정보입니다.

- image_np_with_detections[0]: 시각화할 이미지입니다.
- result['detection_boxes'][0]: 탐지된 객체의 경계 상자 정보입니다.
- (result['detection_classes'][0] + label_id_offset).astype(int): 탐지된 객체의 클래스 ID입니다. label_id_offset을 추가하고 정수형으로 변환합니다.
- result['detection_scores'][0]: 탐지된 객체의 신뢰도 점수입니다.
- category_index: 클래스 ID와 클래스 이름을 매핑한 딕셔너리입니다.
- use_normalized_coordinates=True: 경계 상자 좌표가 정규화되었음을 나타냅니다.
- max_boxes_to_draw=200: 이미지 위에 표시할 최대 경계 상자 수입니다.
- min_score_thresh=.30: 이 값보다 낮은 신뢰도 점수를 가진 객체는 시각화에서 제외됩니다.

* `agnostic_mode=False`: 클래스를 무시하고 모든 객체를 동일한 색상으로 표시할지의 여부입니다.

지금까지의 코드를 실행하면 다음처럼 출력됩니다.

▼ 그림 5-17 출력 결과: Faster-R-CNN 객체 탐지 결과

실습을 통해 텐서플로와 Object Detection API를 활용하여 Faster R-CNN을 직접 구동시켜 본 결과, 이미지 위에 정확하게 객체를 탐지하고 그 위치를 경계 상자로 표현하는 것을 확인할 수 있었습니다. 이러한 시각적인 결과를 통해 Faster R-CNN의 높은 성능과 정확도를 직접 체감할 수 있었습니다.

지금까지 객체 탐지의 two-stage detector로 분류되는 R-CNN, Fast R-CNN, Faster R-CNN에 대한 내용을 상세하게 살펴보았습니다. 이러한 모델들은 딥러닝을 기반으로 한 객체 탐지 분야에서 혁신적인 발전을 이끌어냈습니다. R-CNN과 그 후속 모델들은 이미지 내의 객체들을 더 빠르고, 더 정확하게 탐지하는 데 큰 도움을 주었습니다. 이러한 기술은 다양한 실제 세계 응용 분야에서 활용되고 있습니다.

하지만 객체 탐지 분야는 여기서 멈추지 않았습니다. two-stage detector는 높은 정확도를 제공하지만, 처리 속도 측면에서는 한계가 있었습니다. 이를 개선하기 위해 탄생한 것이 one-stage detector입니다.

다음 절에서는 이러한 one-stage detector에 대해 자세히 알아보겠습니다. one-stage detector는 처리 속도를 중시하면서도 탐지 정확도를 유지하려는 노력의 결과물로, 실시간 객체 탐지와 같

은 응용 분야에서 중요한 역할을 하고 있습니다. 이를 통해 객체 탐지의 다양한 방법론과 그 발전 과정에 대해 더욱 깊게 이해할 수 있을 것입니다.

5.2 one-stage detector

▼ 그림 5-18 One-stage detector 일반적 프로세스

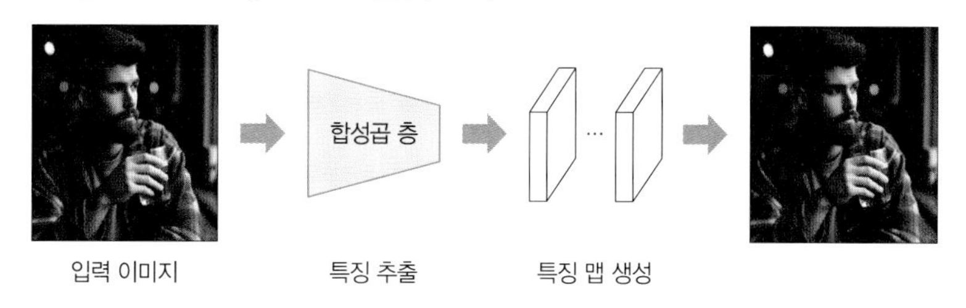

one-stage detector는 객체 탐지의 효율성과 속도를 극대화하기 위해 설계되었습니다. 이러한 방식에서는 이미지를 한 번만 처리하여 객체의 위치와 해당 객체의 클래스를 동시에 예측합니다. 이 중에서도 YOLO(You Only Look Once)는 그 방식의 대표적인 예입니다.

YOLO는 이름에서도 알 수 있듯이 이미지를 한 번만 보고 객체의 위치와 클래스를 동시에 예측합니다. 이러한 접근 방식은 전통적인 탐지 방법과는 대조적으로, 복잡한 파이프라인이나 여러 단계의 처리 없이 이미지를 실시간으로 분석할 수 있게 해줍니다. 이로 인해 YOLO는 실시간 처리가 필요한 응용 분야에서 매우 유용하게 사용될 수 있습니다.

5.2.1 YOLO

YOLO는 그 성능과 속도로 많은 연구자와 개발자들에게 주목받았습니다. 기존의 객체 탐지 방법들은 여러 단계의 처리와 복잡한 최적화 과정을 거쳐야 했지만, YOLO는 이러한 과정을 단순화하여 객체 탐지의 새로운 패러다임을 제시하였습니다. 또한 YOLO는 그 구조와 방식 덕분에 다양한 환경과 조건에서도 안정적인 성능을 보여주며, 다양한 응용 분야에서 활용되고 있습니다.

이러한 YOLO의 특징과 장점은 객체 탐지 분야의 연구와 발전에 크게 기여하였으며, 현재까지도 많은 연구와 개선이 이루어지고 있습니다.

YOLO의 특징

기존 two-stage detector는 일단 영역 제안을 받고, 해당 부분에 대한 특징 정보만 보고 추출하는 방식을 고수해왔습니다 하지만 이러한 방식은 객체 주변의 정보들을 무시하게 되고 3차원의 정보를 2차원으로 투영한 이미지는 주변 정보를 탐지하지 않고 객체만 보기 때문에 이미지 전체 맥락에 대한 이해도가 낮을 수밖에 없었습니다 이러한 이유로 배경 이미지를 객체로 인식하고 탐지하는 경우가 많았습니다. 이를 'background error가 높다'라고 표현합니다.

▼ 그림 5-19 backgroud error에 대한 예시: 아무 의미 없는 박스가 일부 그려진 모습

YOLO는 탐지하고자 하는 객체의 정보와 객체 위치를 한 번에 예측하는 통합 예측(unified detection) 시스템을 만들었습니다. 이미지 전체의 특징을 한 번에 추출하기 때문에 이미지 전체 맥락에 대한 이해가 높고 background error가 낮으며, 이미지 전체를 보면서 객체의 일반화된 특징을 학습하기 때문에 실제 사진들을 가지고 학습을 진행해도 만화책이나 책의 삽화에 등장하는 사람을 이해하고 탐지할 수 있는 특징을 가지게 됩니다. two-stage detector에 비해 장점들만 있는 것 같지만 전체를 한 번에 보는 특징 때문에 작은 객체들은 상대적으로 잘 탐지하지 못하는 단점을 가지게 됩니다.

통합 예측

YOLO의 핵심 아이디어 중 하나는 통합 예측입니다. 통합 예측을 하는 단계를 순차적으로 알아보겠습니다.

그리드 분할

그리드(grid)는 이미지나 다른 2차원 표면을 일정한 사이즈의 정사각형 또는 직사각형으로 분할하는 것을 의미합니다. 그리드는 복잡한 이미지나 데이터를 더 작고 관리하기 쉬운 여러 부분으로 나누는 데 도움을 줍니다.

먼저 첫 번째로 이미지를 S×S개의 그리드로 나누는 작업을 진행합니다. 논문에서는 S를 7로 설정했습니다.

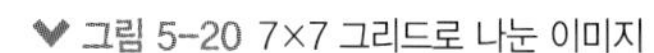
그림 5-20 7×7 그리드로 나눈 이미지

만약 객체의 중심이 특정 그리드 셀 내에 위치한다면, 그 셀이 해당 객체를 탐지하는 역할을 담당하게 됩니다.

각 그리드 셀은 B개의 바운딩 박스를 예측합니다. YOLO 논문에서는 B를 2로 설정했습니다. 이 바운딩 박스들은 이미지 내의 객체를 포함할 가능성이 있는 영역을 나타냅니다. 각 바운딩 박스에는 '신뢰도 점수(confidence score)'가 부여됩니다. 이 신뢰도 점수는 두 가지 주요 요소로 구성됩니다.

- 해당 바운딩 박스 내에 객체가 존재하는 확률, 즉 $Pr(Object)$
- 예측된 바운딩 박스와 실제 객체의 위치 사이의 일치도, 즉 $IoU_{truthpred}$

이미지 내에 고양이가 있을 때, 그 고양이의 중심이 특정 그리드 셀 내에 위치한다고 가정해보겠습니다. 해당 그리드 셀은 고양이를 탐지하려고 여러 개의 바운딩 박스를 예측합니다. 각 바운딩 박스에는 위에서 정의한 신뢰도 점수가 부여됩니다. 만약 예측된 경계 상자가 고양이의 실제 위치와 매우 일치한다면 $IoU_{truthpred}$ 값은 1에 가까울 것이고, 따라서 신뢰도 점수도 높아질 것입니다. 그러나 만약 그리드 셀 내에 아무런 객체도 없다면, $Pr(Object)$는 0이 되므로 신뢰 점수도 0입니다. 이를 수식화해서 다음처럼 정리할 수 있습니다.

$$\text{신뢰도 점수}(Confidence\ Score) = Pr(Object) \times IoU_{truthpred}$$

이렇게 신뢰도 점수는 예측된 경계 상자의 정확도와 그 상자 내에 객체가 존재하는 확률을 동시에 고려합니다. 객체 탐지에서는 이 신뢰도 점수를 통해 어떤 경계 상자를 최종적으로 선택할지 결정하게 됩니다. 신뢰도 점수가 높은 경계 상자는 해당 객체를 더 정확하게 포함하고 있을 가능성이 높다는 것을 의미합니다.

이제 각 경계 상자가 어떤 정보를 포함하고 있는지 살펴보겠습니다. 각 바운딩 박스는 총 다섯 가지의 정보를 예측합니다. 이 정보들은 바로 x, y 좌표, 너비(w), 높이(h) 그리고 앞서 언급했던 신뢰도입니다. 여기서 x, y 좌표는 바운딩 박스의 중심점을 나타내며, 이 좌표는 그리드 셀 내에서의 상대적 위치로 표현됩니다. 예를 들어 만약 그리드 셀의 왼쪽 상단 모서리를 기준으로 바운딩 박스의 중심이 그리드 셀의 정중앙에 위치한다면, x와 y 좌표는 각각 0.5, 0.5로 예측될 것입니다.

너비와 높이는 전체 이미지에 대한 상대적인 사이즈로 예측됩니다. 예를 들면 이미지 전체의 너비나 높이에 대한 비율로 표현됩니다. 만약 예측된 바운딩 박스가 이미지 전체의 너비의 절반, 높이의 $\frac{1}{4}$ 사이즈를 가진다면, w와 h는 각각 0.5와 0.25로 예측됩니다.

▼ 그림 5-21 YOLO의 통합 예측

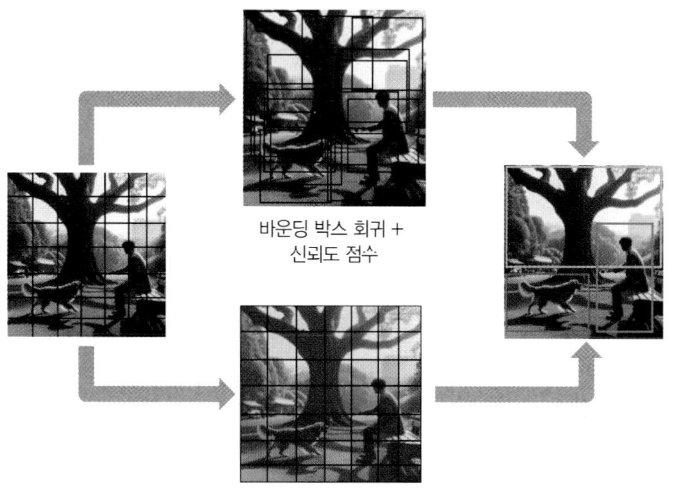

마지막으로 신뢰도는 앞서 설명했듯이 예측된 바운딩 박스와 실제 객체의 위치 사이에 일치도를 나타내는 지표입니다. 이 신뢰도는 예측된 바운딩 박스가 실제 객체를 얼마나 잘 포함하고 있는지, 그리고 그 위치가 얼마나 정확한지를 나타내는 값으로, 이를 통해 우리는 예측의 정확도를 판단할 수 있습니다. 그리드 셀은 또한 여러 개의 클래스에 대한 확률을 예측합니다. 이 확률은 바로 그리드 셀 내에 특정 객체가 존재할 때, 그 객체가 어떤 클래스에 속하는지를 나타내는 값입니다. 예를 들어 이미지 내에 고양이와 개가 있을 때, 특정 그리드 셀이 고양이를 탐지한다면, 그 셀은 '고양이' 클래스에 대한 확률이 높게 나타날 것입니다.

여기서 중요한 점은 각 그리드 셀이 여러 개의 바운딩 박스를 예측할 수 있지만, 클래스에 대한 확률은 한 번만 예측된다는 것입니다. 즉, 그리드 셀 내에서 예측되는 여러 바운딩 박스들이 같은 객체를 탐지하더라도 그 객체의 클래스에 대한 확률은 그리드 셀당 하나만 계산됩니다.

테스트 과정에서는 이 클래스에 대한 확률과 바운딩 박스의 신뢰도가 함께 사용됩니다. 수식으로 표현하면 다음처럼 정리할 수 있습니다.

$$Pr(Classi \mid Object) \times Pr(Object) \times IoU_{truthpred} = Pr(Classi) \times IoU_{trhthpred}$$

바운딩 박스 내에 특정 클래스의 객체가 있을 확률과 예측된 바운딩 박스의 정확도를 동시에 고려하여 최종적인 클래스별 신뢰도 점수를 계산합니다. 이 점수는 바운딩 박스 내에 특정 클래스의 객체가 있을 확률과 그 바운딩 박스가 얼마나 정확한지를 함께 반영한 값입니다.

네트워크 디자인

YOLO는 객체 탐지 분야에서 혁신적인 모델로 주목받았습니다. 이 모델은 단일 합성곱 신경망(CNN) 구조를 사용하여 이미지 속 객체를 탐지하고 분류합니다. 이 합성곱 신경망의 기본은 이미지 내의 다양한 패턴과 특징을 파악하는 데 있습니다. 이러한 합성곱 층들은 이미지의 다양한 부분에서 고수준의 정보를 추출하며, 객체의 형태나 구조 같은 중요한 특징들을 학습하는 역할을 합니다.

YOLO의 합성곱 신경망 설계는 이미지 분류를 목적으로 한 앞서 배운 구글넷에서 큰 영감을 받았습니다. 하지만 YOLO는 구글넷의 복잡한 인셉션 구조를 그대로 가져오는 대신, 1×1의 축소 층과 3×3의 합성곱 층의 조합을 사용하여 더 간결하면서도 효율적인 특징 추출 메커니즘을 구현하였습니다.

이 YOLO 모델은 주로 파스칼 VOC 데이터 세트에서 성능을 검증하기 위해 개발되었습니다. 파스칼 VOC는 객체 탐지와 이미지 분류, 분할 등 다양한 비전 연구를 위한 핵심 데이터 세트 중 하나입니다. VOC(Visual Object Classes)는 여러 객체 클래스들을 포함한 이미지로 구성되어 있으며, 실세계의 다양한 조건과 배경하에서 촬영된 이미지들로 구성되어 있습니다. 따라서 YOLO와 같은 모델이 파스칼 VOC에서 좋은 성능을 보인다면 실세계에서도 높은 성능을 기대할 수 있습니다.

▼ 그림 5-22 YOLO 예측 프로세스

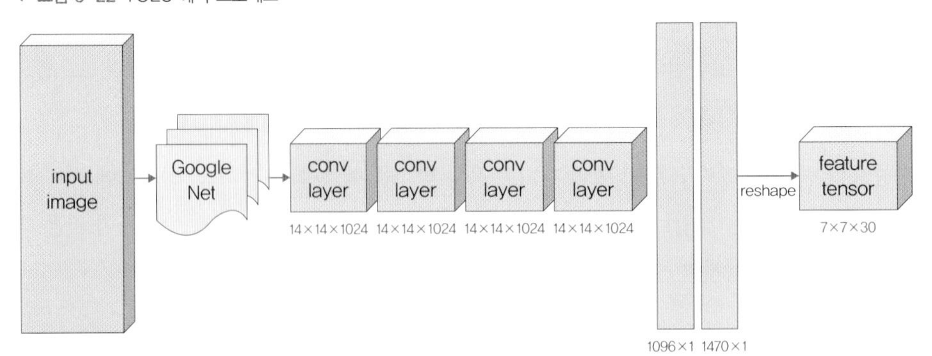

YOLO의 전체 아키텍처는 24개의 합성곱 층과 2개의 완전 연결 층으로 이루어져 있습니다. 단순화된 구글넷의 경우 성능적으로 조금 떨어지는 이슈가 보여 임의적으로 새로운 합성곱 신경망을 더 추가하였고 보다 더 높은 성능을 낼 수 있었습니다. 이렇게 추출한 특징 맵을 다시 그리드 셀의 사이즈 R인 R×R×30 사이즈의 특징 텐서(feature tensor)로 변환(reshape)합니다.

▼ 그림 5-23 YOLO의 특징 텐서

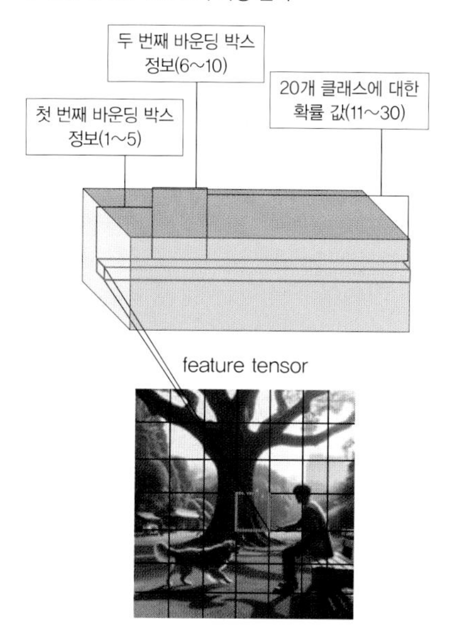

해당 텐서는 그리드 셀의 사이즈에서 30만큼의 사이즈를 가지고 있으며, 각각의 그리드 셀에는 B(2개)의 바운딩 박스에 대한 정보 값을 가지고 있습니다. 1~5의 깊이에서는 첫 번째 바운딩 박스의 정보 값을 포함합니다. 1번은 x 값의 중앙 좌표, 2번은 y 값의 중앙 좌표, 3번은 바운딩 박스의 가로 길이, 4번은 바운딩 박스의 새로 길이 5번은 해당 그리드 셀이 객체를 포함하고 있는지에 대한 신뢰도 점수입니다. 이와 마찬가지로 6~10번은 두 번째 바운딩 박스에 대한 정보 값을 가지고 있으며 구성은 첫 번째 바운딩 박스의 정보 값과 같습니다. 11번부터 30번까지는 예측하고자 하는 카테고리의 1번부터 20번까지의 카테고리 예측 확률 값이 포함되어 있습니다. 이를 통해 각 바운딩 박스의 신뢰도 점수와 카테고리의 카테고리 예측 확률 값을 곱하여 특정 카테고리의 신뢰도를 특정(class-specific confidence score)하여 계산할 수 있습니다.

학습 과정

$$\lambda_{coord} \sum_{i=0}^{s^2} \sum_{j=0}^{B} \vartheta_{i,j}^{obj} [(x_i - \hat{x}_i)^2 + (y_i - \hat{y}_i)^2] \text{ --- ①}$$

$$+ \lambda_{coord} \sum_{i=0}^{s^2} \sum_{j=0}^{B} \vartheta_{i,j}^{obj} \left[(\sqrt{w}_i - \sqrt{\hat{w}_i})^2 + (\sqrt{h}_i - \sqrt{\hat{h}_i})^2 \right] \text{ --- ②}$$

$$+ \sum_{i=0}^{s^2} \sum_{j=0}^{B} \vartheta_{i,j}^{obj} (C_i - \hat{C}_i)^2 \text{ --- ③}$$

$$+ \lambda_{coord} \sum_{i=0}^{s^2} \sum_{j=0}^{B} \vartheta_{i,j}^{noobj} (C_i - \hat{C}_i)^2 \text{ --- ④}$$

$$+ \sum_{i=0}^{s^2} \vartheta_{i,j}^{obj} \sum_{c \in classes} (p_i(c) - \hat{p}_i(c))^2 \text{ --- ⑤}$$

YOLO 학습 손실 함수의 각 부분은 실제 값과 예측 값 간의 차이를 측정하는 데 중요한 역할을 합니다. 이 차이, 즉 '손실'은 네트워크 학습 중에 최소화되어야 합니다. 손실을 계산하는 방식을 정확히 이해한다면 YOLO의 학습 과정에 대해 더 자세히 이해할 수 있습니다.

각 부분에 대한 더 자세한 설명은 다음과 같습니다.

❶ 바운딩 박스의 중심 좌표에 대한 손실

- x_i와 y_i는 실제 바운딩 박스의 중심 좌표입니다.
- $\hat{x}_i$와 $\hat{y}_i$는 예측된 바운딩 박스의 중심 좌표입니다.
- $\theta_{i,j}^{obj}$는 i번째 셀의 j번째 바운딩 박스가 객체를 포함할 경우 1이고, 그렇지 않을 경우 0입니다. 객체가 해당 바운딩 박스 내에 있을 때만 중심 좌표에 대한 손실을 계산합니다. 이는 불필요한 박스에 대해서는 손실을 무시하기 위함입니다.

이 부분은 네트워크가 예측한 바운딩 박스의 중심 좌표와 실제 바운딩 박스의 중심 좌표 간의 차이를 측정합니다.

이 차이가 클수록 손실 값이 크게 됩니다. 목표는 실제 객체의 중심 좌표 근처에 바운딩 박스를 정확히 위치시키는 것입니다.

❷ 바운딩 박스의 너비와 높이에 대한 손실

- $\sqrt{w_i}$와 $\sqrt{h_i}$는 실제 바운딩 박스의 너비와 높이입니다.
- $\sqrt{\hat{w}_i}$와 $\sqrt{\hat{h}_i}$는 예측된 바운딩 박스의 너비와 높이입니다.

네트워크가 예측한 바운딩 박스의 사이즈와 실제 바운딩 박스의 사이즈 간의 차이를 측정합니다. 제곱근을 사용하는 이유는 사이즈의 차이에 대한 페널티를 균일하게 만들기 위해입니다. 즉, 작은 객체와 큰 객체에 대해 동일한 페널티를 부과합니다.

❸ 객체가 있는 경우의 바운딩 박스에 대한 신뢰도 손실

- C_i는 실제 바운딩 박스의 objectness 점수입니다.
- $\hat{C}_i$는 예측된 바운딩 박스의 objectness 점수입니다.

이 부분은 네트워크가 예측한 바운딩 박스 내의 객체 존재 확률과 실제 값 간의 차이를 측정합니다. 바운딩 박스 안에 객체가 있을 때, 해당 박스의 예측 신뢰도가 높아야 합니다. 만약 예측 신뢰도가 낮다면 이 부분의 손실은 크게 됩니다.

❹ 객체가 없는 경우의 바운딩 박스에 대한 신뢰도 손실

이 부분은 해당 바운딩 박스 안에 객체가 없을 때의 objectness 손실을 나타냅니다.

$\theta_{i,j}^{noobj}$는 객체가 없는 박스에 대한 손실의 가중치를 조정하는 매개변수입니다. YOLO는 많은 바운딩 박스를 예측하지만 모든 박스가 객체를 포함하지는 않습니다. 따라서 바운딩 박스 내에 객체가 없는 경우의 신뢰도를 제어하기 위한 손실 항목이 필요합니다.

이 부분은 바운딩 박스 내에 객체가 없을 때, 해당 박스의 예측 신뢰도가 낮아야 합니다. 만약 예측 신뢰도가 높다면 이 부분의 손실은 크게 됩니다.

❺ 클래스 확률에 대한 손실

- $p_i(c)$는 실제 클래스 확률입니다.
- $\hat{p}_i(c)$는 예측된 클래스 확률입니다.

객체 탐지에서는 단순히 객체의 위치만을 탐지하는 것이 아니라, 해당 객체의 클래스도 예측해야 합니다.

이 부분은 네트워크가 예측한 클래스 확률과 실제 클래스 레이블 간의 차이를 측정합니다.

객체가 주어진 클래스에 속할 확률을 정확히 예측하는 것은 객체 탐지의 중요한 부분입니다. 이 항목은 클래스 예측의 정확도를 향상시키기 위해 사용됩니다. YOLO는 이러한 항목들을 통해 여러 가지 관점에서의 오차를 최소화하려고 시도하며 한 번에 학습 및 예측을 진행합니다. 위치, 사이즈, 신뢰도 및 클래스 확률에 대한 예측의 정확도를 높이는 것은 객체 탐지의 성능을 향상시키기 위해 중요합니다.

텐서플로를 활용한 YOLO 구현 실습

본격적으로 YOLO 객체 탐지를 구현하기 전에, 먼저 사용할 데이터 세트에 대한 이해와 준비가 필요합니다. 데이터 세트는 모델 학습의 기반이 되기 때문에 그 중요성은 말할 것도 없습니다. 이번 실습에서는 객체 탐지 연구의 대표적인 데이터 세트인 PASCAL VOC 2007을 사용하겠습니다.

PASCAL VOC 2007 데이터 세트

PASCAL VOC는 객체 탐지 연구에서 널리 사용되는 기준 데이터 세트 중 하나입니다. PASCAL VOC 2007은 다양한 물체와 상황에서 촬영된 이미지들로 구성되어 있으며, 각 이미지는 물체의 위치와 클래스 정보를 포함하는 주석이 함께 제공됩니다. 이를 통해 모델은 물체의 위치와 클래스를 동시에 예측하도록 학습됩니다.

```
!wget -N http://host.robots.ox.ac.uk/pascal/VOC/voc2007/VOCtrainval_06-Nov-2007.tar
http://host.robots.ox.ac.uk/pascal/VOC/voc2007/VOCtest_06-Nov-2007.tar
!mkdir -p VOCtrainval_2007 VOCtest_2007
!tar -xvf VOCtrainval_06-Nov-2007.tar -C VOCtrainval_2007/
!tar -xvf VOCtest_06-Nov-2007.tar -C VOCtest_2007/
!pip install xmltodict
```

위의 코드는 PASCAL VOC 2007 데이터 세트를 다운로드하고, 알맞게 폴더를 구성하여 압축을 해제하는 과정입니다. 마지막으로 XML 주석을 파싱하는 데 도움을 주는 xmltodict 라이브러리를 설치합니다. 이 데이터 세트 위에서 YOLO의 성능을 직접 확인해보겠습니다.

다음 라이브러리들을 활용하여 객체 탐지 모델을 구현하고 학습 데이터를 처리하게 됩니다.

```
import numpy as np              # 배열 연산을 위한 라이브러리
import cv2                      # 이미지 처리를 위한 OpenCV 라이브러리
import xmltodict                # XML 파싱을 위한 라이브러리
from tqdm import tqdm           # 진행 상황 표시를 위한 라이브러리
import tensorflow as tf         # 딥러닝 프레임워크 텐서플로
from glob import glob           # 파일 경로들을 리스트로 불러오는 라이브러리
from tensorflow.keras.callbacks import ModelCheckpoint # 모델 중간 저장을 위한 콜백입니다.

# 테스트용 이미지를 다운로드합니다.
!wget https://raw.githubusercontent.com/Cobslab/imageBible/main/image/like_lenna224.
png -O like_lenna.png
```

그러고 나서 다음 단계로 이 라이브러리들을 사용하여 모델의 아키텍처를 구성하고 학습 데이터를 전처리하는 과정을 진행하겠습니다.

```
# 파일 경로 설정
train_x_path='/content/VOCtest_2007/VOCdevkit/VOC2007/JPEGImages'
train_y_path='/content/VOCtrainval_2007/VOCdevkit/VOC2007/Annotations'
test_x_path='/content/VOCtest_2007/VOCdevkit/VOC2007/JPEGImages'
test_y_path='/content/VOCtest_2007/VOCdevkit/VOC2007/Annotations'
```


PASCAL VOC 2007 데이터 세트는 이미지와 그에 해당하는 주석(XML) 데이터로 구성되어 있습니다. 주석 데이터에는 객체의 위치, 사이즈 및 클래스 정보와 같은 중요한 정보가 포함되어 있습니다. 코드에서 train_x_path와 test_x_path는 이미지 데이터의 경로를 지정하며, train_y_path와 test_y_path는 주석 데이터의 경로를 지정합니다.

XML 파싱

다음 코드는 각각의 이미지 파일과 그에 해당하는 XML 주석 파일의 경로를 가져옵니다.

```
# 학습 데이터의 이미지와 XML 파일 경로를 획득합니다.
image_file_path_list = sorted([x for x in glob(train_x_path + '/**')])
subset_size = len(image_file_path_list) // 70  # 전체 데이터의 약 1/70만 사용
image_file_path_list = image_file_path_list[:subset_size]
xml_file_path_list = sorted([x for x in glob(train_y_path + '/**')])
xml_file_path_list = xml_file_path_list[:subset_size]

# 테스트 데이터의 이미지와 XML 파일 경로를 획득합니다.
test_image_file_path_list = sorted([x for x in glob(test_x_path + '/**')])
subset_size = len(test_image_file_path_list) // 70  # 전체 데이터의 약 1/70만 사용
test_image_file_path_list = test_image_file_path_list[:subset_size]
test_xml_file_path_list = sorted([x for x in glob(test_y_path + '/**')])
test_xml_file_path_list = test_xml_file_path_list[:subset_size]
```

glob 함수를 사용하여 지정된 경로에서 모든 파일의 경로를 리스트 형태로 가져옵니다. 데이터 세트의 사이즈가 크므로 전체 데이터의 약 $\frac{1}{70}$만을 사용하여 실험의 효율성을 높입니다. 테스트 데이터에 대해서도 동일한 작업을 수행합니다.

이렇게 준비된 이미지와 주석 파일의 경로를 바탕으로, 이후의 과정에서 데이터를 불러와 모델의 학습 및 테스트에 사용합니다.

```
def get_classes_in_image(xml_file_list):
    classes_in_data_set = set()

    for xml_file_path in xml_file_list:
        with open(xml_file_path, 'r') as file:
            xml_file = xmltodict.parse(file.read())

            objects = xml_file['annotation']['object']

            # 항상 리스트 형태로 처리하기 위해 단일 객체도 리스트로 변환
            if not isinstance(objects, list):
                objects = [objects]

            for obj in objects:
                classes_in_data_set.add(obj['name'].lower())

    classes_in_data_set = sorted(classes_in_data_set)
    print(classes_in_data_set)
    return classes_in_data_set
classes_inDataSet = get_classes_in_image(test_xml_file_path_list)
```

```
['aeroplane', 'bicycle', 'bird', 'boat', 'bottle', 'bus', 'car', 'cat', 'chair',
'cow', 'diningtable', 'dog', 'horse', 'motorbike', 'person', 'pottedplant', 'sheep',
'sofa', 'train', 'tvmonitor']
```

VOC 데이터 세트 내에 어떤 클래스의 객체들이 있는지 파악하는 것은 중요합니다. 코드는 이러한 기능을 제공하기 위해 작성되었습니다. 함수 get_Classes_inImage는 VOC 데이터 세트의 XML 주석 파일들 중 객체 클래스를 분석하여 리스트로 반환합니다.

각 XML 파일을 순회하며 해당 파일을 읽습니다. xmltodict 라이브러리를 사용하여 XML 형식의 내용을 파이썬의 딕셔너리 형태로 변환합니다. 각 XML 파일은 해당 이미지에 대한 주석 정보를 담고 있습니다. 이미지에 포함된 객체들의 정보가 주석으로 기록되어 있으며, 이 정보 중 객체의 클래스 이름(name)을 추출합니다.

XML 주석 중, 하나의 이미지에 여러 객체가 포함된 경우와 단 하나의 객체만 포함된 경우를 구분하여 처리합니다. 여러 객체가 포함된 경우 각 객체의 정보를 순회하며 클래스 이름을 가져오고, 단일 객체만 있는 경우에는 바로 해당 객체의 클래스 이름을 가져옵니다.

이렇게 추출된 클래스 이름들은 Classes_inDataSet 리스트에 추가됩니다. 후에 중복된 클래스 이름을 제거하고 알파벳순으로 정렬하여 출력합니다. 정리된 클래스 목록은 후에 모델 학습이나 데이터 전처리 등에서 사용될 수 있습니다.

VOC 데이터 세트 전처리

다음은 VOC 데이터 세트에서 이미지에 대한 레이블을 추출하고 전처리하는 코드입니다. 이 함수는 주어진 XML 파일에서 객체의 좌표를 읽어와, 모델이 사용할 수 있는 형식으로 변환합니다.

```
def get_label_fromImage(xml_file_path, Classes_inDataSet):              # ①
    def transform_coordinates(coordinates, Image_Width, Image_Height): # ②
        x_min, y_min, x_max, y_max = coordinates
        x_min, x_max = [(224.0 / Image_Width) * x for x in [x_min, x_max]]
        y_min, y_max = [(224.0 / Image_Height) * y for y in [y_min, y_max]]
        x, y, w, h = (x_min + x_max) / 2.0, (y_min + y_max) / 2.0, (x_max - x_min) / 
224.0, (y_max - y_min) / 224.0  # ③
        return x, y, w, h

    with open(xml_file_path, 'r') as f:
        xml_file = xmltodict.parse(f.read())  # ④

    Image_Height, Image_Width = float(xml_file['annotation']['size']['height']), 
float(xml_file['annotation']['size']['width'])
    label = np.zeros((7, 7, 25), dtype=float)  # ⑤

    objects = xml_file['annotation']['object']
    if not isinstance(objects, list): objects = [objects]

    for obj in objects:
        class_index = Classes_inDataSet.index(obj['name'].lower())  # ⑥
        coordinates = float(obj['bndbox']['xmin']), float(obj['bndbox']['ymin']), 
float(obj['bndbox']['xmax']), float(obj['bndbox']['ymax'])
        x, y, w, h = transform_coordinates(coordinates, Image_Width, Image_Height) # ⑦
        x_cell, y_cell = int(x / 32), int(y / 32)
        x_val_inCell, y_val_inCell = (x - x_cell * 32.0) / 32.0, (y - y_cell * 32.0) / 
32.0
        class_index_inCell = class_index + 5
        label[y_cell, x_cell, :5] = [x_val_inCell, y_val_inCell, w, h, 1.0]
        label[y_cell, x_cell, class_index_inCell] = 1.0

    return label
```

get_label_fromImage 함수는 주어진 XML 파일 경로와 데이터 세트 내의 클래스 목록을 입력으로 사용하여 해당 이미지에 대한 레이블을 반환합니다(①). 함수 내에는 transform_coordinates라는 내부 함수가 정의되어 있으며(②), 이 함수는 주어진 좌표와 이미지의 너비 및 높이를 사용하여 해당 좌표를 (224, 224) 사이즈의 이미지에 맞게 조정합니다(③). 그 후에 해당 좌표를 사용하여 객체의 중심 좌표와 너비, 높이를 계산합니다.

XML 파일은 파싱되어 사전 객체로 변환되며(④), 이미지의 너비와 높이 정보를 가져옵니다. 함수는 7×7 그리드와 25개의 채널을 갖는 레이블 배열을 0으로 초기화합니다(⑤). 이 배열은 YOLO 알고리즘에서 사용되는 레이블 형식을 나타냅니다. XML 파일에서 객체 정보를 가져와 각 객체의 클래스 인덱스와 경계 상자 좌표를 찾습니다(⑥). 그 후 `transform_coordinates` 함수를 사용하여 이 좌표를 조정하고, 객체의 중심이 속한 그리드 셀의 좌표와 그 셀 내에서의 상대적인 위치를 계산합니다(⑦). 이 정보와 클래스 정보를 사용하여 레이블 배열에 저장합니다. 마지막으로 완성된 레이블 배열이 반환됩니다.

그다음 데이터 세트를 만드는 과정을 진행합니다.

```
def make_dataset(image_file_path_list, xml_file_path_list, Classes_inDataSet):

    def process_image(image_file_path):  # ①
        image = cv2.imread(image_file_path)
        return cv2.resize(image, (224, 224)) / 255.0

    image_dataset = [process_image(image_path) for image_path in tqdm(image_file_
path_list, desc="Processing images")]  # ②
    label_dataset = [get_label_fromImage(xml_path, Classes_inDataSet) for xml_path
in tqdm(xml_file_path_list, desc="Processing labels")]  # ③

    image_dataset = np.array(image_dataset, dtype=np.float32)
    label_dataset = np.array(label_dataset, dtype=np.float32).reshape(-1, 7, 7, 25) # ④

    return image_dataset, tf.convert_to_tensor(label_dataset)

train_image_dataset, train_label_dataset = make_dataset(image_file_path_list,xml_
file_path_list,classes_inDataSet)
test_image_dataset, test_label_dataset = make_dataset(test_image_file_path_list,test
_xml_file_path_list,classes_inDataSet)
```

```
Processing images: 100%|██████████| 70/70 [00:00<00:00, 181.60it/s]
Processing labels: 100%|██████████| 70/70 [00:00<00:00, 2833.66it/s]
Processing images: 100%|██████████| 70/70 [00:00<00:00, 205.11it/s]
Processing labels: 100%|██████████| 70/70 [00:00<00:00, 2280.56it/s]
```

make_dataset 함수는 이미지 파일 경로 목록, XML 파일 경로 목록, 그리고 데이터 세트 내의 클래스 목록을 입력으로 받아, 이미지와 레이블의 데이터 세트를 생성합니다. 내부에 process_image 함수가 정의되어 있어 주어진 이미지 파일 경로로부터 이미지를 읽고, (224, 224)로 리사이즈한 후, 픽셀 값을 0과 1 사이로 정규화합니다(①).

이후에 이미지 파일 경로 목록을 순회하며 process_image 함수를 사용해 이미지 데이터 세트를 생성합니다(②). 동일하게 XML 파일 경로 목록을 순회하며 get_label_fromImage 함수를 사용하여 레이블 데이터 세트를 생성합니다(③). 생성된 이미지와 레이블 데이터 세트는 numpy 배열로 변환되며, 특히 레이블 데이터 세트는 적절한 모양으로 재구성됩니다(④). 함수의 마지막에서는 이미지 데이터 세트와 텐서플로 텐서 형식으로 변환된 레이블 데이터 세트를 반환합니다. 이 함수를 사용해 훈련용과 테스트용 이미지 및 레이블 데이터 세트를 생성합니다.

모델 설계

모델을 설계해보겠습니다. 다음 코드는 모델의 학습 시간을 고려하여 VGG16 아키텍처를 활용하여 YOLO 모델을 구축하는 작업을 수행합니다.

```
max_num = len(tf.keras.applications.VGG16(weights='imagenet', include_top=False,
input_shape=(224, 224, 3)).layers) # ①
YOLO = tf.keras.models.Sequential(name = "YOLO")
for i in range(0, max_num-1):
    YOLO.add(tf.keras.applications.VGG16(weights='imagenet', include_top=False,
input_shape=(224, 224, 3)).layers[i])

initializer = tf.keras.initializers.RandomNormal(mean=0.0, stddev=0.01, seed=None) # ②
leaky_relu = tf.keras.layers.LeakyReLU(alpha=0.01) # ③
regularizer = tf.keras.regularizers.l2(0.0005)

for layer in YOLO.layers: # ④
    layer.trainable=False
    if (hasattr(layer,'activation'))==True:
        layer.activation = leaky_relu
```

코드의 시작 부분에서는 VGG16 모델에서 사용된 층의 전체 개수를 max_num 변수에 저장합니다. 이 값을 사용하여 VGG16의 모든 층을, 최상위 층을 제외하고, 새로운 Sequential 모델인 YOLO에 추가합니다(①). 이렇게 함으로써 YOLO 모델의 기본 구조를 VGG16의 구조로 초기 설정합니다. 다음으로 초기화 방식을 정의합니다. initializer는 가중치를 초기화하는 데 사용되는 방식으로, 여기서는 평균이 0이고 표준 편차가 0.01인 정규 분포로 설정됩니다. 이 초기화 방식은 신경망의 학습 속도와 수렴을 개선하는 데 도움을 줍니다(②).

LeakyReLU 활성화 함수도 정의됩니다. LeakyReLU는 음수 값에 대해 작은 기울기를 갖는 활성화 함수로, 신경망에서 일반적인 ReLU의 '죽은 뉴런' 문제를 해결하는 데 도움을 줍니다(③).

또한 L2 규제(또는 릿지 규제라고도 함)를 정의하여 신경망의 가중치가 너무 큰 값을 갖지 않도록 제한합니다. 이렇게 하면 과적합을 방지하고 모델의 일반화 성능을 향상시킬 수 있습니다.

마지막으로 YOLO 모델의 모든 층을 순회하면서 두 가지 작업을 수행합니다(④).

- 첫째, 각 층의 학습 가능성을 False로 설정하여, 사전 학습된 가중치가 학습 중에 변경되지 않게 합니다.
- 둘째, 해당 층에 활성화 함수가 있는 경우, 그 활성화 함수를 LeakyReLU로 변경합니다. 이는 YOLO 모델에서 더 나은 성능을 달성하기 위해 사용되는 특정 기술입니다.

이제 모델 작성 코드를 간소화하기 위하여 층 생성 함수를 작성하고 층을 모델에 추가해보겠습니다.

```
def add_conv_layer(YOLO, filters, name):
    YOLO.add(tf.keras.layers.Conv2D(filters, (3, 3),activation=leaky_relu,kernel_
initializer=initializer,kernel_regularizer=regularizer,padding='SAME',name=name,
dtype='float32'))

def add_dense_layer(YOLO, units, name, activation=leaky_relu, dropout=None):
    YOLO.add(tf.keras.layers.Dense(units,activation=activation,kernel_initializer=
initializer,kernel_regularizer=regularizer,name=name,dtype='float32'))
    if dropout:
        YOLO.add(tf.keras.layers.Dropout(dropout))

# 모델에 층 추가
add_conv_layer(YOLO, 1024, "detection_conv1")
add_conv_layer(YOLO, 1024, "detection_conv2")
YOLO.add(tf.keras.layers.MaxPool2D((2, 2)))
add_conv_layer(YOLO, 1024, "detection_conv3")
add_conv_layer(YOLO, 1024, "detection_conv4")

# 밀집층 추가
YOLO.add(tf.keras.layers.Flatten())
add_dense_layer(YOLO, 4096, "detection_linear1", dropout=0.5)
```

```
add_dense_layer(YOLO, 1470, "detection_linear2", activation=None)

# 결과 구조 재배열화
YOLO.add(tf.keras.layers.Reshape((7, 7, 30), name='output', dtype='float32')
```

첫 번째 단계에서는 합성곱 층을 추가하는 작업을 간단하게 만들기 위해 add_conv_layer 함수를 정의했습니다. 이 함수는 필터의 개수, 층의 이름 등 필요한 매개변수를 받아서 합성곱 층을 모델에 추가합니다. 여기서는 LeakyReLU 활성화 함수, 특성 초기화 방식, 규세 방식을 동일하세 적용하며 층을 추가합니다.

두 번째 단계에서는 밀집층을 추가하는 작업을 간소화하기 위한 add_dense_layer라는 도우미 함수를 정의합니다. 이 함수는 층에 사용될 유닛의 수, 이름, 활성화 함수, 그리고 선택적으로 드롭아웃 비율을 인수로 받아 밀집층을 모델에 추가합니다.

이후 앞에서 정의한 함수들을 사용하여 모델에 여러 개의 합성곱 층과 완전 연결 층을 추가합니다. 특히, 최대 풀링 층도 중간에 추가되어 이미지의 공간적 차원을 줄입니다.

마지막으로 출력층의 형태를 (7, 7, 30)으로 재구성하기 위한 Reshape 층을 추가합니다. 이 형태는 YOLO 모델의 특성상 각 그리드 셀에 대한 예측 값을 나타냅니다.

손실 함수 정의

다음 코드는 앞에서 학습 과정 파트에서 나온 손실 함수 수식을 구현한 것입니다.

```
def yolo_multitask_loss(y_true, y_pred):

    batch_loss = 0

    for true_vals, pred_vals in zip(y_true, y_pred):
        true_vals = tf.reshape(true_vals, [49, 25])  # ①
        pred_vals = tf.reshape(pred_vals, [49, 30])  # ①
        cell_losses = []
        for true_cell, pred_cell in zip(true_vals, pred_vals):
            bbox1_pred, bbox1_pred_confidence, bbox2_pred, bbox2_pred_confidence,
class_pred = \
                pred_cell[:4], pred_cell[4], pred_cell[5:9], pred_cell[9], pred_
cell[10:]
            bbox_true, bbox_true_confidence, class_true = \
                true_cell[:4], true_cell[4], true_cell[5:] # ②
```

```
            def calculate_iou(bbox_pred, bbox_true): # ③

                pred_area = bbox_pred[2] * bbox_pred[3]
                true_area = bbox_true[2] * bbox_true[3]

                pred_minmax = [bbox_pred[0] - 0.5*bbox_pred[2], bbox_pred[1] - 0.5
*bbox_pred[3],
                               bbox_pred[0] + 0.5*bbox_pred[2], bbox_pred[1] + 0.5
*bbox_pred[3]]

                true_minmax = [bbox_true[0] - 0.5*bbox_true[2], bbox_true[1] - 0.5
*bbox_true[3],
                               bbox_true[0] + 0.5*bbox_true[2], bbox_true[1] + 0.5
*bbox_true[3]]

                inter_xy_min = tf.maximum(pred_minmax[:2], true_minmax[:2])
                inter_xy_max = tf.minimum(pred_minmax[2:], true_minmax[2:])

                inter_area = tf.maximum(0.0, inter_xy_max[0] - inter_xy_min[0]) * \
                             tf.maximum(0.0, inter_xy_max[1] - inter_xy_min[1])
                union_area = pred_area + true_area - inter_area
                return inter_area / union_area
            iou_bbox1 = calculate_iou(bbox1_pred, bbox_true)
            iou_bbox2 = calculate_iou(bbox2_pred, bbox_true)
            responsible_bbox = bbox1_pred if iou_bbox1 > iou_bbox2 else bbox2_pred # ④
            responsible_bbox_confidence = bbox1_pred_confidence if iou_bbox1 >
iou_bbox2 else bbox2_pred_confidence # ④
            non_responsible_bbox_confidence = bbox2_pred_confidence if iou_bbox1 >
iou_bbox2 else bbox1_pred_confidence # ④
            obj_exist = 1.0 - tf.cast(tf.reduce_all(tf.equal(bbox_true, 0.0)),
tf.float32)

            localization_err = tf.reduce_sum(tf.square(bbox_true - responsible_bbox))
* obj_exist            # ⑤
            confidence_err_obj = tf.square(responsible_bbox_confidence - bbox_true_
confidence) * obj_exist # ⑤
            confidence_err_noobj = 0.5 * tf.square(non_responsible_bbox_confidence)
* (1.0 - obj_exist)     # ⑤
            classification_err = tf.reduce_sum(tf.square(class_true - class_pred))
* obj_exist            # ⑤

            cell_loss = 5.0 * localization_err + confidence_err_obj + confidence_
err_noobj + classification_err # ⑥
```

```
            cell_losses.append(cell_loss)

    batch_loss += tf.reduce_sum(cell_losses)               # ⑦

    batch_loss /= tf.cast(tf.shape(y_true)[0], tf.float32) # ⑧
    return batch_loss
```

이 함수는 주어진 실제 값과 예측된 값을 바탕으로 모델의 성능을 평가하는 역할을 합니다. 첫 번째 단계에서는 각 샘플에 대한 손실 값을 계산하기 위해 y_true와 y_pred의 각 항목을 반복합니다. 이때 주어진 데이터를 49×25와 49×30의 형태로 재구성합니다(①). 그다음 단계에서는 각 셀의 실제 값과 예측된 값을 바탕으로 손실을 계산합니다(②). 여기서 핵심은 각 셀에 대한 여러 손실 구성 요소를 계산하는 것입니다. 이러한 요소에는 바운딩 박스의 위치, 물체의 존재에 대한 확신 점수, 그리고 클래스 예측에 대한 오차가 포함됩니다(③, ④, ⑤). 그 후에는 IoU(Intersection over Union)를 계산하는 함수를 정의하여 두 개의 예측된 바운딩 박스 중 어느 것이 실제 바운딩 박스와 더 가까운지 판단합니다(⑥). 이 정보를 바탕으로 위치 손실, 확신 점수 손실, 그리고 클래스 손실을 계산하게 됩니다(⑦). 모든 셀의 손실 값을 합산한 후 전체 배치의 평균 손실을 반환합니다(⑧). 이 결과 값은 모델의 학습 과정 중에 사용되어, 예측 성능을 최적화하는 데 도움을 줍니다.

다음으로 하이퍼파라미터 설정 및 모델 학습을 진행해보겠습니다.

```
BATCH_SIZE = 64 # ①
EPOCHS = 120    # ②
SAVE_PATH = 'yolo.h5'   # ③

def lr_schedule(epoch): # ④
    if epoch < 75:
        return 0.001 + 0.009 * (epoch / 75.0) # ⑤
    elif epoch < 105:
        return 0.001    # ⑥
    else:
        return 0.0001   # ⑦

def compile_and_train_model(model, train_data, val_data): # ⑧
    checkpoint_callback = tf.keras.callbacks.ModelCheckpoint(
        SAVE_PATH,
        verbose=1,
        save_best_only=True  # ⑨
    )
```

```
    lr_callback = tf.keras.callbacks.LearningRateScheduler(lr_schedule) # ⑩

    optimizer = tf.keras.optimizers.SGD(learning_rate=0.001, momentum=0.9) # ⑪
    model.compile(loss=yolo_multitask_loss, optimizer=optimizer, run_eagerly=True)

    model.fit(
        train_data[0], train_data[1],
        batch_size=BATCH_SIZE,
        validation_data=val_data,
        epochs=EPOCHS,
        verbose=1,
        callbacks=[checkpoint_callback, lr_callback]
    )
compile_and_train_model(YOLO, (train_image_dataset, train_label_dataset),
(test_image_dataset, test_label_dataset)) # ⑫
```

초기 설정으로 BATCH_SIZE는 64로 설정되었고(①), 총 훈련 에포크 수는 120으로 지정되었습니다(②). 또한 훈련 중에 가장 좋은 성능의 모델을 저장하기 위해 yolo.h5라는 파일 이름을 사용하게 됩니다(③).

학습률 스케줄링을 위한 lr_schedule 함수를 통해 에포크에 따라 학습률을 조절합니다(④). 처음 75 에포크 동안은 학습률이 0.001에서 시작하여 0.01까지 선형적으로 증가하며(⑤), 다음 30 에포크(75~105 에포크) 동안은 학습률을 0.001로 유지합니다(⑥). 마지막 30 에포크에서는 학습률을 0.0001로 낮춥니다(⑦). 이러한 스케줄링은 모델이 초기에는 큰 학습률로 빠르게 학습하고, 점차 학습률을 줄여서 수렴을 도와주는 방식입니다.

compile_and_train_model 함수는 모델을 컴파일하고 훈련하는 역할을 합니다(⑧). 이 함수 내에서 확률적 경사 하강법 옵티마이저와 초기 학습률 0.001, 그리고 모멘텀 0.9를 사용하여 모델을 컴파일합니다(⑪). 또한 훈련 중 가장 낮은 손실 값을 가진 모델의 가중치를 yolo.h5 파일에 저장하기 위해 콜백을 설정합니다(⑨). 학습률 스케줄링도 콜백으로 구현되어, 각 에포크마다 lr_schedule 함수를 통해 학습률을 조절합니다(⑩).

마지막으로 compile_and_train_model 함수를 사용하여 YOLO 모델을 훈련 데이터와 검증 데이터로 훈련시킵니다(⑫).

이제 객체 검출 알고리즘의 출력을 처리하고 결과를 이미지에 그려서 시각화해보겠습니다.

```
IMAGE_SIZE = (224, 224) # ①
CELL_SIZE = 32          # ②

def convert_to_corner_coordinates(x, y, bbox, image_size):# ③
    bbox_x = (CELL_SIZE * x + bbox[0] * CELL_SIZE) * image_size[0] / IMAGE_SIZE[0]
    bbox_y = (CELL_SIZE * y + bbox[1] * CELL_SIZE) * image_size[1] / IMAGE_SIZE[1]
    bbox_w = bbox[2] * image_size[0]
    bbox_h = bbox[3] * image_size[1]

    min_x = int(bbox_x - bbox_w/2)
    min_y = int(bbox_y - bbox_h/2)
    max_x = int(bbox_x + bbox_w/2)
    max_y = int(bbox_y + bbox_h/2)

    return [min_x, min_y, max_x, max_y]

def process_single_bbox(x, y, bbox, image_size, classes_score, class_names): # ④
    idx_highest_score = np.argmax(classes_score)
    highest_score = classes_score[idx_highest_score]
    highest_score_name = class_names[idx_highest_score]

    corner_coords = convert_to_corner_coordinates(x, y, bbox, image_size)

    return corner_coords + [highest_score, highest_score_name]

def nms(bbox_list, threshold=0.6): # ⑤
    return [bbox for bbox in bbox_list if bbox[4] > threshold]

def get_YOLO_output(YOLO, image_path, class_names): # ⑥
    image_cv = cv2.imread(image_path)
    original_h, original_w, _ = image_cv.shape
    image_resized = cv2.resize(image_cv, IMAGE_SIZE) / 255.0
    image_input = np.expand_dims(image_resized, axis=0).astype('float32')

    yolo_output = YOLO(image_input)[0].numpy()

    bbox_list = []
    for y in range(7):
        for x in range(7):
            bbox1 = yolo_output[y][x][:4]
            bbox2 = yolo_output[y][x][5:9]
            bbox1_score = yolo_output[y][x][10:] * yolo_output[y][x][4]
```

```
            bbox2_score = yolo_output[y][x][10:] * yolo_output[y][x][9]

            bbox1_processed = process_single_bbox(x, y, bbox1, (original_w, original_
h), bbox1_score, class_names)
            bbox2_processed = process_single_bbox(x, y, bbox2, (original_w, original_
h), bbox2_score, class_names)

            bbox_list.extend([bbox1_processed, bbox2_processed])

    nms_boxes = nms(bbox_list)

    for bbox in nms_boxes:
        cv2.rectangle(image_cv, (bbox[0], bbox[1]), (bbox[2], bbox[3]), (0, 255, 0),
1)

    cv2.imwrite('output.jpg', image_cv)
```

이미지의 기본 사이즈와 그리드 셀의 사이즈를 전역 상수로 설정합니다(①, ②). convert_to_corner_coordinates 함수는 바운딩 박스의 중심 좌표를 사용하여 모서리 좌표로 변환합니다(③). 이는 이미지에 박스를 그리는 작업을 단순화하기 위함입니다. process_single_bbox 함수는 주어진 그리드 셀 위치와 바운딩 박스 정보를 기반으로, 해당 박스의 모서리 좌표, 최고 클래스 점수, 그리고 해당 클래스의 이름을 반환합니다(④). nms 함수는 바운딩 박스 목록을 받아 threshold(기본 값은 0.6)보다 높은 클래스 점수를 가진 박스만을 반환합니다(⑤). 주요 함수인 get_YOLO_output은 YOLO 모델, 이미지 경로, 그리고 클래스 이름 목록을 입력으로 받습니다. 이 함수는 이미지를 불러오고, YOLO 모델을 사용하여 예측을 수행한 후, 그 결과를 바탕으로 객체를 감지하고 이미지에 그립니다(⑥). 마지막으로 결과 이미지를 output.jpg로 저장합니다.

코드를 실행하면 다음처럼 출력됩니다.

```
--2024-02-18 11:58:36--  https://raw.githubusercontent.com/Cobslab/imageBible/main/
image/like_lenna224.png
Resolving raw.githubusercontent.com (raw.githubusercontent.com)... 185.199.108.133,
185.199.109.133, 185.199.110.133, ...
Connecting to raw.githubusercontent.com (raw.githubusercontent.
com)|185.199.108.133|:443... connected.
HTTP request sent, awaiting response... 200 OK
Length: 30283 (30K) [image/png]
Saving to: 'like_lenna.png'
like_lenna.png      100%[===================>]  29.57K  --.-KB/s    in 0s
2024-02-18 11:58:37 (129 MB/s) - 'like_lenna.png' saved [30283/30283]
```

앞서 살펴본 바와 같이, YOLO 알고리즘이 이미지에서 객체를 감지하는 방법은 매우 효율적이며, 그 결과로 like_lenna.jpg에 객체 위치를 표시했습니다. YOLO의 발전 과정을 이해하는 것은 이 알고리즘이 어떻게 그러한 뛰어난 성능을 달성할 수 있었는지, 그리고 미래의 객체 검출 기술에 어떤 영향을 미칠 수 있는지를 파악하는 데 중요합니다. 다음으로 YOLO v2와 v3의 주요 아키텍처 개선점을 자세히 탐구하며, 이들의 혁신적인 접근 방식이 어떻게 객체 검출의 성능 향상에 기여했는지 알아보겠습니다.

5.2.2 YOLO9000과 YOLO v3

YOLO는 객체 검출 분야에서 혁명적인 발전을 가져온 알고리즘 중 하나입니다. YOLO는 특히나 일반적인 객체 검출이 아닌 실시간 객체 검출 알고리즘과 비교하면 기존 SOTA 알고리즘에 비해서 2배 이상 높은 정확도를 보이기도 했습니다. 그 후속 모델인 YOLO 9000과 YOLO v3 또한 눈에 띄는 아키텍처적인 발전을 통해 더 나은 성능과 정확도를 제공하게 되었습니다. 지금부터 YOLO 9000과 YOLO v3에서 YOLO 아키텍처의 주요 개선점에 대하여 살펴보겠습니다.

YOLO9000의 주요 개선점

YOLO v2로 알려진 모델의 본래 이름은 YOLO9000입니다. 9000은 드래곤볼에서 베지터가 전투력이 '9000이 넘고 있어(It's over 9000)'라는 상대방이 매우 강력해지고 있는 상황에서 사용하는 일종의 서양 유머입니다. 그만큼 모델의 제작자는 후속 모델인 YOLO v2에 강한 자신감을 보였습니다.

DarkNet-19

DarkNet-19는 YOLO v2 또는 YOLO9000이라고도 불리는 버전에서 사용된 특징 추출을 위한 딥러닝 아키텍처입니다. 이 아키텍처의 이름에서 알 수 있듯이, 주요 구성은 19개의 층으로 이루어져 있습니다. DarkNet-19는 고성능 객체 검출기를 타깃으로 설계되었기 때문에 성능 최적화와 연산 효율성에 중점을 둔다는 점이 특징입니다.

❤ 그림 5-24 DarkNet-19 아키텍처

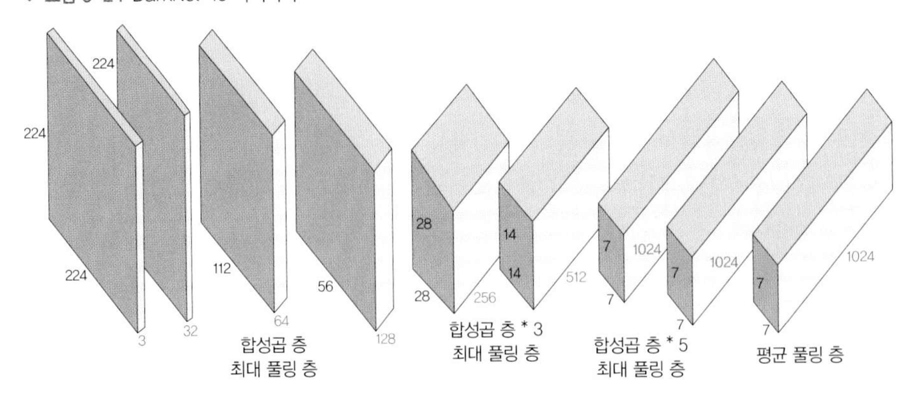

DarkNet-19 아키텍처는 주로 객체 탐지 모델인 YOLO의 백본 네트워크로 사용되며, 다음과 같이 구성됩니다.

- **합성곱 층**: DarkNet-19는 18개의 합성곱 층으로 구성되어 있습니다. 이들 중 대부분은 3×3의 필터 사이즈를 가지며, 일부는 1×1 필터를 사용하여 채널 수를 조절합니다.
- **활성화 함수**: 각 합성곱 층의 출력에는 Leaky ReLU 활성화 함수가 적용됩니다.
- **최대 풀링 층**: 일부 합성곱 층 다음에는 최대 풀링 층이 적용됩니다. 이는 특징 맵의 사이즈를 줄이고, 모델의 불변성을 증가시키는 역할을 합니다.

DarkNet-19는 성능을 유지하면서 효율적인 연산을 위해 설계되었으며, 적은 수의 매개변수와 계산량으로 높은 성능을 제공합니다.

DarkNet-19는 다양한 사이즈와 형태의 객체들을 빠르게 인식하는 능력이 있습니다. 이 아키텍처는 실시간 영상 처리에서부터 고해상도의 이미지 데이터 세트까지 다양한 환경에서 효과적으로 사용될 수 있습니다. YOLO 제작자들은 DarkNet-19를 훈련시킬 때 여러 가지 데이터 증강(augmentation) 기법을 사용했습니다. 회전, 확대/축소, 색상 조정 등의 기법을 사용하여 모델의 불변성을 증가시켰습니다. DarkNet-19는 고속 GPU에서의 연산 최적화를 위해 여러 가지 튜닝 기법을 포함하고 있습니다. 이로 인해 실시간 객체 검출이 가능하게 됩니다.

또한 DarkNet-19는 그 구조와 성능 면에서 다른 유명한 아키텍처들과 비교됩니다. 예를 들어 VGG나 레스넷은 더 깊은 네트워크를 가지지만, DarkNet-19는 그보다 훨씬 적은 계산량과 메모리를 사용하면서도 비슷한 성능을 보입니다.

앵커 박스 도입

YOLO v1 모델은 각 그리드 셀에 대한 바운딩 박스 좌표를 초기에 0에서 1 사이의 값으로 무작위로 설정한 후, 학습 과정을 통해 이 좌표 값들을 점차 최적화해나갑니다. 이와 대조적으로, Faster R-CNN은 처음부터 9개의 앵커 박스를 정의하고, 바운딩 박스 회귀를 통해 x, y 좌표와 종횡비를 조정하는 방식을 채택합니다. 이 방법은 좌표를 예측하는 것보다 오프셋을 예측하는 문제를 해결하는 것이 더 단순하고 학습하기에 용이하다는 이점이 있습니다.

YOLO v2에서는 앵커 박스 개념을 적용하면서 네트워크 구조에 수정을 가했습니다. 구체적으로 더 높은 해상도의 출력을 얻기 위해 풀링 층을 제거하였습니다. 또한 네트워크의 입력 이미지 사이즈를 이전의 448×448에서 416×416으로 조정하였습니다. 이러한 조정의 목적은 최종 출력 특성 지도의 사이즈를 홀수로 만들어 그 중앙에 단일 중심 셀을 배치함으로써, 큰 객체들이 이미지의 중심을 차지하는 경향을 더 잘 포착하기 위함입니다.

입력 이미지를 416×416 사이즈로 조정하면, 최종적으로 13×13 사이즈의 특성 지도를 얻게 되며, 이는 $\frac{1}{32}$의 다운샘플링 비율을 나타냅니다. YOLO v1에서는 각 셀마다 2개의 바운딩 박스를 예측해 총 98개의 바운딩 박스를 생성하지만, YOLO v2는 앵커 박스를 활용하여 이보다 많은 수의 바운딩 박스를 예측합니다. 앵커 박스를 사용하지 않았을 때는 평균 정밀도(mAP)가 69.5%, 회수율(recall)이 81%였으나, 앵커 박스를 사용했을 때는 평균 정밀도는 약간 감소한 69.2%로 나타났지만, 회수율은 88%로 상승했습니다. 이는 앵커 박스를 사용할 때 평균 정밀도는 소폭 감소할 수 있으나 회수율의 증가로 인해 모델의 성능 개선 가능성이 높아진다는 것을 의미합니다.

객체 탐지 작업에서 회수율이 높다는 것은 모델이 실제 객체의 위치를 잘 예측하고 있다는 것을 의미합니다. YOLO v1의 회수율이 상대적으로 낮은 이유는 이미지당 예측하는 바운딩 박스의 수가 비교적 적기 때문입니다. 그러나 YOLO v2에서는 앵커 박스를 활용하여 더 많은 바운딩 박스를 예측함으로써 실제 객체의 위치를 더 정확하게 포착하고 결과적으로 회수율이 향상됩니다.

해상도의 변화에 따른 성능 향상

DarkNet-19는 백본(backbone) 네트워크의 역할을 합니다. 딥러닝에서 '백본 네트워크'는 주로 컴퓨터 비전 작업을 위한 신경망 모델에서의 기본 구조를 의미합니다. 이는 입력 이미지에서 고수준의 특징을 추출하는 역할을 하며, 일반적으로 다양한 사이즈의 합성곱 층들과 풀링 층들로 구성되어 있습니다. 백본 네트워크는 특징 추출기로서의 기능을 수행하고, 이렇게 추출된 특징들은 태스크-특화 층(예 분류기, 검출기)으로 전달되어 특정 작업을 수행하는 데 사용됩니다.

대표적인 백본 네트워크로는 4장에서 배운 VGG, 레즈넷, 구글넷 등이 있으며, 이들은 이미지 인식, 객체 감지 및 세분화와 같은 다양한 딥러닝 작업에 널리 활용됩니다. 백본 네트워크의 선택은 해당 네트워크의 성능, 계산 복잡성, 필요한 매개변수의 수와 같은 요소들에 따라 달라질 수 있습니다. 이미지 해상도가 크게 된다면 연산량이 많아져 결과적으로 모델 전체가 느려지게 되는 Trade-off 관계를 가지게 됩니다. YOLO 9000에서는 다양한 해상도의 차이에 따라 결과를 비교하여 이를 확인하였습니다.

▼ 표 5-1 YOLO 9000 모델의 다양한 입력 사이즈에 따른 성능 비교

인풋 사이즈	평균 정밀도	FPS
288x288	69.0	91
352x352	73.7	81
416x416	76.8	67
480x480	77.8	59
544x544	78.6	40

YOLO v1에서는 DarkNet을 먼저 224×224 해상도로 사전 학습시킨 후, 네트워크가 객체 탐지 작업을 진행하면서 동시에 새로운 해상도에 적응하도록 훈련시키는 방식으로 객체 탐지를 할 때는 해상도를 2배 늘려 448×448 사이즈의 이미지를 사용합니다.

그에 반해 YOLO v2는 처음부터 높은 해상도로 DarkNet을 사전 학습시킵니다. 이는 네트워크가 처음부터 끝까지 높은 해상도의 이미지에 익숙해지게 해서 모델의 mAP를 약 4% 향상시키는데 기여합니다. 이렇게 해상도를 일정하게 유지하는 것이 네트워크 성능에 더 좋을 수 있음을 보여주었습니다.

YOLO v3의 주요 개선점

이미지 분류 모델의 발전과 디텍션 모델의 발전은 함께 진행됩니다. 다음 그림은 YOLO v3의 특징 추출 신경망인 DarkNet-53입니다.

▼ 그림 5-25 DarkNet-53

	층 타입	필터 개수	사이즈
	합성곱 층	32	3×3
	합성곱 층	64	3×3
	합성곱 층	32	1×1
	합성곱 층	64	3×3
	잔여 연결		
	합성곱 층	128	3×3
2×	합성곱 층	64	1×1
	합성곱 층	128	3×3
	잔여 연결		
	합성곱 층	256	3×3
8×	합성곱 층	128	1×1
	합성곱 층	256	3×3
	잔여 연결		
	합성곱 층	512	3×3
8×	합성곱 층	256	1×1
	합성곱 층	512	3×3
	잔여 연결		
	합성곱 층	1024	3×3
4×	합성곱 층	512	1×1
	합성곱 층	1024	3×3
	잔여 연결		

DarkNet-53 아키텍처는 고급 객체 탐지 시스템인 YOLO v3에 사용되는 합성곱 신경망의 근간을 이룹니다. 이전 모델인 DarkNet-19와 비교할 때 DarkNet-53의 혁신적인 발전은 더 많은 층을 통한 복잡한 특징 학습과 깊은 신경망의 학습 효율성을 향상시키는 레즈넷의 잔여 연결의 도입에 있습니다. 잔여 연결은 각 합성곱 층의 출력을 그다음 층의 입력에 직접 추가함으로써 깊은 층에서 발생할 수 있는 기울기 소실 문제를 완화하고, 교차 층 데이터 흐름을 강화하여, 신경망이 깊어져도 안정적으로 학습될 수 있도록 합니다.

이러한 구조는 네트워크가 더 많은 정보를 기억하고, 깊은 층에서도 중요한 특징을 유지할 수 있게 해 심층 학습에서의 성능 저하 문제를 개선합니다. 또한 잔여 연결은 훈련 과정을 가속화시키며, 복잡한 데이터 세트에 대한 높은 차원의 특징을 효과적으로 포착할 수 있도록 도와 모델의 일반화 능력을 강화시킵니다. 이 모든 요소가 결합되어 DarkNet-53은 YOLO v3의 탐지 정확도와 속도를 높이는 결정적인 요소로 작용합니다.

특징 피라미드 네트워크를 이용한 멀티 스케일 예측

YOLO v1의 큰 단점으로 여겨지던 부분 중 하나는 바로 작은 사이즈를 가진 객체의 탐지 능력이 기존 two-stage detector에 비해 떨어진다는 점이었습니다. YOLO v3에서는 기존 단점을 커버하는 멀티 스케일 예측 성능을 올리기 위한 다양한 방법론을 제안합니다. 모델의 전체적인 흐름에 대해 살펴보겠습니다.

▼ 그림 5-26 YOLO v3 전체 프로세스

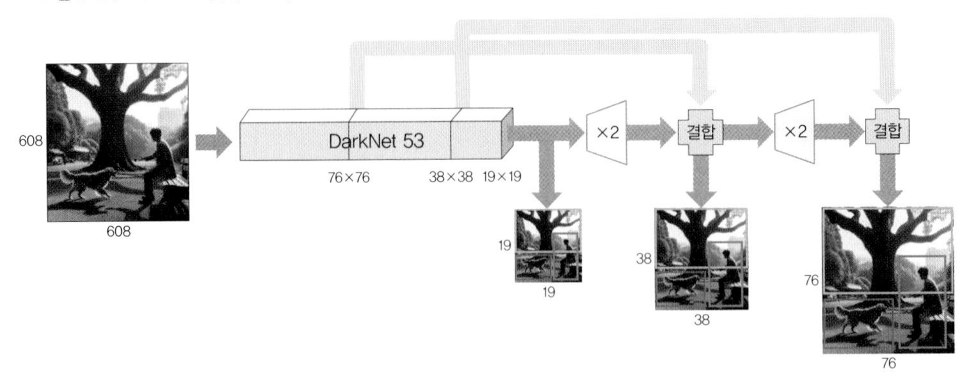

위 그림은 모델이 멀티 스케일을 예측하는 전체적인 흐름도를 보여줍니다. DarkNet-53, YOLO v3의 백본 아키텍처는 입력 이미지를 다양한 층에 통과시킵니다. 이 과정에서 여러 사이즈의 특징 맵을 생성합니다. 입력 이미지의 해상도가 608×608이라면, 특징 맵들은 각각 19×19, 26×26, 52×52 등의 해상도를 가지며, 네트워크가 생성하는 특징 맵의 사이즈 및 해상도를 나타냅니다.

작은 사이즈의 특징 맵은 큰 영역을 대표하기 때문에 큰 객체를 탐지하는 데 적합합니다. 이들은 이미지의 광범위한 부분을 감지하고 해석할 수 있으며, 따라서 사이즈가 큰 객체의 존재 및 위치를 파악하는 데 유리합니다. 반대로 큰 사이즈의 특징 맵은 더 높은 해상도를 가지므로 작은 객체의 미세한 세부 사항까지 포착할 수 있습니다. 이렇게 다양한 해상도의 특징 맵을 생성함으로써 YOLO v3는 다양한 사이즈의 객체를 효과적으로 탐지하고 분류할 수 있는 능력을 갖춥니다. 특징 맵의 사이즈를 키우는 과정을 업샘플링(up-sampling)이라고 하며 이 단계는 YOLO v3의 성능을 한 단계 끌어올리는 중요한 과정입니다.

작은 특징 맵은 업샘플링을 통해 그 해상도를 높이게 됩니다. 업샘플링은 이미지의 사이즈를 인위적으로 확장하는 과정으로, 더 많은 픽셀을 생성하고 그 결과로 작은 객체의 세부적인 특징을 더 잘 포착할 수 있게 해줍니다.

업샘플링된 특징 맵은 이후에 이전 층에서 추출된 더 큰 특징 맵과 결합됩니다. 이 결합 과정은 네트워크에게 다양한 사이즈의 객체에 대한 정보를 통합적으로 제공합니다. 특징 맵의 결합은 네트워크가 작은 객체의 세부 사항과 함께 큰 객체의 전반적인 정보를 동시에 해석할 수 있게 해줍니다. 이는 객체 탐지의 정확도를 높이고, 더 세밀한 객체 인식을 가능하게 합니다. 결합된 특징 맵은 마지막으로 YOLO v3의 객체 탐지 층을 통과합니다. 이 층은 최종적으로 객체의 위치, 클래스 및 확률을 예측합니다. YOLO v3의 객체 탐지는 멀티 스케일 방식으로 수행되며, 이는 다양한 사이즈의 객체를 효과적으로 감지할 수 있음을 의미합니다.

객체 탐지 과정에서 중요한 점은 네트워크가 단일 이미지 분석을 통해 다양한 사이즈와 형태의 객체를 식별하고 분류한다는 것입니다. 이는 YOLO v3가 높은 정확도와 속도로 실시간 이미지 처리 및 객체 탐지를 수행할 수 있게 해줍니다.

사전 학습된 YOLO v3 모델을 활용한 객체 탐지 실습

이번 실습엔 YOLO v3 모델을 직접 실행해보겠습니다. YOLO v3 원지자의 구현을 기반으로 모델을 실행해보며, YOLO v3의 실제 성능과 작동 방식을 직접 체험해보겠습니다.

```
%cd /content
!rm -rf darknet
!git clone https://github.com/pjreddie/darknet
%cd darknet
!make
!ls -al darknet
!./darknet
```

DarkNet 환경을 설정하고 YOLO 객체 탐지 모델을 준비하는 과정을 단계별로 설명합니다. 먼저 `%cd /content` 명령을 사용하여 작업 디렉터리를 `/content`로 변경합니다. 다음으로, `!rm -rf darknet` 명령으로 기존에 존재할 수 있는 darknet 폴더를 삭제해서 새로운 설치를 위한 공간을 마련합니다.

이어서 `!git clone https://github.com/pjreddie/darknet` 명령으로 깃허브에서 pjreddie의 'darknet' 저장소를 복제합니다. 'darknet'은 YOLO 객체 탐지 모델을 구현하는 데 사용되는 오픈 소스 신경망 프레임워크입니다. 복제가 완료된 후 `%cd darknet` 명령으로 'darknet' 폴더로 작업 디렉터리를 변경합니다. 그 후 `!make` 명령을 실행하여 'darknet'을 빌드합니다.

이 과정에서 소스 코드를 컴파일하고 실행 가능한 파일을 생성합니다. 빌드가 완료되면 `!ls -al darknet` 명령으로 darknet 폴더 내의 파일들을 나열하여 빌드가 성공적으로 이루어졌는지 확인할 수 있습니다. 마지막으로 `!./darknet` 명령을 실행하여 빌드된 'darknet' 실행 파일을 테스트합니다. 이러한 단계를 거치면 YOLO 객체 탐지 모델을 사용할 준비가 완료되며, 이를 통해 이미지나 비디오 내의 객체를 탐지하고 분류할 수 있게 됩니다.

그러고 나면 다음 코드로 YOLO v3 객체 탐지 모델의 사전 훈련된 가중치를 다운로드합니다.

```
%cd /content/darknet
!wget https://pjreddie.com/media/files/YOLO v3.weights
```

코드의 각 부분은 다음과 같은 기능을 수행합니다.

- `%cd /content/darknet`: 이 명령은 현재 작업 디렉터리를 /content/darknet으로 변경합니다. 이 디렉터리는 앞서 복제한 'darknet' 저장소가 위치한 곳으로, YOLO v3 모델을 실행하기 위한 환경을 설정합니다.
- `!wget https://pjreddie.com/media/files/YOLO v3.weights`: wget 명령은 웹에서 파일을 다운로드하는 데 사용됩니다. 여기서는 YOLO v3의 원저자인 PJ Reddie의 웹 사이트에서 사전 훈련된 YOLO v3 가중치 파일을 다운로드합니다. 이 가중치 파일은 YOLO v3 모델이 이미 다양한 객체를 탐지하도록 훈련되었음을 의미하며, 이를 통해 별도의 훈련 과정 없이 바로 객체 탐지 작업을 수행할 수 있습니다.

이 과정을 통해 YOLO v3 모델을 사용할 준비를 완료하고, 실제 이미지나 비디오에 대한 객체 탐지를 수행할 수 있습니다. 사전 훈련된 가중치를 사용하면, 복잡한 훈련 과정 없이도 빠르고 효율적으로 객체 탐지를 할 수 있으며, 이는 특히 리소스가 제한적인 환경이나 실시간 처리가 필요한 응용에서 유용합니다.

다음으로, YOLO v3 객체 탐지 모델을 사용하여 주어진 이미지에서 객체를 탐지하고, 탐지 결과를 보여주는 과정을 수행합니다.

```
%cd /content/darknet
!./darknet detect cfg/YOLO v3.cfg YOLO v3.weights data/dog.jpg

from IPython.display import Image
Image('predictions.jpg')
```

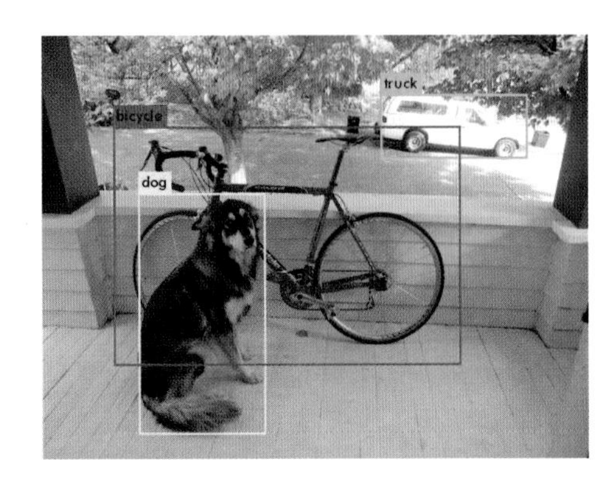

각 단계의 역할은 다음과 같습니다.

- `%cd /content/darknet`: 이 명령은 현재 작업 디렉터리를 /content/darknet으로 변경합니다. 이는 YOLO v3 모델과 관련 파일들이 있는 darknet 폴더로 이동하는 것입니다.
- `!./darknet detect cfg/YOLO v3.cfg YOLO v3.weights data/dog.jpg`: 이 명령은 사전 훈련된 YOLO v3 모델을 사용하여 'data/dog.jpg' 이미지 파일에 대한 객체 탐지를 수행합니다. 여기서 cfg/YOLO v3.cfg는 모델의 구성 파일, YOLO v3.weights는 사전 훈련된 가중치 파일을 나타냅니다. 이 명령은 이미지에서 객체를 탐지하고, 탐지 결과(객체의 위치, 클래스 등)를 predictions.jpg 파일로 저장합니다.
- `from IPython.display import Image`: 이 코드는 파이썬에서 이미지를 표시하기 위한 라이브러리를 가져옵니다.
- `Image('predictions.jpg')`: 이 명령은 predictions.jpg 이미지 파일을 노트북에서 직접 표시합니다. 이 파일에는 YOLO v3 모델이 탐지한 객체와 그 위치, 클래스 이름이 표시되어 있습니다.

이 코드를 실행하면 YOLO v3 모델이 어떻게 작동하는지 직접 볼 수 있으며, 실제 이미지에서 객체 탐지가 어떻게 이루어지는지 확인할 수 있습니다. 이는 YOLO v3의 능력을 직접 체험하고, 실제 응용에 적용할 수 있는 방법을 이해하는 데 도움이 됩니다.

이제 우리는 EfficientDET으로 넘어갈 것입니다. EfficientDET은 컴퓨터 비전 분야에서 객체 탐지 기술의 발전을 한 단계 더 끌어올린 모델입니다. 최근 몇 년간의 탐지 모델의 눈부신 발전은 새로운 신경망 아키텍처와 알고리즘의 도입에 힘입은 것이며, EfficientDET은 이러한 진보를 대표하는 예시 중 하나입니다. 이 모델은 효율성과 정확도의 균형을 잘 잡으면서도, 다양한 사이즈와 형태의 객체를 효과적으로 탐지할 수 있는 능력을 갖추고 있습니다. 다음 절에서는 EfficientDET의 구조와 작동 원리, 그리고 이 모델이 컴퓨터 비전 분야에서 어떻게 중요한 역할을 하고 있는지 자세히 살펴보겠습니다.

5.2.3 EfficientDET

컴퓨터 비전 분야에서의 객체 탐지 기술은 지난 몇 년동안 눈부신 발전을 이루어왔습니다. 이 분야의 성장은 주로 새로운 신경망 아키텍처와 알고리즘의 발전에 기인합니다. 특히 이피션트넷과 EfficientDET은 이러한 발전에서 중요한 역할을 하는 기술들로, 객체 탐지의 정확도와 효율성을 혁신적으로 개선하였습니다.

현대의 객체 탐지 모델들은 고도로 정교한 아키텍처로 구성되어 있습니다. 이들의 구조는 크게 세 부분으로 나누어볼 수 있습니다.

▼ 그림 5-27 EfficientDET 전체 프로세스

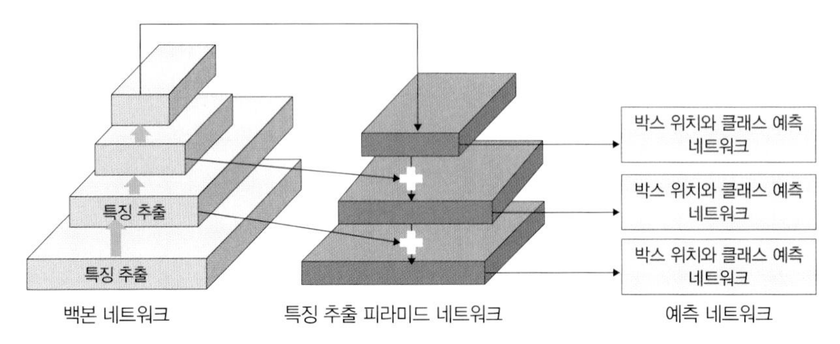

- **백본 네트워크**(backbone network): 모델의 기본 구조로, 입력 이미지에서 기본적인 특징들을 추출하는 역할을 합니다. 백본 네트워크는 일반적으로 깊은 신경망으로 구성되어 있으며, 이미지 내의 다양한 시각적 패턴을 학습합니다.
- **특징 추출 피라미드 네트워크**(Feature Pyramid Network, FPN): FPN은 백본 네트워크에서 추출한 특징 맵의 정보를 다양한 스케일에서 통합합니다. 이러한 통합은 모델이 이미지의 다양한 사이즈와 형태의 객체를 효과적으로 탐지하도록 돕습니다.
- **예측 네트워크**(Prediction Network): 이 부분은 통합된 피쳐 맵을 바탕으로 최종 객체 탐지를 수행합니다. 여기에는 객체의 위치, 사이즈, 클래스 등을 예측하는 다양한 층과 메커니즘이 포함됩니다.

전체 아키텍처

▼ 그림 5-28 EfficientDET 전체 아키텍처

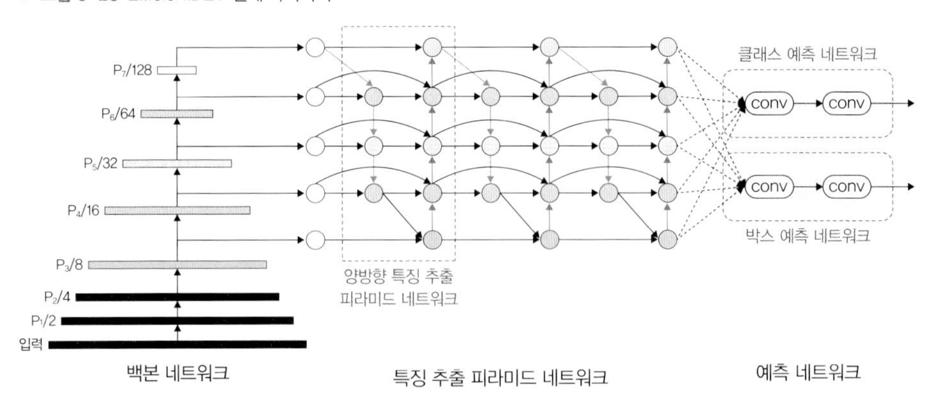

이피션트넷은 4장에서 소개된 것처럼 딥러닝 분야에서 높은 효율성과 성능을 제공하는 신경망 구조로, 이는 뛰어난 정확도와 네트워크 효율성을 동시에 달성합니다. 이러한 특성은 이피션트넷을 객체 탐지, 이미지 분류 등 다양한 컴퓨터 비전 작업에 이상적인 백본 네트워크로 만듭니다.

EfficientDET은 이러한 이피션트넷의 원칙을 객체 탐지 분야에 적용합니다. EfficientDET은 이피션트넷을 백본 네트워크로 사용하며, 이를 통해 높은 정확도와 효율성을 달성합니다. 특히 EfficientDET은 네트워크의 여러 층에서 추출된 특징 맵을 효율적으로 사용하여 다양한 사이즈의 객체를 정확하게 탐지합니다. 이는 객체 탐지에 있어서 중요한 성능 향상을 의미하며, 특히 자원이 제한된 환경에서 응용 가능하다는 큰 장점이 있습니다.

이피션트넷과 EfficientDET의 결합은 컴퓨터 비전 분야에서의 혁신적인 발전을 대표합니다. 이 기술들은 객체 탐지의 정확도와 속도를 크게 향상시키며, 실시간 이미지 처리, 모바일 애플리케이션, 클라우드 서비스 등 다양한 분야에서의 응용 가능성을 열어줍니다. 이제 EfficientDET의 구조와 작동 방식에 대해 더 자세히 살펴보겠습니다.

특징 추출 피라미드 네트워크

특징 추출 피라미드 네트워크(FPN)는 이미지 분할과 밀접하게 연결되어 있는데, 이는 FPN의 기능과 이미지 분할 작업의 요구 사항이 서로 잘 맞기 때문입니다.

▼ 그림 5-29 객체 탐지와 이미지 분할 비교

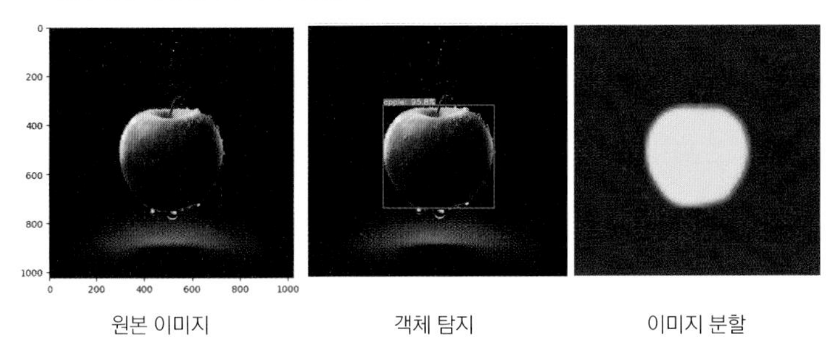

이미지 분할 작업은 이미지 내의 각 픽셀이 어떤 객체에 속하는지를 식별하는 과정입니다. 단순히 박스 위치만 잡는 것이 아닌, 이미지 내 모든 픽셀의 클래스를 예측해야 하는 작업입니다. 이 과정에서 객체의 사이즈, 형태, 위치 등 다양한 세부 사항을 정확히 파악하는 것 또한 중요합니다. 특징 추출 피라미드 네트워크는 다음과 같은 방식으로 이미지 분할 작업을 지원합니다.

- **다양한 사이즈의 객체 감지**: 이미지 분할에서는 사이즈가 다양한 객체들을 정확하게 식별해야 합니다. 특징 추출 피라미드 네트워크는 여러 사이즈의 특징 맵을 생성하여, 크고 작은 객체 모두를 효과적으로 감지합니다. 이는 세밀한 분할 작업에 필수적입니다.
- **상세한 특징 정보 활용**: 이미지 분할은 픽셀 수준에서의 정확한 분류를 요구합니다. 특징 추출 피라미드 네트워크는 여러 층의 특징 맵을 결합함으로써, 더 상세한 특징 정보를 제공합니다. 이는 픽셀 수준에서의 더 정밀한 분석을 가능하게 합니다.
- **다양한 스케일의 정보 통합**: 이미지 분할에서는 다양한 스케일의 정보가 중요합니다. 특징 추출 피라미드 네트워크는 낮은 레벨의 상세한 텍스처 정보와 높은 레벨의 추상적인 정보를 통합하여, 더 정확한 이미지 분할을 도와줍니다.
- **효율적인 컨텍스트 정보 활용**: 특징 추출 피라미드 네트워크는 이미지의 다양한 부분에서 추출된 정보를 종합적으로 활용합니다. 이를 통해 객체가 위치한 컨텍스트를 더 잘 이해하고, 이를 이미지 분할에 적용합니다.

이러한 특징 추출 피라미드 네트워크의 특성 때문에 이미지 분할 작업에서는 특징 추출 피라미드 네트워크가 제공하는 다양한 해상도와 스케일의 특징 맵을 활용하여 더 정밀하고 정확한 분할 결과를 얻을 수 있습니다. 이는 이미지 분할의 효율성과 정확성을 크게 향상시키는 중요한 요소입니다.

이러한 특성을 살려 특징 추출 네트워크는 백본 네트워크에서 추출된 특징 맵을 활용하여 객체 탐지의 정확도를 높입니다. 특히 특징 추출 피라미드 네트워크는 사이즈가 작은 객체를 탐지하는 데 중요한 역할을 합니다.

그림 5-30 일반적인 특징 추출 피라미드 네트워크

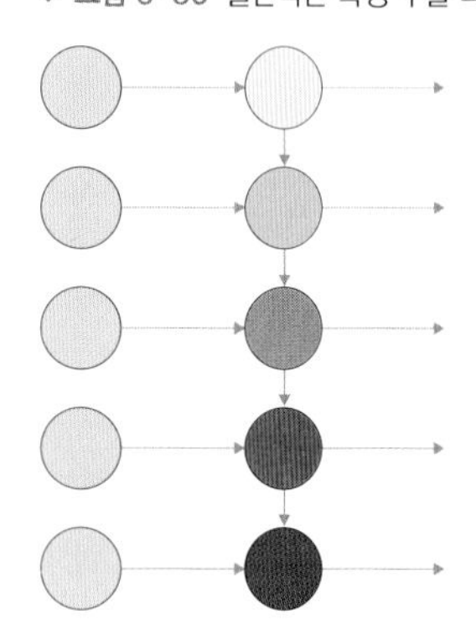

백본 네트워크에서 특징 맵을 추출하는 과정에서 이미지의 사이즈가 점차 줄어들게 되는데, 이 과정에서 작은 객체들을 놓치는 문제가 발생할 수 있습니다. FPN은 이 문제를 해결하기 위해 고안

되었습니다. 특징 맵이 작아지기 전, 다양한 해상도의 특징 맵을 생성하고, 이를 계층적으로 통합합니다. 이러한 계층적 통합은 다양한 사이즈의 객체를 감지하는 데 도움을 줍니다.

특징 추출 피라미드 네트워크는 각 층에서 추출된 특징 맵을 상위 층으로 전달하고, 상위 층의 특징 맵과 결합하여 더 풍부하고 다양한 정보를 포함한 새로운 특징 맵을 생성합니다. 이 과정은 상위 층의 큰 스케일의 특징과 하위 층의 작은 스케일의 특징을 효과적으로 결합합니다. 결과적으로 FPN은 객체의 사이즈에 관계없이 효과적인 특징 추출을 가능하게 하여 객체 탐지의 정확도를 높이는 데 기여합니다.

양방향 특징 추출 피라미드 네트워크

EfficientDET에서는 일반적인 특징 추출 피라미드 네트워크 대신 양방향 특징 추출 피라미드 네트워크(Bi-directional Feature Pyramid Network, BiFPN)를 제안합니다.

▼ 그림 5-31 양방향 특징 추출 피라미드 네트워크

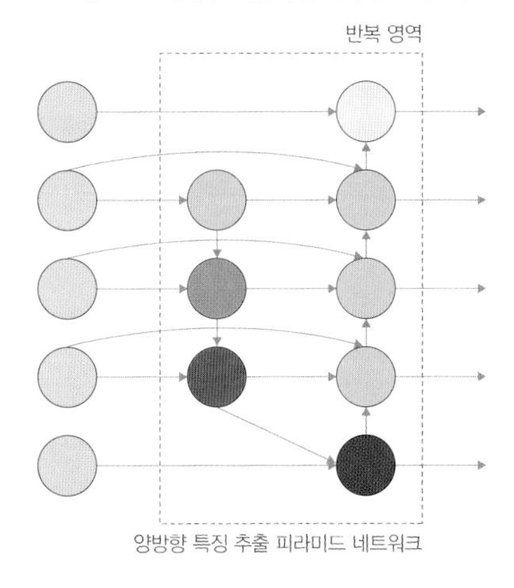

EfficientDET의 BiFPN은 컴퓨터 비전 분야에서 객체 탐지를 위해 설계된 고도로 최적화된 네트워크 구조로, 기존의 특징 추출 피라미드를 기반으로 하면서 여러 혁신적인 개선을 도입했습니다. 특히 양방향 특징 추출 피라미드 네트워크는 양방향 특징 통합을 제공하는 것이 특징으로, 이는 기존 FPN에서 볼 수 없는 중요한 혁신입니다. 기존 특징 추출 피라미드 네트워크는 상위 레벨의 특징 맵에서 하위 레벨로만 정보를 전달하는 하향식 접근, 즉 저해상도(높은 레벨)의 특징 맵에서 고해상도(낮은 레벨)의 특징 맵으로 정보를 전달합니다. 양방향 특징 추출 피라미드 네트워크는 상향식과 하향식 모두를 통합하여 보다 풍부한 정보를 추출하고 전달합니다.

특징 추출 피라미드는 이미지의 다양한 사이즈에 대응하기 위해 여러 레벨의 특징 맵을 생성하지만, 이러한 특징 맵 간의 정보 통합이 제한적입니다. 반면 양방향 특징 추출 피라미드 네트워크의 양방향 구조를 통해 이러한 특징 맵들 사이의 정보를 더욱 효과적으로 통합합니다. 이로 인해 더 세밀하고 정확한 객체 탐지를 가능하게 하며, 특히 다양한 사이즈의 객체에 대한 탐지 성능을 향상시킵니다.

또한 양방향 특징 추출 피라미드 네트워크는 연결 최적화를 통해 필요한 정보만을 효율적으로 전달하도록 설계되었으며, 이를 통해 계산 리소스의 낭비를 줄이면서도 성능은 개선시킵니다. 이와 함께 양방향 특징 추출 피라미드 네트워크는 서로 다른 출처에서 오는 특징들을 통합할 때 학습 가능한 가중치를 적용하여, 더 중요한 특징들이 더 큰 영향을 미치도록 합니다. 이러한 특징 통합(feature fusion)은 네트워크가 학습 과정에서 가장 유용한 정보에 더 많은 주목을 기울이게 함으로써, 최종적인 탐지 성능을 향상시킵니다.

EfficientDET과 그 내부의 양방향 특징 추출 피라미드 네트워크 구조는 객체 탐지 작업에 있어 높은 정확도와 효율성을 제공함으로써, 특히 리소스가 제한된 환경에서의 컴퓨터 비전 응용 분야에서 큰 관심을 받고 있습니다. 그로 인해 컴퓨터 비전 분야에서의 중요한 발전으로 평가받습니다. 이러한 특성 덕분에 양방향 특징 추출 피라미드 네트워크는 다양한 사이즈와 형태의 객체를 효과적으로 탐지할 수 있으며, 이는 다양한 산업 분야에서의 응용 가능성을 크게 확장시키고 있습니다.

컴파운드 스케일링

EfficentDET의 백본은 기존의 이피션트넷에서 진행한 컴파운드 스케일링 값을 그대로 사용합니다. 그러나 양방향 특징 추출 피라미드 네트워크에서의 컴파운드 스케일링은 백본 네트워크와 다른 접근 방식을 취합니다. 구체적으로 양방향 특징 추출 피라미드 네트워크는 깊이와 너비에 집중하며, 다음과 같은 수식을 사용하여 컴파운드 스케일링을 정의합니다.

양방향 특징 추출 피라미드 네트워크의 깊이(D)와 너비(W)는 피라미드 네트워크 내에서의 반복되는 층의 수와 채널의 수를 의미합니다. 이 깊이와 너비는 컴파운드 스케일링 계수 ø를 사용하여 효율적으로 네트워크를 늘리는 방법을 제시합니다.

$$W_{bifpn} = 64 \cdot (1.35^{\emptyset}), \quad D_{bifpn} = 3 + \emptyset$$

직접 박스를 그리는 예측 네트워크의 컴파운드 스케일링의 수식은 다음과 같습니다.

$$D_{box} = D_{class} = 3 + [\frac{\emptyset}{3}]$$

기본 3개의 층을 기반으로 컴파운드 스케일링의 계수가 증가하면 해당 부분을 3으로 나누어 정수를 취하는 방식으로 늘려줍니다.

인풋 이미지의 해상도는 다음과 같은 컴파운드 스케일링을 진행합니다.

$$R_{input} = 512 + \emptyset \cdot 128$$

기본 512 사이즈에, ø가 증가할 때마다 128씩 증가시켜줍니다. 이러한 스케일링 방식은 양방향 특징 추출 피라미드 네트워크가 다양한 스케일의 특징을 효율적으로 통합하도록 돕습니다. 더 높은 ø 값은 더 깊고 넓은 양방향 특징 추출 피라미드 네트워크라는 것을 의미하며, 동시에 백본 네트워크도 EfficientNET에서 제안한 컴파운드 스케일링 방식으로 사이즈와 넓이를 키웁니다. 이는 일반적으로 더 복잡한 시나리오에서 더 나은 성능을 달성하는 데 도움이 됩니다. 그러나 동시에 더 많은 계산 자원을 요구하게 되므로 효율과 성능 사이의 균형을 고려해야 합니다.

텐서플로를 활용한 EfficientDET 실습

지금까지는 EfficientDet의 이론적인 부분을 살펴보았습니다. 이를 바탕으로 EfficientDet을 구현하는 코드를 살펴볼 차례입니다. 특별히 이번엔 텐서플로 라이트(Tensorflow Lite)를 사용하여 EfficientDET 모델을 구현하는 방법을 살펴볼 것입니다. 텐서플로 라이트는 텐서플로의 경량화 버전으로, 모바일 및 임베디드 디바이스에서 머신 러닝 모델을 효율적으로 실행할 수 있도록 설계되었습니다.

먼저 다음처럼 필요한 라이브러리를 불러옵니다.

```
import tensorflow as tf
import tensorflow_hub as hub
import cv2
import numpy as np
import time
model = hub.load("https://tfhub.dev/tensorflow/efficientdet/lite0/detection/1") # ①

!wget https://github.com/Cobslab/imageBible/blob/main/image/test_image.png?raw=true -O
test_image.png # ②
```

이미지 처리와 배열 연산을 수행하기 위해 OpenCV와 NumPy를 불러오고, 텐서플로 및 텐서플로 허브 라이브러리도 불러옵니다. 그다음 텐서플로 허브를 통해 EfficientDET 모델을 불러옵니다(①). 이 모델은 URL을 통해 다운로드되며, 텐서플로 라이트 버전의 EfficientDET 모델을 가져옵니다. 해당 모델은 가볍고 모바일 및 임베디드 기기에서 실행하기에 적합하도록 최적화되어 있습니다. hub.load 코드로 모델을 불러오며 뒤 코드에서 탐지를 수행하는 데 사용됩니다. 추가로 테스트할 이미지도 함께 받아주겠습니다(②).

이제 탐지된 객체의 클래스 ID를 사람이 읽을 수 있는 이름으로 변환하기 위한 레이블 매핑을 정의합니다.

```
labels_mapping = {1:'person',2:'bicycle',3:'car',4:'motorcycle',5:'airplane',6:'bus',
 7:'train',8:'truck',9:'boat',10:'traffic light', 11:'fire hydrant',
 12:'street sign',13:'stop sign',14:'parking meter',15:'bench',16:'bird',
 17:'cat',18:'dog',19:'horse',20:'sheep', 21:'cow',22:'elephant',23:'bear',
 24:'zebra',25:'giraffe',26:'hat',27:'backpack',28:'umbrella',29:'shoe',
 30:'eye glasses',31:'handbag',32:'tie',33:'suitcase',34:'frisbee',
 35:'skis',36:'snowboard',37:'sports ball',38:'kite',39:'baseball bat',
 40:'baseball glove',41:'skateboard',42:'surfboard',43:'tennis racket',
 44:'bottle',45:'plate',46:'wine glass',47:'cup',48:'fork',49:'knife',
 50:'spoon',51:'bowl',52:'banana',53:'apple',54:'sandwich',55:'orange',
 56:'broccoli',57:'carrot',58:'hot dog',59:'pizza',60:'donut',61:'cake',
 62:'chair',63:'couch',64:'potted plant',65:'bed',66:'mirror',
 67:'dining table',68:'window',69:'desk',70:'toilet',71:'door',
 72:'tv',73:'laptop',74:'mouse',75:'remote',76:'keyboard',77:'cell phone',
 78:'microwave',79:'oven',80:'toaster',81:'sink',82:'refrigerator',
 83:'blender',84:'book',85:'clock',86:'vase',87:'scissors',
 88:'teddy bear',89:'hair drier',90:'toothbrush',91:'hair brush'}
```

객체 탐지를 수행할 때 반환되는 클래스 ID와 실제 객체 이름 사이의 매핑을 정의합니다. 사전 학습 때 사용한 객체로, 객체 이름과 고유한 ID로 식별됩니다. 이 매핑은 모델이 탐지한 객체의 ID를 사람이 읽을 수 있는 이름으로 변환하는 데 사용됩니다.

이제 다음 코드를 사용하여 이미지 내의 객체를 탐지하고, 탐지된 객체에 대한 정보를 이미지 위에 표시하는 과정을 수행합니다.

```
def detect_objects(model, img_array, threshold, max_objects=100, print_time=True): # ①
    img_copy = img_array.copy()# ②
    green = (0, 255, 0)
```

```
    red = (0, 0, 255)
    tensor_img = tf.convert_to_tensor(img_array, dtype=tf.uint8)[tf.newaxis, ...] # ③
    start = time.time()
    boxes, scores, classes, num_detections = model(tensor_img) # ④
    boxes = boxes.numpy()
    scores = scores.numpy()
    classes = classes.numpy()
    num_detections = num_detections.numpy()

    for i in range(num_detections[0]):
        if scores[0, i] < threshold: # ⑤
            break
        box = boxes[0, i]
        left, top, right, bottom = box[1], box[0], box[3], box[2]
        class_id = classes[0, i]
        caption = "{}: {:.4f}".format(labels_mapping[class_id], scores[0, i])
        cv2.rectangle(img_copy, (int(left), int(top)), (int(right), int(bottom)),
color=green, thickness=2) # ⑥
        cv2.putText(img_copy, caption, (int(left), int(top - 5)), cv2.FONT_HERSHEY_
SIMPLEX, 0.4, red, 1)     # ⑥

    if print_time:
        print('탐지 시간 :', round(time.time() - start, 2), "seconds") # ⑦

    return img_copy # ⑧
```

detect_objects 함수는 텐서플로 라이트의 EfficientDET 모델을 사용하여 이미지에서 객체를 탐지하고, 탐지된 객체에 대한 정보를 이미지 위에 표시하는 기능을 수행합니다(①). 함수는 model, img_array, threshold, max_objects, print_time 매개변수를 받습니다.

함수의 주요 작업은 다음과 같습니다.

- 입력된 이미지 배열(img_array)의 복사본을 생성합니다(②). 이 복사본에 탐지된 객체에 대한 정보를 그릴 것입니다.
- 이미지 배열을 텐서플로의 텐서로 변환하고, 모델에 입력하기 위해 적절한 형태로 변환합니다(③).
- 모델을 사용하여 이미지에서 객체 탐지를 수행합니다. 이때 모델은 객체의 위치(박스), 점수, 클래스, 탐지된 객체의 수를 반환합니다(④).

- 탐지된 각 객체에 대해, 설정된 임계 값(threshold) 이상의 점수를 가진 객체만 처리합니다(⑤).
- 탐지된 객체의 위치 정보(박스 좌표)를 사용하여 이미지에 사각형을 그리고, 객체의 클래스와 점수를 함께 표시합니다. 이때 사각형은 녹색으로, 텍스트는 빨간색으로 표시됩니다(⑥).
- print_time 매개변수가 True로 설정된 경우, 탐지에 소요된 시간을 출력합니다(⑦).
- 최종적으로 객체 정보가 추가된 이미지 복사본을 반환합니다(⑧).

detect_objects 함수는 EfficientDET 모델의 탐지 결과를 시각적으로 확인할 수 있게 하며, 실제 애플리케이션에서 이미지 내 객체를 식별하고 위치를 파악하는 데 유용하게 사용될 수 있습니다. 또한 텐서플로 라이트 버전으로 실행이 되는 만큼, 어느 정도 짧은 시간 안에 탐지가 가능한지 확인해보겠습니다.

```
!wget https://github.com/Cobslab/imageBible/blob/main/image/test_image.png?raw=true -O
test_image.png

img_array = cv2.cvtColor(cv2.imread('test_image.png'), cv2.COLOR_BGR2RGB) # ①
processed_img = detect_objects(model, img_array, 0.3, 100, True)         # ②

import matplotlib.pyplot as plt
plt.figure(figsize=(12, 12))
plt.imshow(processed_img) # ③
```

앞 코드는 test_image.png 파일을 불러와서 OpenCV를 사용하여 BGR에서 RGB로 색상 포맷을 변경한 후(①), detect_objects 함수를 호출하여 이미지 내 객체를 탐지하고(②), Matplotlib을 사용하여 처리된 이미지를 화면에 표시하는 과정으로 구성되어 있습니다(③). 출력 결과를 확인해보겠습니다.

```
탐지 시간 : 0.19 seconds
```

▼ 그림 5-32 출력 결과: EfficientDET 탐지 결과

매우 빠른 시간 안에 결과가 나오는 걸 확인할 수 있습니다. 우리는 이를 통해 EfficientDet 모델이 실제 이미지에서 객체를 얼마나 효과적으로 탐지할 수 있는지 확인할 수 있습니다. 또한 텐서플로 라이트와 같은 경량화된 모델을 사용함으로써 제한된 리소스를 가진 환경에서도 효율적인 객체 탐지가 가능함을 보여줍니다. 이러한 특징들로 실시간 객체 탐지, 모바일 애플리케이션, IoT 기기 등 다양한 분야에서 응용될 수 있습니다.

다음 절에서는 이미지 영역 분할에 대해 다룹니다. 영역 분할은 이미지를 구성하는 픽셀 단위로 각 부분을 분류하는 과정으로, 객체 탐지와는 다른 차원의 이미지 이해를 가능하게 합니다. 객체 탐지가 '무엇이 어디에 있는가'를 알려준다면, 영역 분할은 '이미지의 각 부분이 무엇으로 구성되어 있는가'를 보여줍니다. 이를 통해 우리는 이미지를 더욱 세밀하게 분석하고, 좀 더 정교한 이미지 처리를 수행할 수 있습니다.

5.3 이미지 분할

이미지 분할(image segmentation)은 컴퓨터 비전 분야에서 매우 중요한 개념으로, 이미지를 의미 있는 여러 부분으로 나누는 과정을 말합니다. 이는 단순히 이미지에 있는 객체를 식별하는 것을 넘어서 각 객체의 정확한 형태와 위치를 파악하고, 이미지를 구성하는 각 픽셀이 어떤 객체에 속하는지를 분류합니다. 세분화된 이미지 분석을 통해 우리는 객체의 경계를 더 정확하게 이해하고, 이미지 내의 다양한 요소들 사이의 상호 작용을 잘 파악할 수 있습니다. 예를 들어 의료 분야에서는 이미지 분할을 통해 종양의 정확한 위치와 사이즈를 파악할 수 있으며, 자율 주행 차량에서는 도로, 보행자, 다른 차량 등을 정확히 인식하여 안전한 운전을 가능하게 합니다. 하지만 객체 탐지와 비교할 때 몇 가지 단점이 있습니다.

- 이미지 분할은 계산적으로 더 복잡하고 자원을 많이 소모합니다. 각 픽셀에 대한 분류가 필요하기 때문에 높은 정확도를 달성하기 위해서는 더 강력한 처리 능력과 더 많은 데이터가 필요합니다. 이는 특히 대규모 이미지나 복잡한 장면에서 두드러집니다.
- 이미지 분할 모델의 훈련은 일반적으로 더 많은 시간과 노력을 요구합니다. 고품질의 영역 분할을 위해서는 상세한 레이블링이 필요한데, 이는 시간과 비용이 많이 드는 작업입니다.
- 객체 탐지에 비해 일반화가 더 어렵습니다. 이미지 분할 모델은 훈련 데이터에 크게 의존하기 때문에 새로운 유형의 이미지나 다른 환경에서는 성능이 저하될 수 있습니다.

기존의 컴퓨터 비전 작업들은 출력의 형태가 상대적으로 단순합니다. 분류(classification)는 주어진 이미지가 어떤 클래스(예 고양이, 자동차 등)에 속하는지 결정하는 작업으로, 출력은 단일 클래스 레이블 또는 각 클래스에 속할 확률을 나타내는 값들의 집합입니다. 위치 파악(localization)은 이미지 내 특정 객체의 위치를 파악하는 과정으로, 주로 객체를 감싸는 경계 상자(바운딩 박스)의 정보를 출력합니다. 이 정보에는 경계 상자의 폭, 너비, 중심 좌표 등이 포함됩니다. 객체 탐지(Object Detection)는 이미지 내의 여러 객체를 식별하고, 각 객체의 위치와 클래스를 동시에 결정합니다. 출력에는 객체의 클래스, 해당 객체가 클래스에 속할 확률을 나타내는 신뢰도 점수, 그리고 객체의 위치를 나타내는 경계 상자의 정보가 포함됩니다.

이러한 작업들은 이미지를 해석하고 이해하는 데 필수적인 기본 단계를 제공하지만, 픽셀 단위의 정밀한 분석과 같은 더 복잡한 정보는 제공하지 않습니다. 이와 달리 이미지 분할과 같은 어려운 태스크는 이미지의 각 픽셀에 대한 상세한 정보를 제공하며, 따라서 더 정교하고 세밀한 이미지 이해를 가능하게 합니다.

이미지 분할 모델의 출력은 복잡한 3차원 텐서 형태를 가집니다. 이 텐서는 입력 이미지의 폭과 너비에 대응하는 차원을 갖고 있어야 하며, 각 픽셀에 대한 클래스 정보를 포함합니다. 영역 분할 모델의 출력을 설명하는 중요한 포인트는 3차원 텐서라는 점, 입력 이미지와 동일한 폭과 너비를 가져야 하며, 출력 텐서가 입력 이미지의 지역적 정보를 잘 반영해야 한다는 것입니다. 이러한 출력 특성은 영역 분할 모델이 단순히 이미지 전체 또는 개별 객체를 분류하는 것을 넘어서 이미지의 모든 픽셀에 대해 상세한 예측을 수행할 수 있도록 합니다.

기존 작업에서는 주로 완전 연결 층을 사용하여 출력을 생성합니다. 이러한 접근법은 이미지 전체 또는 객체 수준의 정보에 초점을 맞추며, 결과적으로 출력 값의 형태가 상대적으로 단순하고 규모가 크지 않습니다. 반면 영역 분할 작업에서는 이러한 완전 연결 층이 출력 값을 표현하기에 부적합합니다. 영역 분할은 이미지를 구성하는 픽셀 단위에서 각각의 정보를 판단해야 하므로 훨씬 더 세밀하고 복잡한 출력 형태가 필요합니다. 따라서 영역 분할 모델은 3차원 텐서를 출력할 수 있는 출력층을 필요로 합니다. 이 출력층은 입력 이미지의 각 픽셀에 대해 해당 픽셀이 속할 클래스를 예측해야 하며, 이를 위해 일반적으로 합성곱 층을 사용하여 픽셀 단위의 예측을 수행합니다.

이러한 구조적 차이는 영역 분할 모델이 기존의 완전 연결 층을 사용하는 모델보다 훨씬 복잡한 정보를 처리하고 생성할 수 있게 해주며, 이는 픽셀 단위의 정밀한 이미지 이해를 가능하게 합니다.

5.3.1 FCN

이미지 영역 분할 분야는 지난 수십 년 동안 상당한 발전을 이루었습니다. 이 분야의 발전을 이해하기 위해서는 FCN의 등장 이전에 사용되던 알고리즘을 살펴볼 필요가 있습니다.

FCN 등장 이전의 알고리즘

1990년대는 컴퓨터 비전 분야에서 이미지 영역 분할의 초기 단계라고 할 수 있습니다. 이 시기에는 주로 수동으로 특징을 추출하는 방식이 사용되었습니다. 예를 들어 색상, 텍스처, 모양과 같은 기본적인 이미지 속성을 분석하여 각 픽셀이 어느 카테고리에 속하는지 결정했습니다.

색상 히스토그램

▼ 그림 5-33 색상 히스토그램 예시

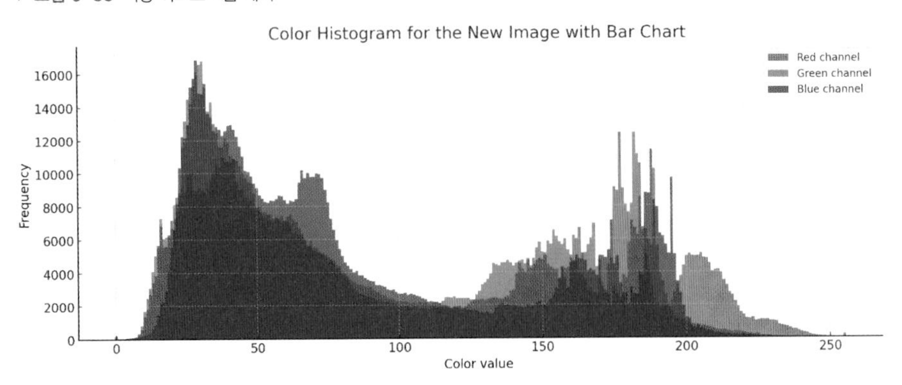

색상 히스토그램은 이미지 분석에서 중요한 도구로, 이미지 내 특정 색상의 빈도를 그래픽으로 나타냅니다. 이는 색상의 분포와 이미지의 전체적인 색감을 이해하는 데 사용되며, 특히 색상 검색, 분류 작업, 이미지 간 비교 등에 있어 매우 유용합니다. 히스토그램을 구성하기 위해 이미지 내 각 색상 값에 해당하는 픽셀 수를 계산하여 그래프의 각 막대에 할당합니다. 이로써 어떤 색상이 지배적인지 이미지에서 색상의 다양성은 얼마나 되는지 등의 정보를 얻을 수 있고, 이는 이미지 처리와 관련된 다양한 응용 프로그램에서 중요한 역할을 합니다. 예를 들어 히스토그램을 통해 특정 색상의 비율을 분석하여 그 색상이 전체 이미지에서 차지하는 상대적 중요성을 파악할 수 있습니다.

색상 히스토그램의 계산에는 각 픽셀의 색상 값을 통계적으로 분석하는 과정이 포함됩니다. 이때 주어진 이미지 I에 대하여, 특정 색상 c가 이미지 내에서 나타나는 빈도, 즉 얼마나 자주 출현하는지를 계산합니다. 이를 위한 수식은 다음과 같이 정의됩니다.

$$H(c) = \sum_{x=0}^{W=1} \sum_{y=0}^{H=1} [I(x, y) = c]$$

여기서 $H(c)$는 색상 c의 히스토그램 빈도를, $I(x,y)$는 좌표 (x, y)에 위치한 픽셀의 색상 값을, W와 H는 각각 이미지의 너비와 높이를 나타냅니다. 대괄호는 아이버슨 괄호(iverson bracket) 표기법으로, 조건이 참이면 1을, 거짓이면 0을 반환합니다. 이 수식은 이미지의 각 픽셀을 순회하면서 해당 픽셀의 색상이 특정 색상 c와 일치하는지를 검사합니다. 일치하면 카운트를 1 증가시키고, 그렇지 않으면 카운트를 증가시키지 않습니다. 이 과정을 이미지의 모든 픽셀에 대해 수행하여, 색상 c가 이미지 내에 몇 번 나타나는지를 총합하여 히스토그램 $H(c)$에 저장합니다.

히스토그램의 시각적 표현에서 각 막대(bar)는 특정 색상 값을 나타내고 막대의 높이는 그 색상이 이미지 내에서 나타나는 횟수, 즉 빈도를 나타냅니다. 색상 값이 이산적(discrete)일 경우, 막대는 가능한 각 색상 값에 대해 따로 표시됩니다. 연속적인 색상 공간에서는 색상 값을 특정 범위의 구간(bins)으로 분할하고, 각 구간에 속하는 픽셀 수를 막대의 높이로 나타냅니다.

이 방법은 이미시 내에서 색상의 분포와 중요도를 분석하는 데 매우 유용하며, 특히 대규모 이미지 데이터 세트에서 이미지 간 비교나 검색을 위한 특징으로 사용됩니다. 색상 히스토그램은 이미지의 색상 구성을 빠르고 간단하게 요약하여, 이미지 콘텐츠의 시각적 특성을 파악하는 데 도움을 줍니다.

임계 값 처리

임계 값 처리는 이미지 분할에서 매우 기본적이면서도 강력한 도구로, 이미지 내의 픽셀을 특정 기준에 따라 분류하고 단순화하는 과정입니다. 이 기술은 복잡한 이미지 데이터를 더 간단하고 처리하기 쉬운 형태로 변환하는 데 사용되며, 특히 디지털 이미지를 이진화하여 객체를 감지하거나 이미지를 분할할 때 사용하는 알고리즘입니다. 임계 값 처리의 핵심은 각 픽셀의 색상이나 명도 값을 기준 값(임계 값)과 비교하여, 그 값이 임계 값보다 크거나 같으면 하나의 값(보통 흰색)으로, 작으면 다른 값(보통 검은색)으로 설정하는 것입니다. 이렇게 함으로써 이미지가 흑백, 혹은 이진 이미지로 변환되어 분석하고자 하는 객체와 배경을 뚜렷하게 구분할 수 있습니다.

이 방법은 단순하지만 효과적이기 때문에 문서 스캔, 의료 영상에서의 구조 파악, 기계적 부품의 결함 검사, 위성 이미지 처리 등 광범위한 분야에서 활용됩니다. 임계 값 처리는 또한 복잡한 배경에서 전경을 분리하거나, 특정 색상 범위 내의 객체를 강조하고, 비교적 단순한 형태의 객체를 신속하게 감지하는 등의 응용에도 적합합니다.

이미지의 전체적인 명도 분포에 따라 전역 임계 값(global threshold)을 적용하거나, 이미지의 지역적인 특성을 고려하여 다양한 임계 값을 사용하는 적응형 임계 값 처리(adaptive thresholding)를 적용할 수도 있습니다. 적응형 임계 값 처리는 이미지의 다양한 부분에서 다르게 나타나는 조명 조건이나 명도를 효과적으로 처리할 수 있어, 더욱 정밀한 이미지 세분화가 가능합니다.

임계 값 처리의 기본 원리를 수학적으로 표현하면, 각 픽셀에 대해 주어진 함수를 적용하여 새로운 픽셀 값을 결정하는 것입니다. 이 함수는 보통 다음과 같은 단계 함수(step function)로 표현됩니다.

$$\begin{cases} 1 & if\ I(x,y) \geq \text{임계 값} \\ 0 & \text{그 외} \end{cases}$$

$I(x, y)$는 원본 이미지에서 위치 (x, y)에 있는 픽셀 값이며, 수식의 임계 값은 사전에 정의된 임계 값입니다. 이 수식에 따르면, 각 픽셀 값 $I(x, y)$를 임계 값과 비교하여, 그 값이 임계 값보다 크거나 같으면 1로, 그렇지 않으면 0으로 설정합니다. 실제 응용에서는 1과 0 대신 다른 값을 사용할 수도 있는데, 예를 들어 흑백 이미지로 변환할 때는 일반적으로 흰색을 255로, 검은색을 0으로 설정합니다.

임계 값 처리를 사용할 때 중요한 점은 임계 값의 선택입니다. 적절한 임계 값을 선택하면 객체와 배경을 명확하게 구분할 수 있지만, 임계 값이 너무 높거나 낮으면 객체를 올바르게 검출하지 못할 수 있습니다. 따라서 이미지의 특성과 처리 목적에 따라 최적의 임계 값을 실험적으로 결정하거나, 이미지의 통계적 특성을 기반으로 계산하여야 합니다.

예를 들어 임계 값을 128로 설정했을 때, 이미지의 특정 영역에서 픽셀 값이 128 이상인 경우 해당 영역은 밝은 영역으로 간주되어 1(또는 255)로 변환되고, 나머지 영역은 어두운 영역으로 간주되어 0으로 변환됩니다. 이렇게 처리된 이진 이미지는 객체의 형태나 경계를 분석하기 위한 후속 작업에 바로 사용될 수 있습니다.

Opencv를 활용한 임계 값 처리 실습

OpenCV 라이브러리를 사용하여 실제 이미지에 임계 값 처리를 적용하고, 그 결과를 시각화하는 실습을 진행해보겠습니다.

먼저 이미지를 불러와서 임계 값 처리를 위한 준비를 해보겠습니다.

```
import cv2  # ①
import matplotlib.pyplot as plt

!wget https://raw.githubusercontent.com/Lilcob/test_colab/main/three%20young%20man.jpg

new_image_color = '/content/three young man.jpg'
new_image_color = cv2.imread(new_image_color)
image_gray = cv2.cvtColor(new_image_color, cv2.COLOR_BGR2GRAY) # ②
```

우선 three young man.jpg 이미지 파일을 OpenCV의 `cv2.imread` 함수를 사용하여 로드합니다(①). 다음으로 RGB로 변환된 이미지를 다시 `cv2.cvtColor` 함수를 사용하여 그레이 스케일 이미지로 변환합니다(②). 이렇게 이미지를 변환해 임계 값 처리를 위한 준비를 마쳤습니다.

이제 변환된 그레이 스케일 이미지에 `cv2.threshold` 함수를 적용하여 임계 값 처리를 수행합니다.

```
# 임계 값 설정
threshold_value = 128
_, thresholded_image = cv2.threshold(image_gray, threshold_value, 255, cv2.THRESH_
BINARY)
```

여기서 임계 값은 128로 설정되어, 해당 값 이상의 밝기를 가진 픽셀은 흰색(값 255)으로, 그보다 낮은 밝기를 가진 픽셀은 검은색(값 0)으로 설정됩니다.

마지막으로 처리된 이미지와 원본 그레이 스케일 이미지를 Matplotlib의 `plt.imshow` 함수를 사용해 출력합니다.

```
# 결과 이미지 시각화
plt.figure(figsize=(12, 6))
plt.subplot(1, 2, 1)
plt.imshow(image_gray, cmap='gray')
plt.title('Original Grayscale Image')
plt.axis('off')
plt.subplot(1, 2, 2)
plt.imshow(thresholded_image, cmap='gray')
plt.title('Binary Image after Thresholding')
plt.axis('off')
```

Original Grayscale Image

Binary Image after Thresholding

이 과정을 통해, 원본 이미지와 임계 값 처리를 통해 얻어진 바이너리 이미지의 차이를 시각적으로 확인할 수 있으며, 임계 값 처리가 이미지 내의 객체와 배경을 어떻게 명확하게 구분하는지를 관찰할 수 있습니다.

임계 값 처리는 이미지를 단순화하여 분석을 용이하게 만들지만, 복잡한 텍스처나 패턴을 가진 이미지에서는 그 효과가 제한적일 수 있습니다. 특히 균일하지 않은 조명이나 다양한 명암 대비가 존재하는 이미지에서는 임계 값 설정이 어렵고, 이로 인해 객체와 배경을 정확하게 분리하지 못할 수 있습니다. 또한 임계 값 처리는 픽셀 간의 관계나 컨텍스트를 고려하지 않으므로 객체의 형태나 구조를 완전히 파악하는 데는 한계가 있습니다.

이러한 한계를 극복하기 위해 우리는 FCN에 대해 자세히 알아보겠습니다. FCN은 딥러닝을 기반으로 한 고급 이미지 영역 분할 기법으로, 픽셀 수준에서의 보다 정교한 분석을 가능하게 합니다. FCN은 이미지의 전체적인 맥락을 고려하고, 복잡한 특징을 효과적으로 학습하여 이미지 내의 개별 객체를 정밀하게 분할할 수 있습니다.

FCN

FCN(Fully Convolutional Networks)은 전통적인 합성곱 신경망과는 다른 구조를 가지며, 이미지의 픽셀 수준에서의 세밀한 이해를 가능하게 합니다. 이 세션을 통해 FCN의 기본적인 원리, 네트워크 구조, 그리고 이를 통해 얻을 수 있는 이미지 영역 분할의 강력한 결과에 대해 살펴보겠습니다.

FCN이 등장하기 전엔 일반적인 합성곱 신경망은 이미지를 분류하거나, 특정 객체를 탐지하는 데 주로 사용되었습니다. 이러한 네트워크는 여러 개의 합성곱 층, 활성화 함수, 풀링 층을 거쳐 마지막에 완전 연결 층을 통해 분류를 수행합니다. 전체 이미지에 대한 분류는 잘 수행하지만, 픽셀 단위의 세밀한 분석이나 영역 분할에는 적합하지 않습니다.

합성곱 층과 풀링 층을 거치면서 원본 이미지의 공간적인 정보가 점차 줄어듭니다. 특히 풀링 과정에서는 이미지의 상세한 정보가 손실되기 쉽습니다. 또한 일반적으로 사용했던 완전 연결 층은 전체 이미지를 하나의 '데이터 덩어리'로 처리합니다. 이는 개별 픽셀의 상세한 위치 정보를 고려하지 않으므로 픽셀 수준에서의 세밀한 이미지 분석이 어렵습니다. 따라서 전통적인 CNN은 큰 이미지 내에서 전체적인 패턴을 인식하고 분류하는 데는 탁월하지만, 픽셀 단위의 정밀한 이미지 영역 분할을 수행하는 데는 한계가 있습니다.

이러한 한계를 극복하기 위해 등장한 것이 바로 FCN입니다. FCN은 완전 연결 층을 사용하지 않고, 대신 모든 층을 합성곱 층으로 구성하여 공간적인 정보를 보존함으로써 픽셀 수준에서 더욱 정교한 이미지 영역 분할을 가능하게 합니다.

FCN 구조

FCN의 가장 큰 특징은 기존에 흔하게 등장했던 완전 연결 층을 사용하지 않는 것입니다.

▼ 그림 5-34 FCN 구조

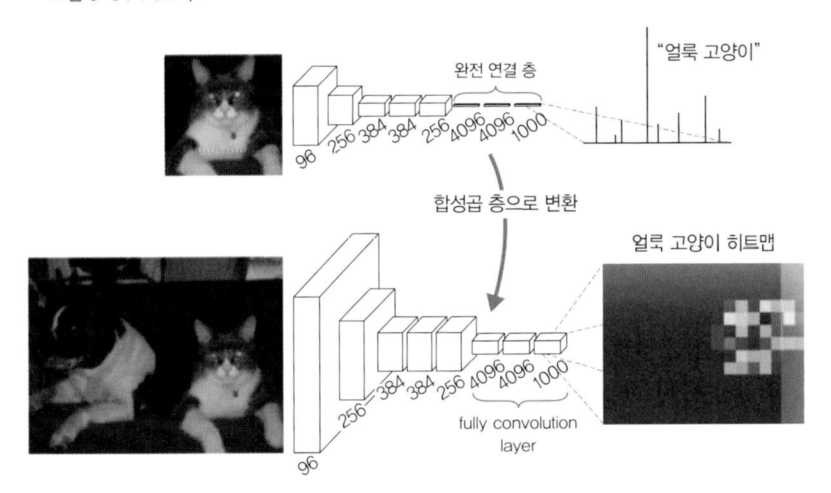

합성곱 신경망에서 완전 연결 층은 네트워크의 마지막 부분에 위치하여 고차원의 특징을 추출하고 분류하는 역할을 합니다. 하지만 이 과정에서 이미지의 공간적인 상세 정보가 상실됩니다. 완전 연결 층은 공간적 배열을 무시하고, 모든 픽셀 정보를 하나의 긴 벡터로 변환합니다. 이로 인해 위치 정보가 소실되며, 이미지 내 객체의 정확한 위치나 형태를 파악하기 어렵게 됩니다. FCN에서는 이러한 완전 연결 층을 제거해서 각 픽셀의 위치 정보를 유지할 수 있습니다. 이는 특히 영역 분할과 같이 픽셀 수준의 정밀한 예측이 필요한 작업에서 중요한 역할을 합니다.

완전 연결 층의 제거는 네트워크가 전체 이미지를 통합적으로 분석하는 대신, 각각의 픽셀을 독립적으로 평가하고, 각 픽셀이 속한 클래스를 예측할 수 있게 합니다. FCN은 전체 네트워크를 거치는 모든 층을 합성곱 층으로 구성하여 이러한 공간적 정보의 보존을 극대화합니다. 합성곱 층은 입력 이미지에서 가장자리나 질감과 같은 지역적인 패턴을 효과적으로 학습할 수 있으며, 지역적인 패턴은 층을 거치면서 점점 더 복잡하고 추상적인 형태로 변환됩니다.

FCN에서의 합성곱 층 확장은 두 가지 주요한 장점을 가집니다.

1. 각 층에서 추출된 특징은 해당 위치의 공간적 정보를 계속 유지합니다. 이는 영역 분할에서 매우 중요한데, 객체의 형태와 위치를 정확하게 파악할 수 있기 때문입니다.

2. 네트워크는 깊어질수록 더 넓은 영역의 정보를 수용할 수 있습니다. 이는 넓은 영역에 걸친 패턴과 컨텍스트를 학습하는 데 도움이 됩니다.

합성곱 층의 이러한 확장은 이미지의 모든 픽셀에 대한 세밀한 이해를 가능하게 하며, 이는 전통적인 합성곱 신경망에서는 달성하기 어려운 성과입니다. FCN의 이러한 구조적 특성은 픽셀 수준에서의 정밀한 예측과 고차원적인 이미지 분석을 가능하게 하며, 이를 통해 풍부하고 상세한 정보를 추출할 수 있습니다.

또한 FCN에서는 업샘플링을 통해 감소된 이미지 해상도를 다시 원본 사이즈로 복원합니다. 업샘플링 방법론은 다음과 같습니다.

1. **최근접 이웃**(nearest neighbor): 가장 간단한 방법으로, 각 원본 픽셀을 반복하여 더 큰 이미지를 생성합니다. 이 방법은 계산적으로 효율적이지만, 결과 이미지는 종종 계단식 모양이나 픽셀화 현상을 보입니다.
2. **선형 보간**(linear interpolation): 주변 픽셀의 값을 사용하여 새 픽셀 값을 계산합니다. 이 방법은 부드러운 이미지를 생성하지만, 원본 데이터의 정확한 복제보다는 근사치를 제공합니다.
3. **전치 합성곱**(transposed convolution): 더 복잡한 방법으로, 컨볼루셔널 필터를 사용하여 업샘플링을 수행합니다. 이 방법은 학습 가능한 매개변수를 포함하며, 네트워크가 업샘플링 과정을 최적화할 수 있도록 합니다.

▼ 그림 5-35 업샘플링

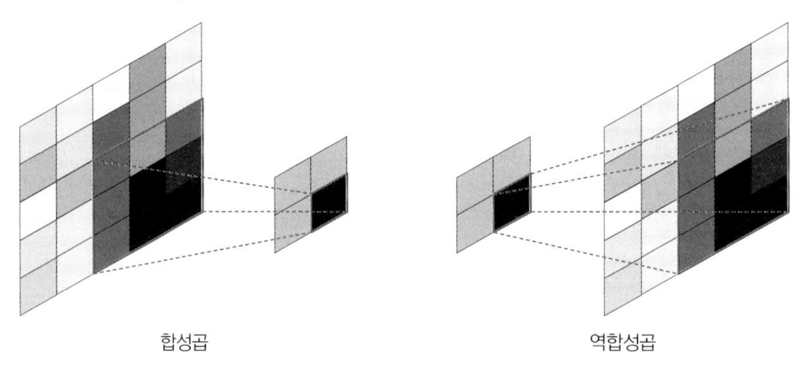

이어서 FCN에서는 스킵 연결을 사용하여 네트워크의 초기 층에서 얻은 정보를 후반부의 업샘플링 층과 결합합니다. 이러한 스킵 연결은 깊은 네트워크에서 발생할 수 있는 정보 손실을 방지하고, 더 세밀한 이미지 영역 분할을 가능하게 합니다. 업샘플링과 스킵 연결은 초기 층의 정밀한 공간 정보와 깊은 층의 고수준 추상 정보를 통합하여, 보다 정확한 픽셀 수준의 예측을 달성합니다. FCN은 최종적으로 각 픽셀에 대한 클래스 확률을 나타내는 히트맵을 생성합니다. 이 히트맵은 원본 이미지의 사이즈와 일치하며, 각 픽셀이 특정 클래스에 속할 확률을 나타냅니다. 히트맵을 통해 FCN은 이미지 내의 각 객체를 픽셀 단위로 정확하게 분류할 수 있습니다.

✔ 그림 5-36 히트맵

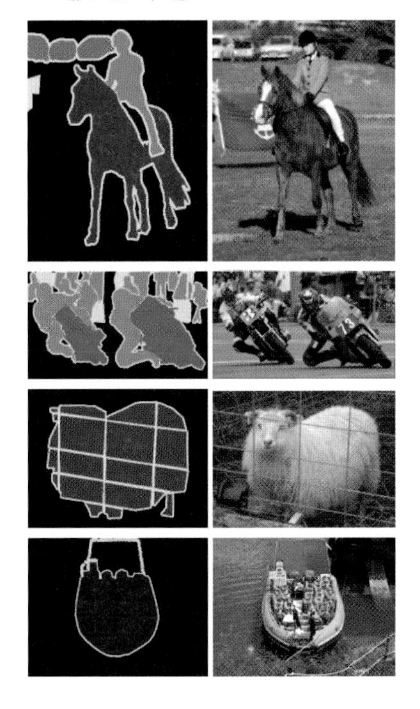

이러한 접근 방식은 전통적인 CNN에서 달성하기 어려웠던 픽셀 단위의 분류와 영역 분할을 가능하게 합니다. 히트맵을 사용함으로써 FCN은 복잡한 이미지 내에서 개별 객체의 경계를 정밀하게 식별하고, 각 객체가 속하는 클래스를 세밀하게 구분할 수 있습니다.

텐서플로를 활용한 FCN 실습

이번 실습으로 FCN의 기본 구조와 작동 원리를 이해하고, 실제 데이터를 사용한 모델 훈련을 통해 이 알고리즘이 어떻게 효과적인 이미지 분할을 수행하는지 알아봅시다. 이 과정은 이미지 분석 분야에 대한 여러분의 지식을 심화시키고, 실제 문제 해결에 필요한 기술적 능력을 향상시킬 것입니다.

먼저 다음처럼 실습을 위한 라이브러리와 하이퍼파라미미터를 설정해줍니다.

```
import tensorflow as tf
from tensorflow import keras
import matplotlib.pyplot as plt
import tensorflow_datasets as tfds
import numpy as np
```

```
keras.utils.set_random_seed(27) # ①
tf.random.set_seed(27)

AUTOTUNE = tf.data.AUTOTUNE     # ②
```

필요한 라이브러리를 임포트한 후 set_random_seed를 사용하여 랜덤 시드를 설정했습니다(①). 랜덤 시드를 설정하는 것은 딥러닝 및 머신 러닝 모델에서 재현 가능성을 보장하는 핵심 요소입니다. 랜덤 시드를 설정하면 모델의 초기화, 데이터 셔플링, 드롭아웃과 같은 무작위성에 영향을 주는 여러 부분이 영향을 받아 일관된 결과를 얻을 수 있습니다.

AUTOTUNE은 텐서플로에게 데이터 로딩 파이프라인의 버퍼 사이즈나 병렬 처리 수준과 같은 매개변수를 동적으로 조절할 권한을 줍니다(②).

이제 모델의 하이퍼파라미터를 설정합니다.

```
NUM_CLASSES = 4
INPUT_HEIGHT = 224
INPUT_WIDTH = 224
LEARNING_RATE = 1e-3
WEIGHT_DECAY = 1e-4
EPOCHS = 20
BATCH_SIZE = 32
MIXED_PRECISION = True
SHUFFLE = True
if MIXED_PRECISION:
    policy = keras.mixed_precision.Policy("mixed_float16")
    keras.mixed_precision.set_global_policy(policy)
```

keras.mixed_precision.Policy("mixed_float16")는 16비트 부동 소수점(float16)과 32비트 부동 소수점(float32)을 혼합하여 사용하는 정책을 생성합니다.

이 정책을 전역적으로 설정함으로써 모델의 학습과 추론이 이 혼합 정밀도를 사용하게 됩니다. 이는 특히 대규모 모델과 복잡한 계산에서 메모리 사용량을 줄이고, 처리 속도를 높이는 데 유용합니다.

다음은 TensorFlow Datasets 라이브러리를 활용하여 옥스포드 펫(oxford-IIIT Pet) 데이터 세트를 불러오겠습니다.

```
(train_ds, valid_ds, test_ds) = tfds.load(          # ①
    "oxford_iiit_pet",                               # ②
    split=["train[:85%]", "train[85%:]", "test"], # ③
    batch_size=BATCH_SIZE,    # ④
    shuffle_files=SHUFFLE,    # ⑤
)
```

① tfds.load 함수는 TensorFlow Datasets 라이브러리의 데이터 세트를 로드하는 데 사용됩니다. 이 함수는 데이터 세트의 이름, 분할 방식, 배치 사이즈, 파일 셔플 여부 등을 인수로 받습니다.

② "oxford_iiit_pet"는 로드하고자 하는 데이터 세트의 이름입니다. 옥스포드 펫 데이터 세트는 다양한 품종의 개와 고양이 이미지를 포함하고 있으며, 일반적으로 이미지 분류 및 영역 분할 작업에 사용됩니다.

③ split 인수는 데이터 세트를 어떻게 분할할지 정의합니다. 여기서는 훈련 데이터 세트의 85%를 훈련용으로, 나머지 15%를 검증용으로 사용하며, 별도의 테스트 세트도 로드합니다.

④ batch_size=BATCH_SIZE는 데이터를 몇 개씩 묶어 처리할지 결정합니다. 앞서 정의된 BATCH_SIZE 변수의 값(여기서는 32)에 따라 각 배치의 사이즈가 결정됩니다.

⑤ shuffle_files=SHUFFLE은 데이터 세트 파일을 셔플할지 여부를 결정합니다. 이는 모델이 데이터의 순서에 의존하지 않고 일반화될 수 있도록 돕습니다. SHUFFLE 변수에 따라 True 또는 False로 설정됩니다.

그다음 데이터를 이미지 데이터와 영역 데이터를 분할하고 사이즈를 조정하는 함수를 선언합니다.

```
def unpack_resize_data(section):                          # ①
    image = section["image"]
    segmentation_mask = section["segmentation_mask"] # ②

    resize_layer = keras.layers.Resizing(INPUT_HEIGHT, INPUT_WIDTH)       # ③

    image = resize_layer(image)
    segmentation_mask = resize_layer(segmentation_mask)

    return image, segmentation_mask

train_ds = train_ds.map(unpack_resize_data, num_parallel_calls=AUTOTUNE) # ④, ⑤
```

```
valid_ds = valid_ds.map(unpack_resize_data, num_parallel_calls=AUTOTUNE)
test_ds = test_ds.map(unpack_resize_data, num_parallel_calls=AUTOTUNE)
```

① unpack_resize_data 함수는 데이터 세트의 각 항목을 받아, 이미지와 영역 분할 마스크(segmentation mask)를 추출하고 사이즈를 조정합니다.

② section["image"]와 section["segmentation_mask"]는 데이터 세트의 각 항목에서 이미지와 해당 영역 분할 마스크를 추출합니다.

③ keras.layers.Resizing(INPUT_HEIGHT, INPUT_WIDTH)는 케라스의 리사이징 층을 생성합니다. 이 층은 이미지와 영역 분할 마스크를 주어진 INPUT_HEIGHT와 INPUT_WIDTH(여기서는 각각 224)로 사이즈 조정합니다.

④ 이후 리사이징 층을 이미지와 영역 분할 마스크에 적용하여, 모델에 적합한 입력 사이즈로 변환합니다. 이어서 map 함수를 사용하여 unpack_resize_data 함수를 각 데이터 세트(훈련, 검증, 테스트)에 적용합니다.

⑤ num_parallel_calls=AUTOTUNE은 데이터 처리 시 병렬 처리를 최적화하여 성능을 향상시킵니다. AUTOTUNE 설정은 텐서플로가 실행 환경에 맞게 자동으로 병렬 처리 수준을 결정하도록 합니다.

이제 테스트 데이터 세트에서 랜덤한 이미지를 추출하여 시각화해보겠습니다.

```
images, masks = next(iter(test_ds))
random_idx = tf.random.uniform([], minval=0, maxval=BATCH_SIZE, dtype=tf.int32)

test_image = images[random_idx].numpy().astype("float")
test_mask = masks[random_idx].numpy().astype("float")

fig, ax = plt.subplots(nrows=1, ncols=2, figsize=(10, 5))

ax[0].set_title("Image")
ax[0].imshow(test_image / 255.0)

ax[1].set_title("Image with segmentation mask overlay")
ax[1].imshow(test_image / 255.0)
ax[1].imshow(test_mask,cmap="inferno",alpha=0.6,)
plt.show()
```

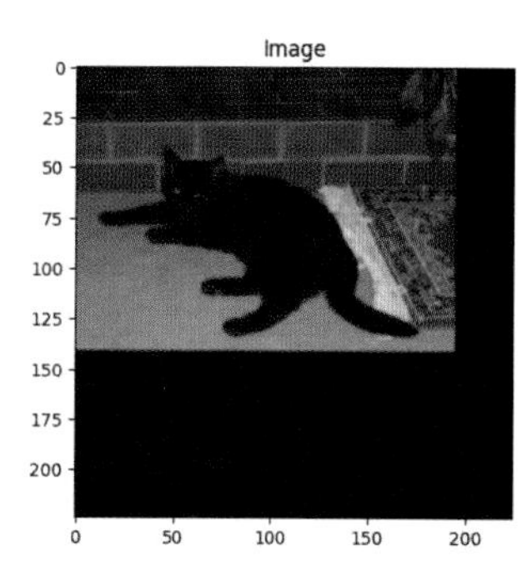

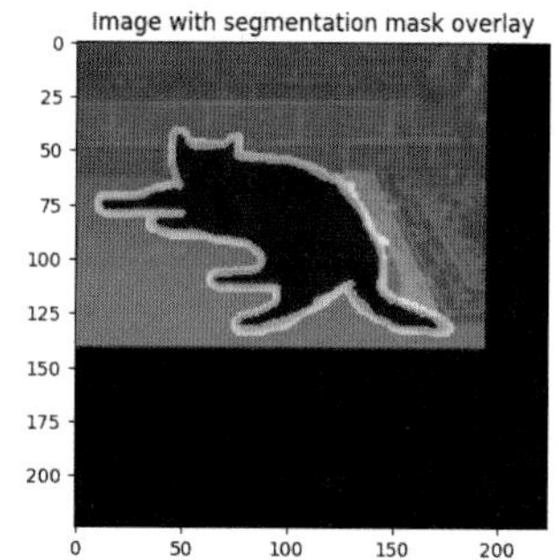

그다음으로 훈련, 검증, 테스트 데이터 세트를 전처리하고 데이터 로딩의 효율성을 높이기 위한 파이프라인을 설정하는 과정을 진행하겠습니다.

```
def preprocess_data(image, segmentation_mask): # ①
    image = keras.applications.vgg19.preprocess_input(image)
    return image, segmentation_mask

train_ds = (
    train_ds.map(preprocess_data, num_parallel_calls=AUTOTUNE).shuffle(buffer_
size=1024).prefetch(buffer_size=1024)) # ②
valid_ds = (
    valid_ds.map(preprocess_data, num_parallel_calls=AUTOTUNE).shuffle(buffer_
size=1024).prefetch(buffer_size=1024))
test_ds = (
    test_ds.map(preprocess_data, num_parallel_calls=AUTOTUNE).shuffle(buffer_
size=1024).prefetch(buffer_size=1024)
)
```

모델의 백본 네트워크는 뒤에서 VGG19를 사용할 예정이라 VGG19 모델에 적합한 형태로 이미지 데이터를 전처리합니다(①). 전처리 작업에는 평균 값을 뺀 후 값의 크기를 조정하여 모델 입력층에 적합한 형식으로 데이터를 조정하는 작업이 진행됩니다.

그리고 preprocess_data 함수를 각 데이터 세트에 적용합니다(②). num_parallel_calls=AUTOTUNE은 병렬 처리를 최적화합니다. shuffle(buffer_size=1024)는 데이터 세트의 항목을 무작위로 섞어, 모델이 일반화될 수 있도록 돕습니다. buffer_size는 셔플을 위한 버퍼의 사이즈를 지정합니다. prefetch(buffer_size=1024)는 훈련 중에 데이터 로딩 시간을 줄이기 위해 다음 배치를 미리 로드하고 준비합니다. 이는 CPU와 GPU가 동시에 작업을 수행할 수 있게 하여, 데이터 로딩으로 인한 대기 시간을 최소화합니다.

이러한 파이프라인 설정은 모델 학습 과정의 효율성과 성능을 향상시킵니다.

이제 모델 부분을 작성해보겠습니다. 모델은 다음과 같은 FCN 논문의 네트워크를 그대로 따라갈 예정입니다.

▼ 그림 5-37 FCN 전체 구조

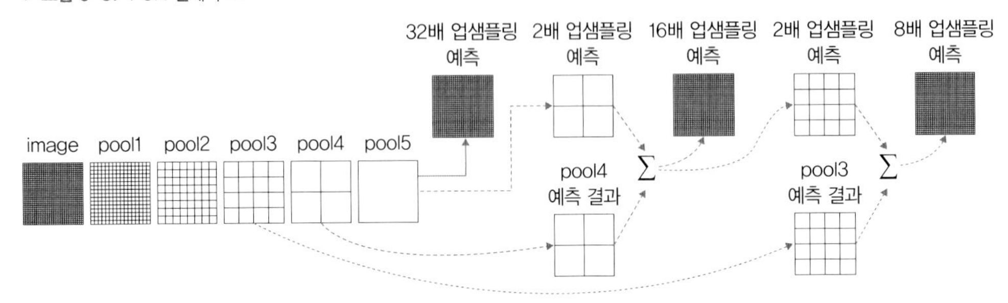

네트워크는 업샘플링을 수행하고 최종 결과를 얻기 위해 VGG의 풀링 층 출력을 확장합니다. VGG19의 세 번째, 네 번째, 다섯 번째 최대 풀링 층에서 나오는 중간 출력을 추출하고 다른 레벨과 인수로 업샘플링하여 출력과 동일한 모양이지만 픽셀 강도 값 대신 각 위치에 존재하는 각 픽셀의 클래스가 포함된 최종 출력을 얻습니다. 네트워크의 버전에 따라 서로 다른 중간 풀(pool) 층이 추출되고 처리됩니다. 위와 같은 방식으로 각 풀링 층에서 놓칠 수 있는 중요한 특징들을 모두 보존하며 영역 분할을 진행할 수 있습니다.

코드로 구현하면 다음과 같습니다.

```
input_layer = keras.Input(shape=(INPUT_HEIGHT, INPUT_WIDTH, 3))

vgg_model = keras.applications.vgg19.VGG19(include_top=True, weights="imagenet") # ①

fcn_backbone = keras.models.Model(
    inputs=vgg_model.layers[1].input,
    outputs=[
        vgg_model.get_layer(block_name).output
        for block_name in ["block3_pool", "block4_pool", "block5_pool"]
    ],
) # ②
```

keras.applications.vgg19.VGG19를 사용해 VGG19 모델을 로드합니다(①). include_top=True는 분류 층을 포함하고, weights="imagenet"은 ImageNet으로 훈련된 가중치를 사용합니다.

FCN에서는 백본 네트워크에서 마지막 출력 풀링 층 3개를 사용합니다. 이를 위해 keras.models.Model을 사용하여 VGG19 모델의 일부 층을 사용하는 새로운 모델(fcn_backbone)을 생성한 후 ②처럼 "block3_pool", "block4_pool", "block5_pool" 층의 출력을 사용합니다. 이러한 방식으로 기존 층의 출력층을 다중 출력으로 수정할 수 있습니다.

이제 다음처럼 모델 미세 조정을 위해 백본 네트워크의 가중치 값을 고정시킵니다.

```
fcn_backbone.trainable = False
x = fcn_backbone(input_layer)
```

그리고 추가 합성곱 층 및 모델의 과적합 방지를 위한 드롭아웃 층을 추가합니다.

```
units = [4096, 4096] # ①
dense_convs = []

for filter_idx in range(len(units)):
    dense_conv = keras.layers.Conv2D(
        filters=units[filter_idx], kernel_size=(7, 7) if filter_idx == 0 else (1,
1),strides=(1, 1), activation="relu", padding="same", use_bias=False, kernel_
initializer=tf.constant_initializer(1.0),
    )
    dense_convs.append(dense_conv)
    dropout_layer = keras.layers.Dropout(0.5)
    dense_convs.append(dropout_layer)

dense_convs = keras.Sequential(dense_convs) # ②
dense_convs.trainable = False # ③

x[-1] = dense_convs(x[-1])
pool3_output, pool4_output, pool5_output = x
```

units에 정의된 각 수치에 대해 7×7 및 1×1 합성곱 층과 드롭아웃 층을 추가합니다(①). 이를 dense_convs 리스트에 저장합니다. 그리고 keras.Sequential을 사용하여 이 층들을 하나의 시퀀셜 모델로 결합합니다(②). 그 후 dense_convs.trainable = False를 통해 추가 층들의 가중치를 고정시킨 다음(③), dense_convs 모델을 백본의 마지막 출력에 적용합니다. 이렇게 기존 백본 네트워크에 층을 추가 및 변경합니다.

이제 다음처럼 FCN 모델의 뒷부분인 fcn32s 아키텍처를 구성합니다. 여기에서는 영역 분할 작업을 위한 합성곱 층과 업샘플링 층을 정의하고 연결합니다.

```
pool5 = keras.layers.Conv2D(filters=NUM_CLASSES, kernel_size=(1, 1), padding="same",
strides=(1, 1), activation="relu",)

fcn32s_conv_layer = keras.layers.Conv2D(filters=NUM_CLASSES, kernel_size=(1, 1),
activation="softmax", padding="same", strides=(1, 1),)
```

다음처럼 FCN 모델의 fcn32s 아키텍처에서 최종 예측 맵을 원본 이미지 사이즈로 복원하는 업샘플링 과정을 진행합니다.

```
fcn32s_upsampling = keras.layers.UpSampling2D(size=(32, 32),data_format=keras.backend.
image_data_format(), interpolation="bilinear",)
```

fcn32s_upsampling은 32배 업샘플링을 수행하는 층입니다. interpolation="bilinear"는 업샘플링 과정에서 이웃하는 픽셀 값들 사이를 선형적으로 보간합니다.

선형적으로 보간한다는 것은 업샘플링 과정에서 새로운 픽셀 값을 생성할 때 주변 픽셀 값들을 기반으로 그 사이의 값을 선형적인 방식으로 계산한다는 의미입니다. 이를 통해 이미지를 확대할 때 생기는 빈 공간을 보다 자연스럽게 채울 수 있습니다.

Note ≡ 선형 보간의 원리

선형 보간법은 두 점 사이의 값을 추정하기 위해 직선을 사용하는 가장 간단한 형태의 보간법입니다. 이미지 업샘플링에서는 다음과 같이 작동합니다.

- 주변 픽셀 찾기: 업샘플링 시 새로운 픽셀의 위치를 결정하고, 이 위치와 가장 가까운 원본 픽셀들을 찾습니다.
- 가중치 계산: 새 픽셀과 원본 픽셀 사이의 거리에 기반하여 가중치를 계산합니다. 이 가중치는 원본 픽셀 값이 새 픽셀 값에 얼마나 영향을 미칠지 결정합니다.
- 값 계산: 주변 원본 픽셀 값과 그에 대응하는 가중치를 사용하여 새 픽셀의 값을 계산합니다. 이 계산은 주변 픽셀 값들의 가중 평균으로 수행됩니다.

선형 보간(linear interpolation)은 부드러운 이미지 확대를 가능하게 합니다. 이 방법은 각 새 픽셀을 주변의 원본 픽셀 값들과 그 거리에 따라 계산된 가중치를 사용하여 채웁니다. 이는 갑작스럽게 변하는 픽셀 값보다는 더 자연스러운 그라데이션을 생성하여 이미지의 품질을 유지합니다.

이러한 선형 보간 방식은 fcn32s_upsampling 층에서 중요한 역할을 합니다. 이미지의 사이즈를 늘리면서도 픽셀 간의 부드러운 전환을 유지하므로 업샘플링된 이미지에서도 자연스러운 시각적 표현을 달성할 수 있습니다.

다음 코드로 앞에서 정의한 FCN32s의 최종 출력을 생성합니다.

```
final_fcn32s_pool = pool5(pool5_output)
final_fcn32s_output = fcn32s_conv_layer(final_fcn32s_pool)
final_fcn32s_output = fcn32s_upsampling(final_fcn32s_output)
fcn32s_model = keras.Model(inputs=input_layer, outputs=final_fcn32s_output)
```

여기에서 pool5_output을 pool5 층에 적용하여 변환된 특징 맵을 얻습니다. 이 특징 맵을 fcn32s_conv_layer에 적용하여 각 픽셀의 클래스 확률을 얻습니다. 마지막으로 fcn32s_upsampling을 적용하여 출력 사이즈를 원본 이미지 사이즈로 확장합니다.

추가로 FCN의 두 가지 변형, FCN-16s와 FCN-8s를 구현합니다. 앞서 진행한 내용과 동일합니다.

```
pool4 = keras.layers.Conv2D(filters=NUM_CLASSES,kernel_size=(1, 1),
padding="same",strides=(1, 1),activation="linear",kernel_initializer=keras.
initializers.Zeros(),)(pool4_output)

pool5 = keras.layers.UpSampling2D(size=(2, 2),data_format=keras.backend.image_data_
format(),interpolation="bilinear",)(final_fcn32s_pool)

fcn16s_conv_layer = keras.layers.Conv2D(filters=NUM_CLASSES,kernel_size=(1, 1),
activation="softmax",padding="same",strides=(1, 1),)

fcn16s_upsample_layer = keras.layers.UpSampling2D(size=(16, 16),data_format=keras.
backend.image_data_format(),interpolation="bilinear",)

final_fcn16s_pool = keras.layers.Add()([pool4, pool5])
final_fcn16s_output = fcn16s_conv_layer(final_fcn16s_pool)
final_fcn16s_output = fcn16s_upsample_layer(final_fcn16s_output)

fcn16s_model = keras.models.Model(inputs=input_layer, outputs=final_fcn16s_output)

pool3 = keras.layers.Conv2D( filters=NUM_CLASSES, kernel_size=(1, 1), padding="same",
strides=(1, 1), activation="linear", kernel_initializer=keras.initializers.Zeros(),)
(pool3_output)

intermediate_pool_output = keras.layers.UpSampling2D(size=(2, 2),data_format=keras.
backend.image_data_format(),interpolation="bilinear",)(final_fcn16s_pool)

fcn8s_conv_layer = keras.layers.Conv2D(filters=NUM_CLASSES,kernel_size=(1, 1),
```

```
activation="softmax",padding="same",strides=(1, 1),)

fcn8s_upsample_layer = keras.layers.UpSampling2D(size=(8, 8),data_format=keras.
backend.image_data_format(),interpolation="bilinear",)

final_fcn8s_pool = keras.layers.Add()([pool3, intermediate_pool_output])
final_fcn8s_output = fcn8s_conv_layer(final_fcn8s_pool)
final_fcn8s_output = fcn8s_upsample_layer(final_fcn8s_output)

fcn8s_model = keras.models.Model(inputs=input_layer, outputs=final_fcn8s_output)
```

FCN-32s 모델을 확장하여 더 정밀한 영역 분할을 위해 추가적인 중간 층을 결합합니다. 이러한 과정은 FCN-32s 모델에 더 많은 컨텍스트 정보를 추가하여, 더 정밀한 영역 분할을 가능하게 합니다. FCN-16s는 더 세밀한 특성을, FCN-8s는 더욱 정밀한 영역 분할을 제공합니다. 이는 각 모델의 업샘플링 비율과 결합되는 중간 층의 특성 때문입니다. 이러한 아키텍처는 특히 복잡한 영역 분할 작업에 유용하며, 세부적인 객체 경계를 보다 정확하게 포착할 수 있습니다.

다음은 VGG 모델의 마지막 두 층 가중치 추출 및 가중치 재구성, 합성곱 층에 적용하는 부분입니다.

```
weights1 = vgg_model.get_layer("fc1").get_weights()[0]
weights2 = vgg_model.get_layer("fc2").get_weights()[0]

weights1 = weights1.reshape(7, 7, 512, 4096)
weights2 = weights2.reshape(1, 1, 4096, 4096)

dense_convs.layers[0].set_weights([weights1])
dense_convs.layers[2].set_weights([weights2])
```

해당 코드는 사전 훈련된 네트워크의 지식을 전이하여 FCN 모델의 성능을 향상시키는 데 중요한 역할을 합니다. 완전 연결 층의 가중치를 합성곱 층으로 전환해서 모델이 이미지의 전체적인 컨텍스트를 더 잘 이해하고, 픽셀 수준의 예측에 활용할 수 있게 됩니다. 이러한 전이 학습 방식은 모델의 학습 시간을 단축시키고, 더 정확한 영역 분할 결과를 얻는 데 도움을 줍니다.

이제 앞에서 설정한 하이퍼파라미터와 다양한 버전의 FCN 모델을 학습시켜보겠습니다.

```
fcn32s_optimizer = keras.optimizers.AdamW(learning_rate=LEARNING_RATE, weight_
decay=WEIGHT_DECAY)

fcn32s_loss = keras.losses.SparseCategoricalCrossentropy()

fcn32s_model.compile(
    optimizer=fcn32s_optimizer,loss=fcn32s_loss,metrics=[keras.metrics.
MeanIoU(num_classes=NUM_CLASSES, sparse_y_pred=False),keras.metrics.
SparseCategoricalAccuracy(),],)
fcn32s_history = fcn32s_model.fit(train_ds, epochs=EPOCHS, validation_data=valid_ds)

fcn16s_optimizer = keras.optimizers.AdamW(learning_rate=LEARNING_RATE,
weight_decay=WEIGHT_DECAY)

fcn16s_loss = keras.losses.SparseCategoricalCrossentropy()
fcn16s_model.compile(optimizer=fcn16s_optimizer,loss=fcn16s_loss,metrics=[keras.
metrics.MeanIoU(num_classes=NUM_CLASSES, sparse_y_pred=False),keras.metrics.
SparseCategoricalAccuracy(),],)

fcn16s_history = fcn16s_model.fit(train_ds, epochs=EPOCHS, validation_data=valid_ds)

fcn8s_optimizer = keras.optimizers.AdamW(learning_rate=LEARNING_RATE, weight_
decay=WEIGHT_DECAY)

fcn8s_loss = keras.losses.SparseCategoricalCrossentropy()
fcn8s_model.compile(optimizer=fcn8s_optimizer,loss=fcn8s_loss,metrics=[keras.
metrics.MeanIoU(num_classes=NUM_CLASSES, sparse_y_pred=False),keras.metrics.
SparseCategoricalAccuracy(),],)

fcn8s_history = fcn8s_model.fit(train_ds, epochs=EPOCHS, validation_data=valid_ds)
```

```
Epoch 1/20
98/98 [==============================] - 27s 81ms/step - loss: 1.0063 - mean_io_u:
0.2951 - sparse_categorical_accuracy: 0.6181 - val_loss: 0.8232 - val_mean_io_u: 0.3940
- val_sparse_categorical_accuracy: 0.6887
...
Epoch 19/20
98/98 [==============================] - 10s 61ms/step - loss: 0.6290 - mean_io_u:
0.4373 - sparse_categorical_accuracy: 0.7457 - val_loss: 0.6106 - val_mean_io_u: 0.4564
- val_sparse_categorical_accuracy: 0.7539
Epoch 20/20
98/98 [==============================] - 10s 60ms/step - loss: 0.6238 - mean_io_u:
0.4393 - sparse_categorical_accuracy: 0.7482 - val_loss: 0.6174 - val_mean_io_u: 0.4487
- val_sparse_categorical_accuracy: 0.7492
```

앞의 코드로 각 FCN 모델은 주어진 데이터 세트에서 픽셀 수준의 이미지 영역 분할 작업을 수행하기 위해 최적화됩니다. 다양한 깊이의 FCN 모델을 훈련시키고 그 성능을 비교함으로써 특정 작업에 가장 적합한 모델 구조를 결정할 수 있습니다.

이렇게 학습이 완료된 모델을 시각화해서 학습이 얼마나 진척되었는지 확인합시다.

```
images, masks = next(iter(test_ds))
random_idx = tf.random.uniform([], minval=0, maxval=BATCH_SIZE, dtype=tf.int32)

test_image = images[random_idx].numpy().astype("float")
test_mask = masks[random_idx].numpy().astype("float")

pred_image = tf.expand_dims(test_image, axis=0)
pred_image = keras.applications.vgg19.preprocess_input(pred_image)

pred_mask_32s = fcn32s_model.predict(pred_image, verbose=0).astype("float")
pred_mask_32s = np.argmax(pred_mask_32s, axis=-1)
pred_mask_32s = pred_mask_32s[0, ...]

pred_mask_16s = fcn16s_model.predict(pred_image, verbose=0).astype("float")
pred_mask_16s = np.argmax(pred_mask_16s, axis=-1)
pred_mask_16s = pred_mask_16s[0, ...]

pred_mask_8s = fcn8s_model.predict(pred_image, verbose=0).astype("float")
pred_mask_8s = np.argmax(pred_mask_8s, axis=-1)
pred_mask_8s = pred_mask_8s[0, ...]

fig, ax = plt.subplots(nrows=2, ncols=3, figsize=(15, 8))

fig.delaxes(ax[0, 2])

ax[0, 0].set_title("Image")
ax[0, 0].imshow(test_image / 255.0)

ax[0, 1].set_title("Image with ground truth overlay")
ax[0, 1].imshow(test_image / 255.0)
ax[0, 1].imshow( test_mask,cmap="inferno",alpha=0.6,)

ax[1, 0].set_title("Image with FCN-32S mask overlay")
ax[1, 0].imshow(test_image / 255.0)
ax[1, 0].imshow(pred_mask_32s, cmap="inferno", alpha=0.6)
```

```
ax[1, 1].set_title("Image with FCN-16S mask overlay")
ax[1, 1].imshow(test_image / 255.0)
ax[1, 1].imshow(pred_mask_16s, cmap="inferno", alpha=0.6)

ax[1, 2].set_title("Image with FCN-8S mask overlay")
ax[1, 2].imshow(test_image / 255.0)
ax[1, 2].imshow(pred_mask_8s, cmap="inferno", alpha=0.6)

plt.show()
```


이 코드는 FCN 모델의 다양한 버전이 이미지 영역 분할 작업에서 어떻게 성능을 발휘하는지 비교하고, 실제 테스트 이미지에 대한 모델의 예측 결과를 시각적으로 이해할 수 있게 해줍니다.

코드를 실행하면 다음처럼 출력됩니다.

▼ 그림 5-38 각 단계별 FCN 출력 결과와 실제 정답 영역 출력

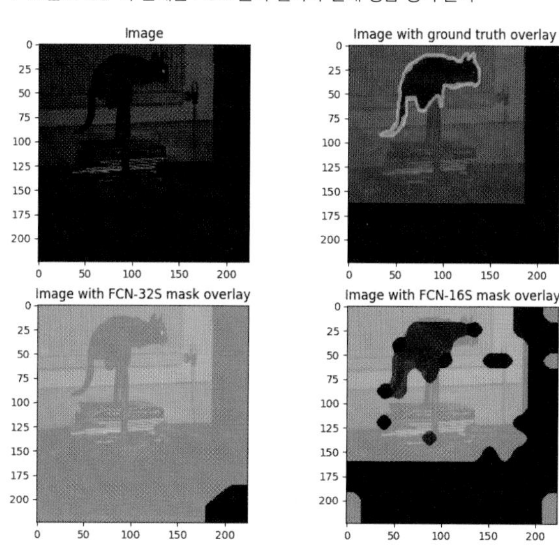

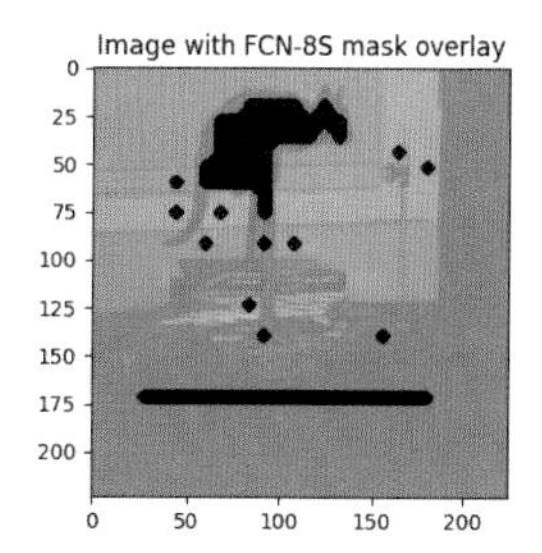

모델의 정답 데이터와 같이 정확하진 않지만, FCN-32와 비교했을 때 FCN-8S가 더욱 정확한 결과를 보여줍니다. FCN-8S는 영역 분할 과정에서 더 많은 중간 층의 정보를 통합하여 사용하기 때문에 세밀한 경계와 세부 사항을 포착하는 능력이 향상됩니다. 이러한 결과는 FCN-8S가 이미지 내의 작은 객체나 복잡한 형태를 더 잘 구분할 수 있음을 시사합니다. 따라서 정밀한 영역 분할 작업이 필요한 경우 FCN-8S 모델의 사용을 고려해볼 수 있습니다. 이러한 시각적 비교는 각 모델의 장단점을 이해하고, 특정 응용 분야에 가장 적합한 모델을 선택하는 데 도움이 됩니다.

5.3.2 U-Net

U-Net은 의료 영상 처리와 같은 고해상도 이미지 영역 분할 작업에 특히 뛰어난 성능을 보이는 딥러닝 아키텍처입니다. 이 모델은 특히 세밀한 이미지 영역 분할을 필요로 하는 분야에서 강력한 도구로 자리 잡았습니다. 특히나 U-Net이 제안한 아키텍처는 최신 인공지능 모델에서까지 많은 영향을 주게 되었습니다.

U-Net은 주로 의료 이미지 분할을 위해 설계된 특별한 형태의 합성곱 신경망입니다. 이 네트워크는 그 구조가 'U' 형태를 닮았다 하여 U-Net이라 명명되었으며, 두 가지 주요 구성 요소인 수축 경로(contracting path)와 확장 경로(expanding path)를 포함하고 있습니다.

▼ 그림 5-39 U-Net 구조

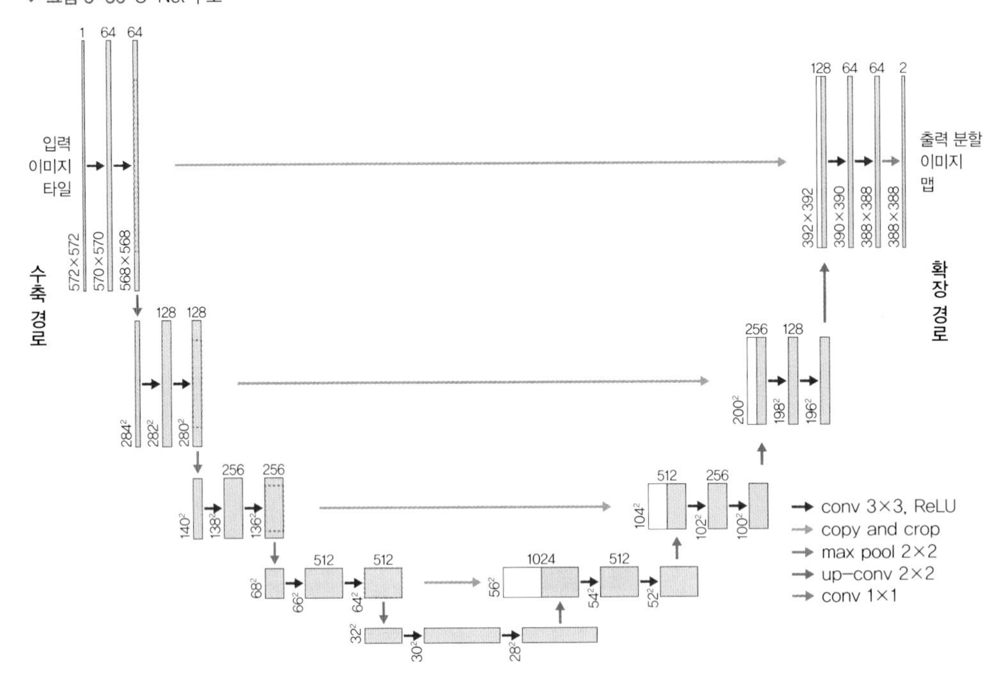

수축 경로

U-Net의 수축 경로는 주로 네트워크의 앞부분에 위치하며, 이는 전통적인 합성곱 신경망의 구조와 유사합니다.

▼ 그림 5-40 수축 경로 세부 정보

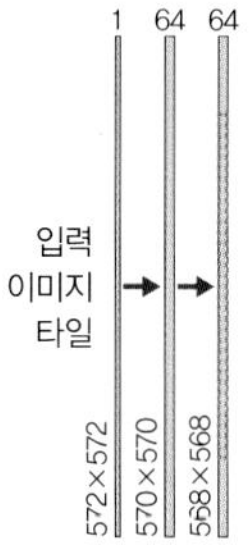

1 64 64
입력 이미지 타일
572×572 570×570 568×568

이 경로의 주요 목적은 이미지로부터 중요한 특징을 추출하는 것입니다. 수축 경로는 여러 합성곱 층과 풀링 층으로 구성되어 있으며, 각 층은 이미지에서 다양한 수준의 특징을 학습하는 데 중요한 역할을 합니다.

- **합성곱 층**: 수축 경로의 시작 부분에 있는 합성곱 층은 이미지의 원시 픽셀 값에서 복잡한 특징을 추출합니다. 이 층에서 사용되는 필터(또는 커널)는 이미지의 작은 영역에 적용되어 지역적인 특징을 감지합니다. 예를 들어 가장자리, 질감, 패턴 등이 이 단계에서 학습됩니다. 합성곱 층을 거치면서 입력 이미지는 여러 특징 맵으로 변환되는데, 이는 각 필터가 이미지의 특정 종류의 특징에 반응하기 때문입니다.
- **풀링 층**: 각 합성곱 층 뒤에는 풀링 층이 따릅니다. 풀링은 주로 최대 풀링 방식을 사용하는데, 이는 각 특징 맵의 지역적인 영역에서 가장 높은 값을 선택하여 그 사이즈를 줄이는 과정입니다. 이렇게 함으로써 풀링 층은 이미지의 차원을 줄이고, 중요한 특징을 유지하면서도 데이터의 양을 감소시킵니다. 이 과정은 네트워크가 더 넓은 범위의 맥락 정보를 학습하도록 하며, 과적합을 방지하는 데도 도움이 됩니다.

U-Net 수축 경로에서는 합성곱, 풀링 층을 크게 초기 단계, 중간 단계, 깊은 단계로 반복하여 모델을 만들게 됩니다. 각 단계를 나누는 부분은 이 알고리즘의 핵심적인 특징 중 하나입니다. 수축 경로의 각 스테이지는 네트워크가 점점 더 깊은 특징을 학습할 수 있도록 설계되었으며, 이는 이미지 분석의 정확도를 높이는 데 중요한 역할을 합니다.

수축 경로 내의 각 스테이지는 다음과 같이 구성됩니다.

❤ 그림 5-41 수축 경로 아키텍처

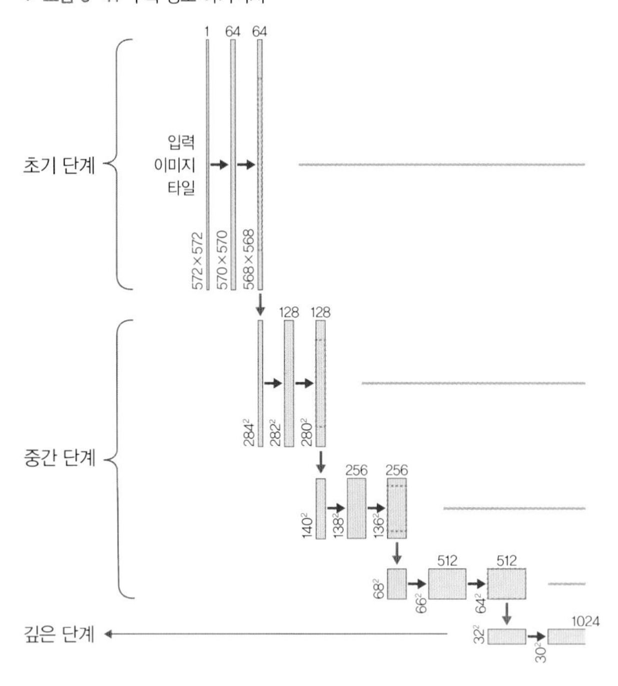

- **초기 단계**: 이 단계는 이미지의 가장 기본적인 특징을 감지합니다. 여기에는 주로 간단한 패턴, 가장자리, 색상 변화 등이 포함됩니다. 이 초기 층은 이미지의 원시 픽셀 데이터에서 직접 정보를 추출하기 때문에 비교적 단순한 특징에 집중합니다.
- **중간 단계**: 수축 경로를 따라 내려가면서 네트워크는 점점 더 복잡한 특징을 학습합니다. 이 단계에서는 텍스처, 패턴의 조합, 그리고 이미지의 일부 형태나 구조 같은 좀 더 복잡한 요소들이 감지됩니다. 이러한 중간 스테이지는 이미지의 고유한 특성을 더 잘 이해하고 구별하는 데 도움을 줍니다.
- **깊은 단계**: 네트워크의 더 깊은 부분에서는 이미지의 고수준 특징이 처리됩니다. 여기에는 객체의 큰 형태나 전체적인 구조 같은 더 복잡하고 추상적인 정보가 포함됩니다. 이 스테이지에서는 이미지의 전체적인 맥락과 배경에 대한 이해가 중요하며, 이는 특히 복잡한 의료 영상 분석에 있어서 매우 중요합니다.

확장 경로

확장 경로는 U-Net의 오른쪽 부분을 형성하며, 수축 경로에서 얻은 특징 맵을 다시 원래 사이즈로 복원하는 역할을 합니다. 이 경로는 업샘플링 층과 합성곱 층으로 구성되어 있습니다.

▼ 그림 5-42 확장 경로 세부 정보

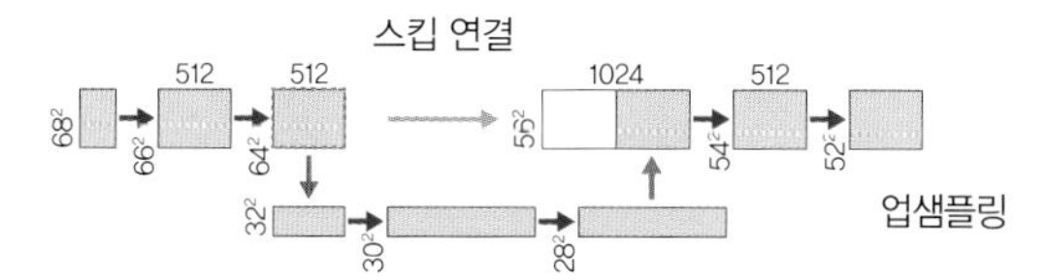

- **업샘플링 층**: 확장 경로의 핵심 요소 중 하나는 업샘플링 층입니다. 이 층들은 이미지의 차원을 점차적으로 확대하여, 수축 경로에서의 다운샘플링 과정으로 인해 손실된 상세 정보를 복구합니다. 업샘플링은 보통 트랜스포즈 합성곱(transpose convolution)이나 최근접 이웃 업샘플링(nearest neighbor upsampling) 방법을 사용하여 수행됩니다. FCN과 마찬가지로 이 과정에서 이미지의 사이즈는 증가하지만, 더 많은 픽셀이 생성되어 이미지의 상세 정보를 더욱 정밀하게 표현할 수 있게 됩니다.
- **합성곱 층**: 업샘플링된 특징 맵은 이후 합성곱 층을 거치게 됩니다. 이 층들은 업샘플링으로 확대된 이미지에서 부드러운 특징 맵을 생성하고, 이미지의 세부적인 부분을 더욱 세밀하게 다듬는 역할을 합니다. 합성곱 층은 이미지의 각 픽셀에 대한 정확한 분류를 가능하게 하며, 이는 최종적인 이미지 분할의 정밀도를 결정짓는 중요한 단계입니다.
- **스킵 연결**(skip connections): 확장 경로에서는 스킵 연결이 중요한 기능을 합니다. 이 연결은 수축 경로의 각 스테이지에서 얻은 특징 맵을 확장 경로의 해당 스테이지와 결합합니다. 이러한 결합은 확장 경로에서 생성된 특징 맵에 수축 경로에서 추출된 상세한 위치 정보를 추가함으로써, 모델이 이미지의 정밀한 구조를 더 잘 이해하고 재현할 수 있게 합니다. 스킵 연결은 이미지의 깊은 특징과 표면적인 특징을 동시에 고려하게 하여, 더 정확하고 세밀한 이미지 분할 결과를 얻을 수 있게 해줍니다. 또한 확장 경로는 기본적으로 수축 경로의 역과정이라고 볼 수 있으며, 여기서는 업샘플링된 특징 맵이 수축 경로의 대응되는 특징 맵과 결합되어 세밀한 정보를 복원합니다. 결합되는 단계의 기준은 수축 경로의 세부 단계 기준과 동일합니다.

❤ 그림 5-43 확장 경로 세부 단계

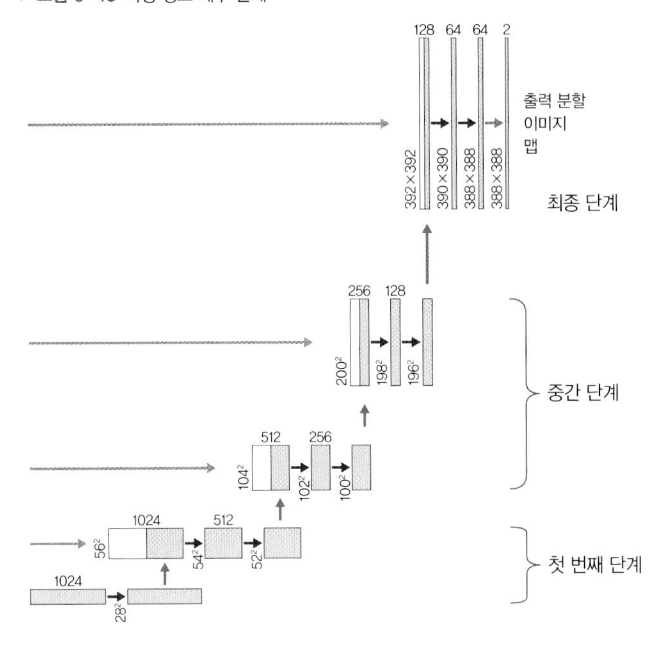

- **첫 번째 단계**: 확장 경로의 첫 단계에서는 수축 경로의 마지막 합성곱 층의 출력을 받아 업샘플링을 시작합니다. 여기서의 업샘플링은 주로 트랜스포즈 합성곱 연산을 통해 수행됩니다. 이렇게 업샘플링된 특징 맵은 수축 경로의 마지막 합성곱 층의 출력과 스킵 연결을 통해 결합됩니다. 이 결합은 이미지의 상세한 정보를 복원하는 데 중요한 역할을 하며, 업샘플링된 특징 맵에 수축 경로에서 추출된 위치 정보와 맥락 정보를 추가합니다.
- **중간 단계**: 확장 경로의 각 중간 스테이지에서는 계속해서 업샘플링과 스킵 연결을 통한 결합이 이루어집니다. 각 스테이지에서는 업샘플링된 특징 맵을 수축 경로의 대응되는 스테이지의 출력과 결합합니다. 이 과정은 네트워크가 수축 경로에서 잃어버린 상세한 정보를 되찾고, 동시에 이미지의 맥락을 유지할 수 있게 합니다. 중간 스테이지의 각 단계는 이미지의 다양한 수준의 특징을 세밀하게 재구성하며, 이는 정밀한 이미지 분할에 결정적입니다.
- **마지막 단계**: 확장 경로의 마지막 단계에서는 최종 업샘플링과 결합이 이루어집니다. 이 단계는 이미지를 원래의 해상도로 복원하며, 수축 경로의 첫 번째 스테이지에서 얻은 특징 맵과 결합됩니다. 마지막 스테이지의 결합은 이미지의 가장 상세한 정보를 복원하는 데 중요하며, 이를 통해 네트워크는 이미지의 세밀한 경계와 구조를 정확하게 재현할 수 있습니다.

텐서플로를 활용한 U-Net 실습

U-Net의 핵심 구성 요소인 수축 경로와 확장 경로의 작동 원리를 실습하면서 직접 경험하고 이해해봅시다. 수축 경로에서는 이미지의 중요한 특징을 추출하는 방법을, 확장 경로에서는 이러한 특징들을 사용하여 이미지를 원래 사이즈로 복원하는 과정을 배우게 됩니다. 특히 스킵 연결을 통해 수축 경로와 확장 경로 사이의 정보를 효율적으로 결합하는 방법을 실습하며, 이는 U-Net이 세밀한 이미지 분할을 수행하는 데 결정적인 역할을 하는 부분입니다.

우선 필요한 라이브러리를 불러오겠습니다.

```
!pip install git+https://github.com/tensorflow/examples.git

import tensorflow as tf
import tensorflow_datasets as tfds
import matplotlib.pyplot as plt
from tensorflow_examples.models.pix2pix import pix2pix
from IPython.display import clear_output
```

예제 코드들이 포함된 깃허브 저장소를 직접 클론하여 설치합니다. 특히 텐서플로 저장소에는 텐서플로와 관련된 다양한 고급 예제와 튜토리얼이 포함되어 있어, 실습이나 학습할 때 유용합니다. 해당 저장소에서 pix2pix 모델을 가져옵니다. 우리 예제는 pix2pix 모델 구조를 일부 변경하는 방식으로 U-Net을 구현할 예정입니다.

다음으로 훈련 및 검증 데이터 세트를 준비하는 과정을 설정합니다.

```
dataset, info = tfds.load('oxford_iiit_pet:3.*.*', with_info=True) # ①

def normalize(input_image, input_mask): # ②
    input_image = tf.cast(input_image, tf.float32) / 255.0
    input_mask -= 1
    return input_image, input_mask

def load_image(datapoint): # ③
    input_image = tf.image.resize(datapoint['image'], (128, 128))
    input_mask = tf.image.resize(
        datapoint['segmentation_mask'],
        (128, 128),
        method = tf.image.ResizeMethod.NEAREST_NEIGHBOR,
  )
```

```
    input_image, input_mask = normalize(input_image, input_mask)

    return input_image, input_mask
```

① 텐서플로 datasets에서 oxford_iiit_pet 데이터 세트를 로드합니다. with_info=True는 데이터 세트에 대한 추가 정보(예 클래스 수, 샘플 수 등)를 함께 로드하도록 지시합니다. 이 데이터 세트에는 애완동물 이미지와 관련된 정보가 포함되어 있어, 이미지 분석 및 분할 작업에 적합합니다.

② 함수는 입력된 이미지와 마스크를 정규화하는 작업을 수행합니다. 이미지는 tf.float32 타입으로 캐스팅되고, 255로 나누어져 정규화됩니다. 이는 이미지 데이터를 0과 1 사이의 값으로 조정하여 모델이 처리하기 쉽게 만듭니다. input_mask -= 1 라인은 마스크의 레이블을 조정하는데, 일반적으로 마스크의 레이블을 0부터 시작하도록 변경하기 위해 사용됩니다.

③ 함수는 데이터 세트의 각 샘플(데이터 포인트)에서 이미지와 마스크를 로드하고, 사이즈를 조정하는 역할을 합니다. tf.image.resize를 사용하여 입력 이미지와 마스크를 모두 (128, 128) 사이즈로 조정합니다. 마스크의 경우 method=tf.image.ResizeMethod.NEAREST_NEIGHBOR를 사용하여 리사이징하는데, 이는 픽셀 간의 정확한 레이블 정보를 보존하기 위함입니다.

다음처럼 훈련 및 테스트 이미지를 로딩하는 과정을 설정합니다.

```
TRAIN_LENGTH = info.splits['train'].num_examples
BATCH_SIZE = 64
BUFFER_SIZE = 1000
STEPS_PER_EPOCH = TRAIN_LENGTH // BATCH_SIZE

train_images = dataset['train'].map(load_image, num_parallel_calls=tf.data.AUTOTUNE)
test_images = dataset['test'].map(load_image, num_parallel_calls=tf.data.AUTOTUNE)
```

기본적인 하이퍼파라미터를 설정하고, 모든 훈련 이미지를 로드하고 전처리합니다. num_parallel_calls=tf.data.AUTOTUNE은 데이터 로딩 과정에서 병렬 처리를 최적화하기 위해 사용됩니다. 이를 통해 모델 학습과 평가 과정이 원활하게 진행될 수 있도록 준비합니다.

다음은 데이터 증강 기법을 적용하여 훈련 데이터의 다양성을 높이겠습니다.

```python
class Augment(tf.keras.layers.Layer): # ①
    def __init__(self, seed=42):
        super().__init__()
        self.augment_inputs = tf.keras.layers.RandomFlip(mode="horizontal", seed=seed)
        self.augment_labels = tf.keras.layers.RandomFlip(mode="horizontal", seed=seed)

    def call(self, inputs, labels):
        inputs = self.augment_inputs(inputs)
        labels = self.augment_labels(labels)
        return inputs, labels

train_batches = (
    train_images
    .cache()
    .shuffle(BUFFER_SIZE)
    .batch(BATCH_SIZE)
    .repeat()
    .map(Augment())
    .prefetch(buffer_size=tf.data.AUTOTUNE)) # ②

test_batches = test_images.batch(BATCH_SIZE)
```


① Augment 클래스 정의

`__init__` 메서드에서는 `RandomFlip` 층을 사용하여 이미지를 수평으로 무작위로 뒤집는 증강을 정의합니다. 동일한 시드(seed)를 사용하여 입력 이미지와 레이블 이미지에 동일한 변형을 적용합니다.

`call` 메서드는 실제로 데이터 증강을 수행하는 함수로, 입력된 이미지와 레이블에 `RandomFlip`을 적용합니다.

② **훈련 데이터 배치 설정**

- `train_batches`: 훈련 데이터 세트를 처리하여 모델 학습에 적합한 형태로 만듭니다.
- `.cache()`: 데이터 세트를 캐시에 저장하여, 각 에포크에서 데이터를 다시 로드하는 시간을 줄입니다.
- `.shuffle(BUFFER_SIZE)`: 데이터 세트를 섞어, 모델이 특정 순서에 의존하지 않도록 합니다.
- `.batch(BATCH_SIZE)`: 데이터 세트를 지정된 배치 사이즈로 분할합니다.
- `.repeat()`: 데이터 세트를 여러 번 반복하여 여러 에포크 동안 사용할 수 있게 합니다.

- .map(Augment()): 앞서 정의한 Augment 클래스를 적용하여 데이터 증강을 수행합니다.
- .prefetch(buffer_size=tf.data.AUTOTUNE): 학습 중 데이터 로딩 시간을 줄이기 위해 데이터를 미리 가져옵니다. tf.data.AUTOTUNE은 텐서플로가 자동으로 런타임에 최적의 버퍼 사이즈를 결정하도록 합니다.

기존 몇몇 설정은 .fit() 메서드를 사용하지 않고 직접 데이터 세트를 처리하는 방식을 사용합니다. 데이터 세트에 대한 더 세밀한 제어가 필요한 경우, 예를 들어 복잡한 데이터 증강, 동적 데이터 변형, 또는 특정 조건에 따른 데이터 선택 등이 이에 해당합니다. .fit() 메서드는 표준적인 데이터 처리와 증강을 수행할 수 있지만, 사용자 정의 데이터 처리 로직을 적용하려면 직접 데이터 파이프라인을 설정하는 것이 더 유연합니다.

또한 큰 데이터 세트를 다룰 때 메모리 효율성이 중요한 요소가 됩니다. cache(), .prefetch(), .batch(), .shuffle() 같은 메서드를 사용하여 데이터 파이프라인을 최적화함으로써 데이터 로딩과 처리 과정에서 메모리 사용량을 줄이고 성능을 향상시킬 수 있습니다. 이러한 최적화는 .fit() 메서드만으로는 달성하기 어려울 수 있습니다.

이제 학습 데이터를 시각화하여 마스크 데이터 세트와 예측 데이터 세트에 대한 설정을 진행해보겠습니다.

```
def display(display_list):
    plt.figure(figsize=(15, 15))

    title = ['Input Image', 'True Mask', 'Predicted Mask']

    for i in range(len(display_list)):
        plt.subplot(1, len(display_list), i+1)
        plt.title(title[i])
        plt.imshow(tf.keras.utils.array_to_img(display_list[i]))
        plt.axis('off')
    plt.show()

for images, masks in train_batches.take(2):
    sample_image, sample_mask = images[0], masks[0]
    display([sample_image, sample_mask])
```

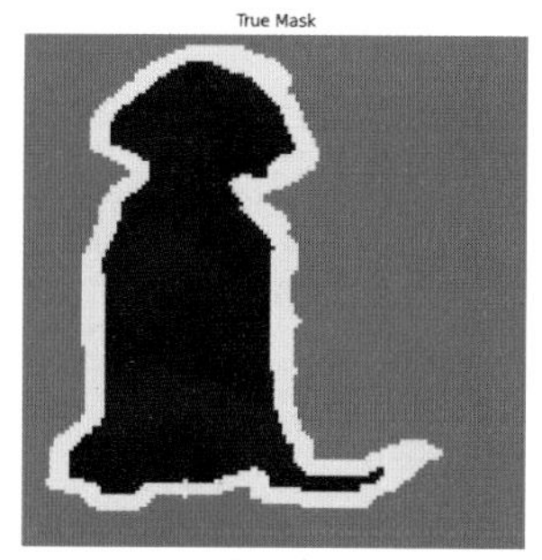

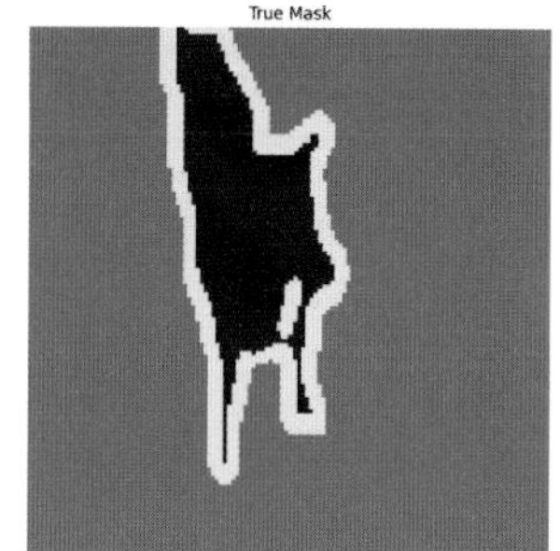

정상적으로 이미지와 탐지하고자 하는 부분이 분할되어 있는 걸 확인할 수 있습니다.

이어서 모델을 정의해보겠습니다. 이번 백본 네트워크는 모바일넷 v2를 사용하여 진행합니다.

```
base_model = tf.keras.applications.MobileNetV2(input_shape=[128, 128, 3], include_
top=False) # ①

layer_names = [
    'block_1_expand_relu',   # 64x64
    'block_3_expand_relu',   # 32x32
    'block_6_expand_relu',   # 16x16
    'block_13_expand_relu',  # 8x8
    'block_16_project',      # 4x4
] # ②
base_model_outputs = [base_model.get_layer(name).output for name in layer_names] # ③

down_stack = tf.keras.Model(inputs=base_model.input, outputs=base_model_outputs) # ④

down_stack.trainable = False
```

MobileNetV2 모델을 불러옵니다(①). 이는 가볍고 효율적인 모델 구조로, 특히 모바일이나 임베디드 시스템에서 많이 사용됩니다. input_shape=[128, 128, 3]은 입력 이미지의 사이즈를 정의하며, include_top=False는 네트워크의 상단 부분(즉, 분류를 위한 층들)을 포함하지 않고 모델을 불러오겠다는 의미입니다. 이후 모델 내의 특정 층들의 이름을 리스트로 정의합니다(②). 이 층들은 나중에 확장 경로에 연결을 위해 사용됩니다. 선택된 층들은 모델 내에서 다양한 해상도의 특징 맵을 출력합니다(예 64×64, 32×32 등).

③은 출력 설정을 하는 부분입니다. 정의된 층 이름에 해당하는 각 층의 출력을 리스트로 가져옵니다. 이렇게 함으로써 선택된 층들의 출력을 사용하여 새로운 모델을 만들 수 있습니다. 그 후 수축 경로 모델을 완성하기 위해 ④와 같이 코드를 작성합니다.

이어서 확장 경로, U-Net 모델을 완성해보겠습니다.

```
up_stack = [
    pix2pix.upsample(512, 3),  # 4x4 -> 8x8
    pix2pix.upsample(256, 3),  # 8x8 -> 16x16
    pix2pix.upsample(128, 3),  # 16x16 -> 32x32
    pix2pix.upsample(64, 3),   # 32x32 -> 64x64
] # ①

def U-NET_model(output_channels:int): # ②
    inputs = tf.keras.layers.Input(shape=[128, 128, 3])

    skips = down_stack(inputs)
    x = skips[-1] # ③
    skips = reversed(skips[:-1])

    for up, skip in zip(up_stack, skips):
        x = up(x)
        concat = tf.keras.layers.Concatenate()
        x = concat([x, skip])

    last = tf.keras.layers.Conv2DTranspose(
        filters=output_channels, kernel_size=3, strides=2, padding='same') # ④
        # 64x64 -> 128x128
    x = last(x)

  return tf.keras.Model(inputs=inputs, outputs=x)
```

① 업샘플링을 위한 층들의 리스트를 정의합니다. pix2pix.upsample 함수를 사용하여 여러 사이즈의 트랜스포즈 합성곱 층들을 생성합니다. 각 층은 입력 이미지를 점차적으로 더 큰 사이즈로 업샘플링합니다.

② U-Net 모델을 정의하는 함수입니다. 사전에 정의된 다운샘플링 스택(down_stack)을 사용하여 입력 이미지에서 특징을 추출합니다.

③ x = skips[-1]로 마지막 다운샘플링 층의 출력을 x로 설정합니다.

그 후 나머지 다운샘플링 층의 출력들을 역순으로 정렬합니다. 이는 나중에 업샘플링 과정에서 사용됩니다. 업샘플링된 결과와 다운샘플링 단계의 출력을 결합합니다. 이는 네트워크가 이미지의 상세한 정보와 맥락 정보를 모두 유지하도록 돕습니다.

④ 업샘플링된 결과와 다운샘플링 단계의 출력을 결합합니다. 이는 네트워크가 이미지의 상세한 정보와 맥락 정보를 모두 유지하도록 돕습니다.

이제 컴파일을 진행한 후 모델을 시각화해보겠습니다.

```
OUTPUT_CLASSES = 3

model = U-NET_model(output_channels=OUTPUT_CLASSES)
model.compile(optimizer='adam',
              loss=tf.keras.losses.SparseCategoricalCrossentropy(from_logits=True),
metrics=['accuracy'])
tf.keras.utils.plot_model(model, show_shapes=True)
```

이 코드는 모델을 컴파일하고 시각화하여, 모델의 구조를 파악하고 학습 준비를 완료하는 과정을 담고 있습니다. 컴파일 단계는 모델 학습을 위한 핵심 매개변수(옵티마이저, 손실 함수, 평가지표)를 설정하는 중요한 단계입니다. 시각화를 통해 모델의 구조를 이해하면, 네트워크의 동작 방식과 각 층이 어떻게 연결되어 있는지 더 잘 이해할 수 있습니다.

코드를 실행하면 다음처럼 출력됩니다.

▼ 그림 5-44 출력 결과: U-Net Summary

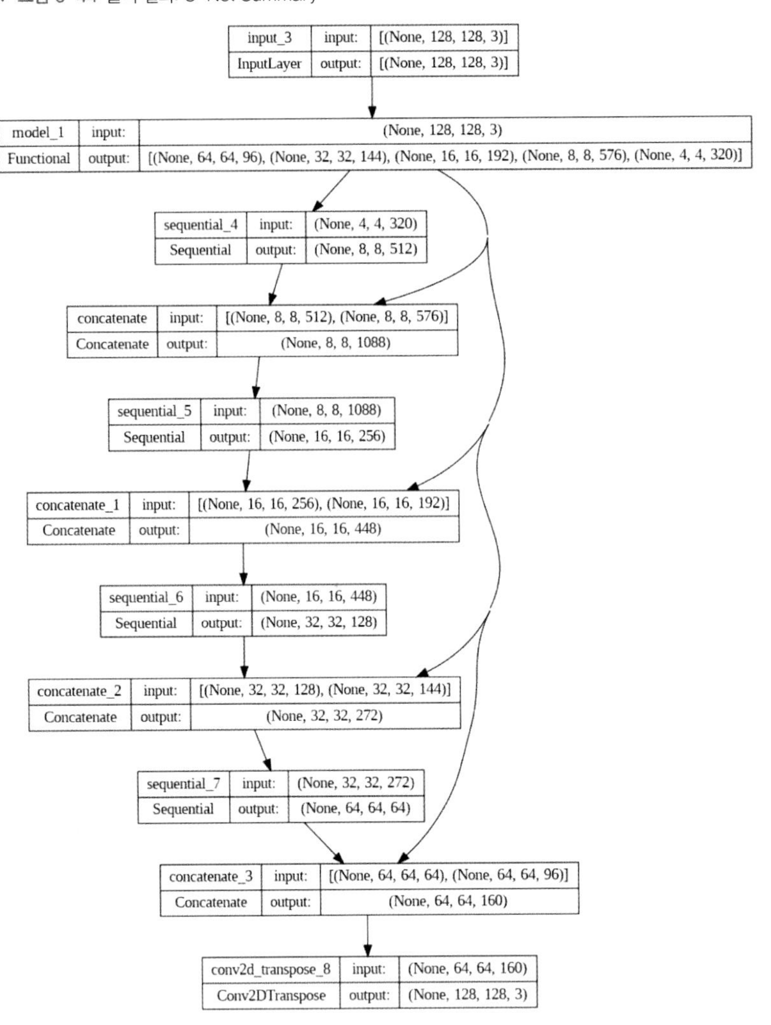

이미지가 들어온 후 모델이 어떤 흐름으로 진행되는지 확인할 수 있습니다.

이제 모델이 학습하며 모델의 예측 결과를 시각화하는 함수를 정의하고, 모델을 학습시키는 과정을 진행해보겠습니다.

```
def create_mask(pred_mask): # ①
    pred_mask = tf.math.argmax(pred_mask, axis=-1)
    pred_mask = pred_mask[..., tf.newaxis]
    return pred_mask[0]

def show_predictions(dataset=None, num=1): # ②
```

```python
    if dataset:
        for image, mask in dataset.take(num):
            pred_mask = model.predict(image)
            display([image[0], mask[0], create_mask(pred_mask)])
    else:
        display([sample_image, sample_mask,
            create_mask(model.predict(sample_image[tf.newaxis, ...]))])

class DisplayCallback(tf.keras.callbacks.Callback): # ③
    def on_epoch_end(self, epoch, logs=None):
        clear_output(wait=True)
        show_predictions()
        print ('\nSample Prediction after epoch {}\n'.format(epoch+1))

EPOCHS = 20
VAL_SUBSPLITS = 5
VALIDATION_STEPS = info.splits['test'].num_examples//BATCH_SIZE//VAL_SUBSPLITS

model_history = model.fit(train_batches, epochs=EPOCHS,
                          steps_per_epoch=STEPS_PER_EPOCH,
                          validation_steps=VALIDATION_STEPS,
                          validation_data=test_batches,
                          callbacks=[DisplayCallback()]) # ④
```


① create_mask 함수는 모델의 예측 결과에서 가장 높은 확률을 가진 클래스를 선택하여 최종 예측 마스크를 생성합니다. tf.math.argmax 함수를 사용하여 확률이 가장 높은 클래스의 인덱스를 선택하고, 이를 새로운 차원으로 확장하여 반환합니다.

② show_predictions 함수는 주어진 데이터 세트에서 모델의 예측 결과를 시각화합니다. dataset 매개변수가 주어지면, 해당 데이터 세트에서 샘플을 가져와 모델의 예측 결과를 표시합니다. dataset이 없는 경우, 샘플 이미지에 대한 모델의 예측을 표시합니다.

③ 텐서플로 콜백 클래스를 상속받아 DisplayCallback 클래스를 정의합니다. 이 클래스는 각 에포크의 끝에서 모델의 예측 결과를 시각화합니다.

④ 모델 학습을 시작합니다. train_batches를 사용하여 학습하고, test_batches를 사용하여 검증합니다. callbacks=[DisplayCallback()]을 통해 각 에포크의 끝에 예측 결과를 시각화합니다.

코드는 U-Net 모델을 사용하여 이미지 분할 작업을 수행하고, 학습 과정에서 모델의 성능을 시각적으로 확인하는 과정을 보여줍니다. DisplayCallback 콜백을 사용하면 학습 과정을 더욱 직관적으로 모니터링하고 모델의 성능을 실시간으로 평가할 수 있습니다. 이러한 접근 방식은 모델 학습의 효과를 평가하고 필요한 조정을 적시에 수행하는 데 유용합니다.

코드를 실행하면 다음처럼 출력됩니다.

▼ 그림 5-45 출력 결과: U-Net 학습 결과와 실제 정답 마스크 비교

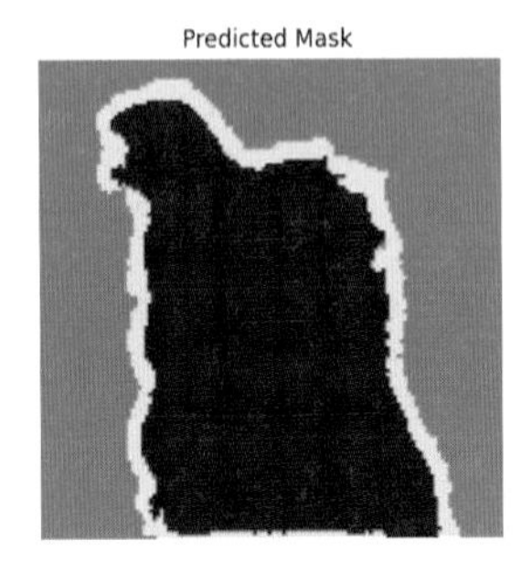


```
Sample Prediction after epoch 20
```

결과가 매우 잘 나온 걸 확인할 수 있습니다. 지금까지 우리는 U-Net 모델의 이론적 배경과 구조에 대해 배우고, 실제로 이미지 분할을 위한 모델을 구축하고 학습하는 실습을 진행했습니다. 이 과정을 통해 복잡한 이미지 데이터에서 유의미한 패턴을 추출하고 이를 바탕으로 픽셀 단위의 정밀한 분석을 수행할 수 있는 심층 신경망의 힘을 체험할 수 있었습니다.

이제 한 걸음 더 나아가 Segment Anything 논문에 기재된 SAM(Segment Anything Model)으로 이동하려 합니다. 이 논문은 이미지 분할 분야에서의 최신 연구 동향과 혁신적인 방법론을 소개하고 있어 여러분이 지금까지 배운 내용을 더욱 확장하고 심화할 수 있는 기회를 제공할 것입니다.

5.3.3 SAM

자연어 처리 분야에서는 자연어 생성 분야의 거대한 모델들이 많은 부분에 있어서 큰 활약을 보이고 있습니다. SAM 모델의 핵심은 기존의 자연어 처리(NLP)에서 볼 수 있는 대규모 언어 모델의 개념을 이미지 분할 영역에 적용하는 것입니다. 이러한 대규모 언어 모델들은 풍부한 텍스트 코퍼스에 대한 학습을 통해 제로샷(zero-shot) 및 퓨샷(few-shot)의 일반화 능력을 보여주며, 이는 종종 정교하게 조정된 모델들과 비슷하거나 때로는 더 우수한 성능을 나타냅니다.

기초 모델과 데이터 세트 구축

최근까지 이 분야의 진보는 주로 정교한 알고리즘과 방대한 양의 수동으로 레이블링된 데이터에 의존했습니다. 그러나 이러한 접근법은 시간과 비용이 많이 들며, 데이터의 다양성에도 제한이 있습니다. 이 문제를 해결하기 위해 메타에서는 SAM이라는 프로젝트를 진행했습니다. 이 프로젝트는 대규모 데이터 세트와 효율적인 모델을 활용하여 이미지 분할을 위한 새로운 방법론을 제시합니다.

자연어 처리(NLP) 분야에서 이미 볼 수 있는 '기초 모델(foundation models)'의 개념을 이미지 분할에 적용하는 이 프로젝트는, 언어 모델이 다양한 작업과 데이터 분포에 대해 일반화할 수 있는 능력을 이미지 분할 문제에도 도입합니다. 이를 위해 대규모 데이터 세트에 대한 사전 훈련(pre-training)을 통해 모델이 새로운 이미지 분포와 작업에 대해 제로샷으로 일반화할 수 있도록 합니다. 이는 기존의 수동 레이블링 방식에 비해 더 빠르고 비용 효율적이며, 데이터의 다양성 측면에서도 우수합니다.

인공지능의 동향은 더 이상 모델 중심(model-centric)이 아닌 데이터 중심(data-centric) 시대로 변화하고 있습니다. 그렇기에 SAM의 대규모 데이터 세트인 SA-1B 데이터 세트 구축 방식에 대해 이해하는 것이 중요합니다.

데이터 다양성의 중요성

1. **표현력 강화**: 데이터 세트의 다양성은 모델이 다양한 환경, 배경, 객체 유형에 걸쳐 일반화할 수 있는 능력을 향상시킵니다. 이는 특히 실세계 응용에서 중요한데, 실제 환경은 예상치 못한 방식으로 다양할 수 있기 때문입니다.
2. **편향 감소**: 데이터의 다양성은 또한 편향을 감소시키는 데 중요합니다. 한정된 또는 특정 그룹에 치우친 데이터 세트는 편향된 모델을 만들어, 특정 환경이나 객체 유형에 대해 부적절하게 작동할 수 있습니다.
3. **품질의 중요성**: 사진사가 찍은 1천 1백만 개의 고해상도 사진을 모아서 학습하였으며 평균 해상도는 3300×4950에 달한다고 합니다.

SAM은 이러한 원칙을 강조하며 SA-1B에는 다양한 유형의 도시 풍경, 자연 환경, 인물 사진, 동물, 기계 등 다양한 주제와 배경, 또 각 이미지에는 해당 이미지의 객체를 분할하기 위한 마스크가 포함되어 있습니다.

데이터 규모의 중요성

1. **성능 향상**: 대규모 데이터 세트는 모델이 더 복잡하고 세밀한 패턴을 학습할 수 있게 해, 결과적으로 더 정확하고 세밀한 이미지 분할을 가능하게 합니다.

2. **일반화 능력**: 대규모 데이터 세트는 모델이 좀 더 광범위한 시나리오에 적응하고, 새로운 유형의 이미지에 대해서도 잘 작동할 수 있도록 합니다.

SA-1B의 규모는 1천 1백만 개 이상의 이미지, 10억 개 이상의 마스크가 포함되어 있습니다. 또한 이미지와 마스크는 일관된 방식으로 레이블링이 되어 있어 모델 학습의 높은 정확도를 보장하며 세밀한 객체 경계 부분 또한 많은 부분을 신경 써서 제작하여 고도로 정밀한 이미지 분할이 가능한 점을 강조합니다.

모델 아키텍처

▼ 그림 5-46 SAM 아키텍처

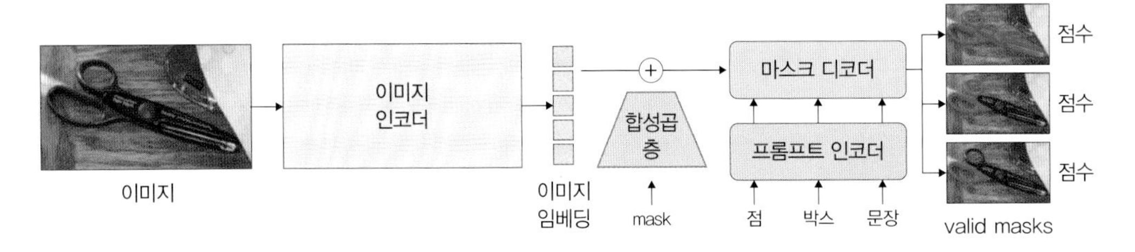

SAM은 이미지 인코더, 프롬프트 인코더, 마스크 디코더로 구성됩니다. 이미지 인코더는 이미지의 임베딩을 계산하고, 프롬프트 인코더는 프롬프트를 임베딩합니다. 이 두 정보는 마스크 디코더에서 결합되어 분할 마스크를 예측합니다. 여기서 이미지 인코더는 사전 학습된 VIT를 사용하게 됩니다. 이미지 인코딩 과정에 MAE(Masked Autoencoder)로 사전 훈련된 ViT(Vision Transformer)를 사용합니다. 이 선택은 ViT의 이미 입증된 우수성에 기반한 것으로, 별도의 깊은 논의 없이도 그 타당성을 인정할 수 있습니다.

이미지 인코더 과정

1. **이미지 변환**: 입력 이미지는 먼저 이미지 인코더를 통과합니다. 이 과정에서 이미지는 고차원 벡터, 즉 '이미지 임베딩(image embedding)'으로 변환됩니다. 이 임베딩은 이미지의 복잡한 시각적 정보를 압축적이고, 정제된 형태로 담아냅니다.

2. **Masked Autoencoder의 필터링**: MAE는 이미지의 중요 부분을 인식하고, 불필요한 정보를 걸러내는 역할을 합니다. 이는 효율적인 정보 처리를 가능하게 하며, 이미지의 핵심적인 특징만을 추출해냅니다.

3. **ViT로 특징 추출**: ViT는 이미지의 글로벌한 패턴과 지역적인 특징 사이의 관계를 잘 포착합니다. 이를 통해 이미지의 전반적인 구조와 세부적인 요소를 모두 포괄하는 강력한 특징 표현을 생성합니다.

4. **임베딩 생성**: 생성된 임베딩은 모델의 다음 단계에서 활용됩니다. 이미지 인코더는 이러한 임베딩을 생성하는 과정에서 그 역할을 마치게 됩니다. 이후의 작업은 이 임베딩을 기반으로 수행됩니다.

프롬프트 인코더

▼ 그림 5-47 SAM 프롬프트 인코더

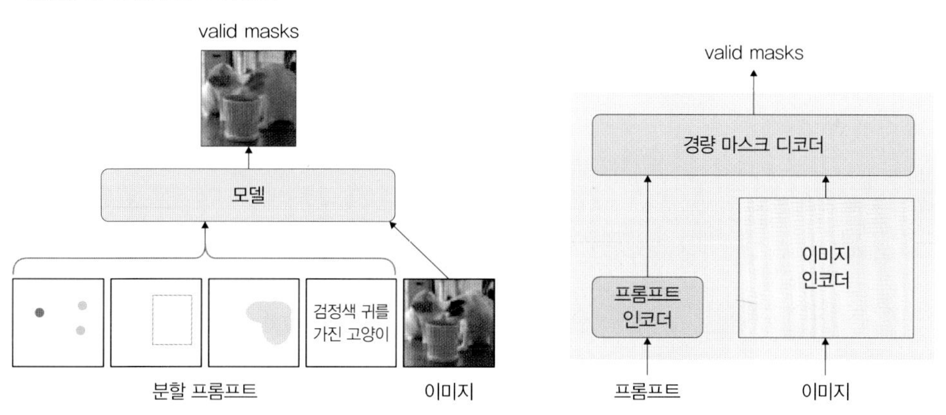

프롬프트 인코더는 다양한 형태의 입력(프롬프트)을 처리하여 모델이 이해할 수 있는 형식으로 변환하는 중요한 부분입니다. 이 연구에서는 두 가지 유형의 프롬프트, 즉 'Sparse prompt'와 'Dense prompt'를 다룹니다. 각각의 특성과 생성 방법을 살펴보겠습니다.

1. Sparse Prompt

   - **점**(points): 점 프롬프트는 이미지 내 특정 위치를 나타내는 데 사용됩니다. 위치 인코딩과 학습된 임베딩이 결합되어 생성됩니다. 이는 각 점의 공간적 위치 정보를 포착하며, 모델이 해당 위치에 집중할 수 있도록 합니다.
   - **박스**(boxes): 박스 프롬프트는 이미지 내 특정 영역을 지정하는 데 사용됩니다. 위치 인코딩과 학습된 임베딩의 결합을 통해 생성됩니다. 박스는 특정 영역의 위치와 범위 정보를 모델에 제공합니다.

- **텍스트**(text): 텍스트 프롬프트는 자연어로 된 지시나 설명을 제공합니다. CLIP 모델의 출력을 활용합니다. CLIP은 텍스트와 이미지 사이의 관계를 학습한 모델로, 텍스트를 효과적으로 이미지 분석 작업에 연결할 수 있습니다.

2. Dense Prompt

   Dense prompt는 마스크로 합성곱을 사용하여 임베딩됩니다. 이 임베딩은 이미지 임베딩과 원소별로 합산(element-wise)되어 이미지 분석 과정에서 풍부하고 구체적인 정보를 제공합니다.

프롬프트 인코더의 유형과 각각의 생성 방법을 살펴보았습니다. 이는 모델이 다양한 사용자 요구에 유연하게 대응하고, 좀 더 정교한 이미지 분석을 수행할 수 있는 기반을 제공합니다.

마스크 디코더

마스크 디코더는 이미지 임베딩과 프롬프트 임베딩을 입력으로 받아, 최종적으로 마스크를 예측하는 중요한 부분입니다. 이 과정에서 트랜스포머 디코더 블록을 활용하며, 특히 프롬프트 셀프 어텐션과 크로스 어텐션을 양방향으로 사용합니다.

▼ 그림 5-48 마스크 디코더

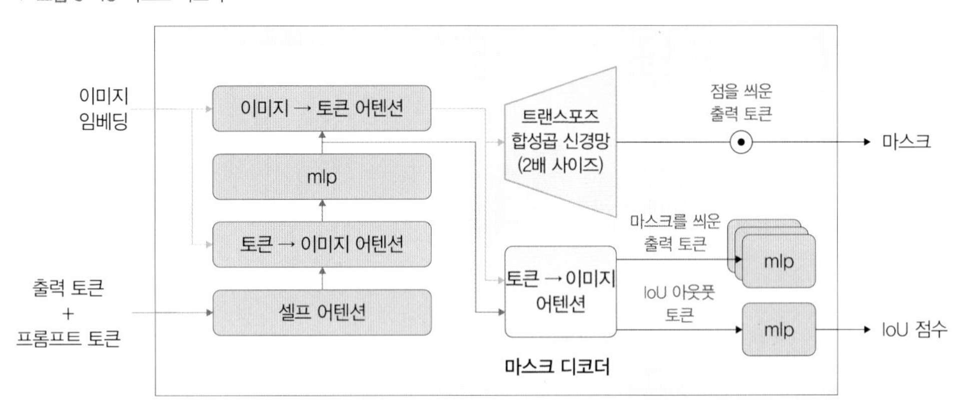

양방향 어텐션의 의미

양방향 어텐션(Prompt-to-Image & Image-to-Prompt)은 프롬프트에서 이미지로, 그리고 이미지에서 프롬프트로의 양방향 정보 흐름을 나타냅니다. 이는 이미지 임베딩과 프롬프트 임베딩 모두를 업데이트하는 데 필수적입니다. 이러한 양방향 구조는 마스크 디코더가 이미지와 프롬프트 간의 상호 작용을 통해 더 정확한 마스크를 생성할 수 있도록 합니다.

또한 SAM 모델은 프롬프트에 따라 인터랙티브하게 작동합니다. 이는 사용자의 입력에 따라 다양한 마스크를 생성할 수 있음을 의미합니다. 이미지 사이즈에 맞게 업샘플링을 수행한 후, 각 픽셀에 대해 마스크 포함 여부를 판단합니다. 이는 이미지의 상세한 부분까지 고려한 정밀한 마스크 생성을 가능하게 합니다. 중요한 점은 마스크 디코더가 레이블을 생성하지 않는다는 것입니다. 디코더의 주요 목표는 마스크를 생성하는 것이며, 이는 이미지 내 특정 영역을 분리하고 식별하는 데 초점을 맞춥니다.

모호성 해결

이미지에서 특정 픽셀에 점을 찍는 경우, 이 점이 구체적으로 어떤 범위의 마스크를 지정하는지 모호할 수 있습니다. 예를 들어 사람 손톱에 점을 찍었을 때, 이 점이 손톱 자체, 손 전체, 혹은 그 사람 전체를 가리키는 것인지 명확하지 않습니다.

▼ 그림 5-49 SAM 모호성

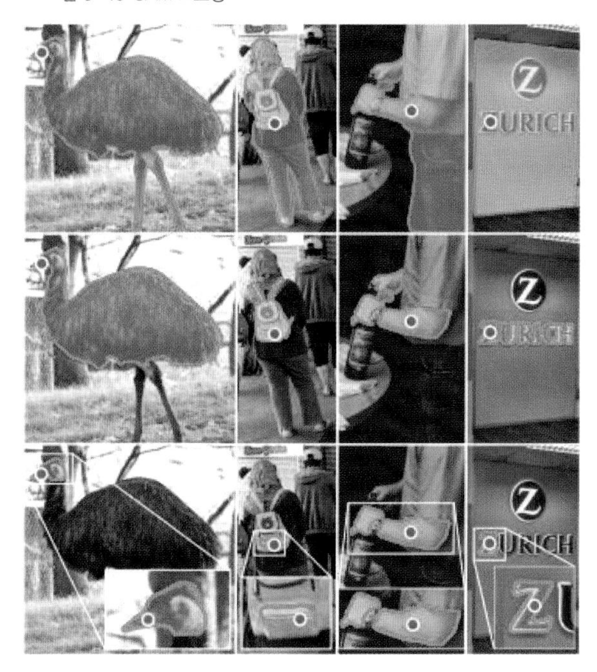

전통적으로는 여러 마스크 후보 중 각 픽셀의 신뢰도(confidence)를 평균 내어 단일 마스크를 선택하는 방식이 사용되었습니다. 하지만 이 방법은 마스크에 노이즈를 많이 유발하며, 사용자의 의도와 일치하는 정확한 마스크를 제공하는 데 한계가 있었습니다.

SAM은 한 가지 대신 세 가지 마스크 후보를 제공하는 방법을 채택합니다. 이는 사용자의 의도를 더 정확하게 파악하고, 적합한 마스크를 선택할 수 있는 기회를 늘립니다. 이어서 제시된 세 개의 마스크 후보 중에서 최소 손실을 갖는 마스크에 대해 학습(backpropagation, 역전파)을 수행합니다. 이는 마스크의 정확도를 높이고, 사용자의 의도에 더 부합하는 결과를 얻기 위한 전략입니다. 이 방법은 모호성을 줄이고, 마스크의 정확성을 향상시킵니다. 사용자가 지정한 점에 대해 더 정확한 마스크를 생성할 수 있습니다. 추가로 다중 마스크 후보와 최소 손실 학습 방법은 사용자의 의도를 더 잘 반영할 수 있게 합니다. 이는 특히 복잡하고 모호한 이미지 분석에서 중요한 역할을 합니다.

손실 함수 구성

SAM에서는 Focal Loss와 Dice Loss를 선형 결합하여 손실 함수를 구성합니다. 이 조합은 이미지 분할 과정에서 특정 문제점을 해결하고자 하는 목적이 있습니다.

Focal Loss는 분류 문제에서 특히 '어려운' 샘플에 대해 더 많은 가중치를 부여하는 방법입니다. 이는 쉽게 분류할 수 있는 객체에 비해 어려운 객체에 더 많은 학습 자원을 할당하는 방식으로, 모델의 학습 효율성을 높입니다. Focal Loss는 표준 Cross-Entropy Loss의 확장된 형태입니다. 이 손실 함수는 샘플이 잘못 분류될 확률이 높을 때 더 큰 손실을 부여합니다. 다시 말해 모델이 어려움을 겪는 샘플에 더 많은 주의를 기울이도록 합니다. 이 방법은 특히 클래스 불균형이 큰 문제에서 유용합니다. 예를 들어 일부 클래스가 다른 클래스보다 훨씬 더 많이 나타나는 경우, Focal Loss는 덜 빈번한 클래스의 샘플에 더 많은 학습 가중치를 부여합니다. 수식으로 나타내면 다음과 같습니다.

$$FL(p_t) = -\alpha_t(1 - p_t)^{\gamma}\log(p_t)$$

여기서 p_t는 모델이 예측한 확률, α_t는 클래스 가중치, γ는 조정 가능한 포커싱 매개변수입니다. 포커싱 매개변수 값이 클수록 예시들에 더 큰 가중치를 부여하여 모델이 어려운 예시에 더 집중하도록 합니다.

Dice Loss는 주로 의료 영상 분석과 같이 객체의 정확한 분할이 중요한 경우에 사용됩니다. 이는 실제 객체(ground truth)를 얼마나 잘 포착하는지에 중점을 둡니다. Dice Loss는 IoU(Intersection over Union)에 비해 재현율(Recall)에 더 중점을 둡니다. 이는 모델이 실제 객체의 영역을 놓치지 않도록 하는 데 중점을 둡니다. Dice Loss는 Dice 계수를 기반으로 합니다. Dice 계수는 두 샘플 간의 유사성을 측정하는 지표로, 1에 가까울수록 두 샘플 간의 유사성이 높음을 의미합니다.

Dice Loss는 다음과 같은 수식으로 표현됩니다.

$$DL = 1 - \frac{2 \times |X \cap Y|}{|X| + |Y|}$$

X는 예측된 마스크, Y는 실제 마스크입니다. 이렇게 SAM은 Focal Loss와 Dice Loss를 선형적으로 결합하여 사용합니다. 이는 어려운 샘플에 대한 학습의 효율성과 객체의 정확한 분할이라는 두 가지 목표를 동시에 달성하기 위함입니다. 이러한 손실 함수 설계로 클래스 불균형 문제를 해결하고, 동시에 정밀한 객체 분할을 촉진합니다. 이는 모델이 더 정확하고 균형 잡힌 방식으로 학습을 수행하도록 합니다.

SAM 라이브러리를 활용한 SAM 활용 실습

앞에서 탐구한 이론적 지식을 바탕으로 실제 실습에 착수할 준비가 되었습니다. 우리는 이미 SAM 모델이 어떻게 대규모 데이터 세트, 특히 SA-1B를 활용하여 이미지 분할 분야에서 혁신을 이루고 있는지를 배웠습니다. 이제는 이러한 개념들을 실제로 적용하고, 모델의 성능을 직접 평가해볼 시간입니다.

이 실습의 주된 목적은 SAM 모델을 사용하여 다양한 이미지에 대한 분할 작업을 수행하고 SAM의 프롬프트 인코더 부분을 동작해보는 것입니다.

먼저 다음처럼 SAM 라이브러리와 필요한 파이썬 패키지를 설치합니다. 그리고 SAM 모델의 사전 훈련된 가중치도 다운로드합니다.

```
!pip install -q 'git+https://github.com/facebookresearch/segment-anything.git' # ①
!pip install -q jupyter_bbox_widget dataclasses-json supervision              # ②
!wget -q https://dl.fbaipublicfiles.com/segment_anything/sam_vit_h_4b8939.pth  # ③
```

① 명령으로 깃허브에서 SAM 라이브러리를 직접 클론하여 설치합니다. `-q` 플래그는 설치 과정에서 출력을 최소화합니다. 이 라이브러리는 SAM 모델을 구현하는 데 필요한 코드와 함수를 포함하고 있습니다. 이어서 ②처럼 필요한 파이썬 패키지들을 설치합니다. `jupyter_bbox_widget`는 주피터 노트북 환경에서 바운딩 박스를 시각화하는 데 사용되며, `dataclasses-json`은 데이터 클래스를 JSON으로 직렬화 및 역직렬화하는 데 쓰입니다. 그리고 `supervision`은 데이터 세트 관리 및 처리에 관련된 기능을 제공합니다. ③으로 SAM 모델의 사전 훈련된 가중치를 인터넷에서 다운로드합니다. 이 파일은 모델을 초기화하는 데 필요하며, 이를 통해 복잡한 훈련 과정 없이도 모델을 사용할 수 있습니다.

다음으로 SAM 모델을 로드하고 초기화합니다. 이를 통해 모델을 사용할 준비를 마치고, 이후에는 이미지 데이터를 불러와 모델을 통해 분석하거나 변형하는 작업을 진행할 수 있습니다.

```
import os
from segment_anything import sam_model_registry, SamAutomaticMaskGenerator,
SamPredictor # ①

CHECKPOINT_PATH = "sam_vit_h_4b8939.pth"
MODEL_TYPE = "vit_h"
sam = sam_model_registry[MODEL_TYPE](checkpoint=CHECKPOINT_PATH).to(device='cuda:0')
```

sam_model_registry는 사용 가능한 SAM 모델들을 담고 있는 레지스트리, SamAutomaticMaskGenerator는 자동 마스크 생성기, SamPredictor는 SAM 모델의 예측을 수행하는 클래스입니다(①). 변수들을 선언한 후 sam_model_registry에서 지정한 타입의 모델을 로드하고, 사전 훈련된 가중치를 이용해 초기화합니다. .to(device=DEVICE)는 모델을 특정 디바이스(예 CPU 또는 cuda:0)에 로드하기 위한 코드입니다. 여기서 DEVICE 변수는 실행 환경에 따라 CPU 또는 GPU 등으로 설정되어야 합니다.

이제 SAM 모델을 사용하여 이미지에 대한 자동 마스킹을 수행합니다.

```
import cv2
import supervision as sv # ①

!wget https://raw.githubusercontent.com/Cobslab/imageBible/main/image/like_lenna.png

mask_generator = SamAutomaticMaskGenerator(sam) # ②
IMAGE_NAME = "/content/like_lenna.png"
image_bgr = cv2.imread(IMAGE_NAME)
image_rgb = cv2.cvtColor(image_bgr, cv2.COLOR_BGR2RGB)
sam_result = mask_generator.generate(image_rgb) # ③
print(sam_result[0].keys())
```

supervision 라이브러리를 sv라는 이름으로 가져옵니다(①). 이 라이브러리는 데이터 관리 및 처리에 사용됩니다. 특히나 0.5.0부터는 SAM에 대한 기능적 지원이 많이 포함되어 있습니다. 초기화한 SAM 모델을 사용하여 SamAutomaticMaskGenerator 객체를 생성합니다(②). 이 객체의 generate 메서드를 사용하여 RGB 이미지에 대한 마스크를 생성합니다. 이 결과는 sam_result에 저장됩니다(③). 실행한 코드의 출력 결과는 다음과 같습니다.

```
dict_keys(['segmentation', 'area', 'bbox', 'predicted_iou', 'point_coords',
'stability_score', 'crop_box'])
```

각 키 값에 대한 value 값은 다음과 같습니다.

- segmentation - [np.ndarray]

  마스크의 실제 형태를 나타내는 배열입니다. (너비 W, 높이 H) 형태이며, 각 요소는 마스크가 적용될 부분을 나타내는 불리언(boolean) 타입입니다.

- area - [int]

  마스크가 커버하는 영역의 픽셀 수입니다. 이는 마스크의 사이즈나 넓이를 수치적으로 표현한 것입니다.

- bbox - [List[int]]

  마스크의 경계 상자(바운딩 박스)를 나타내며, 'x, y, width, height'(xywh) 형식으로 표현됩니다. 이는 마스크가 이미지 내에서 차지하는 위치와 사이즈를 나타냅니다.

- predicted_iou - [float]

  모델이 예측한 마스크의 품질에 대한 점수입니다. 이 값은 IoU를 기반으로 하며, 마스크의 정확성을 평가하는 지표로 사용됩니다.

- point_coords - [List[List[float]]]

  이 마스크를 생성하는 데 사용된 입력 포인트의 좌표입니다. 사용자가 이미지에서 지정한 위치가 여기에 해당됩니다.

- stability_score - [float]

  마스크 품질에 대한 추가적인 측정치입니다. 이 점수는 마스크의 안정성이나 일관성을 나타내는 데 사용될 수 있습니다.

- crop_box - [List[int]]

  이 마스크를 생성하는 데 사용된 이미지의 크롭 영역을 xywh 형식으로 나타냅니다. 이는 마스크가 생성되는 특정 부분의 이미지를 잘라낸 영역입니다.

다음으로 생성된 마스크를 원본 이미지에 시각화하고, 결과를 비교 분석합니다.

```
mask_annotator = sv.MaskAnnotator(color_lookup=sv.ColorLookup.INDEX) # ①
detections = sv.Detections.from_sam(sam_result=sam_result)           # ②
annotated_image = mask_annotator.annotate(scene=image_bgr.copy(),
detections=detections) # ③

sv.plot_images_grid(
    images=[image_bgr, annotated_image],
```

```
    grid_size=(1, 2),
    titles=['source image', 'segmented image']) # ④
```

① supervision 라이브러리의 MaskAnnotator 클래스를 사용하여 객체를 생성합니다. 이 클래스는 마스크를 이미지 위에 시각화하는 데 사용됩니다. color_lookup=sv.ColorLookup.INDEX는 마스크에 사용될 색상을 결정하는 방식을 지정합니다.

② SAM 모델의 결과(sam_result)를 바탕으로 Detections 객체를 생성합니다. Detections 클래스는 이미지 내 객체들의 정보(위치, 사이즈 등)를 저장하고 관리하는 데 사용됩니다.

③ MaskAnnotator의 annotate 메서드를 사용하여 원본 BGR 이미지(image_bgr)에 마스크를 시각화합니다. image_bgr.copy()는 원본 이미지의 복사본을 사용하여 원본 데이터를 변경하지 않도록 합니다.

④ plot_images_grid 함수를 사용하여 원본 이미지와 분할된 이미지를 나란히 표시합니다. grid_size=(1, 2)는 이미지를 1행 2열 그리드에 배치하라는 의미이며, titles는 각 이미지 위에 표시할 제목을 지정합니다.

코드를 실행하면 다음처럼 출력됩니다.

▼ 그림 5-50 출력 결과: 원본 이미지와 이미지 분할 결과 시각화

모든 영역에 대해 이미지 분할이 진행된 걸 확인할 수 있습니다.

이어서 영역이 분할된 부분을 모두 분리하여 결과를 시각화해보겠습니다.

```
masks = [mask['segmentation'] for mask in sorted(sam_result, key=lambda x: x['area'],
reverse=True)[:8]]

sv.plot_images_grid(images=masks,grid_size=(4, 4),size=(16, 16))
```

sam_result에서 각 마스크를 추출하고, 이를 영역(area)에 따라 내림차순으로 정렬합니다. 그 후 가장 큰 영역을 가진 상위 8개의 마스크를 선택합니다. 여기서 mask['segmentation']은 각 객체에 대한 영역 분할 마스크 정보를 추출합니다. 그리고 plot_images_grid를 사용하여 선택된 마스크들을 그리드 형태로 출력하도록 했습니다.

코드를 실행하면 다음처럼 출력됩니다.

▼ 그림 5-51 출력 결과: SAM 모델의 이미지 분할 영역 개별 시각화

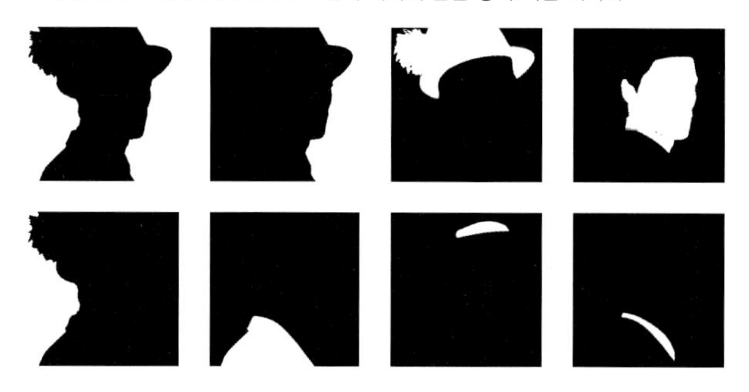

이렇게 간단하게 SAM을 이용하여 만능 분할 모델을 구현해보았습니다. SAM의 큰 특징 중 하나는 프롬프트를 입력받아 원하는 부분에 대한 분할을 진행할 수 있습니다. SamPredictor 클래스는 모델에 프롬프트를 표시하기 위한 쉬운 인터페이스를 제공합니다. 이를 통해 사용자는 먼저 필요한 이미지 임베딩을 계산하는 set_image 메서드를 사용하여 이미지를 설정할 수 있습니다. 그런 다음 예측 메서드를 통해 프롬프트를 제공하여 해당 프롬프트에서 마스크를 효율적으로 예측할 수 있습니다. 모델은 점 및 상자 프롬프트를 모두 입력으로 받을 수 있습니다.

다음은 이미지를 위젯에 불러오고 사용자의 조작을 통해 경계 상자를 그립니다.

```
import base64

def encode_image(filepath): # ①
    with open(filepath, 'rb') as f:
        image_bytes = f.read()
    encoded = str(base64.b64encode(image_bytes), 'utf-8')
    return "data:image/jpg;base64,"+encoded

from google.colab import output        # ②
output.enable_custom_widget_manager() # ③

from jupyter_bbox_widget import BBoxWidget
```

```
widget = BBoxWidget() # ④
widget.image = encode_image(IMAGE_NAME)
widget
```

encode_image 함수는 주어진 파일 경로의 이미지를 base64 인코딩된 문자열로 변환합니다(①). 파일을 바이너리 모드로 읽은 후 ('rb'), base64.b64encode 함수로 인코딩하고, 이를 UTF-8 문자열로 변환합니다. 결과 문자열은 "data:image/jpg;base64," 접두사와 함께 반환됩니다. 이 형식은 웹 브라우저나 위젯에서 이미지를 직접 표시하는 데 사용될 수 있습니다. 함수 선언 이후 구글 코랩의 output 모듈을 가져옵니다(②). 이 모듈은 코랩 노트북에서 사용자 지정 위젯을 관리할 수 있게 하며 output.enable_custom_widget_manager()를 통해 사용자 지정 위젯을 사용할 수 있도록 설정합니다(③). 또한 BBoxWidget을 통해 위젯을 열고 이미지 위에 바운딩 박스나 점을 표시할 수 있게 합니다(④).

코드를 실행하면 다음처럼 출력됩니다.

▼ 그림 5-52 출력 결과: SAM모델의 경계 상자 생성 결과

다음으로 위젯에서 설정한 경계 상자 정보를 바탕으로 NumPy 배열로 변환하는 작업을 진행합니다. 여기서 지정한 경계 상자는 widget.bbox에 저장되며 해당 박스 정보를 SAM에게 전달하기 위해 넘파이 형식으로 변환해줍니다.

```
import numpy as np

print(widget.bboxes)
box = widget.bboxes[0]
box = np.array([box['x'], box['y'], box['x'] + box['width'], box['y'] +
box['height']])
```

```
[{'x': 302, 'y': 144, 'width': 593, 'height': 618, 'label': ''}]
```


그리고 변환한 경계 상자 정보를 사용해 SAM 모델로부터 분할 마스크를 예측하는 과정을 수행합니다.

```
mask_predictor = SamPredictor(sam)
image_bgr = cv2.imread(IMAGE_NAME)
image_rgb = cv2.cvtColor(image_bgr, cv2.COLOR_BGR2RGB)

mask_predictor.set_image(image_rgb) # ①

masks, scores, logits = mask_predictor.predict(
    box=box,              # ②
    multimask_output=True # ③
)
```

앞의 코드에서 불러온 mask_predictor에게 분할을 진행할 이미지(image_rgb)를 설정합니다(①). 그리고 predict 메서드에 박스 좌표(box)와 multimask_output=True를 전달하여 여러 개의 마스크를 출력할 수 있도록 설정합니다(②, ③). 반환되는 값은 마스크(masks), 각 마스크의 점수(scores), 로짓(logits)입니다.

```
box_annotator = sv.BoxAnnotator(color=sv.Color.red())
mask_annotator = sv.MaskAnnotator(color=sv.Color.red(), color_lookup=sv.ColorLookup.
INDEX)

detections = sv.Detections(
xyxy=sv.mask_to_xyxy(masks=masks),mask=masks)                          # ①
detections = detections[detections.area == np.max(detections.area)] # ②
source_image = box_annotator.annotate(scene=image_bgr.copy(), detections=detections,
skip_label=True)       # ③
segmented_image = mask_annotator.annotate(scene=image_bgr.copy(),
detections=detections) # ④
```

```
sv.plot_images_grid(
    images=[source_image, segmented_image],
    grid_size=(1, 2),
    titles=['source image', 'segmented image']
)
```

주어진 이미지에서 가장 큰 객체를 찾아내어 해당 객체의 바운딩 박스와 영역 분할 마스크를 생성하고, 이를 원본 이미지와 함께 시각적으로 비교하는 과정을 수행합니다. 이를 통해 모델이 이미지 내에서 중요한 객체를 어떻게 식별하고 분할하는지 확인할 수 있습니다.

주요 코드는 다음과 같습니다.

① 생성된 마스크로부터 바운딩 박스 정보를 추출하고, 이 정보를 Detections 객체에 저장합니다.

② Detections 객체에서 가장 큰 영역을 차지하는 객체만을 필터링합니다. 이는 이미지 내에서 가장 큰 객체에 집중하려는 목적을 반영합니다.

③ 필터링된 객체의 바운딩 박스를 원본 이미지에 시각화합니다.

④ 동일한 객체에 대한 영역 분할 마스크를 원본 이미지에 시각화합니다.

코드를 실행하면 다음처럼 출력됩니다.

❤ 그림 5 53 출력 결과: SAM 이미지 출력 결과

이렇게 SAM이 처음 보는 이미지에 대해서도 정확하게 사람 부분만 찾아 분할을 진행한 결과를 확인할 수 있습니다. 모델이 학습 과정에서 본 적 없는 새로운 클래스나 사례에 대해 예측하는 능력을 갖추는 것을 '제로샷 일반화 능력을 갖추었다'라고 합니다.

이로써 'Segment Anything' 논문의 깊이 있는 탐구와 관련된 실습을 모두 마쳤습니다. 이 모델을 통해, 우리는 이미지 분할 분야에서 혁신적인 접근 방식과 그것이 가져오는 중요한 변화를 탐색했습니다. SAM은 자연어 처리 분야에서 영감을 받은 대규모 모델을 이미지 분할에 적용함으로써 이 분야에서 새로운 가능성을 열었습니다.

실습을 통해 우리는 SAM 모델이 어떻게 복잡한 이미지 분할 문제를 해결하고, 다양한 시나리오에서 높은 정확도와 유연성을 보여주는지 직접 경험할 수 있었습니다. 앞으로 이 지식을 바탕으로 여러분이 새로운 프로젝트와 연구에 도전하며, 이 분야에서 더욱 발전할 수 있기를 기대합니다.

6장

이미지 생성

6.1 이미지-이미지 변환

6.2 초고해상도와 스타일 제어

6.3 스테이블 디퓨전

컴퓨터 비전의 여러 대표적인 이미지 처리 작업 중 이미지 생성은 상당히 넓은 영역을 포괄합니다. 이 범위 내에는 전에 없던 이미지를 생성하는 창작, 이미지에 낀 노이즈나 디지털 풍화 등을 제거하는 이미지 복원, 스케치에 색을 입히는 이미지 채색, 이미지의 특정 표현을 다른 방식으로 재해석하는 스타일 변환 등이 있습니다. 이번 장에서는 대표적인 이미지 생성 모델이 어떠한 흐름대로 발전되었는지를 설명합니다.

IMAGE PROCESSING

6.1 이미지-이미지 변환

한 이미지를 다른 스타일의 이미지로 변환하는 이미지-이미지 변환(image-image translation) 기술은 이미지 생성 분야에서 꽤나 흥미로운 연구 주제입니다. 앞서 우리는 스타일 전이의 기본 개념과 방법론을 알아보았습니다. 이 파트에서는 더욱 발달된 생성적 적대 신경망 기술들이 어떻게 서로 다른 영역의 이미지 스타일을 바꾸는지에 대해 탐구합니다. 조건부 생성적 적대 신경망부터 CycleGAN과 StarGAN까지 이미지-이미지 변환 기법을 소개하며, 이들이 어떻게 다양한 영상 처리 및 분석 작업에 활용될 수 있는지 실습 코드와 함께 살펴보겠습니다.

6.1.1 StarGAN 이전의 생성 모델

StarGAN은 2017년 등장한 대표적인 생성 모델입니다. 다양한 도메인 간 이미지 변환을 간단한 알고리즘만으로 구현했기에 크게 각광받았습니다. 또한 국내에서 개발되어 세계적인 영향력을 끼친 모델이기도 합니다. StarGAN의 문제 해결법을 설명하기 위해 그 이전 사용되었던 몇 가지 모델의 특징과 한계를 같이 알아보겠습니다.

조건부 생성적 적대 신경망

우리는 앞서 생성적 적대 신경망(GAN)이 이미지 생성 작업을 어떻게 수행하는지 살펴보았습니다. 이 알고리즘은 생성자와 판별자로 불리는 두 개의 모델로 구성되며, 각 모델이 경쟁하듯 학습되기에 생성적 적대 신경망이라는 이름을 붙였습니다. 생성적 적대 신경망의 판별자는 생성된 이미지를 '가짜'로, 실제 이미지를 '진짜'로 분류하도록 학습됩니다. 그러나 생성적 적대 신경망의 비지도 학습 방식으로 인하여 문제점이 뒤따랐습니다.

레이블 없이 데이터만을 사용하여 모델을 학습시킬 수 있는 GAN은 이미지 생성 과정에서 원하는 특성이나 조건을 명시적으로 제어하기가 어렵습니다. 예를 들어 개 이미지를 생성하는 모델을 학습시킬 때, 모델은 개라고 하는 추상적인 동물의 외형을 보고, 이를 바탕으로 일반적인 이미지만 생성할 수 있습니다. 개의 품종을 제한하여 생성하거나 사진 속 개에게 특정 자세를 요구하는 것은 어렵습니다. 학습한 데이터에 한 마리의 개만 존재한다면, 모델은 두 마리 이상의 개를 그릴 수도 없습니다. 이들은 오직 데이터에서 보고 학습한 객체에 대하여 이들의 일반적인 특징을 포착하고 구현하는 데에만 충실하였기에 제한된 분야에서만 사용할 수 있었습니다.

또한 모델은 학습 데이터에 표현된 시각적 특징을 재구성하는 것만 가능했습니다. 즉, 이미지를 다른 화풍으로 표현하는 것이 불가능했던 셈입니다. 스타일 전이 기법을 통해 객체의 특징뿐만 아니라 그림의 스타일을 정보에서 구분하여 추출할 수 있는 능력이 개발되었지만, 모델이 이용자의 지시에 맞춰 구체적인 업무를 수행하는 것은 아니었습니다. 비지도 학습만으로 좋은 성과를 내기엔 한계가 있었고, 모델의 학습 방향에 대한 가이드라인이 필요했습니다.

조건부 생성적 적대 신경망(conditional Generative Adversarial Networks, cGAN)은 기존의 적대적 생성 신경망을 확장한 형태로, 노이즈 벡터를 입력으로 받아 새로운 이미지를 생성할 뿐만 아니라, 조건(condition) 또한 입력하여 사용합니다. 레이블(y)로도 표현되는 조건은 생성자로 하여금 더욱 정확하고 구체적인 이미지 표현이 가능하게 도왔고, 구분자에게도 입력되어 실제 이미지와 생성된 이미지 사이의 차이점을 포착하는 데에도 기여하였습니다.

다음 그림은 생성적 적대 신경망과 조건이 달린 신경망을 비교하여 도식화한 것입니다.

▼ 그림 6-1 생성적 적대 신경망(GAN)과 조건부 생성적 적대 신경망(cGAN)의 차이

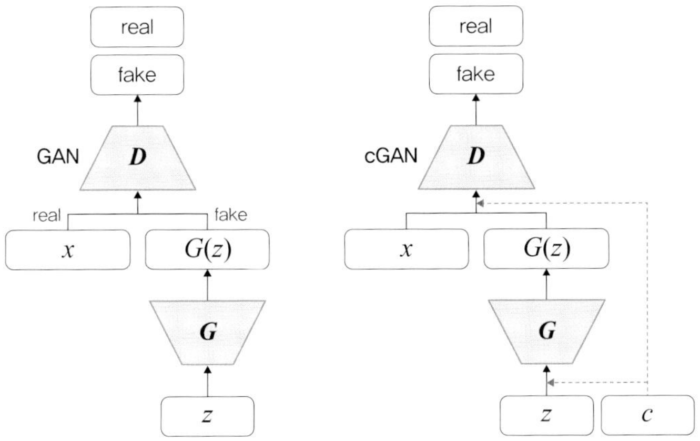

cGAN에 제공되는 조건은 형태에 제약이 없습니다. 이론상 조건은 텍스트, 음성, 테이블 데이터 등 다양한 형태로 제시될 수 있습니다. 그러나 이미지 생성을 위해 가장 직관적으로 제시할 수 있는 조건의 형태는 이미지입니다. cGAN의 한 갈래로, 모델의 조건을 이미지로 제시한 것이 바로 2017년에 공개된 Pix2Pix입니다. 이 모델은 스타일 전이와 마찬가지로 이미지-이미지 변환을 수행합니다. 다만 스타일 전이 모델의 입력은 2개로, 콘텐츠 표현을 위한 이미지와 스타일 표현을 위한 이미지가 필요했습니다.

Pix2pix 모델에서 생성자의 입력은 실질적으로 한 개로, 이미지 생성에 참조할 조건이 이에 해당합니다. 즉, 조건을 바탕으로 이미지를 생성할 수 있기에 우리가 모델에 지시하고 싶은 정보를 조건으로 제시한다면 GAN보다 훨씬 구체적인 형태의 결과를 얻을 수 있는 셈입니다. Pix2pix의 다양한 표현력은 다음 그림에서도 확인할 수 있습니다.

✔ 그림 6-2 Pix2Pix로 구현한 이미지-이미지 변환(출처: Image-to-Image Translation with Conditional Adversarial Networks)

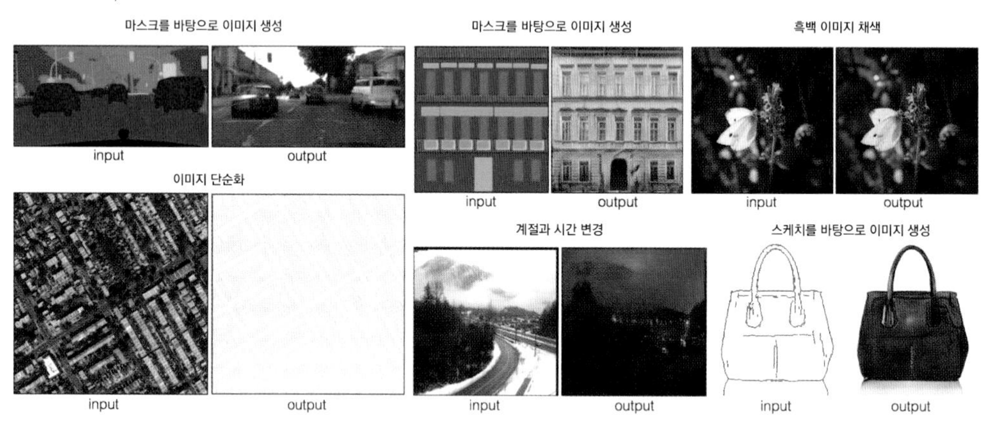

Pix2Pix의 결과는 매우 뛰어납니다. 위의 그림에서 제시된 input은 모델의 조건에 해당합니다. 조건을 바탕으로 모델은 이미지를 채색할 수도, 디테일을 첨가할 수도 있습니다. 반대로 이미지를 단순화시킬 수도 있습니다. 사진 속 표현된 그림의 시간이나 계절을 바꾸는 것도 어렵지 않습니다. 이 모델의 결과는 이미지를 다른 이미지로 변환하는 과정에서 데이터만 충분하다면, 굉장히 다양한 작업을 수행할 수 있음을 시사합니다. 특정 객체의 표현을 학습하여 이를 정밀하게 그려내는 작업은 GAN과 오토 인코더에서 이미지를 채색하거나 다른 형식으로 표현하는 것은 스타일 전이에서 각각 보여주었습니다. Pix2Pix는 이 모델들의 결과를 모두 보여준 것과 다를 바 없습니다.

Pix2Pix의 한계

Pix2Pix의 우수한 성능 이면에는 큰 단점도 존재했습니다. Pix2Pix는 지도 학습을 사용하기 때문에 입력 이미지와 목표 이미지가 쌍으로 된 데이터 세트가 필요합니다. 이러한 데이터를 수집하고 정렬하는 것은 매우 어렵고 시간이 많이 듭니다. 이 문제는 cGAN에도 동일하게 적용됩니다. 조건으로 들어갈 양질의 데이터를 충분히 구한다는 것은 경제성이라는 지도 학습의 딜레마를 건드리게 됩니다.

또한 Pix2Pix를 이용할 경우 하나의 도메인만 학습이 가능합니다. 앞의 그림에서 Pix2Pix 모델은 이미지를 단순화시킬 수도 있지만, 세밀하게 생성할 수도 있었습니다. 그러나 이는 둘 이상의 Pix2Pix 모델을 사용할 경우에만 가능합니다. 예를 들어 풍경화 스케치를 바탕으로 채색한 후, 이 이미지의 시간과 계절을 바꾸어 표현하는 작업을 Pix2Pix로 해결하는 상황을 가정해봅시다. 이때 특정한 특성이나 스타일을 가진 이미지의 집합을 도메인(domain)이라 하며, 스케치와 풍경화, 시간이 뒤바뀐 그림을 각각 개별 도메인이라 합니다. 이 경우, 채색을 하는 모델 하나와 시간 및 계절을 바꾸어 표현해주는 모델 하나, 총 두 개의 모델이 필요합니다.

더 일반적이고 강력한 생성 모델을 만들기 위해선 둘 이상의 도메인을 변환할 수 있는 모델이 요구됩니다. 또한 지도 학습이라는 한계에서도 벗어날 수 있어야 합니다. 위 두 가지 문제점을 해결하며 등장한 것이 바로 CycleGan입니다.

CycleGAN의 원리와 구조

앞서 스타일 전이, Pix2Pix 등의 알고리즘을 통해 이미지를 다른 도메인으로 훌륭하게 변환하는 모델들을 살펴보았습니다. 그러나 이들은 각기 치명적인 단점을 갖고 있었습니다. 스타일 전이 알고리즘은 한 이미지의 예술적 스타일만을 콘텐츠 이미지에 적용할 수 있을 뿐, 이미지 추상화나 채색 등 수준 높은 이미지 생성에는 어려움을 겪었습니다. Pix2Pix는 학습 과정에서 쌍으로 된 이미지를 요구하였습니다. 이는 데이터를 수집하고 준비하는 데에 큰 어려움을 동반하기에 실세계에서 알고리즘을 사용하기에 한계가 있었습니다.

CycleGAN은 비지도 학습을 통해 두 개념 간 표현의 차이를 이해하고, 이를 묘사하기 위한 손쉽고 저렴한 알고리즘을 제시합니다. 쌍으로 이루어진 데이터 없이도 두 도메인 간의 유용한 이미지 변환을 학습하여 데이터 수집의 어려움을 크게 줄이고 다양한 도메인에 적용할 수 있는 것이 CycleGAN의 의의입니다.

❤ 그림 6-3 CycleGAN의 학습 원리 도식화

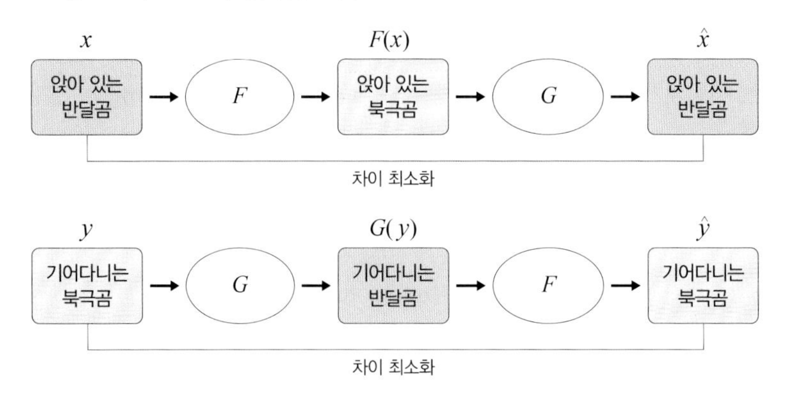

이 알고리즘은 두 개의 생성자를 사용하며, 두 생성자를 각각 F와 G라 하겠습니다. F는 첫 번째 도메인인 x를 두 번째 도메인인 y로, G는 y를 x로 각각 변환하는 모델입니다. 학습의 목표는 두 생성자를 활용하여 x를 y로 변환한 뒤, 이를 다시 $\hat{x}$로 재구성하여 원본 x와 재구성된 $\hat{x}$의 차이를 최소화하는 것입니다. 즉, 두 데이터 x와 y가 짝지어져 있지 않다 하더라도 우리는 이들 간의 표현의 차이를 학습하고 생성하는 모델을 만들 수 있는 것입니다.

CycleGAN 논문에서는 구조가 동일한 생성자 두 개와 판별자 두 개를 사용하여 이미지-이미지 변환을 성공적으로 수행한 사실을 발표합니다. 실험에서는 얼룩말과 말, 회화와 사진, 여름과 겨울이라는 두 도메인 간 상호 변환을 통해 모델의 성능을 입증합니다. 기존 스타일 전이와의 차이점은 CycleGAN을 통해 두 가지 도메인에 대한 양방향 전환이 가능하다는 점입니다. 또 스타일에 대한 변환뿐만 아니라 특정 객체도 변환할 수 있다는 점이 눈에 띕니다.

텐서플로를 활용한 CycleGAN 실습

앞서 설명한 CycleGAN 모델을 직접 텐서플로로 구현해보겠습니다. 논문에서는 이 모델의 성능을 평가하기 위해 사용된 `horse2zebra` 데이터 세트를 사용하였습니다. 해당 데이터 세트에는 레이블이 없는 말 이미지와 얼룩말 이미지가 각각 천여 장씩 포함되어 있습니다.

다음 코드에서 우선 필요한 모듈을 불러오고, 데이터 세트도 다운로드합니다.

```
import time
import numpy as np
from glob import glob    # ①
from tqdm import tqdm    # ②
from random import random
import matplotlib.pyplot as plt
```

```
from IPython.display import clear_output    # ③
import tensorflow as tf
from tensorflow import keras
from tensorflow.keras.preprocessing.image import load_img, img_to_array    # ④

AUTOTUNE = tf.data.AUTOTUNE
```

① glob을 사용하면 파일들의 목록을 검색하고, 파일명을 반환받아 리스트로 편리하게 관리할 수 있습니다. ② tqdm은 진행바를 쉽게 만들어주는 라이브러리입니다. 반복문에 적용하여 진행 상태를 시각적으로 확인할 수 있습니다. ③ IPython.display.clear_output은 IPython 환경에서 출력을 지우는 함수입니다. ④ keras.preprocessing.image의 load_img와 img_to_array 함수는 각각 이미지 파일을 PIL 이미지 객체로 불러오고, PIL 객체를 numpy 배열로 변환하는 함수입니다.

우선 모델 데이터 전처리와 학습에 필요한 하이퍼파라미터를 선언하겠습니다.

```
BUFFER_SIZE = 1000      # ①
BATCH_SIZE = 1
IMG_SIZE = 128          # ②
LEARNING_RATE = 2e-4    # ③
EPOCHS = 40
```

① BUFFER_SIZE는 데이터 세트를 섞을(shuffle) 때 사용되는 버퍼의 사이즈를 나타냅니다. BUFFER_SIZE가 1000이라면 데이터 세트에서 1,000개의 요소를 가져와 이를 무작위로 섞습니다. 그 후, 이 중 하나를 꺼내 다음 데이터를 버퍼에 추가합니다. 이 과정을 반복하면서 데이터의 분포를 고르게 만듭니다. ② IMG_SIZE는 이미지를 구성하는 가로와 세로 픽셀 수를 의미합니다. ③ LEARNING_RATE는 학습률을 의미하며 2e-4는 과학적 표기법을 사용한 숫자 표현법으로, 2×10^{4}를 의미합니다.

다음은 데이터를 다운로드해 압축을 해제하고 경로를 설정하는 과정입니다.

```
# 파일 다운로드
!gdown 1vQ9B4HC7T9VKJvu5oR81JjiDKSjTJLfG
!unzip horse2zebra.zip  # ①

train_horse_path = './horse2zebra/trainA'
train_zebra_path = './horse2zebra/trainB'
test_horse_path = './horse2zebra/testA'
test_zebra_path = './horse2zebra/testB'
```

```
# 이미지 경로 리스트 생성
train_horse_paths = sorted(glob(train_horse_path + '/*.jpg'))    # ②
train_zebra_paths = sorted(glob(train_zebra_path + '/*.jpg'))
test_horse_paths = sorted(glob(test_horse_path + '/*.jpg'))
test_zebra_paths = sorted(glob(test_zebra_path + '/*.jpg'))

# 데이터 세트 생성
train_horse_dataset = tf.data.Dataset.from_tensor_slices(train_horse_paths) # ③
train_zebra_dataset = tf.data.Dataset.from_tensor_slices(train_zebra_paths)
test_horse_dataset = tf.data.Dataset.from_tensor_slices(test_horse_paths)
test_zebra_dataset = tf.data.Dataset.from_tensor_slices(test_zebra_paths)
```

이 코드로 ① horse2zebra 데이터 세트를 압축 해제하고, ② 훈련 및 테스트 데이터의 경로를 정렬하여 저장합니다. 여기서는 파이썬의 os와 glob 라이브러리를 사용하여 파일 경로를 다루며, zipfile 라이브러리를 사용하여 ZIP 파일을 압축 해제합니다. 말과 얼룩말이라는 두 가지 도메인에 대한 훈련/테스트 데이터 디렉터리 내의 모든 파일 경로를 리스트로 저장하는 과정이 포함됩니다. ③ 저장된 파일명은 데이터 세트를 만드는 데에 사용됩니다.

이어서 데이터 전처리를 위한 함수를 선언합니다.

```
def read_and_decode_image(image_path, channels=3):  # ①
    image = tf.io.read_file(image_path)
    return tf.image.decode_jpeg(image, channels=channels)

def random_crop(image, size=IMG_SIZE):  # ②
    return tf.image.random_crop(image, size=[size, size, 3])

def normalize(image):                   # ③
    return (tf.cast(image, tf.float32) / 127.5) - 1

def augment(image, resize_dim=224):     # ④
    image = tf.image.resize(image, [resize_dim, resize_dim],
                            method=tf.image.ResizeMethod.NEAREST_NEIGHBOR)
    image = random_crop(image)
    return tf.image.random_flip_left_right(image)

def preprocess_image(image_path, augment_func=None):     # ⑤
    image = read_and_decode_image(image_path)
    if augment_func:
        image = augment_func(image)
    else:
```

```python
        image = tf.image.resize(image, [IMG_SIZE, IMG_SIZE],
            method=tf.image.ResizeMethod.NEAREST_NEIGHBOR)
    return normalize(image)
```

① read_and_decode_image 함수는 주어진 image_path에서 JPEG 형식의 이미지를 읽고 디코딩합니다. ② random_crop은 이미지 증강에 자주 사용되는 기법으로, 임의 확률에 따라 이미지에서 특정 사이즈로 일부 영역을 도려내는 방법입니다. ③ normalize는 이미지 픽셀 값을 정규화하는 함수로, 일반적으로는 [0, 1] 범위에서 표현하지만, 이번 실습에서는 [-1, 1] 구간으로 제한합니다. ④ augment 함수는 이미지를 입력받아 사이즈를 resize_dim으로 변경하고, random_crop을 적용한 뒤 무작위로 좌우 반전을 적용합니다. ⑤ preprocess_image 함수는 위에서 정의한 함수들을 조합하여 이미지를 전처리합니다. augment_func가 주어지면, 해당 함수를 사용하여 데이터 증강을 수행합니다.

그러고 나서 다음처럼 전처리 함수를 사용하여 이미지 데이터를 가공하고, 이를 배치 단위로 나누어 데이터 세트를 재구성합니다.

```python
train_horses = train_horse_dataset.cache().map( # ①
    lambda x: preprocess_image(x, augment_func=augment),
    num_parallel_calls=AUTOTUNE                 # ②
).shuffle(BUFFER_SIZE).batch(BATCH_SIZE)        # ③

train_zebras = train_zebra_dataset.cache().map(
    lambda x: preprocess_image(x, augment_func=augment),
    num_parallel_calls=AUTOTUNE
).shuffle(BUFFER_SIZE).batch(BATCH_SIZE)

test_horses = test_horse_dataset.map(
    preprocess_image, num_parallel_calls=AUTOTUNE).cache().shuffle(
    BUFFER_SIZE).batch(BATCH_SIZE)

test_zebras = test_zebra_dataset.map(
    preprocess_image, num_parallel_calls=AUTOTUNE).cache().shuffle(
    BUFFER_SIZE).batch(BATCH_SIZE)
```

① cache 메서드는 데이터 세트를 캐시하여 I/O 부하를 줄이는 데 사용됩니다. map 메서드는 데이터 세트의 모든 요소에 특정 함수를 적용할 때 사용됩니다. 코드의 순서대로 데이터 세트의 모든 이미지에 대해 전처리 함수를 적용하고, ② num_parallel_calls=AUTOTUNE 인수를 통해 병렬 처리

를 최적화합니다. 이후 적용되는 ③ shuffle 메서드는 앞서 선언한 BUFFER_SIZE에 맞게 버퍼 사이즈를 지정하여 데이터 세트를 섞어줍니다. 마지막으로 batch 메서드를 사용하여 데이터 세트를 배치 사이즈대로 분할합니다. 이 과정에서 학습을 위한 데이터에만 데이터 증강을 적용해주는 것도 확인할 수 있습니다.

이로써 데이터 세트가 준비되었고, 모델을 구현할 차례입니다. 모델을 만들기에 앞서 CycleGAN에서는 학습 효율을 증진하기 위하여 독특한 기법을 사용합니다. 일반적인 합성곱 신경망에서 배치 정규화를 사용하는 것과는 달리, CycleGAN을 비롯한 일부 생성 모델에서는 인스턴스 정규화(instance normalization)를 사용합니다. 이름에서 추측할 수 있듯이 인스턴스 정규화는 배치 단위가 아닌 개별 인스턴스(이 경우 이미지)에 대해 독립적으로 특성 채널을 정규화합니다. 즉, 배치 내 다른 이미지의 영향을 받지 않으므로 모델이 스타일 변화나 특징 등을 포착하는 과정에 더 강하게 반응하는 이득을 얻을 수 있습니다.

이 특이한 정규화 기법을 다음과 같이 구현할 수 있습니다.

```
class InstanceNormalization(tf.keras.layers.Layer):
    def __init__(self, epsilon=1e-5):
        super(InstanceNormalization, self).__init__()
        self.epsilon = epsilon

    def build(self, input_shape):
        self.scale = self.add_weight(
            name='scale',
            shape=input_shape[-1:],
            initializer=tf.random_normal_initializer(1., 0.02),
            trainable=True)

        self.offset = self.add_weight(
            name='offset',
            shape=input_shape[-1:],
            initializer='zeros',
            trainable=True)

    def call(self, x):
        mean, variance = tf.nn.moments(x, axes=[1, 2], keepdims=True)
        inv = tf.math.rsqrt(variance + self.epsilon)
        normalized = (x - mean) * inv
        return self.scale * normalized + self.offset
```

인스턴스 정규화는 배치 정규화와 대체로 유사하지만, 배치 내 통계량을 대상으로 연산하는 배치 정규화와 달리 단일 이미지에 대해서만 작동합니다. 이는 call 메서드의 axes를 통해 짐작할 수 있습니다. 배치 정규화의 경우 axes=[0, 1, 2]에 대하여 작동하는 반면, 인스턴스 정규화는 axes=[1, 2]에 대해서만 평균과 분산을 계산합니다. 해당 클래스는 모델의 생성자와 판별자에서 사용됩니다.

CycleGAN 알고리즘은 일반적인 생성적 적대 신경망과 동일하게 생성자와 판별자로 구성됩니다. 실질적으로는 두 가지 도메인 번역을 위해 두 개의 생성자와 판별자가 사용되지만, 둘 다 동일한 형태를 갖습니다.


```
def generator(input_shape=(IMG_SIZE, IMG_SIZE, 3),
              output_channels=3,
              dim=64,
              n_downsamplings=2,
              n_blocks=9):

    def residual_block(x):
        dim = x.shape[-1]
        h = x

        h = tf.pad(h, [[0, 0], [1, 1], [1, 1], [0, 0]], mode='REFLECT')
        h = keras.layers.Conv2D(dim, 3, padding='valid', use_bias=False)(h)
        h = InstanceNormalization()(h)
        h = tf.nn.relu(h)

        h = tf.pad(h, [[0, 0], [1, 1], [1, 1], [0, 0]], mode='REFLECT')
        h = keras.layers.Conv2D(dim, 3, padding='valid', use_bias=False)(h)
        h = InstanceNormalization()(h)

        return keras.layers.add([x, h])

    h = inputs = keras.Input(shape=input_shape)
    h = tf.pad(h, [[0, 0], [3, 3], [3, 3], [0, 0]], mode='REFLECT')
    h = keras.layers.Conv2D(dim, 7, padding='valid', use_bias=False)(h)
    h = InstanceNormalization()(h)
    h = tf.nn.relu(h)
    for _ in range(n_downsamplings):
        dim *= 2
        h = keras.layers.Conv2D(dim, 3, strides=2, padding='same', use_bias=False)(h)
        h = InstanceNormalization()(h)
        h = tf.nn.relu(h)
```

```
    for _ in range(n_blocks):
        h = residual_block(h)
    for _ in range(n_downsamplings):
        dim //= 2
        h = keras.layers.Conv2DTranspose(dim, 3, strides=2, padding='same',
use_bias=False)(h)
        h = InstanceNormalization()(h)
        h = tf.nn.relu(h)
    h = tf.pad(h, [[0, 0], [3, 3], [3, 3], [0, 0]], mode='REFLECT')
    h = keras.layers.Conv2D(output_channels, 7, padding='valid')(h)
    h = tf.tanh(h)

    return keras.Model(inputs=inputs, outputs=h)
```

생성자는 함수를 통해 만들어지며, 다음과 같은 하이퍼파라미터를 인수로 받습니다.

- input_shape: 입력 이미지의 형태
- output_channels: 출력 이미지의 채널 수
- dim: 초기 합성곱 층의 필터 수
- n_downsamplings: 다운샘플링(이미지 축소)을 수행할 횟수
- n_blocks: Residual block의 수

생성자 내부 함수인 residual_block은 생성자를 구성하는 기본 단위입니다. ResNet 모델을 구성하는 블럭에서 착안한 아이디어입니다. 또한 생성자 내부에는 ReLU와 tanh 활성화 함수를 사용하며, 배치 정규화 대신 위에서 선언한 인스턴스 정규화를 사용합니다. tf.pad는 텐서에 패딩을 추가하는 역할을 합니다. 이 함수의 인수 중 mode=REFLECT는 패딩을 할 때 텐서 가장자리를 반사시켜 패딩을 채우는 인수입니다. 가령 [1, 2, 3, 4]라는 1차원 텐서에 앞뒤로 패딩을 추가한다면 결과는 [2, 1, 2, 3, 4, 3]이 됩니다. 생성자의 출력 데이터는 입력 데이터와 사이즈가 동일한 텐서입니다.

다음은 판별자를 정의하는 함수입니다.

```
def discriminator(input_shape=(IMG_SIZE, IMG_SIZE, 3),
                  dim=64,
                  n_downsamplings=3):
    dim_ = dim
    h = inputs = keras.Input(shape=input_shape)
    h = keras.layers.Conv2D(dim, 4, strides=2, padding='same')(h)
```

```
    h = tf.nn.leaky_relu(h, alpha=0.2)

    for _ in range(n_downsamplings - 1):
        dim = min(dim * 2, dim_ * 8)
        h = keras.layers.Conv2D(dim, 4, strides=2, padding='same', use_bias=False)(h)
        h = InstanceNormalization()(h)
        h = tf.nn.leaky_relu(h, alpha=0.2)

    dim = min(dim * 2, dim_ * 8)
    h = keras.layers.Conv2D(dim, 4, strides=1, padding='same', use_bias=False)(h)
    h = InstanceNormalization()(h)
    h = tf.nn.leaky_relu(h, alpha=0.2)
    h = keras.layers.Conv2D(1, 4, strides=1, padding='same')(h)

    return keras.Model(inputs=inputs, outputs=h)
```

판별자는 일반적인 분류 모델과 비슷합니다. 여러 층의 합성곱 층과 활성화 함수를 통해 모델을 구성하며, leaky ReLU를 활성화 함수로 사용합니다. 생성자와 마찬가지로 배치 정규화 대신 인스턴스 정규화를 사용하며 마지막 층에서는 입력 이미지와 좌우 사이즈는 동일하지만 1개의 출력 채널을 갖는 텐서를 반환합니다.

다음 코드에서는 선언된 모델 구성 함수를 통해 모델을 만듭니다. generator_g는 말 이미지를 얼룩말로 변환하며, generator_f는 얼룩말 이미지를 말로 변환하는 역할을 담당합니다. discriminator_x는 말 이미지에 대한 진위 여부를, discriminator_y는 얼룩말 이미지에 대한 진위 여부를 판단합니다. 네 개의 모델 전부 옵티마이저는 Adam을 사용합니다.

```
generator_g = generator()
generator_f = generator()

discriminator_x = discriminator()
discriminator_y = discriminator()

generator_g_optimizer = tf.keras.optimizers.Adam(LEARNING_RATE, beta_1=0.5)
generator_f_optimizer = tf.keras.optimizers.Adam(LEARNING_RATE, beta_1=0.5)
discriminator_x_optimizer = tf.keras.optimizers.Adam(LEARNING_RATE, beta_1=0.5)
discriminator_y_optimizer = tf.keras.optimizers.Adam(LEARNING_RATE, beta_1=0.5)
```

이번엔 손실 함수를 구현하겠습니다. 기존 생성적 적대 신경망과 동일하게 CycleGAN에서는 생성자를 위한 손실과 판별자를 위한 손실이 사용됩니다. 이들의 계산 방식은 앞에서 설명하였기에 생략합니다. 다만 CycleGAN에서는 생성자와 판별자가 두 개 사용되기에 손실 계산 과정도 두 번 이상 수행됩니다. 이번 알고리즘에 새로 등장한 손실이 두 가지 있습니다. 하나는 이중 변환된 데이터와 원본 데이터 사이의 차이를 계산하는 cycle consistency loss이고, 다른 하나는 identity loss입니다. 말 이미지를 바탕으로 얼룩말 이미지를 생성하는 generator_g에 얼룩말 사진을 입력할 경우에 이 생성자는 얼룩말을 만들 수 있어야 하고, 그 반대 과정도 동일한 논리가 적용됩니다. 이러한 생성자의 도메인 표현 능력을 평가하는 손실이 identity loss입니다.

최종 손실은 앞서 표현된 모든 손실 함수를 합하여 사용하며, 다음 코드처럼 표현할 수 있습니다.

```
LAMBDA = 10
loss_obj = tf.keras.losses.BinaryCrossentropy(from_logits=True)
def discriminator_loss(real, generated):
    real_loss = loss_obj(tf.ones_like(real), real)
    generated_loss = loss_obj(tf.zeros_like(generated), generated)
    total_disc_loss = real_loss + generated_loss
    return total_disc_loss * 0.5

def generator_loss(generated):
    return loss_obj(tf.ones_like(generated), generated)

def calc_cycle_loss(real_image, cycled_image):
    loss1 = tf.reduce_mean(tf.abs(real_image - cycled_image))
    return LAMBDA * loss1

def identity_loss(real_image, same_image):
    loss = tf.reduce_mean(tf.abs(real_image - same_image))
    return LAMBDA * 0.5 * loss
```

여기서 LAMBDA는 cycle consistency 손실과 identity 손실의 가중치를 조절하는 값입니다. 이 값이 크면 모델은 cycle consistensy와 identity를 더 중요하게 생각합니다.

CycleGAN의 성능을 끌어올리기 위해선 장기간의 훈련이 필요합니다. 다음은 모델의 훈련 도중 체크포인트를 설정하는 코드입니다.

```
checkpoint_path = "./checkpoints/train"

ckpt = tf.train.Checkpoint(generator_g=generator_g,
        generator_f=generator_f,
        discriminator_x=discriminator_x,
```

```
        discriminator_y=discriminator_y,
        generator_g_optimizer=generator_g_optimizer,
        generator_f_optimizer=generator_f_optimizer,
        discriminator_x_optimizer=discriminator_x_optimizer,
        discriminator_y_optimizer=discriminator_y_optimizer)

ckpt_manager = tf.train.CheckpointManager(ckpt, checkpoint_path, max_to_keep=5)
```

손실 함수까지 구현이 완료되었다면, 모델 학습 함수를 선언하여 실습을 마무리 지을 수 있습니다. 우선 훈련된 모델을 바탕으로 이미지를 생성하고 시각화하는 함수를 선언하겠습니다.

```
def generate_images(model, test_input):
    prediction = model(test_input)
    plt.figure(figsize=(12, 12))
    display_list = [test_input[0], prediction[0]]
    title = ['Input Image', 'Predicted Image']

    for i in range(2):
        plt.subplot(1, 2, i+1)
        plt.title(title[i])
        plt.imshow(display_list[i] * 0.5 + 0.5)
        plt.axis('off')
    plt.show()
```

학습 과정을 위한 함수를 선언하겠습니다. 비지도 학습에는 `fit` 메서드를 사용하기 힘들기에 GradientTape을 이용합니다.

```
@tf.function
def train_step(real_x, real_y):
    with tf.GradientTape(persistent=True) as tape:
        fake_y = generator_g(real_x, training=True) # ①
        cycled_x = generator_f(fake_y, training=True)
        fake_x = generator_f(real_y, training=True)
        cycled_y = generator_g(fake_x, training=True)

        same_x = generator_f(real_x, training=True) # ②
        same_y = generator_g(real_y, training=True)

        disc_real_x = discriminator_x(real_x, training=True)  # ③
        disc_real_y = discriminator_y(real_y, training=True)
```

```
        disc_fake_x = discriminator_x(fake_x, training=True)
        disc_fake_y = discriminator_y(fake_y, training=True)

        gen_g_loss = generator_loss(disc_fake_y)    # ④
        gen_f_loss = generator_loss(disc_fake_x)
        total_cycle_loss = calc_cycle_loss(real_x, cycled_x) + calc_cycle_loss(real_y, 
cycled_y)
        total_gen_g_loss = gen_g_loss + total_cycle_loss + identity_loss(real_y, same_
y)
        total_gen_f_loss = gen_f_loss + total_cycle_loss + identity_loss(real_x, same_
x)
        disc_x_loss = discriminator_loss(disc_real_x, disc_fake_x)
        disc_y_loss = discriminator_loss(disc_real_y, disc_fake_y)

    generator_g_gradients = tape.gradient(total_gen_g_loss, generator_g.trainable_
variables) # ⑤
    generator_f_gradients = tape.gradient(total_gen_f_loss, generator_f.trainable_
variables)
    discriminator_x_gradients = tape.gradient(disc_x_loss, discriminator_x.trainable_
variables)
    discriminator_y_gradients = tape.gradient(disc_y_loss, discriminator_y.trainable_
variables)

    generator_g_optimizer.apply_gradients(zip(generator_g_gradients, generator_
g.trainable_variables))
    generator_f_optimizer.apply_gradients(zip(generator_f_gradients, generator_
f.trainable_variables))
    discriminator_x_optimizer.apply_gradients(zip(discriminator_x_gradients, 
discriminator_x.trainable_variables))
    discriminator_y_optimizer.apply_gradients(zip(discriminator_y_gradients, 
discriminator_y.trainable_variables))
```

코드가 길고 번잡해 보이지만 흐름은 아주 간단합니다. ① 순전파 과정에서 fake_y와 fake_x는 각각 real_x와 real_y를 타깃 도메인으로 변환한 이미지입니다. cycled_x와 cycled_y는 fake_y와 fake_x를 다시 원래 도메인으로 변환한 이미지입니다. ② same_x와 same_y는 identity 손실을 계산하기 위해 사용됩니다. 이렇게 각각 두 번의 생성자를 거친 이미지는 판별자에 입력됩니다. disc_real_x와 disc_real_y는 실제 이미지에 대한 판별자의 출력입니다. ③ disc_fake_x와 disc_fake_y는 생성된 이미지에 대한 판별자의 출력입니다.

④ 각 모델에서 손실이 계산된 후, 알고리즘의 전체 손실이 계산됩니다. total_gen_g_loss와 total_gen_f_loss는 각각 생성자의 손실과 cycle consistency 손실, 그리고 identity 손실을 합한 것입니다. ⑤ 이렇게 집계된 손실을 바탕으로 그레이디언트를 계산한 뒤 모델 전체에 역전파를 수행합니다.

에포크마다 학습이 진행된 중간 결과를 시각화하는 기능을 포함하여 모델 학습을 시작해보겠습니다. 다음 코드에서는 모든 데이터 세트에 대해 1회 학습이 끝난 후, 두 생성자를 통해 도메인 간 변환이 얼마나 잘 이루어지는지를 시각적으로 표현해줍니다.


```
for epoch in range(EPOCHS):
    start = time.time()
    for image_x, image_y in tqdm(tf.data.Dataset.zip((train_horses, train_zebras))):
        train_step(image_x, image_y)

    clear_output(wait=True)
    print("Horse -> Zebra")
    generate_images(generator_g, np.array([image_x[0]]))
    print("Zebra -> Horse")
    generate_images(generator_f, np.array([image_y[0]]))

    if (epoch + 1) % 5 == 0:
        ckpt_save_path = ckpt_manager.save()
        print ('{}번 째 에포크에 대한 체크포인트를 {}에 저장합니다'.format(epoch+1,
ckpt_save_path))
    print ('{}번 째 에포크 학습 소요 시간: {}초\n'.format(epoch + 1, time.time()-start))
```

에포크 수만큼 전체 데이터 세트에 학습이 반복되며, 데이터 세트에서는 배치 단위로 데이터를 불러들입니다. 다만 이번 학습에서는 이미지 생성 능력을 극대화시키기 위하여 배치 사이즈를 1로 설정하였습니다. 한 에포크가 완료되면 훈련된 모델의 중간 성능이 시각화되고, clear_output 메서드를 사용하여 에포크 사이마다 이미지가 초기화합니다. 위의 반복문을 실행 시 매 에포크마다 훈련이 진행되는 양상을 확인할 수 있습니다.

▼ 그림 6-4 출력 결과: 학습 중 모델에 입력된 이미지와 CycleGAN을 통해 도메인이 변환된 이미지

```
Horse -> Zebra
```

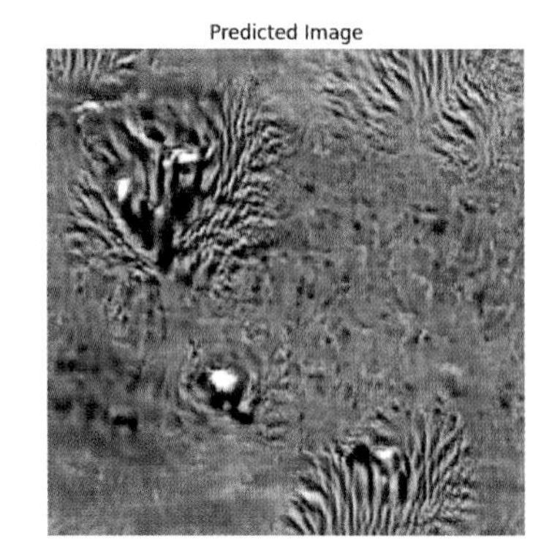


```
Zebra -> Horse
```

학습이 모두 종료되면 다음 코드를 통해 테스트 데이터로 생성 모델의 능력을 확인할 수 있습니다.

```
for img in test_horses.take(5):
    generate_images(generator_g, img)
for img in test_zebras.take(5):
    generate_images(generator_g, img)
```

논문에서 실험한 결과를 정확하게 재현하기 위해선 더 많은 수의 에포크 동안 모델을 학습시키셔야 합니다. 이번 실습은 학습 시간을 고려하여 10회만 학습을 진행하였지만, 추가적인 학습을 통해 성능 향상을 체험해보는 것도 좋습니다.

다음 그림은 200 에포크 이상 학습시키면 얻을 수 있는 이미지입니다. 이렇게 CycleGAN은 지도 학습 데이터에 의존하지 않으며 두 도메인에 대한 표현과 의미상 특징을 모두 학습하였고, 멋진 결과를 보여주었습니다.

▼ 그림 6-5 200 에포크 이상 훈련된 CycleGAN의 결과물

Input Image

Predicted Image

6.1.2 StarGAN과 다중 이미지-이미지 변환

훌륭한 아이디어를 통해 이미지-이미지 변환 성능을 보인 CycleGAN에도 단점은 존재했습니다. 도메인 두 개를 상호 변환하기 위해서 우리는 단 두 개의 생성자와 판별자를 사용했습니다. 그러나 만일 여러 개의 도메인에 대한 이미지를 생성하고 싶다면, 이에 필요한 생성자와 판별자는 기하급수적으로 증가합니다. 이는 당연하게도 훈련과 추론을 진행할 때 모델 수에 비례하는 연산량을 수반합니다. 이어지는 섹션에서는 StarGAN이 이 복잡한 문제를 어떻게 해결하는지 살펴보겠습니다.

StarGAN의 구조와 특징

CycleGAN에서 우리는 얼룩말을 말로, 말을 얼룩말로 변환해보았습니다. 말과 얼룩말이라는 품종의 차이가 도메인을 의미했고, 두 도메인을 상호 변환할 수 있음을 모델로 증명한 것이었습니다. 그러나 도메인이라는 개념은 상당히 추상적이며, 이미지 한 장을 놓고 볼 때, 도메인이 될 수 있는 것은 상당히 많습니다.

▼ 그림 6-6 풍경화에서 확인할 수 있는 다양한 도메인

생성 모델을 통해 앞 그림의 돌고래 대신 상어나 범고래를 그린다면, 이는 이미지를 다른 도메인으로 변환한 것입니다. 변환할 수 있는 개념은 너무나도 많습니다. 화창한 날씨 대신 우중충하고 구름 낀 날을, 야자수 대신 소나무를, 바다 대신 사막을 그릴 수 있습니다. 즉, 우리가 접할 수 있는 일반적인 이미지에는 굉장히 다양한 개념들이 포함되어 있는 셈입니다. 그렇다면 우리가 추구하는 인공지능 기술은 인간처럼 사고하고 반응할 수 있어야 하기에, 현실과 우리 머릿속에 있는 수많은 도메인들을 시각적으로 표현할 수 있어야 합니다.

그러나 CycleGAN은 두 가지 도메인을 다루기 위해 2개의 생성자를 사용하였습니다. 세 가지 도메인이 주어졌을 때, 이들 간의 자유로운 전환을 위해서는 3×2개의 생성자가 필요하고, 네 가지 도메인을 변환하기 위해선 4×3개의 생성자가 필요합니다. 이와 같은 논리로 k개의 도메인을 표현하기 위해선 k(k - 1)개의 생성자를 학습시킨다면, 화가처럼 행동하는 인공지능을 구현하기 위해서는 막대한 양의 컴퓨팅 자원이 요구됩니다.

StarGAN은 생성자 하나만을 사용하여 다중 도메인 간 변환을 할 수 있다는 파격적인 제안을 던집니다. 여러 도메인을 포함하며 이 정보를 레이블로 나타내는 데이터 세트를 이용한다면, 입력받은 이미지를 이 데이터 세트가 보유하고 있는 n개의 도메인 내에서 자유롭게 변환이 가능하다는 점이 이 알고리즘의 핵심입니다.

▼ 그림 6-7 다중 도메인 변환을 위한 기존 이미지-이미지 변환 모델과 StarGAN의 차이

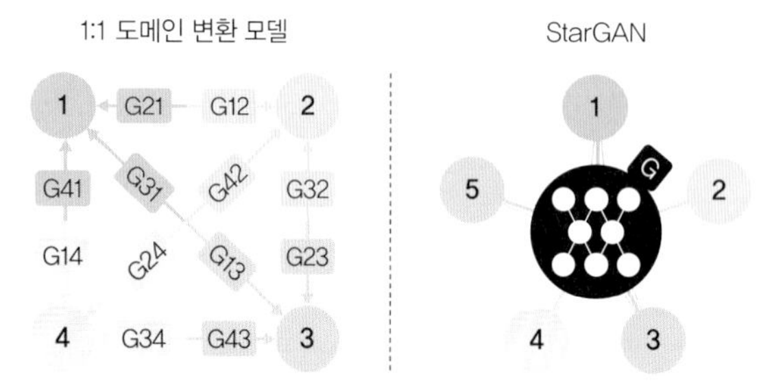

StarGAN의 유연함은 이 아이디어에서 그치지 않습니다. 지금까지 소개한 많은 모델은 대부분 단일 데이터 세트를 이용하여 학습시켰습니다. 그러나 StarGAN은 동시에 두 개의 데이터 세트에서 표현을 학습합니다. 실험에서 사용된 데이터 세트는 CelebA(Large-scale CelebFaces Attributes)와 RaFD(The Radboud Faces Database)로 이들은 모두 인물의 얼굴 사진을 바탕으로 하되 각기 다른 도메인 정보를 갖고 있습니다. CelebA 데이터 세트에는 머리카락 색, 성별, 나이와 같은 얼굴 속성과 관련된 40개의 레이블이 있습니다. RaFD 데이터 세트에는 행복, 슬픔, 분노 등 여덟 가지 표정과 이에 대한 레이블이 달려 있습니다. 즉, 성공적으로 훈련된 StarGAN 모델에 RaFD 데이터를 입력하면 CelebA에서 학습한 다양한 외형으로 변환이 가능합니다.

▼ 그림 6-8 CelebA 데이터 세트(위)과 RaFD 데이터 세트(아래)

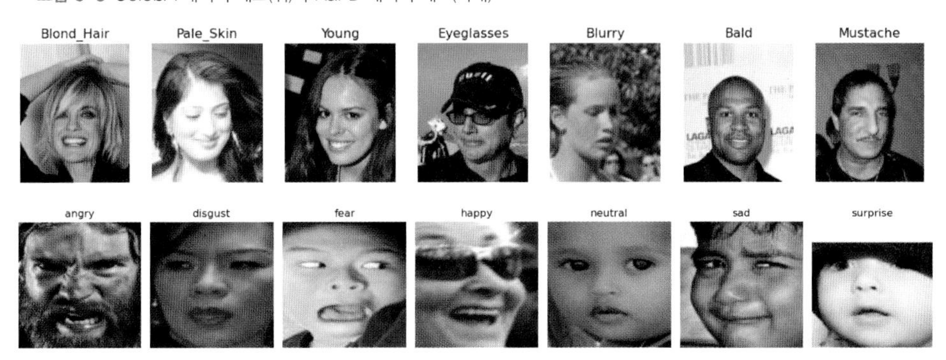

학습 코드를 설계할 때 이를 구현하는 것이 상당히 까다로울 것 같다는 생각이 듭니다. 각 데이터 세트마다 갖고 있는 레이블이 다르기 때문입니다. 모델은 CelebA 데이터 세트를 통해서는 인물의 외양만을 학습할 수 있고, RaFD 데이터 세트는 오직 표정에 관한 정보만 제공합니다.

StarGAN 알고리즘은 이 문제를 아주 간단한 아이디어로 해결합니다. 바로 마스크 벡터를 추가하는 것입니다. 이 마스크 벡터는 n차원의 원-핫 벡터로 표현되며, 여기서 n은 사용하는 데이터 세트의 수입니다. 그림 6-8의 경우에는 n=2인 셈입니다. 이 마스크 벡터를 사용하면 StarGAN은 명시적으로 알려진 레이블에만 집중하고, 지정되지 않은 레이블은 무시할 수 있습니다.

모델 학습 원리

생성자를 통해 만들어진 이미지가 실제 이미지와 함께 판별자에 입력되고, 판별자는 입력된 이미지의 진위 여부를 밝힌다는 점에서 StarGAN의 큰 흐름은 생성적 적대 신경망과 크게 다르지 않습니다. 다만 이 알고리즘의 목표가 다중 도메인을 학습하는 것인 만큼 이미지가 입력되거나 결과가 출력될 때 도메인 정보도 함께 표현되어야 합니다. StarGAN의 생성자와 판별자에 입출력되는 데이터를 정리하면 다음과 같습니다.

▼ 표 6-1 판별자와 생성자

	입력	출력
판별자	이미지	이미지의 진위 여부, 도메인 예측
생성자	이미지, 변환될 도메인 레이블	변환된 이미지

생성자와 판별자는 모두 이미지를 입력받습니다. 생성자에는 마스크 벡터 또한 함께 주어지며, 입력된 이미지가 어느 데이터 세트에 속하는지를 모델에 알려줍니다. CelebA와 RaFD 두 데이터 세트를 활용하여 모델을 학습시킨다고 가정할 때 CelebA 이미지가 입력될 경우 [1, 0] 형태의 마스크가 입력됩니다. 같은 원리로 RaFD를 사용할 경우 [0, 1]이 마스크가 이미지와 함께 제공됩니다. 두 데이터 세트는 서로 다른 도메인을 갖기 때문에 이 원-핫 벡터로 이미지 표현 공간을 제한하는 셈입니다.

판별자의 출력 값과 생성자의 입력 값에는 도메인 정보가 사용됩니다. 이 도메인 정보들 또한 원-핫 벡터로 표현되며, 이미지에 대한 각 데이터 세트의 속성 값을 인코딩한 내용이 담깁니다. 앞서 언급한 CelebA 데이터 세트의 레이블에는 `"Black"`, `"Blond"`, `"Brown"`, `"Male"`, `"Young"` 등의 특성을 포함한 많은 속성 값이 존재합니다.

만일 이미지 속의 인물이 갈색 머리의 젊은 남성이라면, 이 이미지에 대한 레이블은 [0, 0, 1, 1, 1]입니다. 생성자에는 이 레이블을 제시하여 이미지를 어떻게 변환할지 지시할 수 있습니다. 반대로 판별자에서는 이미지를 입력하여 해당 이미지에 대한 속성들을 예측한 결과를 도메인 레이블과 같은 형태로 반환합니다.

▼ 그림 6-9 StarGAN 알고리즘 학습 과정

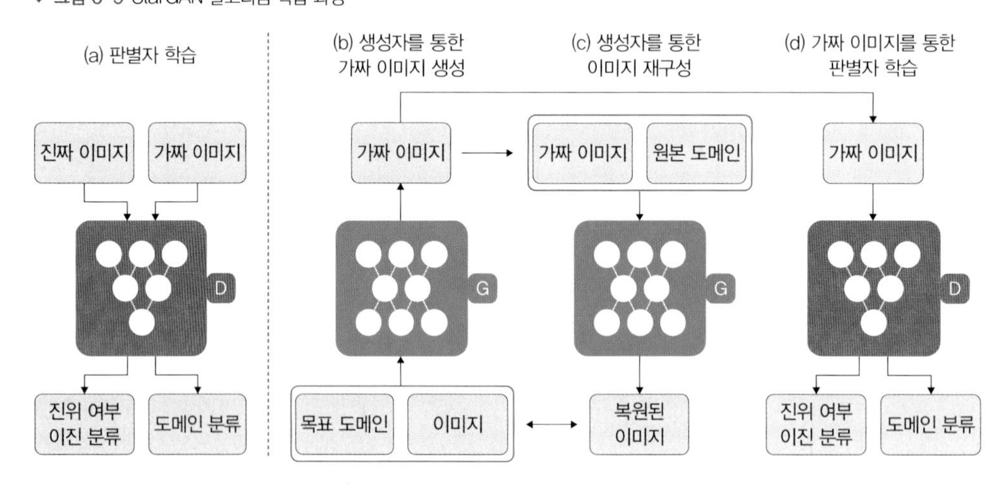

판별자(D)와 생성자(G)의 목적과 입출력 데이터가 상이하므로 이 두 축을 중심으로 모델의 학습 과정을 살펴보겠습니다. (a) 판별자는 진짜 이미지나 생성자를 통해 만들어진 이미지를 바탕으로 작동합니다. 두 가지 출력 값이 존재하는데, 하나는 이 이미지의 진위 여부를 예측한 결과이며, 다른 하나는 이미지의 도메인 정보에 관한 예측 결과입니다. 이미지 진위 여부 판단의 경우 이미지 전체를 숫자 하나(0 또는 1)로 표현하지 않고, 이미지를 여러 개의 패치로 나누어 각 패치별 진위 여부를 판단합니다. 도메인 정보 예측에서는 이미지가 데이터 세트가 보유한 레이블 중 어떤 속성을 갖고 있는지를 반환합니다. CelebA 데이터 세트의 이미지 중 흑발의 나이 든 남성이 촬영된 이미지가 들어갔을 때, 판별자를 통해 [1, 0, 0, 1, 0]가 출력되면 올바른 예측을 한 것입니다.

(b) 생성자의 첫 번째 목표는 한 이미지를 목표 도메인 레이블의 속성 값을 갖도록 변환시키는 것입니다. 이때 도메인 레이블은 무작위로 생성됩니다. (c) 이어서 생성된 이미지를 원본 이미지로 복원하는 과정을 수행합니다. 이 부분은 CycleGAN과 유사하지만, 생성자를 하나만 사용한다는 점에서 큰 차이가 있습니다. (d) 생성자를 통해 만들어진 이미지들은 판별자로 전송되어 진위 여부와, 어떤 도메인 정보가 표현되었는지 두 가지 분류 작업이 수행됩니다. 이 과정을 통해 생성자는 다양한 특성들을 이해하고 생성할 수 있는 강한 일반화 능력을 학습하게 됩니다.

StarGAN의 손실 함수

생성적 적대 신경망 모델에서는 정밀한 이미지 생성을 위해서 다양한 '손실 함수'가 사용됩니다. StarGAN 또한 여러 가지 손실 함수를 합하여 사용하며, 세 가지의 서로 다른 함수인 적대적 손실(adversarial loss), 도메인 분류 손실(domain classification loss), 재구성 손실(reconstruction loss)로 구성됩니다.

StarGAN의 '적대적 손실'은 일반적인 생성적 적대 신경망의 기본 손실 함수와 동일합니다. 생성자 G는 손실을 최소화하려는 반면, 판별자 D는 이를 최대화하려는 시도를 의미합니다. 생성된 이미지의 분포를 실제 이미지에 근사시키는 것이 이 함수의 궁극적 목표입니다.

적대적 손실의 수식은 다음과 같습니다.

$$L_{\text{adv}} = E_x[\log D_{\text{src}}(x)] + E_{x,c}\left[\log\left(1 - D_{\text{src}}(G(x,c))\right)\right]$$

'도메인 분류 손실'은 알고리즘이 표현의 다양함을 익혀, 다중 도메인 변환을 더 잘 수행할 수 있도록 설계되어 있습니다. 이 손실은 두 가지 경우에 따라 다르게 작동하는 서로 다른 두 함수로 구성되며 모델의 정밀한 학습을 돕습니다.

$$L_D = -L_{\text{adv}} + \lambda_{\text{cls}} L_{r_{\text{cls}}}$$

$$L_G = L_{\text{adv}} + \lambda_{\text{cls}} L_{f_{\text{cls}}} + \lambda_{\text{rec}} L_{\text{rec}}$$

위의 함수는 판별자가 실제 이미지를 얼마나 잘 분류하는지를 측정합니다. 즉, 손실 값이 낮아질수록 판별자가 이미지의 도메인을 파악하는 능력이 학습되고 실제 세상의 이미지에 대한 모델의 이해도가 높아진다 할 수 있습니다. 다음 함수는 생성자가 만든 가짜 이미지가 도메인에 얼마나 잘 맞는지를 측정합니다. 생성자가 도메인을 잘 파악해야만 이 손실 값을 낮출 수 있습니다. 이렇게 두 가지 함수는 서로 다른 방식으로 전체 알고리즘의 능력을 높입니다.

▼ 그림 6-10 사막 여우와 북극 여우

생성자를 통해 다른 도메인으로 이미지를 변환하는 과정에서, 특정 레이블에 해당하는 내용만 바뀐다고 보장할 수 없습니다. 다양한 형태의 여우 이미지를 생성하는 모델을 학습시켜, 사막 여우의 털을 하얗게 변환하는 경우를 생각해봅시다. 이 과정에서 모델은 북극 여우의 이미지도 학습했기 때문에, 사막 여우의 털 색뿐만 아니라 얼굴의 구조까지 북극 여우처럼 바꿀 수도 있습니다. 재구성 손실은 이미지 변환 중 일관성을 유지하기 위해 사용됩니다.

$$L_{\text{rec}} = E_{x,c,c_0}\left[||x - G(G(x,c),c_0)||_1\right]$$

이 식의 목표는 생성자가 이미지를 변환한 후 다시 원래대로 잘 돌릴 수 있는지를 확인하는 것입니다. 잘 학습된 경우, 모델은 나머지 정보는 잃지 않으며 원하는 도메인만 바꿀 수 있습니다.

기능적으로 나뉜 세 함수는 생성자와 판별자를 위해 합쳐지며, 다음과 같은 형식으로 주어집니다.

$$L_D = -L_{\text{adv}} + \lambda_{\text{cls}} L_{r\text{cls}}$$

$$L_G = L_{\text{adv}} + \lambda_{\text{cls}} L_{f\text{cls}} + \lambda_{\text{rec}} L_{\text{rec}}$$

LD는 판별자를 최적화하기 위한 손실 함수로, 적대적 손실과 도메인 분류 손실이 사용됩니다. LG는 생성자의 손실 함수로, 적대적 손실과 도메인 분류 손실, 재구성 손실 세 가지 모두 이 함수에 반영됩니다. 이렇게 여러 손실 함수를 조합함으로써, 모델은 도메인 변환을 수행하되 원래 이미지의 주요 특성 또한 유지할 수 있습니다.

텐서플로를 활용한 StarGAN 실습

StarGAN의 장점은 이미지 도메인 변환을 잘 해낸다는 것도 있지만, 복잡한 결과물을 간단한 알고리즘으로 해결해냈다는 점에서 주목할 가치가 있습니다. 그러나 GAN 바탕의 생성 모델은 훈련에 소요되는 시간이 매우 길기 때문에 이번 실습에서는 훈련된 모델을 불러오고, 이를 바탕으로 인물 사진의 특징을 바꿔보겠습니다.

먼저 nnabla(Neural Network Libraries)에서 제공하는 cuda 익스텐션을 설치하고, example 파일들을 다운로드합니다. nnabla는 공학자들이 만든 딥러닝 프레임워크로, 호환성과 유연성이 뛰어나다는 장점이 있습니다.

```
!pip install nnabla-ext-cuda120[1]
!git clone https://github.com/sony/nnabla-examples.git
```

앞의 코드를 실행했다면 반드시 런타임을 다시 시작한 후 다음 코드를 실행해야 오류 없이 실습을 진행할 수 있습니다. 다음은 학습에 필요한 파이썬 파일을 실행하고 이미지 파일과 모델 체크포인트를 다운로드하는 코드입니다.

```
!wget -O /content/man.png https://raw.githubusercontent.com/Lilcob/test_colab/main/
man.png

%run nnabla-examples/interactive-demos/colab_utils.py
%cd nnabla-examples/image-translation/stargan
```

1 해당 라이브러리는 지속적으로 업데이트되므로 실행 시점에서 오류가 발생할 수도 있습니다. 깃허브 https://github.com/Lilcob/imageprocessingbible에 정기적으로 업데이트해둘 예정이니 오류 발생 시 참고하기 바랍니다.

```
!wget https://nnabla.org/pretrained-models/nnabla-examples/GANs/stargan/pretrained_
params_on_celebA.h5
!wget https://nnabla.org/pretrained-models/nnabla-examples/GANs/stargan/pretrained_
conf_on_celebA.json
```

%run 명령어를 통하여 colab_utils.py 스크립트를 실행합니다. 이 스크립트는 프레임워크가 코랩 환경에서 실행될 수 있도록 다양한 유틸리티 함수를 제공합니다. StarGAN 모델을 사용하기 위하여 image-translation 내의 stargan 디렉터리로 이동합니다. 이 디렉터리에 사전 학습된 매개변수와 설정 파일을 다운하기 위하여 !wget으로 시작하는 두 코드가 사용됩니다.

기본적인 환경을 설정했다면, 실습에 필요한 모듈을 불러오겠습니다.

```
import os
import cv2
import numpy as np
import shutil                  # ①
import glob
from skimage import io, color  # ②
import dlib                    # ③
import matplotlib.pyplot as plt
from IPython.display import Image, display
from google.colab import files
```

① shutil 모듈은 파일 복사와 이동 등 디렉터리 작업을 위한 함수를 제공합니다. ② skimage는 이미지를 다루는 라이브러리이며, io는 이미지를 읽고 쓰는 기능을, color는 색상 공간 변환 등의 작업을 지원하는 모듈입니다. ③ dlib 라이브러리는 머신 러닝과 컴퓨터 비전 문제를 해결하기 위한 여러 도구를 제공하는 라이브러리입니다. 이번 실습에서는 얼굴 인식을 위해 사용합니다.

다음은 실습에서 사용할 함수들의 묶음입니다.

```
def upload_image():                      # ①
    img = '/content/man.png'
    ext = os.path.splitext(img)[-1]
    os.rename(img, "input_image{}".format(ext))
    input_img = "input_image" + ext
    return input_img, ext

def download_and_unzip_dlib_model():     # ②
    !wget http://dlib.net/files/mmod_human_face_detector.dat.bz2
```

```
    !bzip2 -d mmod_human_face_detector.dat.bz2

def detect_face(image_path):     # ③
    image = io.imread(image_path)
    if image.ndim == 2:
        image = color.gray2rgb(image)
    elif image.shape[-1] == 4:
        image = image[..., :3]
    face_detector = dlib.cnn_face_detection_model_v1("mmod_human_face_detector.dat")
    detected_faces = face_detector(cv2.cvtColor(image[..., ::-1].copy(), cv2.COLOR_
BGR2GRAY))
    detected_faces = [[d.rect.left(), d.rect.top(), d.rect.right(), d.rect.bottom()]
for d in detected_faces]
    assert len(detected_faces) == 1, "Warning: only one face should be contained."
    detected_faces = detected_faces[0]
    return detected_faces, image
```

① upload_image 함수를 통해 이용자가 이미지를 업로드할 수 있습니다. 업로드된 파일의 이름과 확장자는 detect_face 함수로 전달됩니다. 이때 ② download_and_unzip_dlib_model 함수에서 다운로드한 dlib의 얼굴 탐지 모델 또한 전달됩니다. ③ detect_face 함수는 앞서 반환된 이미지에서 얼굴을 탐지하고, 그 좌표를 반환합니다.

이어서 이미지 처리에 필요한 함수를 몇 가지 더 설명하겠습니다.

```
def transform(point, center, scale, resolution, invert=False):  # ①
    point.append(1)
    h = 200.0 * scale
    t = np.eye(3)
    t[0, 0] = resolution / h
    t[1, 1] = resolution / h
    t[0, 2] = resolution * (-center[0] / h + 0.5)
    t[1, 2] = resolution * (-center[1] / h + 0.5)
    if invert:
        t = np.reshape(np.linalg.inv(np.reshape(t, [1, 3, 3])), [3, 3])
    new_point = np.reshape(np.matmul(
        np.reshape(t, [1, 3, 3]), np.reshape(point, [1, 3, 1])), [3, ])[0:2]
    return new_point.astype(int)

def crop(image, center, scale, resolution=256):                 # ②
    ul = transform([1, 1], center, scale, resolution, True)
    br = transform([resolution, resolution], center, scale, resolution, True)
```

```
    if image.ndim > 2:
        new_dim = np.array([br[1] - ul[1], br[0] - ul[0],
                            image.shape[2]], dtype=np.int32)
        new_img = np.zeros(new_dim, dtype=np.uint8)
    else:
        new_dim = np.array([br[1] - ul[1], br[0] - ul[0]], dtype=np.int)
        new_img = np.zeros(new_dim, dtype=np.uint8)

    ht, wd = image.shape[0], image.shape[1]
    new_x = np.array([max(1, -ul[0] + 1), min(br[0], wd) - ul[0]], dtype=np.int32)
    new_y = np.array([max(1, -ul[1] + 1), min(br[1], ht) - ul[1]], dtype=np.int32)
    old_x = np.array([max(1, ul[0] + 1), min(br[0], wd)], dtype=np.int32)
    old_y = np.array([max(1, ul[1] + 1), min(br[1], ht)], dtype=np.int32)

    new_img[new_y[0] - 1:new_y[1], new_x[0] - 1:new_x[1]] = image[old_y[0] - 1:old_
y[1], old_x[0] - 1:old_x[1], :]
    new_img = cv2.resize(new_img, dsize=(int(resolution), int(resolution)),
interpolation=cv2.INTER_LINEAR)
    return new_img

def crop_face(detected_faces, image):    # ③
    center = [
        detected_faces[2] - (detected_faces[2] - detected_faces[0]) / 2.0,
        detected_faces[3] - (detected_faces[3] - detected_faces[1]) / 2.0
    ]
    scale = (detected_faces[2] - detected_faces[0] + detected_faces[3] - detected_
faces[1]) / 195
    cropped_image = crop(image, center, scale, resolution=128)
    return cropped_image
```

세 함수는 이미지를 모델에 입력하기 위해 가공하는 절차를 수행합니다. 앞서 모델을 통해 찾아낸 좌표는 얼굴이 중심에 오는 정사각형 패치의 네 꼭짓점입니다. 이 좌표를 바탕으로 ③ crop_face 함수는 얼굴 이미지를 추출하여 해상도를 조정합니다. ② crop 함수는 이미지 내의 특정 영역을 자르고 사이즈를 조절하는 실질적인 이미지 전처리를 담당합니다. ① transform 함수는 이미지 내의 특정 점을 다른 좌표계로 변환하여 crop 함수가 원활하게 작동할 수 있도록 보조합니다.

다음은 이미지 저장 및 추론을 위한 코드입니다.

```
def save_and_move_cropped_image(cropped_image):
    io.imsave("cropped_image.png", cropped_image)
    source_dir = "source_img"
```

```
    os.makedirs(source_dir, exist_ok=True)
    shutil.move("cropped_image.png", f"source_img/input_image.png")

def generate_new_image():
    !python generate.py --pretrained-params pretrained_params_on_celebA.h5 --config 
pretrained_conf_on_celebA.json --test-image-path source_img
    generated_img = sorted(glob.glob(os.path.join("tmp.results/*.png")), key=os.path.
getmtime)[-1]
    return generated_img
```

save_and_move_cropped_image 함수로 가공된 이미지가 png 파일로 저장되면, 이 파일을 모델에 입력하여 결과를 받아볼 수 있습니다. generate_new_image 함수는 모델 추론 스크립트를 실행하며 도메인이 변환된 이미지를 저장합니다. 이 두 함수를 통해 위에 나열된 함수들을 흐름에 맞게 실행할 수 있습니다.

다음은 이미지를 업로드하고, 도메인을 변환하는 코드입니다.

```
def prep_image():
    input_img, ext = upload_image()
    download_and_unzip_dlib_model()
    detected_faces, image = detect_face(input_img)
    cropped_image = crop_face(detected_faces, image)
    save_and_move_cropped_image(cropped_image)
    print("Cropped image")
    plt.imshow(cropped_image)

def gen_image():
    generated_img = generate_new_image()
    display(Image(generated_img))
```

prep_image로 이미지를 업로드하여 모델에 넣기 전까지 처리하고, 도메인 변환은 gen_image 함수가 담당하는 셈입니다. 이제 준비가 끝났습니다. 다음 코드를 실행하면 내려받은 man.jpg 이미지의 얼굴이 중심에 오도록 정사각형으로 자르고 해상도까지 변환한 이미지가 결과로 출력됩니다.

```
prep_image()
```

입력 이미지

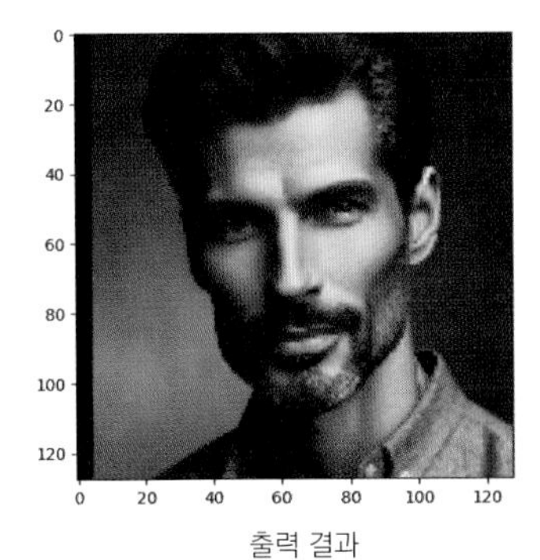

출력 결과

모델에 이미지를 넣고 도메인을 바꿔보겠습니다. 다음 코드를 실행하면 다섯 가지 도메인에 대해 각각 사용자가 변환할지를 물어보며, 각 도메인에 대하여 사용자는 yes와 no를 입력하여 이미지를 생성합니다. 이 StarGAN은 CelebA 데이터 세트를 바탕으로 다섯 가지 레이블(세 가지 머리색, 성별, 나이)을 학습하였습니다. 위 남성의 머리색을 금발로, 연령을 낮게 만들어보겠습니다.

```
gen_image()
```

```
Learned attributes choice: ['Black_Hair', 'Blond_Hair', 'Brown_Hair', 'Male', 'Young']
Source image: input_image.png
Use 'Black_Hair'?
type yes or no: no
Use 'Blond_Hair'?
type yes or no: yes
Use 'Brown_Hair'?
type yes or no: no
Use 'Male'?
type yes or no: yes
Use 'Young'?
type yes or no: yes
Saved tmp.results/generated_0_Blond_Hair_Male_Young.png.
```

머리카락이 완벽하게 금발로 변하지는 않았지만, 대략적인 특징은 잘 포착하여 변환하였습니다. 또한 원본 이미지보다 주름이 줄고, 피부 빛이 밝아진 점도 눈에 띕니다. 이 외에도 다양한 인물 사진을 바탕으로 변환하며 모델이 어떤 특징을 잘 학습했고, 어떤 도메인에서 표현력이 아쉬운지 확인해봅시다.

IMAGE PROCESSING

6.2 초고해상도와 스타일 제어

CycleGAN을 통해 시작된 도메인 변환은 StarGAN에 이르러 여러 가지 도메인에 대해 자유자재로 이미지를 바꿀 수 있는 수준까지 발전했습니다. 하지만 화가처럼 자유자재로 그림을 그리는 인공지능을 구현하기엔 부족한 부분이 많습니다.

생성자를 하나만 사용하여 이미지에 여러 가지 특징을 그려낼 수 있었던 StarGAN에도 대표적인 두 가지 단점을 꼽을 수 있습니다. 하나는 이미지를 어떻게 바꾸는지 가능할 뿐, 얼마나 바꿀지 등 세밀한 조정은 어렵습니다. 다른 하나는 출력된 이미지의 해상도가 입력된 데이터와 크게 다르지 않다는 점입니다. 조금 더 큰 이미지를 출력하고 싶을 땐, 마찬가지로 큰 이미지가 포함된 데이터 세트를 사용해야 합니다. 그러나 큰 이미지 데이터 세트는 구축하거나 사용하는 측면에서도 부담이 됩니다. 이번에 소개할 모델들은 고화질 이미지를 생성하고, 그 특성을 정밀하게 조절하는 능력을 세상에 알렸다는 점에서 의미가 있습니다.

6.2.1 PGGAN

우리가 일상적으로 사용하는 컴퓨터의 바탕화면에는 아이콘들이 다양하게 놓여 있습니다. 일반적인 이 아이콘의 사이즈는 128×128 규격의 사이즈를 가지며, 윈도우의 경우 256×256 정도로 큰 아이콘도 허용합니다. 그러나 우리가 지금까지 모델을 학습시키기 위해 사용했던 데이터의 사이즈를 회상해보겠습니다. MNIST의 경우 28×28, CIFAR-10은 가로 세로 사이즈가 각각 32픽셀로 구성되었습니다. StarGAN의 학습에 사용된 CelebA의 인물 얼굴 사진도 대부분 256×256 보다 사이즈가 작습니다. 시중에서 사용되는 QHD(2K) 모니터는 가로와 세로 화소 수가 각각 2560, 1440픽셀입니다. 256×256 사이즈의 이미지를 50장 넘게 이어 붙인다면 모니터의 배경으로 사용할 수 있습니다. 이 점은 StarGAN 이전 모델들이 생성한 이미지가 학술적인 관점에서는 뛰어난 성과를 이뤘지만, 상용화하기에는 부족하단 의미로 받아들일 수 있습니다.

저해상도 영상을 고해상도로 변환하는 이미지 처리 기술을 초고해상도(super resolution)라고 합니다. 기존에 사용하던 GAN은 초고해상도 작업을 하는 데 좋은 성능을 보이지 못했습니다. 이유는 간단합니다. 이미지가 클수록 더 많은 세부 정보가 포함되기에 생성 모델의 판별자가 이미지의 진위 여부를 가르기 쉽기 때문입니다. 반면 생성자는 이러한 많은 표현을 모두 학습하고 재현해야 합니다. 즉, 판별자와 생성자 간 적대적 학습이 비등하게 이루어질 수 없습니다. 초고해상도 작업 시에 치명적으로 작용하는 GAN의 고질적인 문제는 이뿐만이 아닙니다. 생성자가 데이터의 다양성을 충분히 학습하지 못하는 최빈 값 붕괴(mode collapse) 문제와, 손실 함수가 안정적으로 수렴하지 못하며 요동치는 불안정성 또한 생성된 고해상도 이미지의 품질을 낮추는 주된 요인들입니다.

또한 고해상도 이미지 생성을 위해서는 모델에서 발생하는 훈련의 불안정성 문제, 메모리 제약 등 해결해야 할 과제들이 적지 않았습니다. 그러나 PGGAN(progressive growing of GANs)의 등장과 함께 국면이 전환되었습니다. PGGAN은 학습에 사용된 데이터 세트보다 해상도가 높은 이미지를 사실적으로 그려내며, 생성적 적대 신경망이 갖고 있던 한계를 뛰어넘는 방법을 제시하였습니다.

점진적 층 추가 학습

PGGAN에서 초고해상도 작업을 수행하기 위하여 트랜스포머와 같이 혁신적인 아키텍처를 고안한 것은 아닙니다. 오히려 생성적 적대 신경망 계열 모델의 학습 방법에 관한 여러 가지 아이디어를 제시합니다. 다만 기존 여타 모델들과는 달리, 학습이 진행될수록 신경망 층이 추가되는 독특한 아이디어가 제기됩니다. 모델의 성장을 안정적으로 유도하기 위하여 생성자와 판별자는 완벽한 대칭 형태로 설계됩니다. 시간이 지날수록 생성자의 출력부와 판별자의 입력부 방향에 신경망 층이 결합되며, 기존에 학습된 매개변수들은 유지됩니다.

✔ 그림 6-11 PGGAN의 학습 과정

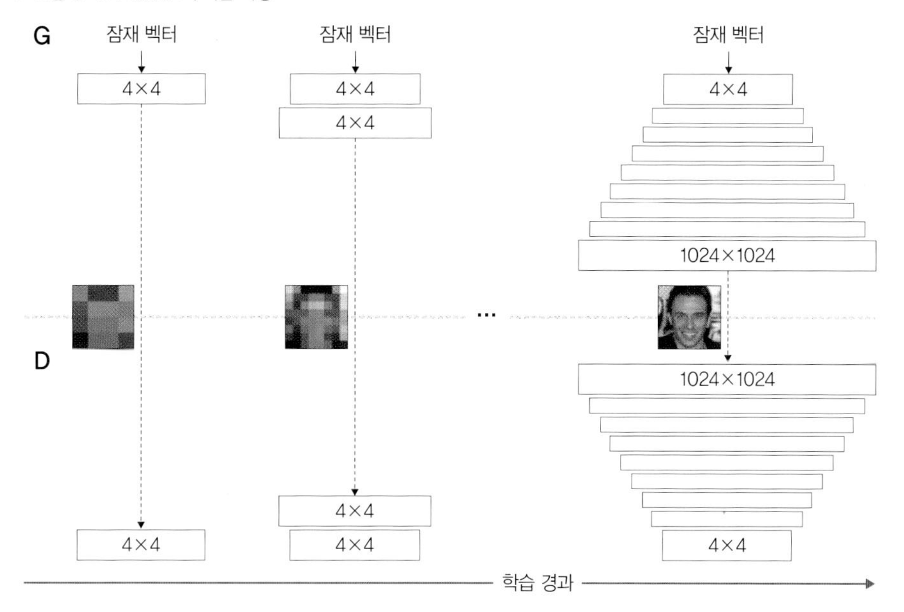

그림 6-11에서 x축 방향은 시간의 흐름을 나타냅니다. 초기에는 잠재 벡터를 입력받은 생성자가 아주 작은 사이즈의 이미지를 생성하고, 판별자는 생성된 이미지를 바탕으로 진위 여부를 가르며 매개변수가 업데이트됩니다. 이렇게 작은 이미지를 만들고 판별하며 모델은 이미지의 개괄적이고 추상적인 정보를 학습합니다. 작은 이미지를 주고받으며 충분히 모델이 학습된 후에는 이미지의 사이즈를 늘립니다. 생성자와 판별자의 한쪽 끝에 새로운 층이 결합하는 시점입니다. 이미지의 해상도가 높아짐에 따라 모델은 데이터 세트에 포함된 다양한 특성과 이 특성들의 정밀한 표현법을 파악합니다. 점진적 학습법은 데이터를 추상적인 영역에서 구체적인 영역으로 확장해간다는 점에서 아주 안정적이라는 큰 장점을 갖습니다.

점진적 학습이 갖는 또 다른 장점은 훈련 시간이 감소된다는 것입니다. 동일한 사이즈의 이미지를 생성하는 모델들에 대하여 비교 실험을 했을 때, 점진적으로 학습되는 이미지의 스케일을 키우는 모델이 그렇지 않은 기존 생성 모델보다 몇 배 이상 빠르게 학습합니다. 여기에서 말하는 빠른 학습 속도는 손실 함수가 특정 값으로 수렴하는 데 소요되는 시간이 적다는 것을 의미합니다. 연구에서는 모델의 구조를 단계적으로 변형하는 것뿐만 아니라, 기존과 다른 손실 함수를 사용한 점 또한 학습 속도 개선과 안정성 향상에 큰 도움을 주었다고 말합니다.

새로운 손실 함수: WGAN loss

PGGAN에서 사용된 손실 함수 설명에 앞서 생성적 적대 신경망에서의 손실 함수를 떠올려보겠습니다. 식은 다음과 같습니다.

$$L_{\text{adv}} = E_{x \sim p_{data}}[\log D(x)] + E_{z \sim p_z}\left[\log\left(1 - D\left(G(z)\right)\right)\right]$$

이 식에서 판별자는 로그 확률을 이용하여 진짜와 가짜를 구별합니다. 즉, 입력된 데이터의 진위 여부를 이진 분류라는 단순한 해결법으로 풀어냅니다. 이를 다른 관점으로 생각했을 때, 생성적 적대 신경망 알고리즘을 제안하는 과정에서 판별자의 진위 여부 판단을 회귀가 아닌 분류 문제로 가정했다는 점을 엿볼 수 있습니다. 분류는 회귀보다 문제를 간단하게 풀 수 있다는 장점을 갖지만, 반대로 정밀한 작업이 상대적으로 어렵습니다. 그리고 이미지의 해상도를 높이는 과정에서 이진 분류라는 기존의 설계는 개선해야 할 대상으로 인식됩니다.

위 식을 따라 학습할 경우 또 다른 문제가 발생합니다. 생성자는 손실 함수가 최소화되는 방향으로만 학습되므로, 이미지를 그리는 과정에서 데이터의 다양함을 표현하기보다 가장 손실이 적은 특징에만 집중합니다. 생성자가 판별자를 속이는 편법을 발견하며 이미지를 생성하는 과정에 최빈 값 붕괴가 관찰됩니다. 기존 손실 함수에서 다양성을 인식하여 계산하는 과정이 요구됩니다.

이러한 문제를 해결하기 위해 WGAN(WassersteinGAN)이 제안됩니다. WGAN은 모델 학습 과정에서 발생하는 문제의 책임이 판별자에 있다고 주장하며, 진짜 이미지와 생성된 이미지를 구별하는 관점을 바꿔 접근합니다. 다음은 새로 제안된 WGAN loss입니다.

$$L_{\text{WGAN}} = E_{x \sim P_r}[C(x)] - E_{\tilde{x} \sim P_g}[C(\tilde{x})]$$

여기서 p_r은 실제 데이터 x의 분포를, p_g는 생성자에서 만들어진 데이터 $\tilde{x}$의 분포를 의미합니다. GAN의 손실 함수와 달리 WGAN의 손실 함수는 두 분포 간의 거리를 측정합니다. 생성된 전체 이미지의 분포가 실제 이미지의 분포와 유사해야 전체 손실 값이 줄어들기 때문에 이 함수는 생성자가 다양한 이미지를 생성하도록 격려합니다.

앞의 식에서 C는 비평자(Critic)를 의미하며, WGAN에서 판별자의 한계를 극복하기 위해 제안된 모델입니다. 비평자의 출력은 1-Lipschitz 조건을 따르며, 함수 f에 대하여 다음과 같이 표현될 수 있습니다.

$$|f(x_1) - f(x_2)| \leq |x_1 - x_2|$$

값을 0 또는 1만 출력하는 판별자와 달리, 비평자는 1-Lipschitz 연속성에 따라 -1과 1 사이의 구간에서 값을 출력하게 됩니다. 이는 비평자의 출력이 너무 단순하지 않으며, 동시에 범위가 제한되기에 입력된 데이터에 대해 민감하게 반응하지 않도록 합니다. 손실 함수와 비평자 모델 모두 학습 중 안정성을 향상시키고 최빈 값 붕괴를 방지하여 GAN보다 발전된 결과물을 생성할 수 있도록 해법을 제안합니다.

▼ 그림 6-12 PGGAN으로 생성한 고해상도 이미지(출처: Progressive growing of gans for improved quality, stability and variation(ICR2018))

이외에도 PGGAN에서는 픽셀별 정규화 작업을 수행하고, 미니 배치마다 표준 편차를 계산하여 배치 내 연관성을 추론하는 등 학습의 개선을 위한 다양한 시도들이 제안됩니다. 결과적으로 CelebA-HQ 데이터 세트를 활용하여 그림 6-12와 같이 우수한 결과를 만들어내는 데 성공했습니다. PGGAN 이후로 이미지 고해상도 변환은 생성 분야의 새로운 길을 개척합니다.

6.2.2 StyleGAN

이미지의 스타일을 바꾸려는 시도는 스타일 전이, CycleGAN과 StarGAN 등 여러 번 있었고 그 당시 모두 신선한 충격을 줄 정도로 좋은 결과를 보였습니다. 그러나 이미지에 단순한 특징을 바꾸는 것을 넘어서서, 변형할 특징의 강도까지 조절할 수 있다면 더욱 일반적인 인공지능 기술을 구현할 수 있습니다. StyleGAN은 조절 가능한 스타일 변형 기술을 도입하였습니다.

StyleGAN의 특징

StyleGAN은 PGGAN 고해상도 이미지 생성 능력에 스타일 조절 기능을 더하여, 각 이미지의 디테일한 부분까지 세밀하게 조절할 수 있는 능력을 가지고 있습니다. 이는 이미지의 텍스처, 형태, 색상 등의 스타일을 독립적으로 제어함으로써 더욱 사실적이고 다양한 결과를 생성할 수 있게 해줍니다. 비록 PGGAN을 기반으로 생성자가 설계되었지만, 이 모델의 생성자는 지금까지 우리가 본 것보다는 다소 복잡한 구조를 갖고 있습니다. 다음은 StyleGAN 논문에서 소개된 모델 구조 그림입니다.

▼ 그림 6-13 기존 생성적 적대 신경망과 StyleGAN의 생성자 구조 비교

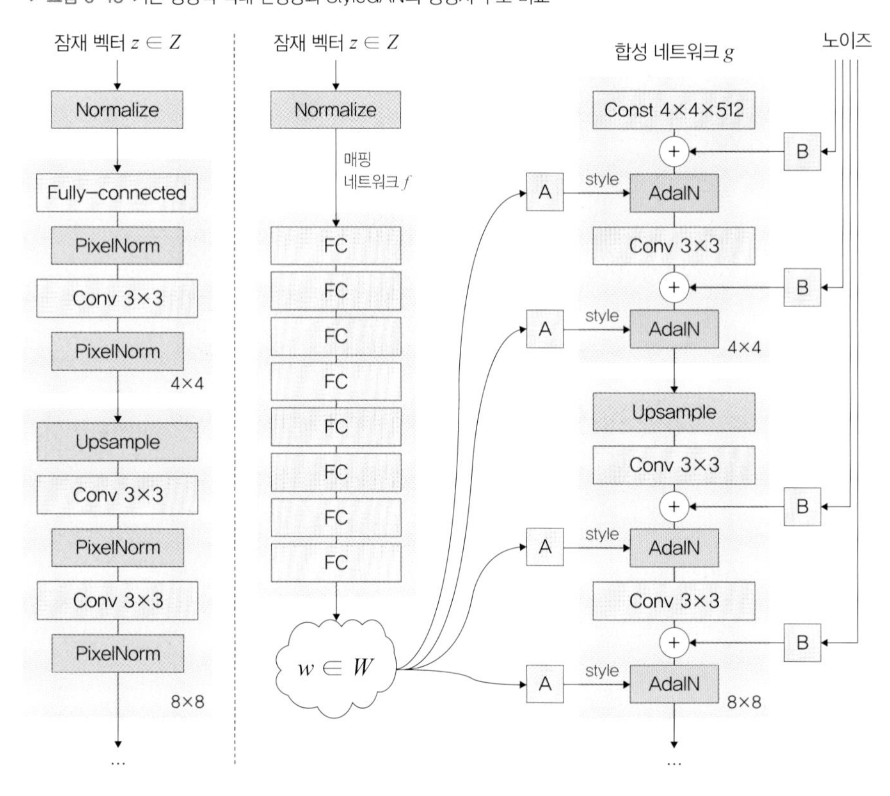

좌측은 일반적인 생성 모델의 생성자입니다. 모델마다 구조가 약간씩 다르지만, 전반적으로 이미지가 생성되는 과정은 대동소이합니다. 단일 신경망으로 구성된 생성자에 잠재 벡터를 입력하고, 여러 층의 합성곱 층을 통과시켜 이미지를 출력하는 것이 이에 해당합니다. 그러나 StyleGAN의 생성자는 복수의 신경망으로 이루어지며, 여러 개의 서로 다른 입력 값을 전달받아 이미지를 생성합니다. 생성되는 이미지의 전신도 잠재 벡터가 아닌 상수(const)라는 점이 돋보입니다. 이번 파

트에서는 StyleGAN을 구성하는 두 신경망, 매핑 네트워크(mapping network)와 합성 네트워크(synthesis network)의 구조 및 모델의 작동 원리를 살펴보겠습니다.

매핑 네트워크

기존의 생성적 적대 신경망은 잠재 벡터 z를 입력받아 이미지로 재구성합니다. 일반적으로 이 벡터는 가우시안 분포를 따르며 이미지의 기반이 됩니다. 그러나 세상에 존재하는 모든 데이터가 가우시안 분포를 따르는 것이 아니기에, 잠재 벡터로 이미지를 생성하는 과정이 정교한 이미지 생성에는 방해가 될 수 있습니다. 특히 이미지의 세부적인 표현을 하는 과정에서 가우시안 분포의 특징이 데이터 내 여러 속성 간 혼선을 야기할 수 있습니다. 연구자들은 이러한 혼선을 엉킴(disentaglement)이라고 표현합니다. 다음 그림으로 이 상태를 조금 더 자세히 들여다보겠습니다.

▼ 그림 6-14 기상 데이터의 상관 관계

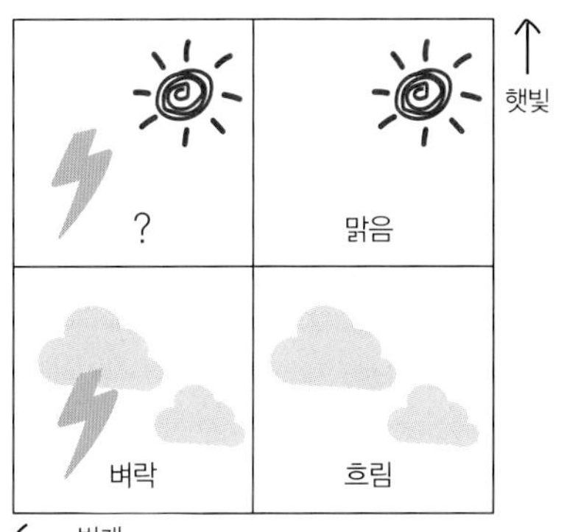

날씨와 하늘의 풍경을 바탕으로 이미지를 촬영한 데이터 세트를 통해 이들 간의 분포를 도식화시켜 그림 6-14처럼 표현했습니다. 이때 가로축을 번개가 치는 빈도로, 세로축을 햇빛의 밝기로 표현한다면 네 가지 경우가 발생합니다.

이 중 맑은 날과 벼락이 치는 날, 흐린 날은 우리가 보유한 데이터 세트 안에 충분히 촬영되었을 것입니다. 그러나 햇빛도 강하고 번개도 자주 치는 날의 데이터는 '마른 하늘에 날벼락 치듯' 드문 현상이므로 데이터 세트 내부에 없거나 적은 양만 촬영되었을 것으로 추정됩니다. 이처럼 우리가 일상에서 관찰하는 여러 현상들을 독립적으로 고려하여 다른 현상과 상관성을 파악해볼 때, 발생 가능한 모든 경우가 동등한 확률로 일어나지 않습니다. 또한 특정 현상들은 다른 현상과 높은 확률로 함께 발생하거나 그 반대일 수도 있습니다. 이 예시는 자연 상태에서 얻는 데이터들의 엉킴을 설명합니다.

그렇기에 우리는 데이터 세트 내 다양한 속성 간 엉킴 상태를 인지하고, 신경망을 통하여 이들 간의 결합을 분리해주어야 합니다. 엉킨 덩어리 속 혼재된 특징을 개별 속성으로 분리하기 위한 신경망이 바로 매핑 네트워크입니다. 매핑 네트워크는 잠재 벡터를 입력받아 이를 정규화시킨 후 신경망에 통과시킵니다. 신경망은 완전 연결 층이 여러 겹 쌓여 만들어지며, 각 층에는 비선형 활성화 함수가 있어 복잡한 데이터 구조를 풀어나가는 역할을 담당합니다. 매핑 네트워크를 통과한 잠재 벡터 w는 엉킴의 구조를 조금 더 명확하게 파악하기에, 네트워크를 통과하지 않은 가우시안 분포 z보다 현실 데이터의 분포를 더 잘 반영합니다.

다음 그림은 데이터 간의 분포를 표현합니다.

▼ 그림 6-15 실제 데이터 분포와 가우시안 분포, 매핑 네트워크를 통해 재구성된 분포(출처: A Style-Based Generator Architecture for Generative Adversarial Networks(CVPR2019))

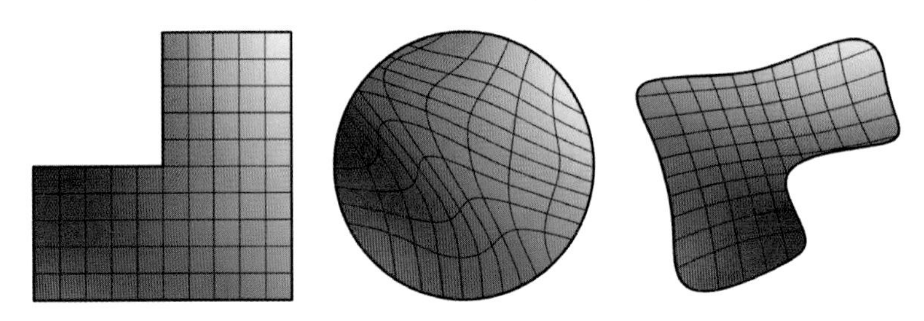

가장 왼쪽은 현실 세계 데이터 분포를 의미한다고 가정하겠습니다. 기존의 생성 모델들은 잠재 벡터로 표현된 가우시안 분포(가운데)를 조작하여 현실 데이터의 분포를 근사하게 만들 수 있다고 가정했기에 정밀한 표현이 불가능했습니다. 또한 StarGAN 등 이미지-이미지 변환에서 엉킴 문제가 관찰되기도 했습니다. 특정 인물의 성별을 반대로 바꿀 시 안면의 근골격상 특징이 변할 뿐만 아니라 수염, 머리 길이 등 간접적으로 성별을 표현할 수 있는 특성들이 새로 추가되거나 제거되는 현상이 간혹 나타났습니다.

그렇기에 단순히 가우시안 분포를 따르는 잠재 벡터를 바로 사용하지 않고, 엉킴을 해결할 수 있는 매핑 네트워크를 거쳐 사용하는 접근법이 고안된 것입니다. 이 네트워크를 통과한 벡터 w(우측)는 가우시안 분포보다 현실 데이터의 특징을 더 잘 파악할 수 있습니다. 이 벡터는 이미지를 생성하는 과정에서 단계적으로 입력됩니다. 생성될 이미지의 기반 구조로 사용되지는 않지만, 단계마다 생성되는 이미지의 스케일에 따라 이에 맞는 수준의 디테일을 부여하는 셈입니다.

StyleGAN에서는 이미지를 사실적으로 묘사하기 위하여 트렁케이션 트릭(truncation trick)을 사용합니다. 데이터를 분포라는 관점에서 바라볼 때, 모델이 이미지를 학습하며 밀도가 높은 특징은 훌륭하게 그려냅니다. 반면 데이터가 부족하여 충분히 학습하지 못한 특징에 대해서는 불완전하고 낮은 품질의 이미지를 생성하게 됩니다. 데이터의 수를 늘린다는 이상적인 해결책은 현실적으로 반영하기에 어려움이 큽니다. 이에 대한 대안 중 하나는 샘플을 추출할 데이터 공간을 축소시키거나 잘라내는(truncation) 것입니다. 의도적으로 데이터 공간을 줄일 경우 영역이 줄어든 만큼 이미지 표현의 다양성은 줄어들 수 있습니다. 그러나 저품질 이미지 생성을 방지할 수 있기에 품질을 높이기엔 훌륭한 선택지가 될 수 있습니다.

합성 네트워크

특정 행렬을 전달받아 이미지를 그려내는 실질적 생성자의 역할은 합성 네트워크가 담당합니다. 앞서 그림 6-13에서 표현된 모델의 입력부를 살펴보면 잠재 벡터 대신 행렬이 표현되어 있습니다. 여기서 Const는 상수를 의미하며, 4×4×512는 해당 벡터의 사이즈를 의미합니다. 이 상수 벡터는 임의의 값을 바탕으로 생성된 것이 아닌, 학습된 결과물입니다. 이 상수 벡터가 이미지를 구성할 뼈대가 됩니다.

PGGAN의 생성자와 마찬가지로, 이 네트워크는 점진적으로 학습됩니다. 처음에는 4×4의 작은 이미지를 생성하지만, 학습이 충분히 이루어졌을 시 가로와 세로 사이즈가 두 배 증가된 이미지를 생성할 수 있도록 여러 신경망 층으로 구성된 블럭이 추가됩니다. 이 블럭 내 신경망 층은 다음과 같은 순서로 이루어집니다.

1. **업샘플링**(upsample): 이전 블럭에서 생성한 데이터의 가로와 세로를 두 배 늘려줍니다.
2. **노이즈 첨가**(gaussian noise addition): 가우시안 분포에서 추출한 노이즈 표본(B)을 특징 맵의 원소에 더해줍니다.
3. **적응형 인스턴스 정규화**: AdaIN(Adaptive instance normalization)을 수행하는 층입니다.
4. **3×3 합성곱 층 통과**: 커널 사이즈가 3인 합성곱 층입니다.
5. **적응형 인스턴스 정규화**

여기서 AdaIN이란 이미지 생성 중 이미지 변환에 주로 사용되는 방법 중 하나입니다. AdaIN의 핵심 아이디어는 콘텐츠 이미지의 내용을 유지하면서 스타일 이미지의 스타일을 전달하는 것입니다. 이를 위해, AdaIN은 인스턴스 정규화를 조정하여 특정 스타일을 적용합니다. 한 블록 안에 AdaIN이 두 번 반복되며, 매핑 네트워크의 결과물인 벡터 w를 이용하여 이미지 스타일 변환 시 영향을 줍니다. 수식은 다음과 같습니다.

$$AdaIN(\mathrm{x}_i, \mathrm{y}) = \mathrm{y}_{s,i}\frac{\mathrm{x}_i - \mu(\mathrm{x}_i)}{\sigma(\mathrm{x}_i)} + \mathrm{y}_{b,i}$$

- x_i: 생성된 특징 맵의 i번째 층
- y: 매핑 네트워크를 통과한 벡터 w를 선형 변환한 스타일 벡터($y=[y_s, y_b]$)

AdaIN 수식은 매우 단순합니다. 특징 맵의 각 깊이별 층에 대하여 평균을 뺀 것을 표준 편차로 나누는 정규화 과정을 먼저 수행합니다. 그 후 스타일 벡터의 원소와 연산을 합니다. 이 결과로 이미지가 점진적으로 사이즈를 불려나가며 학습될 때 매핑 네트워크의 결과물이 스타일에 변화를 줄 수 있습니다. 추가로 이미지 스타일에 영향을 주는 요인이 하나 더 있습니다. B로 표현되는 가우시안 분포의 표본들이 이에 해당합니다. 이 분포의 표본은 특징 맵의 사이즈와 동일하게 변형되며, 특징 맵 행렬 내 같은 위치 원소들과 더해집니다. 이 표본을 변형시키는 과정에 사용되는 매개변수는 학습이 가능합니다.

이렇게 구성된 생성자를 통해 이미지가 점진적으로 학습됩니다. 처음에는 4×4 규격의 이미지가 생성되지만, 해당 사이즈에서 학습이 포화되면 생성자에 블럭이 추가되고 가로 세로 사이즈가 두 배씩 증가합니다. 최종적으로는 블록이 8번 더해져 1024×1024의 고해상도 이미지가 생성됩니다. 이미지의 표현을 변경하기 위해서는 모델에 입력되는 노이즈, 잠재 벡터의 시드 값 등 수치를 조절하면 됩니다. 자세한 이미지 변경 작업은 이어지는 실습에서 함께 체험해보겠습니다.

텐서플로를 이용한 StyleGAN2 실습

StyleGAN2[2]는 StyleGAN을 바탕으로 개선시킨 모델입니다. 두 모델 모두 NVIDIA에서 연구되어 발표되었으며, 고해상도 이미지를 다양하게 생성하기 위한 것이 특징입니다. 다만 StyleGAN2에서는 몇 가지 개선점들이 있습니다. 그 중 가장 큰 개선점은 StyleGAN에서 생성되는 원인 모를 노이즈를 밝혀내고 제거한 것입니다.

아티팩트(artifact)는 이미지나 데이터에 나타나는 원치 않는 변형이나 오류를 의미합니다. 디지털 이미지에서의 아티팩트는 일반적으로 압축, 처리, 전송 과정에서 발생하는 비자연스러운 패턴이나 왜곡입니다. 예를 들어 이미지가 과도하게 압축될 때 생기는 블록 현상, 색상의 왜곡, 노이즈 등이 아티팩트의 예입니다. GAN과 같은 생성 모델에서는 학습 데이터의 부족이나 모델의 구조적 문제로 인해 생성된 이미지에 비정상적인 패턴이나 왜곡이 나타날 수 있습니다. StyleGAN2는 이러한 아티팩트를 줄이기 위하여 아키텍처와 훈련 방법에 변화를 주었습니다. 또한, 이미지의 품질을 개선하고, 이미지를 훈련시키는 속도도 개선하였습니다.

---

2 논문은 https://arxiv.org/abs/1912.04958에서 확인할 수 있습니다.

StarGAN과 마찬가지로 nnabla 라이브러리에서 제공하는 모델과 가중치를 다운로드 및 설치하여 실습을 시작해보겠습니다. 다음은 pip와 깃을 이용하여 필요한 파일들을 다운로드하는 코드입니다.

```
!pip install nnabla-ext-cuda116
!git clone https://github.com/sony/nnabla-examples.git
```

앞의 코드들이 실행되었다면 반드시 세션을 초기화해줍시다. **런타임 > 런타임 다시 시작**을 클릭한 후, 다음 코드를 이어서 실행합니다. 다음 코드에서는 디렉터리를 이동한 후 사전 학습된 StyleGAN2 가중치를 다운로드하겠습니다.

```
%cd nnabla-examples/image-generation/stylegan2
!wget https://nnabla.org/pretrained-models/nnabla-examples/GANs/stylegan2/styleGAN2_G_
params.h5

from generate import * # ①
from IPython.display import Image, display

dl_context = get_extension_context("cudnn") # ②
nn.set_default_context(dl_context)          # ③
layer_count = 18          # ④
save_dir = 'results'      # ⑤

nn.load_parameters("styleGAN2_G_params.h5")
```

이후 이미지 시각화를 위한 IPython 라이브러리와 ① nnabla에서 제공하는 generate 함수를 불러옵니다. ② get_extension_context 함수는 CUDA DNN 라이브러리를 사용하여 딥러닝 연산을 가속화하기 위한 설정을 제공합니다. ③ set_default_context 함수는 nnabla의 컨텍스트를 설정하여 모든 딥러닝 연산이 라이브러리의 기본 컨텍스트에 종속되도록 변경하는 역할을 담당합니다. ④ layer_count는 StyleGAN2에서 사용될 층의 수를 설정합니다. ⑤ 이어서 이미지가 저장될 디렉터리를 results로 설정하고, 학습된 매개변수를 불러옵니다.

StyleGAN의 가장 큰 특징은 우리가 이미지 생성을 직접 제어할 수 있다는 점입니다. 다음 코드는 주요 변수를 설정하는 부분입니다.

```
base_seed = 228
truncation_psi = 0.23
additive_seed = 195
image_num = 2
```

- base_seed: 이 변수는 잡음 입력을 생성하기 위한 시드(z) 값으로 사용됩니다. 시드 값은 난수 발생기에 초기 값으로 제공되며, 동일한 시드 값은 항상 동일한 난수 시퀀스를 생성합니다. 여기서 228이라는 값은 임의로 설정되었으며 StyleGAN2 모델이 생성할 이미지의 거친 스타일(예 전체적인 형태나 구조)에 영향을 줍니다.
- truncation_psi: StyleGAN2의 'truncation trick'에 사용되는 값입니다. 앞서 설명했듯이 기법은 생성된 이미지의 품질을 개선하기 위해 이미지 표본 공간 사이즈를 조정합니다. 값이 낮을수록(예 0에 가까울수록) 더 현실적이지만 다양성이 떨어지는 이미지가 생성됩니다. 이 값은 0과 1 사이의 값으로 설정해주어야 합니다.
- additive_seed: 이 변수는 모델에 추가적인 확률론적 변동성을 도입하기 위해 사용되는 또 다른 난수 시드입니다. 이 시드 값은 이미지의 세밀한 스타일(예 질감이나 색상 변화)에 영향을 미칩니다.
- image_num: 생성할 이미지의 수를 정의합니다. 이 경우, 모델은 2장의 이미지를 생성하도록 설정됩니다.

이제 설정된 변수를 바탕으로 이미지를 그려보겠습니다. 다음 코드는 위에서 설정한 값을 바탕으로 이미지를 생성하는 과정입니다.

```
random_gen = np.random.RandomState(base_seed)
latent_input = random_gen.randn(image_num, 512)

nn.set_auto_forward(True)

gen_noise = nn.NdArray.from_numpy_array(latent_input)
noise_list = [gen_noise for _ in range(2)]

gen_output = generate(image_num, noise_list, additive_seed, mix_after=7, truncation_
psi=truncation_psi)

output_images = convert_images_to_uint8(gen_output, drange=[-1, 1])

for i in range(image_num):
    file_name = f'noise_seed{base_seed}_{i}.png'
```

```
    imsave(file_name, output_images[i], channel_first=True)
    display(Image(file_name, width=512, height=512))
```

앞서 선언한 몇 가지 변수를 바탕으로 np.random.RandomState와 random_gen.randn, nn.NdArray.from_nupy_array 함수에서는 노이즈 벡터들을 생성합니다. 이 값들이 StyleGAN2 모델에 입력되면 nn.set_auto_forward를 통해 순전파 연산이 촉진됩니다. generate 함수는 앞서 만들어진 노이즈 벡터들과 이미지 수, truncation 값 등을 매개변수로 받아 이미지를 출력합니다. 생성된 이미지는 가로 세로 사이즈가 512픽셀이며 png 형식으로 저장됩니다. 앞서 선언한 변수들의 값을 수정하면 각기 다른 이미지를 얻을 수 있습니다.

실행하면 다음과 같은 결과가 출력됩니다.

▼ 그림 6-16 출력 결과: StyleGAN 실행 결과 생성된 이미지

인물 이미지가 아주 멋지고 사실적으로 생성되었습니다. 우리가 직접 몇 가지 노이즈를 조절하였을 때 이미지의 표현이 달라지는 것도 확인할 수 있었습니다. 앞에서는 노이즈 벡터 z를 하나만 사용하여 이미지를 만들었지만, 두 개를 사용한다면 두 가지 스타일의 특징을 이미지에 반영할 수 있을 것입니다. 한 벡터를 통해 이미지의 거친 부분을 그려내고, 나머지 벡터는 이미지의 구체적인 특징을 묘사한다면 두 벡터를 모두 사용했을 때 이 특징들이 적절하게 혼합되었는지 확인할 수 있을 것입니다.

다음은 이미지를 생성하기 위한 몇 가지 변수를 선언하는 코드입니다. 앞서 실행한 코드의 변수 중 이름이 동일한 것은 설명에서 제외하였습니다.

```
primary_seed = 600
secondary_seed = 500
mix_after = 7
auxiliary_seed = 500
```

```
truncation_psi = 0.5
rough_batch_size = 2
fine_batch_size = 4
```

- primary_seed: 이 변수는 잡음 입력에 사용되는 첫 번째 난수 시드 값을 설정합니다. 이 값은 모델에서 이미지의 거친 특징(예 구조, 형태)을 결정하는 데 사용됩니다.
- secondary_seed: 또 다른 난수 시드입니다. 이 값은 이미지의 더 세밀한 특징(예 질감, 세부 디테일)에 영향을 미칩니다.
- mix_after: StyleGAN2에서 두 잡음 입력(주요 잡음과 보조 잡음)이 혼합되기 시작하는 층의 인덱스를 설정합니다. 예시 코드에서는 7번째 층부터 보조 잡음이 사용됨을 의미합니다. 최대 값은 17입니다.
- rough_image_num: 거친 스타일을 결정지을 이미지의 수를 설정합니다. 이 경우에는 2개의 이미지가 생성됩니다.
- fine_image_num: 세밀한 스타일을 결정지을 이미지의 수를 설정합니다. 이 경우에는 4개의 이미지가 생성됩니다. 두 가지 거친 스타일과 네 가지 세밀한 스타일을 섞어 총 8장의 스타일이 혼합된 이미지가 만들어집니다.

그리고 다음 코드를 사용하여 이미지 생성을 위해 노이즈 벡터를 만듭니다.

```
generator_1 = np.random.RandomState(primary_seed)
primary_noise = nn.NdArray.from_numpy_array(generator_1.randn(rough_batch_size, 512))

generator_2 = np.random.RandomState(secondary_seed)
secondary_noise = nn.NdArray.from_numpy_array(generator_2.randn(fine_batch_size, 512))

nn.set_auto_forward(True)
```

- generator_1, generator_2: RandomState 클래스에 primary_seed와 secondary_seed를 입력하여 난수 벡터 생성기를 초기화합니다.
- primary_noise, secondary_seed: 두 난수 벡터 생성기를 바탕으로 생성된 랜덤 벡터입니다.

마지막으로 코드는 모델을 통한 이미지 생성 및 추론을 진행합니다.

```
mixed_images = []
for i in range(rough_batch_size):   # ①
    column_images = []
```

```
    for j in range(fine_batch_size):
        mixed_noises = [F.reshape(primary_noise[i], (1, 512)), F.reshape(secondary_
noise[j], (1, 512))] # ②
        output_rgb = generate(1, mixed_noises, auxiliary_seed, mix_after,
truncation_psi)      # ③
        column_images.append(convert_images_to_uint8(output_rgb, drange=[-1, 1])
[0]) # ④
    column_images = np.concatenate([img for img in column_images], axis=2)  # ⑤
    mixed_images.append(column_images)
mixed_images = np.concatenate([img for img in mixed_images], axis=1)

noises_primary = [primary_noise, primary_noise] # ⑥
output_primary = generate(rough_batch_size, noises_primary, auxiliary_seed, mix_after,
truncation_psi)  # ⑦
primary_image = convert_images_to_uint8(output_primary, drange=[-1, 1])
primary_image = np.concatenate([img for img in primary_image], axis=1)

noises_secondary = [secondary_noise, secondary_noise]   # ⑧
output_secondary = generate(fine_batch_size, noises_secondary, auxiliary_seed,
mix_after, truncation_psi)
secondary_image = convert_images_to_uint8(output_secondary, drange=[-1, 1])
secondary_image = np.concatenate([img for img in secondary_image], axis=2)

blank_image = 255 * np.ones(output_secondary[0].shape).astype(np.uint8) # ⑨
combined_top_image = np.concatenate((blank_image, secondary_image), axis=2)
final_grid_image = np.concatenate((primary_image, mixed_images), axis=2)
final_grid_image = np.concatenate((combined_top_image, final_grid_image), axis=1)

imsave("stylegan2_grid.png", final_grid_image, channel_first=True)  # ⑩
display(Image("stylegan2_grid.png", width=256*(fine_batch_size + 1),
height=256*(rough_batch_size + 1)))
```

코드가 복잡해 보이지만 반복 적인 구조로 최종 이미지 그리드를 형성하는 과정을 담고 있습니다. 먼저 거친 스타일의 노이즈 벡터(primary_noise)에 대한 바깥쪽 루프와 세밀한 스타일의 노이즈 벡터(secondary_noise)에 대한 안쪽 루프를 사용하여 이미지를 반복적으로 생성합니다(①). 이때 primary_noise와 secondary_noise를 각각 하나씩 혼합하여 mixed_noises 배열을 생성하고(②), 이 배열을 사용하여 generate 함수로 이미지를 생성합니다(③). 생성된 이미지는 convert_images_to_uint8 함수를 통해 정규화된 범위([-1, 1]~[0, 255])의 8비트 이미지로 변환됩니다(④). 이렇게 변환된 이미지들은 np.concatenate를 사용하여 수평으로 연결되어 하나의 열을 형성하고, 모든 열은 최종적으로 수직으로 연결되어 mixed_images 배열에 추가됩니다(⑤).

다음으로 primary_noise를 두 번 포함하는 noises_primary 리스트를 사용하여 거친 스타일의 기본 이미지를 생성합니다(⑥). 이 이미지들은 또한 convert_images_to_uint8 함수로 정규화되고, np.concatenate를 통해 수평으로 연결됩니다(⑦). 비슷한 방식으로 secondary_noise를 두 번 포함하는 noises_secondary 리스트를 사용하여 세밀한 스타일의 보조 이미지를 생성합니다(⑧). 이 보조 이미지들도 정규화되어 수평으로 연결됩니다.

최종적으로 빈 이미지(blank_image)를 생성하고(⑨), 이를 secondary_image와 수평으로 연결하여 최상단에 위치시킵니다. 그다음 primary_image와 mixed_images를 수평으로 연결하고, 이를 combined_top_image와 수직으로 연결하여 최종 이미지 그리드를 형성합니다. 마지막으로 최종 이미지 그리드를 stylegan2_grid.png 파일로 저장하고(⑩), 이를 출력하여 시각적으로 표시합니다. 이 과정을 통해 생성된 이미지 그리드는 다양한 스타일의 변화를 가로축과 세로축에 따라 보여주는 풍부한 시각적 정보를 제공합니다. 생성된 이미지는 다음과 같습니다.

▼ 그림 6-17 출력 결과: StyleGAN 그리드 출력

좌측 세로 방향 두 이미지가 가로축 상단에 있는 세부적인 디테일을 섞으면 만들어지는 결과를 확인할 수 있습니다. 이렇게 StyleGAN은 노이즈에 따라 이미지의 특징을 정확하게 구분하고 이를 재생성하며, 심지어는 혼합까지 가능한 고화질 이미지 생성 모델을 구현해냈다는 점에서 매우 큰 의미가 있습니다.

6.3 스테이블 디퓨전

이미지 생성에 있어서 GAN과 양대 산맥을 이루는 디퓨전 모델이 있습니다. 그 중에도 매우 좋은 성능을 내고 있는 스테이블 디퓨전 모델이 등장하기까지의 배경을 살펴보고, 디퓨전 모델이 갖는 강점과 그 원리를 실제 사용 가능한 코드와 함께 살펴봅니다.

6.3.1 디퓨전 모델

디퓨전 모델은 물리학에서 물질의 확산 과정을 기술하는 데 사용되는 개념에서 착안하여 개발된 생성 모델입니다. 이를 인공지능 및 기계 학습 분야에 도입함으로써, 데이터의 복잡한 구조와 패턴을 단계적으로 모델링하는 것이 가능해졌습니다.

물리학에서의 확산은 분자나 원자의 무작위 운동에 의해 발생하는 현상으로 이해됩니다. 물질의 확산은 대개 높은 농도에서 낮은 농도로 일어나며, 이러한 이동은 분자나 원자 간의 에너지 불균형 때문에 발생합니다. 예를 들어 물이 들어있는 컵 안에 검은 잉크를 한 방울 떨어뜨린 상황을 생각해봅시다.

▼ 그림 6-18 잉크가 확산되고 있는 물컵

잉크나 물의 분자는 끊임없이 불규칙하게 운동합니다. 한 곳에 모여 있던 잉크 분자들은 서서히 퍼져나가 균일한 농도를 맞추게 되는데, 이를 확산이라고 부릅니다. 그렇다면 이 과정의 정반대 과정도 생각해봅시다. 시간이 거꾸로 흐른다면 컵에 담겨 있던 잉크 분자들이 다시 한 점으로 모이는 것이 가능하지 않을까요?

이와 유사한 원리를 데이터 공간에 적용한 것이 디퓨전 모델입니다. 디퓨전 모델에 대해서 자세히 알아봅시다.

디퓨전 모델의 학습

디퓨전 모델은 이미지 데이터에서 확산의 과정을 단계적으로 모방하면서, 각 단계에서의 노이즈를 통해 원본 데이터의 분포를 점진적으로 변화시킵니다. 그리고 점진적으로 변화시키는 과정의 반대 과정을 해낼 수 있도록 모델을 학습시키는 원리로 이미지를 생성해냅니다. 이러한 각 과정은 정방향 변환(forward process)과 역방향 변환(reverse process)로 나눠서 생각해볼 수 있습니다. 좀 더 구체적인 과정을 생각해보았을 때, 각 과정은 다음과 같습니다.

정방향 변환

정방향 변환은 이미지에 표준 정규 분포를 갖는 랜덤 노이즈를 순차적으로 더해가는 단계를 의미합니다. 이는 앞서 이야기한 일종의 확산 과정으로써 노이즈를 더해감에 따라 점차 이미지의 형태를 알아볼 수 없게 됩니다. 여기서 노이즈를 더해가는 각 단계의 이미지를 인공지능 모델 학습에 사용하게 됩니다. 예를 들어, 주어진 고양이 이미지를 x_0라 하고 랜덤 노이즈를 t회 더한 이미지를 x_t라 하면, 노이즈를 점차 더해감에 따라 고양이의 이미지를 점점 알아볼 수 없게 될 것입니다. 노이즈를 더하는 과정을 총 T회 반복한다고 할 때, 다음과 같이 나타냅니다.

$$x_0 \rightarrow x_1 \rightarrow \cdots \rightarrow x_{T-1} \rightarrow x_T$$

▼ 그림 6-19 고양이 이미지에 랜덤한 노이즈를 추가하는 정방향 변환

해당 과정에서는 랜덤 노이즈를 사용하기 때문에, 학습할 모델이 존재하지 않습니다. 또 이미지 $x_t(0<=t<=T)$는 모두 같은 차원을 갖습니다. 랜덤 노이즈의 중첩되는 합산은 수학적으로 더 큰 노이즈를 한 번 더한 것과 같은 효과를 가져오며, 점점 이미지의 형태를 알아볼 수 없게 만듭니다. 그리고 바로 해당 x_t를 역방향 변환을 통해 모델 학습에 사용하게 됩니다.

역방향 변환

이미지를 생성하는 주 과정은 해당 역방향 변환으로 이뤄지게 됩니다. 역방향 변환은 노이즈 제거(denoising) 과정이라고도 부르며, 정방향 변환의 반대 과정을 나타냅니다. 즉, 정방향 변환이 이미

지의 본래 정보를 잃게 하는 확산 과정이었다면, 역방향 변환은 점차적으로 확산된 정보를 복구하는 역 확산 과정입니다.

이 과정에서는 이미지 x_T부터 시작하여 원래의 이미지 x_0으로 거슬러 올라갑니다. 이때 목표는 각 단계에서 손실된 정보를 원래대로 복원하는 것입니다.

$$x_T \rightarrow x_{T-1} \rightarrow \cdots \rightarrow x_1 \rightarrow x_0$$

▼ 그림 6-20 손상된 이미지를 다시 고양이 이미지로 복원하는 역방향 변환

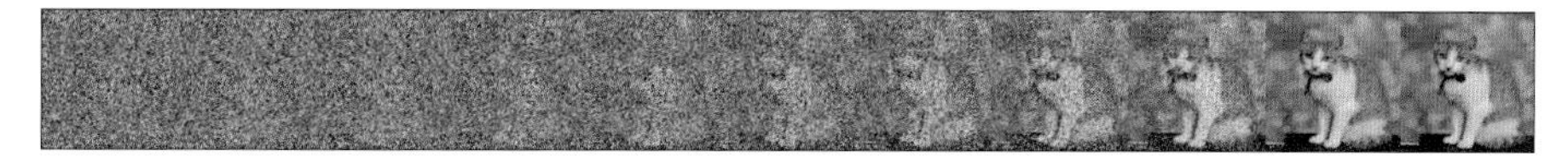

복원 모델을 학습시키기 위해 각 과정에서는 정방향 변환에서 만들어진 이미지를 사용합니다. 각각의 이미지 x_t는 원본 이미지에 랜덤 노이즈를 더해서 만들었기 때문에, 마르코브 체인 정리에 따라 노이즈를 더하기 바로 이전 단계부터만 영향을 받습니다. 따라서 복원 모델은 이미지를 한 번에 복원시키기보다는 랜덤 노이즈에 가까운 이미지 x_T부터 시작하여 이미지를 한 차례씩 복원하여 처음 이미지 x_0를 만들어내도록 데이터를 학습합니다. 즉, 각 과정에서 x_t를 보고 x_{t-1}을 예측하게 됩니다. 이렇게 학습된 모델은 알아볼 수 없는 노이즈를 특정 명확한 대상에 대한 이미지(예 고양이)로 만들어내는 이미지 생성 모델로 동작하게 됩니다.

이렇게 만들어진 모델을 디퓨전 모델이라 부릅니다. 디퓨전 모델의 핵심 아이디어는 단순한 초기 분포(예 랜덤 가우시안 분포) 이미지를 입력으로 하여, 여러 단계의 역방향 변환 과정을 거쳐 원본 데이터의 복잡한 분포의 이미지로 만드는 것입니다. 이러한 점진적인 접근 방식은 모델이 데이터의 내재된 구조를 더 효과적으로 생성하도록 도와줍니다. 더 나아가서는 각 상황에 맞는 이미지를 생성하도록 학습이 이루어지게 됩니다. 이렇게 되면 간단한 밑그림을 완성된 그림으로 변형시켜 주거나, 이미지를 설명하는 문장만으로도 이미지를 생성할 수 있게 됩니다.

디퓨전 모델은 주로 고해상도 이미지를 생성하거나 변형하는 데 사용됩니다. 앞서 살펴본 생성적 적대 신경망(GAN)이나 변분 오토 인코더(Variational Autoencoder, VAE)와 같은 다른 생성 모델과 비교했을 때, 원하는 이미지를 생성하는데 시간은 다소 더 오래 걸리지만 고해상도 이미지와 다양한 데이터 타입과 구조에 대한 높은 유연성을 보입니다. 이미지 생성에 있어 인공지능 모델들은 특정 부분에 강점을 가지게 되는데, 각각의 강점은 대략 다음과 같습니다.

▼ 그림 6-21 이미지 생성 모델의 종류별 특성

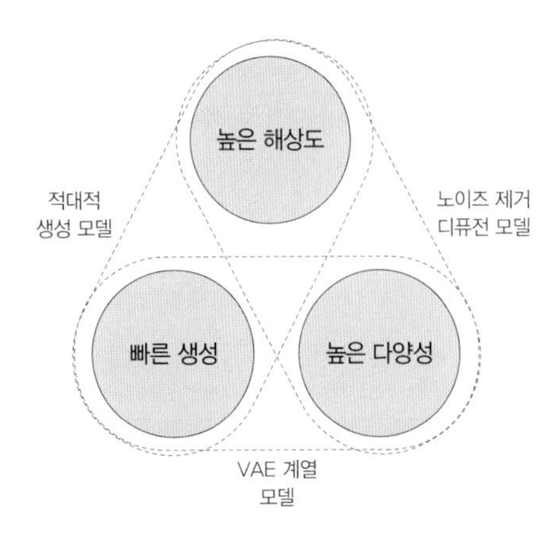

텍스트와 이미지의 연결

사용자가 원하는 다양한 이미지를 만들어 낼 수 있도록 다양한 인공지능 모델이 만들어지면서, 다양하게 주어지는 텍스트로부터 적절한 이미지를 만들기 위한 시도가 이루어지게 됩니다. 이미지를 다루는 인공지능이 이미지 생성, 이미지 분류, 객체 탐지, 등 각 분야에서 빠른 속도로 발전하는 동안, 자연어를 다루는 인공지능 역시, 트렌스포머를 기반으로 아주 빠른 발전이 이루어지게 됩니다. 이에 따라 자연어와 이미지를 같이 처리할 수 있는 모델들이 제안되기 시작합니다. 이는 다양한 종류의 데이터를 다룬다고 하여 '멀티 모달(multi modal)'이라 지칭합니다.

CLIP

다양한 분야에서 멀티 모달 기법이 만들어지던 중에 OpenAI에서는 CLIP(Contrastive Language-Image Pre-Training)이라는 모델을 제안합니다.

CLIP은 OpenAI에서 개발한 모델로 ViT와 트랜스포머의 텍스트 인코더를 결합하여 텍스트와 이미지를 함께 학습하는 방식을 사용합니다. 이미지와 텍스트 사이의 관계를 학습하여 이미지에 대해 매우 뛰어난 이해도를 나타내며, 시각화에 대해서 다양한 조절도 가능하게 만들어줍니다. CLIP의 특징은 다음과 같습니다.

- **언어와 이미지 연결**: CLIP은 이미지와 텍스트를 같이 학습하여 이미지와 텍스트의 관계를 이해합니다.
- **대량의 데이터 학습**: 인터넷에서 수집한 대량(약 4억 개)의 이미지와 텍스트 데이터를 사용하여 훈련되었습니다.

- **제로샷 학습**: CLIP은 언어와 이미지의 연관성을 파악하여 처음 보는 종류의 이미지에 대해서도 해당 이미지가 무엇인지 구분할 수 있는 능력을 갖추고 있습니다.
- **다양한 시각화 작업에 적용**: 이미지 분류, 객체 감지, 텍스트에서의 이미지 생성 등 다양한 시각화 작업에 CLIP 모델을 활용할 수 있습니다.

이미지를 텍스트로 설명하고, 다시 텍스트를 보고 이미지를 떠올리는 작업은 사람에게도 쉬운 작업이 아닙니다. 그렇다면 어떻게 이미지와 텍스트를 연결해서 이해할 수 있는 강력한 능력을 갖추게 되었는지 CLIP 모델의 학습 구조를 살펴보겠습니다.

CLIP의 학습 구조

CLIP 모델 학습의 핵심 원리는 그 이름(Contrastive Language–Image Pre-Training)에 맞게 '대조적 학습(Contrastive Learning)'에 기반합니다. 각각의 데이터는 이미지와 그에 대한 상세한 설명이 레이블로 연결되어 있습니다.

▼ 그림 6-22 이미지와 이미지를 설명하는 레이블

The man at bat readies to swing at the pitch while the umpire looks on.

A large bus sitting next to a very tall building.

학습 과정에서는 이미지와 텍스트 쌍을 긍정 레이블로, 서로 매칭되지 않는 이미지와 텍스트 쌍을 부정 레이블로 간주합니다. 학습 과정에서는 각각의 텍스트 인코더와 이미지 인코더가 자연어와 이미지의 임베딩 벡터를 연산해내는데, 여기서 긍정 레이블의 거리를 줄이고, 부정 레이블의 거리를 늘리는 방식으로 이미지와 텍스트의 관계를 학습합니다.

▼ 그림 6-23 CLIP 모델의 학습 방식

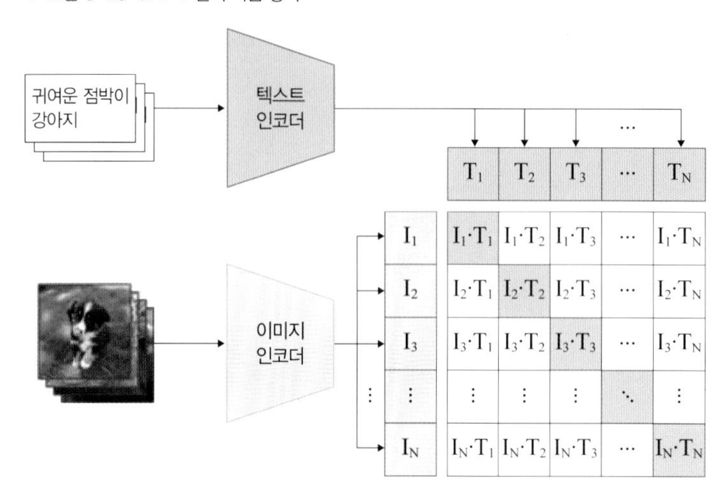

이렇게 학습된 CLIP은 주어진 텍스트 설명에 가장 잘 맞는 이미지를 선택하거나, 이미지에 대한 텍스트 설명을 생성하는 데 유용하게 사용될 수 있습니다. OpenAI는 CLIP 모델을 사용하여, 텍스트를 입력으로 받아 원하는 이미지를 만들어내는 디퓨전 모델, DALL-E 2를 만들어냅니다.

▼ 그림 6-24 DALL-E 2의 모델 구조

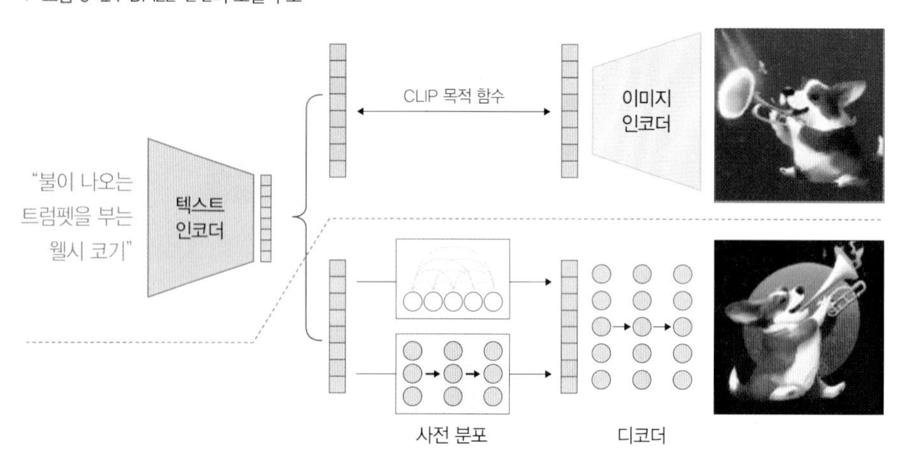

DALL-E 2 모델은 변형된 오토 인코더 구조를 사용하여 텍스트-이미지 생성 과정을 이뤄냅니다. 여기서 이미지 인코더는 이미지를 적절한 잠재 벡터로 이동시키고, 이미지 디코더는 텍스트 인코더로 만들어진 잠재 벡터를 이미지로 만들어줍니다. 이미지 생성 모델은 계속해서 발전하고 있습니다. 현재 OpenAI에서는 사람이 원하는 다양한 이미지를 손쉽게 그려주는 서비스 DALL-E 3를 상용화하고 있습니다.

✔ 그림 6-25 DALL-E 3 모델이 그려준 DALL-E 일러스트

이후로도 다양한 연구가 진행되며, DALL-E 3, Midjourney, 스테이블 디퓨전 등 다양한 인공지능 모델이 만들어지기 시작합니다.

크로스 어텐션을 통한 멀티 모달 처리

멀티 모달 학습은 다양한 형태(Modality, 텍스트, 이미지, 음성 등)의 데이터를 동시에 처리하여 정보를 결합하고, 각 형태 간의 상관 관계를 학습합니다. 이때 각 데이터 형태의 메모리 용량이 상당히 달라지는 경우가 생깁니다. 예를 들어 텍스트와 이미지를 보면, 이미지 파일에 대한 텍스트 레이블은 한두 문장으로 끝나는 어구들입니다. 1메가바이트 정도 되는 이미지 한 장에 1킬로바이트도 되지 않는 레이블이 붙게 됩니다. 이에 따라 각 데이터 형태에 대해서 모델 학습에 반영되는 비중이 달라지는 현상이 생길 수 있습니다. 크로스 어텐션(cross attention) 메커니즘은 이러한 멀티 모달 학습에서 특히 중요한 역할을 합니다. 크로스 어텐션 멀티 모달 학습에서는 한 형태의 데이터(예 텍스트)를 쿼리(query)로 사용하고, 다른 모달의 데이터(예 이미지)를 키(key)와 값(value)으로 사용함으로써, 두 모달 간의 상호 관계와 상호 작용을 학습합니다. 이를 사용하는 사례는 다음과 같이 생각해볼 수 있습니다.

- **비디오 설명 생성**: 비디오 클립과 그에 해당하는 설명을 동시에 분석하여, 비디오의 내용을 자동으로 설명하는 텍스트를 생성할 수 있습니다.
- **이미지 설명**: 이미지를 입력으로 받아, 그 이미지의 내용을 설명하는 텍스트 캡션을 자동으로 생성합니다. 크로스 어텐션은 이미지의 각 부분과 관련된 텍스트 정보를 연결하는 데 중요한 역할을 합니다.

크로스 어텐션을 활용한 멀티 모달 학습은 각 모달 간의 복잡한 상호 작용을 효과적으로 학습할 수 있습니다. 또한, 한 모달의 정보가 부족하거나 불명확한 경우, 다른 모달의 정보를 활용하여 보완할 수 있습니다.

6.3.2 스테이블 디퓨전

스테이블 디퓨전은 뮌헨대학교 연구실, CompVis에서 고안한 디퓨전 기반의 텍스트-이미지 생성 인공지능 모델입니다. 텍스트-이미지 생성 인공지능이 많은 관심을 받는 가운데, OpenAI의 DALL-E나 구글의 Imagen 같은 프로젝트는 많은 사람의 각광을 받았습니다. 해당 모델들은 각 개인이 제공한 문장을 입력으로 받아 다양한 이미지를 생성할 수 있는 강력한 기능을 보여주었습니다.

하지만 이러한 모델들은 디퓨전 기반의 학습으로 매우 높은 컴퓨터 성능을 필요로 하여, 일반인이 접근하여 연구하기 어려운 면이 존재했습니다. 이에 뮌헨대학교 연구실은 디퓨전 기반의 텍스트-이미지 생성 모델을 좀 더 효율적이고 접근 가능한 방식으로 연구하기 위해 스테이블 디퓨전 프로젝트를 시작했습니다. 그들의 주요 목표는 기존의 방대한 컴퓨팅 자원을 필요로 하는 디퓨전 기반 모델의 한계를 극복하고, 더 많은 연구자와 개발자가 이러한 기술에 접근하고 활용할 수 있도록 하는 것이었습니다. 스테이블 디퓨전 모델의 개발 과정에서 연구팀은 여러 최적화 기법과 알고리즘을 도입하여 모델의 학습 효율성을 크게 향상시켰습니다. 또한 연구의 결과로 모델은 더 낮은 컴퓨팅 자원에서도 높은 성능의 이미지를 생성하는 능력을 보여주었습니다.

이에 대해 직접 이미지 생성 모델을 사용해보고 현 시점의 인공지능이 어디까지 사람을 따라잡고 있는지 직접 확인해보겠습니다.

잠재 공간의 활용

스테이블 디퓨전 프로젝트의 중요한 측면 중 하나는 잠재 공간의 활용입니다. 잠재 공간의 활용은 디퓨전 모델의 메모리 사이즈를 대폭 감소시켜주고, 효과적으로 학습할 수 있도록 도와줍니다.

스테이블 디퓨전이 등장할 당시의 디퓨전 모델들은 사용하려고 하는 이미지의 사이즈를 그대로 사용하여 노이즈 제거 과정을 거치기 때문에, 필요한 GPU의 용량이 매우 크다는 특징이 있습니다. 보통 이미지 생성 모델로 만들어내고자 하는 이미지의 해상도는 256×256~1024×1024 정도이며, 사용자에게 제공되고 있는 서비스에서 만들어주는 이미지 해상도는 512×512입니다. 이러한 사이즈의 이미지를 만드는 데 필요로 하는 연산량이 상당하기 때문에 디퓨전 모델은 일반적으로 매개변수 수가 매우 많다는 특징이 있었습니다.

예를 들어 DALL-E 2 모델의 매개변수 개수는 35억 개로 일반 학생이 연구 목적으로 학습시키기 어려운 사이즈입니다. GPU 컴퓨팅 파워를 사용하는 데 있어, 일반 사람들이 학습해볼 수 있는 모델은 보통 10억 개 아래 사이즈의 모델로 생각되며, 만약에 적절한 환경을 준비해서 학습을 진행한다고 해도, 그 시간과 비용이 많이 들기 때문에 디퓨전 모델은 일반 사람들이 접근해서 연구해보기 어려운 모델로 취급되었습니다.

잠재 공간의 활용은 이 상황을 멋지게 해결해줍니다. 앞서 살펴본 내용에서 VAE를 통해 원하는 이미지의 특징을 학습하기에 적절한 잠재 공간을 얻어냈습니다. 스테이블 디퓨전은 이러한 장점을 취하기 위해서 VAE를 사용하여 이미지를 픽셀 공간에서 잠재 공간으로 이동시키고, 잠재 공간 상에서 노이즈 제거 과정을 거치게 됩니다. 여기서 픽셀 공간이라 함은, 입력된 이미지 그대로의 공간을 뜻합니다. 잠재 공간의 매개변수 개수는 픽셀 공간의 이미지 매개변수 개수보다 적기 때문에 인공지능 모델의 용량이 크게 줄어들고, 더 적은 모델 매개변수에서 이미지 특징을 학습하기 때문에 모델을 최적화하는 과정에서 시간과 비용이 줄어듭니다.

이렇게 만들어진 스테이블 디퓨전의 매개변수의 개수는 8억 9천만 개로 기존 디퓨전 모델에 비해 매우 적습니다. 학습하는 데 걸리는 시간도 A100 GPU 하나로 5일 정도 소모되어, 비슷한 환경에서 1,000일 정도 소모되었던 디퓨전 모델에 비해 많은 시간을 절약시켜줍니다. 따라서 더 많은 인공지능 연구진들이 실험해볼 수 있게 되었고, 코드 역시 오픈 소스로 공개되어 사용자들에게 여러 가지 버전으로 활발히 배포되고 있습니다.

다음 이미지는 스테이블 디퓨전 모델의 모델 구조를 표현해주고 있습니다. 가장 좌측의 붉은 블록에서 이미지는 픽셀 공간에서 잠재 공간으로 변형하고, 다시 잠재 공간의 이미지를 픽셀 공간으로 변형하고 있습니다.

▼ 그림 6-26 스테이블 디퓨전의 학습 과정

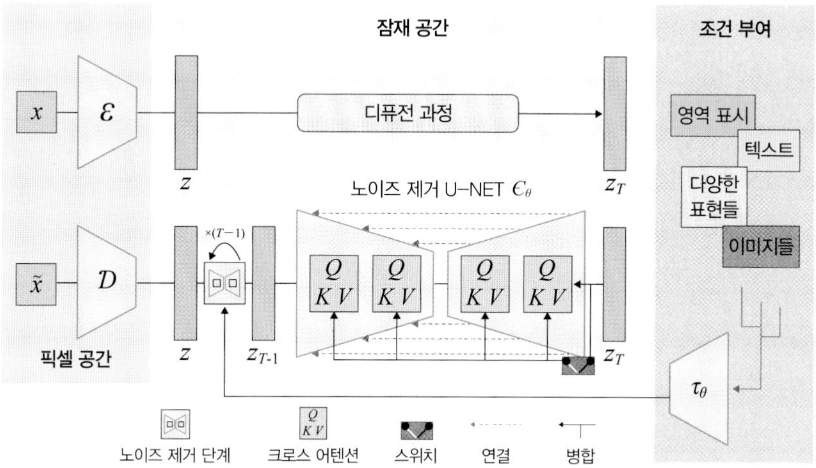

초록색 블록에서는 잠재 공간에서의 노이즈 제거 과정을 묘사합니다. 이때 U-Net을 사용하여 노이즈 제거 과정을 거치며, 이미지를 설명하는 문장을 크로스 어텐션을 통해 입력시킴으로써 조건에 맞는 이미지가 생성될 수 있도록 유도합니다.

학습 과정에서는 먼저 이미지와 그에 대해 설명하는 문장이 설명이 레이블로 구성된 데이터를 사용합니다. 이미지에 대한 정답 텍스트는 BERT 등의 텍스트 인코더를 통해 임베딩 벡터로 바뀌고, 이렇게 바뀐 벡터는 노이즈가 잔뜩 가해진 이미지를 복원하는 과정에 사용됩니다. 이렇게 학습된 모델은 이제 생성하고자 하는 이미지를 설명해주는 문장만 있으면 그에 대한 이미지를 생성할 수 있습니다. 이때 사용되는 텍스트를 프롬프트라 부릅니다.

이러한 학습 구조는 이미지를 설명하는 텍스트뿐만 아니라, 다른 표현형 벡터라도 학습할 수 있도록 이미지와 정답 데이터가 연결되어 있기만 하다면, 동일하게 학습 가능하다는 점에서 강점을 갖습니다.

스테이블 디퓨전 모델의 성능을 끌어올려, 원하는 이미지를 만들기 위해서는 알아야 할 것이 다양하게 있습니다. 하지만 이번에는 먼저 해당 인공지능 모델을 사용해봅시다.

스테이블 디퓨전과 WEB UI

이렇게 만들어진 스테이블 디퓨전은 엄청난 파급력을 가져왔고 많은 사람이 사용하고 있습니다. 이러한 배경에는 해당 인공지능 모델의 코드가 무료로 공개되고, 라이선스로 'OpenRAIL-M'을 채택한 것이 크게 기여했습니다. 'OpenRAIL-M'은 '수정된 Open Responsible AI 라이선스'라는 의미로, 연구, 상업적 또는 비상업적 목적으로 인공지능 모델의 파생물이 자유롭고 개방적인 접근, 재사용 및 용도에 맞는 변형 배포를 허용하도록 설계된 라이선스입니다. 이에 대한 코드는 해당 모델을 발표한 저자들의 깃허브(https://github.com/CompVis/stable-diffusion)에서 자유롭게 확인 가능합니다.

이 깃허브 주소에 접속하면, 적절하게 모듈화된 코드를 확인해볼 수 있습니다. 이러한 점은 개발자가 코드를 더 관리하기 좋은 장점을 가지고 있지만, 프로그래밍을 공부하지 않은 일반인이 접근해서 확인하기는 쉽지 않습니다. 하지만 AUTOMATIC1111이라는 깃허브 유저명을 가진 개인이 이를 다시 한번 수정해 많은 일반인이 쉽게 접근해 이미지 생성 모델을 다룰 수 있도록 길을 열어주었습니다.

AUTOMATIC1111 저자의 깃허브 페이지(https://github.com/AUTOMATIC1111/stable-diffusion-webui)에 접근하여 확인해볼 수 있습니다. 이 깃허브 페이지에 접속해보면, 해당 기능 자체가 오픈 소스로서 많은 사람에 의해 관리되고 있는 것을 알 수 있습니다.

▼ 그림 6-27 WEB UI 오픈 소스를 업데이트해주는 400명 이상의 기여자

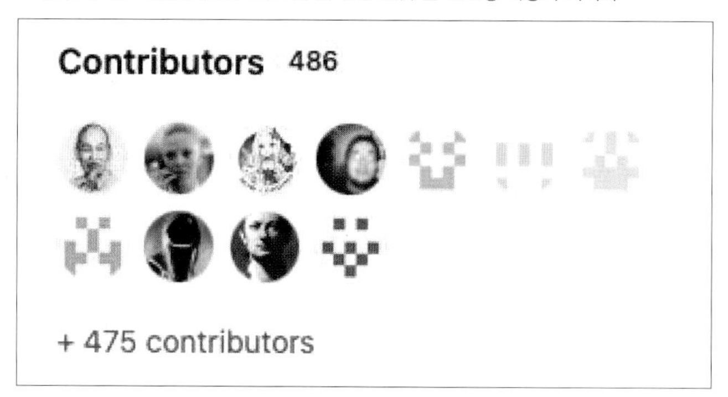

WEB UI란 사실 단순히 스테이블 디퓨전 등 이미지 생성 모델뿐만 아니라, 인터넷 웹 브라우저를 통해서 보이는 사용자 인터페이스를 지칭하는 용어입니다. AUTOMATIC1111 저자는 해당 기술을 개발자들을 넘어서 일반인들에게도 확장하고 사용해볼 수 있게 개방시켰습니다. 그리하여 이제 우리가 손쉽게 접근해서 사용해볼 수 있는 페이지는 다음과 같은 화면입니다.

▼ 그림 6-28 스테이블 디퓨전 WEB UI 페이지, 큰 나무 옆에 작고 예쁜 집을 프롬프트로 이미지를 생성한 예시

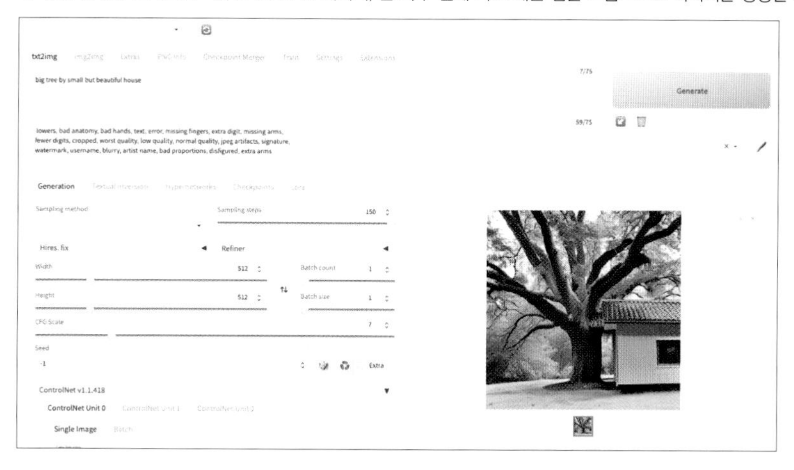

이 화면을 보면 알 수 있듯이 더 이상 파이썬 코드는 보이지 않으며, 누구나 무료로 화면을 보고 원하는 이미지를 생성해볼 수 있습니다. 해당 페이지에서는 다양한 모델의 선택, 조합, 튜닝까지 가능한 기능을 제공하고 있습니다.

WEB UI의 설치 방법

해당 툴은 웹 브라우저 화면에서 사용할 수 있게 되어 있지만, 사실은 설치하여 사용하는 형태입니다. 웹 사이트로 배포되는 무료 기능은 해당 웹 사이트 자체가 사라지면 더 이상 사용할 수 없는

반면에, WEB UI는 직접 설치해서 사용하기 때문에 웹 사이트가 사라져도 계속 무료로 해당 툴을 사용할 수 있습니다.

여기서 설치 방법은 환경에 따라 조금씩 다릅니다. 크게는 운영 체제와 외장 GPU의 여부에 따라 달라집니다. 자신의 PC에 설치하는 것도 좋지만, 우리가 앞서 사용한 코랩에서도 해당 기능을 써 볼 수 있게 사람들이 다수 배포를 해놓았고, 통일된 환경인 만큼 사용도 단순합니다(현재 코랩 무료 버전에서는 해당 기능을 사용할 수 없고, 코랩 유료 사용자만 사용 가능합니다).

코랩에서의 WEB UI 사용법

다음 사이트에서 접근하면 평소와 조금 달라보이는 코랩에 접근해볼 수 있습니다.

▼ 그림 6-29 https://colab.research.google.com/github/Cobslab/stable-diffusion-webui/blob/master/fast_stable_diffusion_WEB_UI_maker.ipynb 페이지

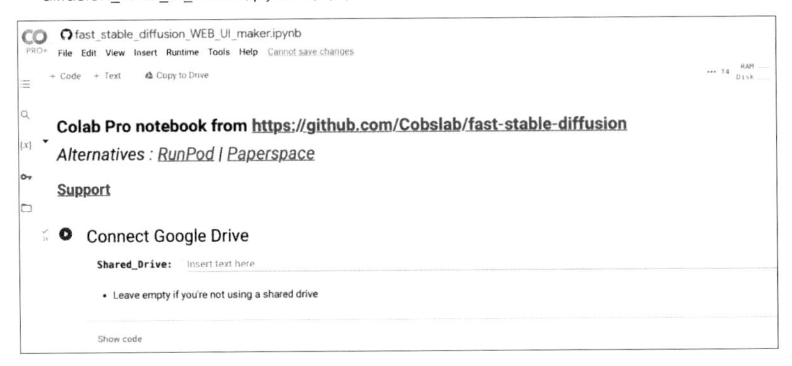

코랩 무료 사용자들도 접속하면 동일한 페이지를 볼 수 있으나, 코드를 실행하면 잠시 후에 런타임이 끊기며 해당 내용을 진행할 수 없다는 안내 메시지가 나옵니다. 대신 가정에서 사용하는 게이밍 노트북이나 외장 그래픽 카드가 있는 컴퓨터가 있다면, 컴퓨터에 설치해서 진행해볼 수 있습니다. 그래픽 카드가 없을 경우에도 컴퓨터에 직접 설치하여 WEB UI를 사용해볼 수 있으나, 이미지를 생성하는 데 걸리는 시간이 30배 정도 더 오래 걸립니다.

그림 6-29의 화면처럼 코랩의 대화형 양식을 지원하고 있습니다. 대화형 양식은 사용자가 코드를 직접 입력하지 않아도 텍스트 박스, 스크롤 바 등으로 파이썬 코드의 입력 값을 조절할 수 있도록 도와줍니다. 각 입력하는 칸을 더블 클릭해보면 다음 코드와 같이 #@param으로 되어 있는 주석을 확인할 수 있습니다. 해당 주석이 코드 블럭을 사용자에게 보기 편한 UI로 변경시켜주는 역할을 합니다.

```
Shared_Drive = "" #@param {type:"string"}
```

▼ 그림 6-30 #@param 주석으로 만들어진 UI

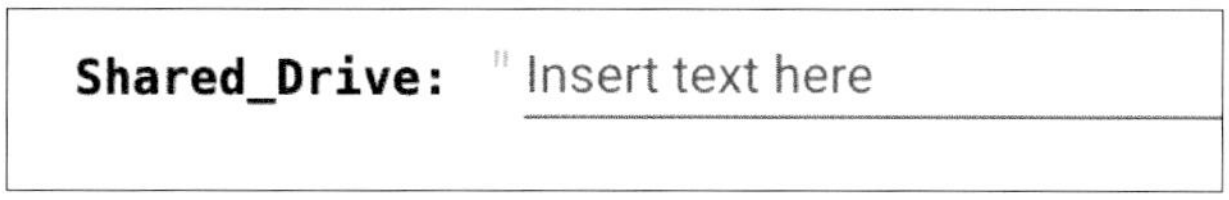

Shared_Drive: " Insert text here

WEB UI는 다음 과정을 거쳐 동작합니다.

1. **구글 드라이브에 접속합니다**(Connect Google Drive).

   자신의 구글 드라이브와 연결합니다. 이때 그림 6-30의 공유 드라이브(Shared_Drive)에 원하는 경로를 넣으면, 해당 경로로 코랩에 구글 드라이브를 미운트합니다. 기입하지 않아도 괜찮으니, 그대로 실행시켜서 진행합니다.

2. **Cobslab 저장소를 설치합니다**(Install/Update Cobslab repo).

   블록을 실행시켜, WEB UI의 코드가 있는 깃허브 저장소를 불러옵니다.

3. **종속성 라이브러리를 설치합니다**(Requirements).

   블록을 실행시켜, 종속성 패키지를 설치합니다.

4. **모델을 다운로드 합니다**(Model Download/Load).

   원하는 모델을 다운로드합니다. 블록을 실행하기 전, 다음 이미지와 같이 드롭 박스를 내려 모델 v2.1을 선택합니다.

   ▼ 그림 6-31 코랩에서 사용하는 WEB UI: 모델 선택

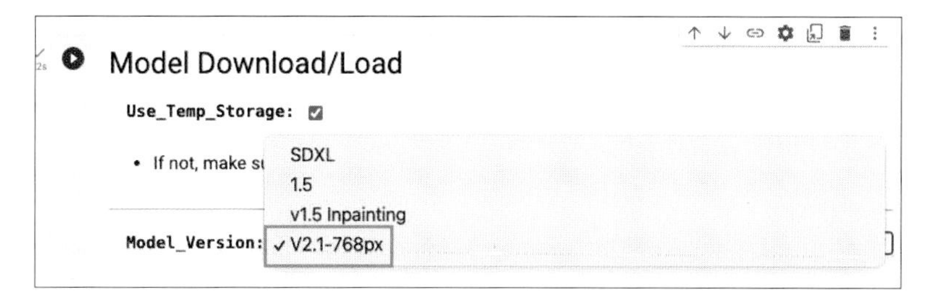

5. **모델을 실행합니다**(Start Stable-Diffusion).

   다음으로는 [Download LoRA]와 [ControlNet]이라고 되어 있는 부분을 건너뛰고, 바로 아래 Start Stable-Diffusion 코드 블럭을 바로 실행해줍니다. 이제 조금 기다리면 화면 우측 하단에 다음과 같은 링크가 생성됩니다.

▼ 그림 6-32 Start Stable-Diffusion 블럭에 생성된 URL 링크

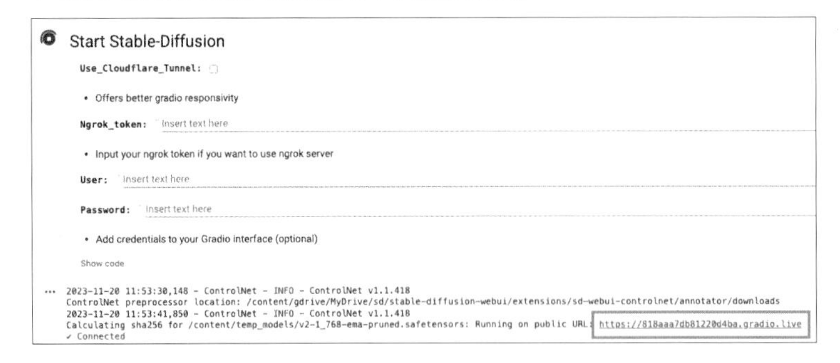

해당 파란색 링크를 클릭하면 다음과 같은 WEB UI 화면을 볼 수 있습니다.

▼ 그림 6-33 코랩에 설치된 WEB UI 화면

이후 그림 6-34와 같이 ❶번 텍스트 상자에 원하는 내용을 써넣고, ❷번 **제출**(Generate) 버튼을 누르면 ❸번 창에 생성 결과 이미지가 출력됩니다.

▼ 그림 6-34 WEB UI로 생성된 이미지

이렇게 비교적 간단히 이미지 생성 모델을 갖게 되었습니다. 그렇다면 이제 어떻게 원하는 이미지를 만들 수 있는지 살펴보겠습니다.

WEB UI 구성

WEB UI를 성공적으로 구동했다면, 화면에 표시된 여러 낯선 개념들을 볼 수 있습니다. 무엇보다 먼저 이 요소들이 모델을 통한 이미지 생성 과정에서 어떻게 사용되는지 간략하게 소개합니다.

- Stable Diffusion Checkpoint: 이미지를 생성할 모델입니다. 서로 다른 모델을 사용할 경우 이미지의 화풍이 많이 달라집니다. 예술 작품을 입력받아 학습된 모델은 그림을 예술 작품을 그려내듯 만들어 냅니다. 반면 현실의 데이터를 집중적으로 학습한 모델은 사실적인 묘사에 더욱 그 기능이 특화되어 있습니다. 스테이블 디퓨전이 갖는 강점 중 하나는 서로 다른 모델들을 병합하여 사용할 수 있다는 점입니다. 여러 모델을 전략적으로 선별하여 섞을 경우 각 모델에서 취사 선택할 요소들을 적절히 배합하여 사용자가 희망하는 그림을 생성할 수 있습니다.
- Txt2img: 텍스트를 입력받아 이미지를 생성하는 태스크입니다. 사용자가 그림에 대한 묘사를 언어로 제공하여 모델이 이를 바탕으로 그림을 그립니다.
- Img2img: 이미지를 입력받아 이미지를 생성하는 태스크입니다. 이미지의 해상도를 높이고(super resolution), 마스크로 가려진 부분을 생성하여 복원하거나(inpaint) 혹은 이미지다른 스타일로 변환하는(image translation) 작업들이 이에 해당합니다.
- Prompt: 사용자가 생성하고 싶은 그림을 텍스트 형태로 입력하는 부분입니다. 모델은 텍스트의 지시사항에 맞춰 이미지를 생성합니다. 반면 부정 프롬프트(negative prompt)는 그림에서 제외하고 싶은 특징이나 요소들이 모인 텍스트입니다. 지시문을 입력하고, 우측에 있는 Generate 버튼을 클릭하면 그 아래 이미지들이 생성됩니다.
- Sampling method: 디퓨전의 역방향 변환에서 매 단계마다 노이즈를 제거하는 방식을 설정할 수 있습니다. 이 방식이 달라질 경우 이미지가 생성되는 속도, 품질, 스타일 등이 다소 변할 수 있습니다.
- Sampling steps: 역방향 변환을 통하여 초기 노이즈에서 이미지를 복원하는 과정을 몇 단계에 나누어서 수행할지 조절할 수 있습니다. 이 값이 높아질 수록 이미지를 생성하는 과정에서 단계 수가 늘어나므로 이미지 생성 시간 또한 증가합니다. 다만, 단계 수가 이미지의 품질에 정비례하지는 않습니다.
- Width & Height: 생성될 이미지의 사이즈를 설정할 수 있습니다.
- Batch count: 모델에서 추론을 몇 번 반복할지 횟수를 정합니다.

- **Batch size**: 모델에서 추론을 한 번 진행할 때 생성할 이미지의 수를 의미합니다. 이 값이 커질 경우 사용할 하드웨어 디바이스의 메모리에 부하를 줄 수 있습니다.
- **CFG scale**: Classifier-Free Guidance 비율의 약자로, 모델이 이미지를 생성할 때 사용자가 입력한 프롬프트를 얼마나 반영할지 강도를 조절하는 인수입니다. 이 값이 커질수록 사용자의 명령에는 부합하지만 부자연스러운 이미지가 생성될 가능성이 높으며, 반대로 값이 작을수록 사용자의 의도를 충실하게 수행하지 않되 자연스러운 이미지가 생성될 가능성이 높습니다.

여기에서 나오는 인수들을 조절하여 이미지를 생성하는 과정을 직접적으로 조절할 수 있습니다. 앞에서 제시된 항목들은 버전에 따라 상이할 수 있음을 미리 알립니다. Txt2img 작업에서 모델 체크포인트, Sampling steps, CFG scale 등 이미지의 품질에 영향을 줄 수 있는 다양한 인수가 있지만, 무엇보다 이미지 내용과 품질에 가장 큰 영향을 주는 것은 프롬프트입니다.

프롬프트 엔지니어링

스테이블 디퓨전은 DALL-E와 마찬가지로 텍스트를 입력받아 이미지를 생성하는 멀티 모달 생성 모델입니다. 즉, 이미지를 그리기 위해서는 사용자가 원하는 이미지를 표현해야 합니다. 여러 사람이 같은 예술 작품을 관찰하더라도 각기 묘사가 다르듯, 반대로 이미지 생성 과정에서 모델에게 어떤 정보를 어떻게 제공하는지에 따라 얻을 수 있는 결과물의 품질에 차이가 있기 마련입니다.

스테이블 디퓨전을 비롯한 이미지 및 텍스트 생성 모델에서의 프롬프트는 입력 데이터를 의미합니다. 이 입력은 모델에게 이미지를 생성하도록 지시하는 역할을 합니다. 이미지 생성 모델에서의 프롬프트는 일반적으로 이미지의 내용, 스타일, 분위기, 색상 등을 서술하는 텍스트로 구성됩니다. 모델은 이 프롬프트를 분석하여 사용자의 요구 사항에 맞는 이미지를 생성합니다. 스테이블 디퓨전 모델에서 출력 이미지에 가장 직접적으로 관여하는 유일한 입력 데이터가 프롬프트인 셈이며, 이 텍스트 데이터의 주요한 특징을 세 가지로 꼽을 수 있습니다.

1. **서술성**: 프롬프트는 모델에 생성하고자 하는 이미지의 세부 사항을 전달합니다. 예를 들어 '휴양지에서 석양을 바라보는 고양이'라는 지시문을 제공할 경우, 모델은 문장에서 열대 지방의 해안가, 붉게 물든 노을 등의 시각적인 묘사를 이해하고 표현할 수 있습니다.
2. **유도성**: 프롬프트는 모델이 특정 방향이나 스타일로 이미지를 생성하도록 유도할 수 있습니다. 프롬프트에 '인상파 스타일의' 또는 '중세 유럽 느낌의' 등 화풍이나 시대상 등 정보를 삽입할 경우 특정 예술적 스타일이나 분위기를 지정할 수 있습니다.

3. **창의적 조합**: 프롬프트를 통해 기존에 없던 창의적인 아이디어나 조합을 실험할 수 있습니다. '고대 로마 시대의 로봇 기사'나 '목성을 배경으로 한 신화적 생물'과 같은 독특한 조합을 시도할 수 있습니다.

이러한 프롬프트의 특징을 잘 활용하여, 모델이 지시사항을 잘 이해하게끔 프롬프트를 가공하는 기술을 프롬프트 엔지니어링(prompt engineering)이라 합니다. 잘 정제된 프롬프트는 AI의 성능을 극대화하고, 원하는 결과를 더 정확하고 빠르게 얻을 수 있도록 도움을 줍니다. 다음은 프롬프트 엔지니어링 시 고려해야 할 요소들입니다.

1. 프롬프트가 최대한 구체적이며, 원하는 결과에 대한 명확한 지침을 포함할수록 사용자 의도에 부합한 결과물이 생성됩니다. '자연에서 맞는 평화로운 아침'보다 '샘이 흐르는, 푸른 나무가 우거진 숲속. 산 너머 떠오르는 아침 해. 구름 없는 하늘. 떼 지어 나는 새'가 훨씬 시각적으로 직접적인 묘사를 할 수 있기에 좋은 결과를 만들 수 있습니다.
2. 이미지에 등장할 객체뿐만 아니라 세부적인 묘사에 대하여 방향성을 제시할 수 있습니다. 이미지가 사진처럼 사실적으로 묘사되거나 그림처럼 묘사되게 지시할 수 있으며 화풍도 프롬프트에 포함될 수 있습니다. 또한 조명의 색상과 방향, 시점, 색상 등의 분위기를 표현할 수 있는 다양한 지시도 활용될 수 있습니다.
3. 스테이블 디퓨전의 언어 모델은 한국어보다 영어로 된 문장을 더 잘 이해하므로, 프롬프트를 영어로 제시하는 것이 훨씬 좋은 결과를 얻을 수 있습니다.
4. 부정 프롬프트를 적극 활용하여 제외하고 싶은 결과를 요소들을 제시하면 이미지 생성에 도움이 됩니다. 프롬프트에 부정적인 문장을 포함시키지 않아 길이를 줄일 수 있으며, 모델이 프롬프트를 과잉 해석하는 것을 막을 수 있습니다. 또한 스테이블 디퓨전 특성상 기형적인 이미지가 가끔 생성되는데, '저품질', '부자연스러운 신체 구조', '워터마크' 등 이미지 생성 시 당연하게 빠져야 할 지시들이 부정 프롬프트에 포함될 경우 불필요한 생성 절차를 간소화할 수 있습니다.

이러한 요소들은 비단 스테이블 디퓨전뿐만 아니라 다수의 이미지 생성 모델에서도 유효하므로, 적극 활용해보는 것을 추천합니다. 또한 ChatGPT 등 언어 모델의 텍스트 생성 능력을 활용하여 프롬프트를 만드는 것도 좋은 선택지가 될 수 있습니다. 언어 모델에 프롬프트를 생성할 이미지의 구상과 특성 등을 제시하고 프롬프트 재구성을 지시하면 손쉽게 프롬프트를 생성할 수 있습니다. 다음은 열대지방 섬에서 열린 크리스마스 파티를 그리기 위해 ChatGPT에 지시하여 생성한 프롬프트와 부정 프롬프트입니다.

프롬프트[3]: "Create a highly detailed and vibrant image that resembles a photograph, capturing the lively atmosphere of a Christmas party on a tropical island. Visualize a scene where the sun is setting, casting a warm, golden glow over a sandy beach. There should be a group of diverse people joyfully dancing on the beach, dressed in festive, summer-themed Christmas attire, like Santa hats with Hawaiian shirts. Decorations such as palm trees adorned with Christmas lights and beachside Christmas trees with tropical ornaments should be visible. The ocean should sparkle with the reflection of the sunset, and in the background, there can be a hint of a festive beach bar, serving tropical Christmas cocktails."

부정 프롬프트: "Cold or winter environment, like ice skating or snowball fights. Focus on creating a warm, tropical setting that contrasts with typical Christmas scenes. Ugly or amateurish art elements. Do not include tiling backgrounds, poorly drawn hands, feet, or faces, extra limbs, disfigured or deformed body parts, and any part of the body out of frame. Ensure good anatomy and avoid bad anatomy. Do not allow any watermarks, signatures, or cut-off parts of the image."

3 결과물의 퀄리티를 올리기 위해 영문으로 질의하였습니다.

이렇게 언어 모델을 활용하여 프롬프트를 사용할 경우, 상황에 맞는 수식어들이 프롬프트에 새로 추가되어 사용자가 생성 모델에 더욱 풍부한 표현을 간편하게 제시할 수 있습니다. 이 외에도 스테이블 디퓨전 사용법은 무궁무진합니다. LoRA 학습법을 적용한 세부적인 인물 묘사와 ControlNet 등의 추가적 모델을 활용하면 정교한 이미지를 생성할 수 있습니다. 디퓨전 모델의 연구는 이미지를 넘어 다양한 분야로 확장되고 있습니다. 시간에 따라 이미지 내 객체들의 움직임을 연구하고 구현하는 비디오 생성 모델, 3차원 공간에서 오브젝트를 생성하는 3D 생성 모델 등이 이에 해당합니다.

이번 장에서는 생성적 적대 신경망을 바탕으로 제안된 심화된 이미지 생성 모델과 디퓨전 계열의 모델들을 살펴보았습니다. 기존 생성 모델이 무작위 노이즈로부터 이미지를 생성하지만, cGAN은 레이블이나 다른 형태의 추가 정보를 조건으로 사용하여 특정 유형의 이미지 생성해냈습니다. Pix2Pix는 이미지-이미지 변환에 초점을 맞춘 cGAN 중 하나로, 쌍으로 이루어진 이미지를 학습하여 한 이미지 형식을 다른 형식으로 변환했습니다. CycleGAN은 이미지 쌍을 필수로 요구하는 Pix2Pix의 한계를 극복하며, 비지도 학습으로 두 도메인 간의 이미지 변환을 가능하게 하였습니다. StarGAN은 한 발 더 나아가 생성자 하나만으로 여러 도메인을 학습하고 표현하였습니다. StyleGAN은 잠재 공간에서의 미세한 조정을 통해 고해상도 이미지를 다양하게 표현하고 사실적으로 묘사할 수 있는 뛰어난 성능을 보였습니다.

기존의 생성적 적대 신경망(GAN) 및 변형 모델들은 고품질의 이미지 생성에 탁월한 성능을 보였지만, 훈련 과정의 복잡성, 모드 붕괴(mode collapse), 그리고 불안정성 문제 등 여러 한계를 지니고 있었습니다. 이러한 한계를 극복하고자 새로운 접근 방식으로 디퓨전 모델이 개발되었습니다.

디퓨전은 이미지에 노이즈를 점차적으로 추가하는 방식으로 시작하여, 노이즈를 제거하는 과정을 역으로 학습합니다. 이 과정에서 데이터의 분포를 점진적으로 학습하고 이미지를 생성할 수 있는 능력을 얻습니다. 생성적 적대 신경망 모델보다 학습 과정이 안정적이며 고품질의 이미지를 다양하게 표현할 수 있다는 점에서 대안을 제시하였습니다. 학습 시간과 비용이 상대적으로 많이 소요된다는 단점이 있지만 이미지와 비디오, 3D 오브젝트 등 다양한 분야로 확장되고 있기에 높은 잠재력을 보여줍니다.

7장

실제 사례 및 프로젝트

7.1 건설 현장에서 활용하는 사례와 프로젝트
7.2 의료 분야에서 활용하는 사례와 프로젝트

7.1 건설 현장에서 활용하는 사례와 프로젝트

이번 절에서는 건설 현장의 안전과 효율성 향상을 위해 이미지 처리 기술을 활용하는 두 가지 주요 프로젝트에 대해 탐구할 것입니다. 첫 번째 프로젝트는 건설 현장에서 근로자들의 안전모 착용 여부를 확인하는 이미지 분류 모델의 구현입니다. 이 모델은 건설 현장의 사진을 분석하여 근로자들이 안전 기준을 준수하고 있는지를 자동으로 감지하는 데 중점을 둡니다. 이를 통해 안전 관리자와 현장 감독자는 실시간으로 안전 준수 상태를 모니터링하고 필요한 조치를 취할 수 있습니다.

두 번째 프로젝트는 건설 현장 이미지 세분화입니다. 이 프로젝트의 목적은 건설 현장의 복잡한 이미지를 분석하여 서로 다른 요소들을 구별하는 것입니다. 예를 들어 근로자, 장비, 건축 자재 등을 식별하고 그 위치를 정확하게 파악하는 것입니다. 이러한 세분화는 현장 관리의 효율성을 높이고, 자원 배치 및 작업 진행 상황을 더욱 명확하게 이해하는 데 도움이 됩니다.

7.1.1 건설 현장에서 이미지 처리 활용

현대 건설 현장은 안전성과 생산성을 동시에 유지하는 것이 핵심 과제입니다. 그러나 노동자의 안전은 종종 간과되곤 합니다. 이로 인해 작업 중 발생하는 사고와 부상의 위험이 증가하고 있습니다. 이에 따라 노동자의 헬멧 착용 여부를 감시하고 식별하는 AI 이미지 분류 모델을 만들어 안전한 건설 현장을 만들어보겠습니다.

시각화 한글 설정

코랩에서는 기본적으로 한글을 지원하는 폰트가 없습니다. 뒤에서 시각화를 할 때 한글을 사용하기 위해 다음 명령어로 나눔폰트를 설치합니다.

```
!sudo apt-get install -y fonts-nanum
!sudo fc-cache -fv
!rm ~/.cache/matplotlib -rf
```

이때 한글 폰트 적용을 위하여 코랩 세션을 다시 시작해야 합니다.

▼ 그림 7-1 코랩 세션 재시작

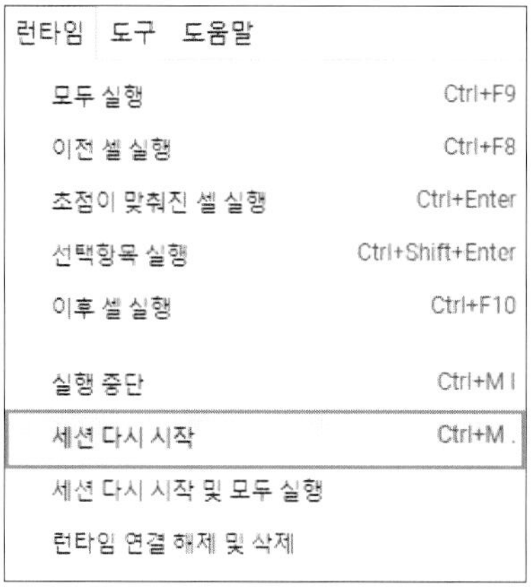

런타임 도구 도움말	
모두 실행	Ctrl+F9
이전 셀 실행	Ctrl+F8
초점이 맞춰진 셀 실행	Ctrl+Enter
선택항목 실행	Ctrl+Shift+Enter
이후 셀 실행	Ctrl+F10
실행 중단	Ctrl+M I
세션 다시 시작	Ctrl+M .
세션 다시 시작 및 모두 실행	
런타임 연결 해제 및 삭제	

세션을 다시 시작한 후, 다음 코드부터 다시 실행하여 글꼴을 변경해줍니다.

```
import matplotlib.pyplot as plt

plt.rc('font', family='NanumBarunGothic')
```

plt.rc 함수를 사용하면 글꼴을 변경할 수 있습니다.

데이터 불러오기

이번 실습에 사용할 데이터 세트는 안전모 인식에 대한 데이터 세트입니다. 안전모를 착용한 것과 그렇지 않은 것으로 나뉘어 바운딩 박스와 레이블이 각각 지정되어 있습니다.

데이터 세트를 가져오는 순서는 다음과 같습니다. 먼저 gdown 명령어를 사용하여 구글 드라이브에 미리 올려 놓은 데이터 세트를 받아옵니다. 그 다음 터미널의 unzip 명령어를 활용하여 로컬에서 압축을 해제합니다.

```
!gdown 1WddbLtcEA3IBnjTaoaohUVpcOOUALeU5
!unzip helmet.zip
```

애너테이션 파일 불러오기

다음 코드를 통해 ".xml"로 끝나는 파일들 중 하나를 불러오겠습니다.

```
import os

PATH = '.'
IMG_DIR = PATH + "/images"
XML_DIR = PATH + "/annotations"

xml_files = [os.path.join(XML_DIR, x) for x in os.listdir(XML_DIR) if x.endswith(".
xml")]
xml_files[0]
```

```
./annotations/hard_hat_workers2330.xml
```

xml 파일에서 정보를 추출해와야 하기 때문에 cat 터미널 명령어를 사용하여 파일이 어떻게 쓰여 있는지 확인합니다.

```
!cat ./annotations/hard_hat_workers2330.xml
```

```
<annotation>
    <folder>images</folder>
    <filename>hard_hat_workers2330.png</filename>
    <size>
        <width>416</width>
        <height>415</height>
        <depth>3</depth>
    </size>
    <segmented>0</segmented>
    <object>
        <name>helmet</name>
        <pose>Unspecified</pose>
        <truncated>0</truncated>
        <occluded>0</occluded>
        <difficult>0</difficult>
        <bndbox>
            <xmin>119</xmin>
            <ymin>192</ymin>
            <xmax>155</xmax>
            <ymax>241</ymax>
        </bndbox>
    </object>
    <object>
…(중략)…
```

```
    </object>
</annotation>
```

이 중에서 진하게 처리된 name 태그에 집중합니다. 우리는 객체 탐지를 위한 바운딩 박스를 사용하지 않고, 이미지 전체에서 헬멧의 착용 여부를 분류해줄 것입니다. 따라서 분류 레이블에 해당하는 name 태그 안에 값을 가져와 사용하겠습니다.

레이블 생성

다음 코드로 레이블을 생성합니다.

```
import xml.etree.ElementTree as ET

#xml 파일에서 이미지 위치를 가져오기
def extract_info_from_xml(xml_file):
    tree = ET.parse(xml_file)
    root = tree.getroot()

    labels = []
    filename = root.find('filename').text
    for boxes in root.iter('object'):
        label = boxes.find('name').text
        if label == "head" or label == "person":
          return filename, 0

    return filename, 1
```

xml 파싱하는 xml.etree.ElmentTree 모듈을 ET라는 별칭으로 가져와 사용합니다. parse 함수를 사용하여 xml 트리를 생성하여 원하는 태그 값을 가져옵니다. name 태그에서 헬멧이 아닌 데이터를 의미하는 "head" 혹은 "person"이 나오면 0으로, 그렇지 않으면 1로 레이블을 달아줍니다.

이미지 특성 데이터와 레이블 데이터 배열 생성

OpenCV 라이브러리인 cv2를 활용하여 우리가 만든 extract_info_from_xml 함수로 파일에서 이미지를 읽어와 특성 데이터 배열을 만듭니다.

```
import cv2
import numpy as np

# 이미지 특징 추출하기
```

```
img_data = []
label_data = []

for xml_file in xml_files:
    # XML 파일 파싱하기
    filename, label = extract_info_from_xml(xml_file)

    # 이미지 파일 읽기
    img_file = os.path.join(IMG_DIR, filename)
    img = cv2.imread(img_file)
    label_data.append(label)
    resized_img = cv2.resize(img, (224, 224))
    img_data.append(resized_img)

img_data = np.array(img_data)
label_data = np.array(label_data)
len(img_data), len(label_data)
```

```
(5000, 5000)
```

xml 파일로부터 각각 5,000개의 이미지와 레이블 데이터를 생성하였습니다. 이제 미리 생성해준 레이블 데이터로 레이블 데이터 배열을 생성합니다.

```
from collections import Counter

label_counter = Counter(label_data)
label_counter
```

```
Counter({1: 3940, 0: 1060})
```

헬멧을 착용하지 않은 상태를 의미하는 0이 1,060개이고, 헬멧을 착용한 것을 의미하는 1이 3,940개인 것을 확인할 수 있습니다.

레이블링 결과 시각화

다음 코드로 레이블링 결과를 시각화합니다.

```
labels_to_names = {0: '위험', 1: '안전'}
plt.figure(figsize=(16,16))
for i in range(16):
```

```
    plt.subplot(4,4,i+1)
    plt.imshow(cv2.cvtColor(img_data[i], cv2.COLOR_BGR2RGB))
    label_name = labels_to_names[label_data[i]]
    plt.title(label_name)
plt.show()
```

4×4 서브 플롯으로 총 16개의 건설 현장 이미지와 헬멧을 착용한 사람이 한 명이라도 있는지 보여주는 플롯입니다. 사진에서 한 명이라도 헬멧을 착용하지 않으면 '위험', 모두가 잘 착용하고 있으면 '안전'으로 분류된 것을 확인할 수 있습니다.

모델 설계하기

먼저 간단한 CNN 계열의 모델을 직접 만들어서 학습을 시켜보겠습니다.

훈련 테스트 데이터 세트 분할하기

```
from sklearn.model_selection import train_test_split

# 데이터 나누기
x_train, x_test, y_train, y_test = train_test_split(img_data, label_data,
test_size=0.1, stratify=label_data, random_state=42)
```

총 5,000개의 데이터 세트 중 10%에 해당하는 500개의 데이터를 테스트 세트로 분할하였습니다. stratify 옵션을 사용하여 레이블 데이터의 비율을 맞춰주었습니다.

데이터 정규화

```
x_train = x_train.astype('float32') / 255.
x_test = x_test.astype('float32') / 255.
```

0~255 범위의 값을 가진 이미지 배열을 모델이 잘 학습할 수 있도록 0~1 사이의 범위로 전처리를 진행하였습니다.

모델 설계

다음은 모델에 필요한 모듈을 불러온 후 모델 층을 쌓는 코드입니다.

```
from tensorflow.keras.layers import Conv2D, MaxPooling2D, Flatten, Dense, Dropout,
GlobalAveragePooling2D, BatchNormalization
from tensorflow.keras.models import Sequential

# 모델 층 쌓기
model = Sequential()
model.add(Conv2D(64, (3, 3), activation='relu', input_shape=(224, 224, 3)))
model.add(BatchNormalization())
model.add(Conv2D(64, (3, 3), activation='relu'))
model.add(BatchNormalization())
model.add(MaxPooling2D((2, 2)))

model.add(Conv2D(128, (3, 3), activation='relu'))
model.add(BatchNormalization())
model.add(Conv2D(128, (3, 3), activation='relu'))
model.add(BatchNormalization())
model.add(MaxPooling2D((2, 2)))
```

```
model.add(Conv2D(256, (3, 3), activation='relu'))
model.add(BatchNormalization())
model.add(Conv2D(256, (3, 3), activation='relu'))
model.add(BatchNormalization())
model.add(MaxPooling2D((2, 2)))

model.add(Conv2D(512, (3, 3), activation='relu'))
model.add(BatchNormalization())
model.add(Conv2D(512, (3, 3), activation='relu'))
model.add(BatchNormalization())
model.add(MaxPooling2D((2, 2)))

model.add(Flatten())
model.add(Dropout(0.5))
model.add(Dense(1024, activation='relu'))
model.add(Dropout(0.5))
model.add(Dense(1, activation='sigmoid'))
```


VGG 모델 구조를 응용하여 간단한 CNN 분류 모델을 생성해주었습니다. BatchNormalization과 드롭아웃을 사용하여 과대적합을 방지하였습니다. 0(위험)과 1(안전)을 분류하는 이진 분류 작업에 해당하기 때문에 마지막 밀집층에 1개의 뉴런을 설정하고 활성화 함수로 시그모이드를 사용하였습니다.

모델 컴파일

```
from tensorflow.keras.metrics import Recall, Precision, AUC

model.compile(optimizer='adam',
              loss='binary_crossentropy',
              metrics=['accuracy',
                       Recall(name='recall'),
                       Precision(name='precision'),
                       AUC(name='auc')])
```

최적화 함수는 adam, 손실 함수는 binary_crossentropy, 평가지표는 정확도인 accuracy, 재현율인 recall, 정밀도인 precision 그리고 ROC 커브의 근사값인 AUC를 사용하였습니다. 위 분류 평가지표에 대해서는 뒤에 7.2.2절에서 자세히 살펴보겠습니다.

Note ≡ AUC

ROC(Receiver Operating Characteristic) 커브의 AUC(Area Under the Curve)는 분류 모델의 성능을 평가하는 데 널리 사용되는 도구입니다. 이들은 주로 이진 분류 문제에서 모델의 성능을 측정하고 비교하는 데 유용합니다.

1. ROC 커브

ROC 커브는 이진 분류 모델의 성능을 시각화하는 그래프로, 모델이 예측한 결과의 임계 값을 다양하게 변화시켜 가면서 얻은 진짜 양성 비율(True Positive Rate, TPR)과 거짓 양성 비율(False Positive Rate, FPR)을 각각 y축과 x축에 놓고 그립니다.

- 진짜 양성 비율(TPR): 실제 양성 케이스를 양성으로 정확히 예측한 비율입니다.

$$TPR = \frac{TP}{TP + FN}$$

여기서 TP는 진짜 양성의 수, FN은 거짓 음성의 수입니다.

- 거짓 양성 비율(FPR): 실제로는 음성인 케이스를 양성으로 잘못 예측한 비율입니다.

$$FPR = \frac{FP}{FP + TN}$$

여기서 FP는 거짓 양성의 수, TN은 진짜 음성의 수입니다.

ROC 커브는 이 두 값을 임계 값의 변화에 따라 그래프로 표현한 것으로, 완벽한 분류기는 y축에 가까운 모양을 그리며, 무작위 추측에 해당하는 성능은 대각선을 그립니다.

2. AUC

AUC는 ROC 커브 아래의 면적을 의미하며, 분류기가 얼마나 잘 작동하는지를 수치로 나타냅니다. AUC 값은 0~1 사이의 값을 가지며, 값이 1에 가까울수록 모델의 성능이 더 좋다고 평가할 수 있습니다. AUC가 0.5인 경우는 무작위 추측의 성능을 의미하며, 1에 가까울수록 완벽한 분류 성능을 나타냅니다.

3. 장점

- ROC 커브와 AUC는 모델의 성능을 한눈에 비교할 수 있어 직관적입니다.
- 클래스의 불균형이 있을 때도 유용한 성능 지표로 사용됩니다.
- 임계 값의 변화에 따른 모델의 성능 변화를 평가할 수 있습니다.

모델의 성능을 평가하고 비교하는 데 있어 ROC 커브와 AUC는 매우 유용한 도구입니다. 모델의 예측력을 정량적으로 비교할 수 있으며, 다양한 분류 임계 값에서의 성능 변화를 시각적으로 이해할 수 있습니다.

콜백 설정하기

```
from tensorflow.keras.callbacks import ModelCheckpoint

# ModelCheckpoint 콜백 설정
model_checkpoint = ModelCheckpoint('best_model.keras', monitor='val_auc', save_best_
only=True, mode='max', verbose=1)
```

모델 체크포인트를 설정하여 모델을 저장합니다. 그리고 monitor='val_auc'로 설정하여 AUC 값이 가장 높은 모델을 저장합니다. AUC는 지금처럼 클래스가 불균형할 때 유용한 평가지표이기 때문입니다.

모델 학습하기

본격적으로 모델을 학습합니다. batch_size는 32로 설정하고 20%는 검증 데이터로 사용합니다. 에포크를 20으로 설정하여 전체 데이터 세트를 20번 학습합니다. 앞에서 설정한 모델 체크포인트 콜백을 사용합니다.

```
# 모델 학습
base_history = model.fit(x_train, y_train, batch_size=32, validation_split=0.2,
epochs=20, callbacks=[model_checkpoint])
```

```
Epoch 1/20
113/113 [==============================] - ETA: 0s - loss: 9.0188 - accuracy: 0.6783 -
recall: 0.7906 - precision: 0.7991 - auc: 0.5457
Epoch 1: val_auc improved from -inf to 0.51242, saving model to best_model.keras
113/113 [==============================] - 23s 155ms/step - loss: 9.0188 - accuracy:
0.6783 - recall: 0.7906 - precision: 0.7991 - auc: 0.5457 - val_loss: 1.1039 - val_ac-
curacy: 0.6433 - val_recall: 0.7532 - val_precision: 0.7853 - val_auc: 0.5124
Epoch 2/20
113/113 [==============================] - ETA: 0s - loss: 2.9816 - accuracy: 0.7075 -
recall: 0.8449 - precision: 0.7963 - auc: 0.5801
Epoch 2: val_auc did not improve from 0.51242
113/113 [==============================] - 14s 126ms/step - loss: 2.9816 - accuracy:
0.7075 - recall: 0.8449 - precision: 0.7963 - auc: 0.5801 - val_loss: 2.8580 - val_ac-
curacy: 0.2989 - val_recall: 0.1283 - val_precision: 0.8750 - val_auc: 0.4934
…(중략)…
Epoch 20/20
113/113 [==============================] - ETA: 0s - loss: 0.3149 - accuracy: 0.8719 -
recall: 0.9514 - precision: 0.8931 - auc: 0.9051
Epoch 20: val_auc did not improve from 0.73860
```

```
113/113 [==============================] - 14s 127ms/step - loss: 0.3149 - accuracy: 
0.8719 - recall: 0.9514 - precision: 0.8931 - auc: 0.9051 - val_loss: 0.7756 - val_
accuracy: 0.7878 - val_recall: 0.8886 - val_precision: 0.8491 - val_auc: 0.7186
```

훈련과 검증에 대한 각각의 평가지표들이 출력되는 것을 확인할 수 있습니다. 앞에서 설정한 콜백에 따라 검증 데이터의 AUC가 최고 값을 기록할 때마다 모델을 저장해주는 것을 출력 결과에서 확인할 수 있습니다. 이때 검증 정확도가 80%, 재현율이 92%, 정밀도가 85%입니다.

데이터 시각화하기

matplotlib을 활용하여 시각화를 진행합니다. x축은 epoch, y축은 loss로 설정하여 에포크가 늘어남에 따른 손실 추이를 보여줍니다.

```
# base_history 시각화

plt.plot(base_history.history['loss'])
plt.plot(base_history.history['val_loss'])
plt.title('베이스 모델 손실 추이')
plt.xticks(range(0, 21, 2)) # x축 눈금 지정
plt.ylim([0.1, 1.0])         # y축 범위 지정
plt.ylabel('loss')
plt.xlabel('epoch')
plt.legend(['train', 'val'])
plt.legend(['train', 'val'], loc='upper left')
plt.show()
```

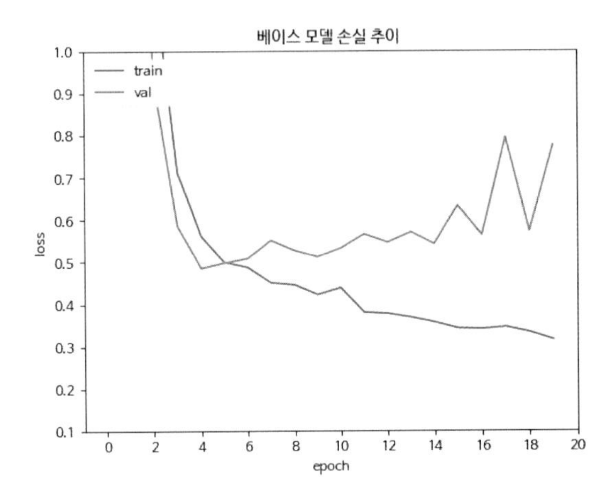

학습 결과를 확인해보니 주황색으로 시각화된 검증 손실이 안정적으로 내려가지 않고 진동하는 모습을 보입니다.

예측 레이블 변환

테스트 데이터에 대한 확률 값을 예측 레이블로 변환합니다. 이때 우리가 저장한 모델을 불러와 예측에 사용합니다.

```
from tensorflow.keras.models import load_model

# 저장된 모델을 불러옵니다.
model = load_model('best_model.keras')

# 불러온 모델로부터 테스트 데이터에 대한 확률 값을 예측합니다.
predicted_probabilities = model.predict(x_test)

# 확률 값을 0 또는 1로 바꿀 임계 값을 정의합니다.
threshold = 0.5

# 확률 값을 예측 레이블(0 또는 1)로 바꿉니다.
y_pred = (predicted_probabilities > threshold).astype(int)
```

혼동 행렬 시각화

다음 코드로 혼동 행렬을 시각화합니다.

```
import seaborn as sns
from sklearn.metrics import confusion_matrix

# 혼동 행렬을 계산합니다.
cm = confusion_matrix(y_test, y_pred)

# seaborn의 heatmap을 사용하여 혼동 행렬을 시각화합니다.
plt.figure(figsize=(8, 6))
sns.heatmap(cm, annot=True, fmt='d', cmap='Blues', annot_kws={"size": 16},
xticklabels=['위험', '안전'], yticklabels=['위험', '안전'])
plt.xlabel('예측 값')
plt.ylabel('실제 값')
plt.title('혼동 행렬')
plt.show()
```

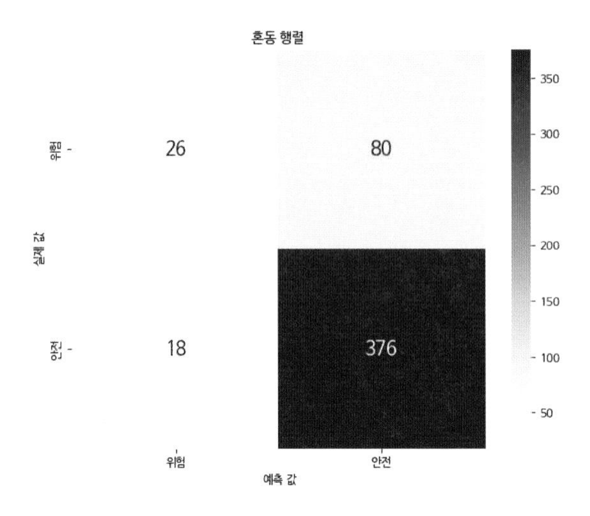

혼동 행렬로 보았을 때, 정확도는 80% 정도인 것을 확인할 수 있습니다. 또한, 실제 값이 '안전'인 레이블은 잘 예측하는 모습을 보입니다. 그러나 레이블이 불균형한 데이터에서 500개의 레이블 중 456개를 '안전'이라고 예측했기 때문에 정확도가 높은 것을 확인할 수 있습니다. 해당 모델은 헬멧을 착용하지 않았는데(위험), '안전'으로 예측하는 경우가 가장 치명적입니다. 따라서 정밀도의 수치가 높아야 하는데 혼동 행렬에서 정밀도는 82% 정도인 것으로 확인할 수 있습니다.

전이 학습

이번에는 사전 학습된 모델을 불러와 전이 학습을 진행하겠습니다. 특성을 추출해줄 부분은 학습시키지 않고 그대로 사용하되, 추가적인 분류기만 학습을 시키겠습니다.

keras applications에서 사전 학습 모델 불러오기

```
from tensorflow.keras.applications import EfficientNetV2S
from tensorflow.keras.applications.efficientnet_v2 import preprocess_input

feature_extractor = EfficientNetV2S(weights='imagenet', include_top=False, input_
shape=(224, 224, 3)) # ①

feature_extractor.trainable = False   # ②
img_data = preprocess_input(img_data) # ③

from sklearn.model_selection import train_test_split
```

```
# 데이터 나누기
x_train, x_test, y_train, y_test = train_test_split(img_data, label_data, test_
size=0.1, stratify=label data, random_state=42)
```

① EfficientNetV2 사용

실시간 이미지 분류를 통한 헬멧 착용 감지를 위해서는 높은 정확도와 동시에 메모리 효율을 사용해야 합니다. 따라서 efficientnetv2 모델 중 비교적 작은 EfficientNetV2S 모델을 사용합니다. include_top=False로 설정하여 사전 학습된 모델에서 분류기는 가져오지 않습니다. 특성을 추출해주는 모델만 feature_extractor에 담아 초기화합니다.

② 전이 학습 모델 얼리기

특성 추출기만 뽑아온 사전 학습 모델에서 학습 가능한 매개변수를 False로 설정해줍니다.

③ 전처리 함수 실행

이전에는 임의로 [0, 255]에서 [0, 1]로 범위를 조정하는 정규화를 진행했습니다. keras applications에 올라온 모델들은 공통적으로 preprocess_input을 사용하여 입력 값을 전처리합니다. 따라서 별도로 정규화하지 않은 상태를 함수의 입력 값으로 넣습니다.

전이 학습 모델 설계하기

```
model = Sequential()
model.add(feature_extractor)
model.add(GlobalAveragePooling2D())
model.add(Dropout(0.5))
model.add(Dense(1, activation='sigmoid'))
```

모델 설계는 단순합니다. 특성을 추출하는 부분에 사전 학습된 모델을 쌓아준 후 전역 평균 풀링을 사용합니다. Flatten 층을 사용하는 것과 비교하여 공간 정보를 유지하면서 차원 축소를 할 수 있고, 매개변수 수를 줄여 과적합을 줄이고 모델의 일반화 성능을 향상시킬 수 있습니다. 드롭아웃 층을 중간에 넣어 과적합을 방지합니다.

```
model.summary()
```

```
Model: "sequential_3"
_________________________________________________________________
 Layer (type)                Output Shape              Param #
```

```
=================================================================
 efficientnetv2-s (Function  (None, 7, 7, 1280)        20331360
 al)

 global_average_pooling2d_2  (None, 1280)              0
 (GlobalAveragePooling2D)

 dropout_2 (Dropout)         (None, 1280)              0

 dense_4 (Dense)             (None, 1)                 1281

=================================================================
Total params: 20332641 (77.56 MB)
Trainable params: 1281 (5.00 KB)
Non-trainable params: 20331360 (77.56 MB)
```

Trainable params와 Non-trainable params를 보면 학습 가능한 매개변수는 전역 평균 풀링의 출력 모양인 1,281개이고, 나머지 20,331,360개는 학습하지 않는 매개변수인 것을 확인할 수 있습니다.

모델 학습하기

```
from tensorflow.keras.optimizers import Adam

model.compile(optimizer=Adam(learning_rate=0.0001),
             loss='binary_crossentropy',
             metrics=['accuracy',
                      Recall(name='recall'),
                      Precision(name='precision'),
                      AUC(name='auc')])

model_checkpoint = ModelCheckpoint('best_model.keras', monitor='val_auc', save_best_
only=True, mode='max', verbose=1)

transfer_learning_history = model.fit(x_train, y_train, batch_size=32, validation_
split=0.2, epochs=20, callbacks=[model_checkpoint])
```

이전과 같이 최적화 함수는 adam을 사용할 것입니다. 이때 오버피팅을 방지하고 수렴을 안정화하기 위하여 학습률을 기본 값인 0.001에 비해 작게 설정한 0.0001로 설정해줍니다.

코드를 실행하면 다음처럼 출력됩니다.

```
…(중략)…
Epoch 19/20
112/113 [============================>.] - ETA: 0s - loss: 0.3497 - accuracy: 0.8655 -
recall: 0.9639 - precision: 0.8775 - auc: 0.8515
Epoch 19: val_auc improved from 0.79717 to 0.79882, saving model to best_model.keras
113/113 [==============================] - 8s 74ms/step - loss: 0.3498 - accuracy:
0.8656 - recall: 0.9640 - precision: 0.8774 - auc: 0.8516 - val_loss: 0.3944 - val_
accuracy: 0.8611 - val_recall: 0.9520 - val_precision: 0.8812 - val_auc: 0.7988
```

모델 체크포인트로 저장한 모델의 검증 지표입니다. 검증 정확도는 86%, 재현율은 96%, 정밀도는 88%인 것을 확인할 수 있습니다.

모델 학습 후 시각화

모델을 학습시키고 시각화하는 코드는 앞에서 진행한 코드와 같습니다.

```
# transfer_learning_history 시각화
plt.plot(transfer_learning_history.history['loss'])
plt.plot(transfer_learning_history.history['val_loss'])
plt.title('전이 학습 모델 손실 추이')
plt.xticks(range(0, 21, 2))
plt.ylim([0.1, 1.0])
plt.ylabel('loss')
plt.xlabel('epoch')
plt.legend(['train', 'val'])
plt.legend(['train', 'val'], loc='upper left')
plt.show()
```

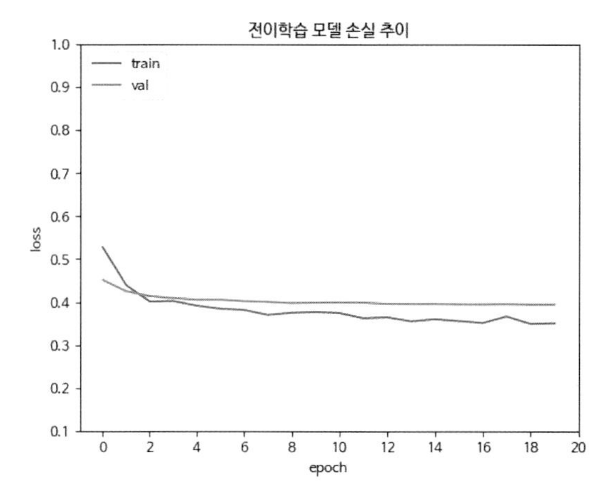

```
# 혼동 행렬 시각화
model = load_model('best_model.keras')
predicted_probabilities = model.predict(x_test)
threshold = 0.5
y_pred = (predicted_probabilities > threshold).astype(int)
cm = confusion_matrix(y_test, y_pred)
plt.figure(figsize=(8, 6))
sns.heatmap(cm, annot=True, fmt='d', cmap='Blues', annot_kws={"size": 16})
plt.xlabel('예측 값')
plt.ylabel('실제 값')
plt.title('혼동 행렬')
plt.show()
```

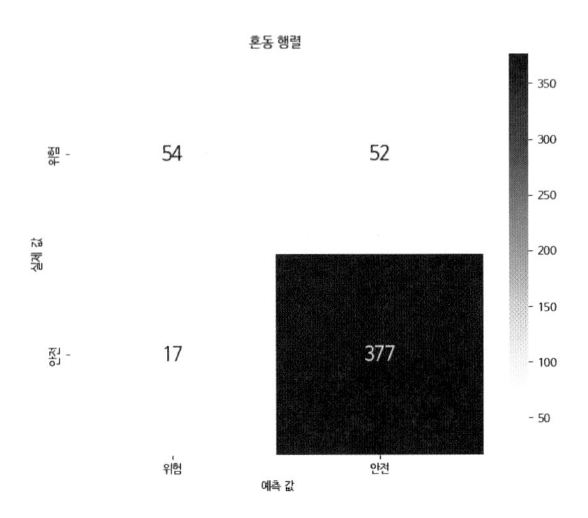

정확도는 약 86%, 정밀도는 약 88%를 기록하여 베이스라인 모델보다 개선된 모델을 만들 수 있었습니다. 그러나 여전히 '안전'하다고 예측했지만 실제로는 '위험'에 해당하는 케이스가 많은 것을 확인할 수 있습니다.

클래스 가중치 적용

현재 모델 데이터의 레이블이 0보다는 1에 치우친 모습입니다. 따라서 학습할 때 클래스별로 가중치를 주어 특정 클래스에 더 집중해서 학습하도록 도와줄 수 있습니다.

가중치 정의

다음 코드는 불균형한 데이터 세트에서 모델의 학습을 도와주기 위해 각 클래스에 가중치를 적용하는 방법을 구현한 것입니다.

```
# 레이블 데이터에서 안전하지 않은(unsafe) 샘플과 안전한(safe) 샘플의 수를 세어 bincount
함수로 계산합니다.
unsafe, safe = np.bincount(label_data)

# 전체 샘플 수를 계산합니다.
total = unsafe + safe

# 안전하지 않은 샘플에 적용할 가중치를 계산합니다. 적은 수의 샘플을 가진 클래스에 더 높은 가중치를
부여합니다.
weight_for_unsafe = (1 / unsafe) * (total / 2.0)

# 안전한 샘플에 적용할 가중치를 계산합니다.
weight_for_safe = (1 / safe) * (total / 2.0)

# 클래스별 가중치를 딕셔너리로 저장합니다. 여기서 0은 '안전하지 않음', 1은 '안전함'을
나타냅니다.
class_weight = {0: weight_for_unsafe, 1: weight_for_safe}

# 계산된 각 클래스의 가중치를 출력합니다.
print('Weight for class 0: {:.2f}'.format(weight_for_unsafe))
print('Weight for class 1: {:.2f}'.format(weight_for_safe))
```

불균형한 데이터 세트는 한 클래스의 샘플 수가 다른 클래스에 비해 상대적으로 매우 낮거나 높을 때 발생합니다. 이러한 불균형을 해결하기 위해 각 클래스의 가중치를 조정하여 모델이 더 적게 나타나는 클래스에 더 많은 주의를 기울이도록 유도합니다.

코드를 실행하면 다음처럼 출력됩니다.

```
레이블 0(unsafe) 가중치: 2.36
레이블 1(safe) 가중치: 0.63
```

앞에서 Counter를 사용했던 것과 비슷하게 np.bincount 함수를 활용하면 배열 안에 값들이 각각 몇 개씩 있는지 알 수 있습니다. 총 레이블에서 들어 있는 개수를 세어 레이블 0에 대한 가중치와 레이블 1에 대한 가중치를 각각 구해줍니다.

이 코드를 통해 학습 과정에서 모델이 더 적은 수의 샘플을 가진 클래스를 무시하지 않고, 두 클래스를 고르게 학습할 수 있도록 돕습니다. 가중치 조정은 모델의 성능을 개선하고, 불균형한 데이터 세트에서의 과적합 문제를 완화할 수 있는 효과적인 방법 중 하나입니다.

모델 학습하기

앞에서 정의해준 class_weight 가중치 딕셔너리를 인수로 추가해서 학습을 진행합니다. 다른 모델 정의, 학습 코드들은 똑같이 작성합니다.

```
model = Sequential()
model.add(feature_extractor)
model.add(GlobalAveragePooling2D())
model.add(Dropout(0.5))
model.add(Dense(1, activation='sigmoid'))
model.compile(optimizer=Adam(learning_rate=0.0005),
              loss='binary_crossentropy',
              metrics=['accuracy',
                       Recall(name='recall'),
                       Precision(name='precision'),
                       AUC(name='auc')])
model_checkpoint = ModelCheckpoint('best_model.keras', monitor='val_auc', save_best_
only=True, mode='max', verbose=1)
transfer_learning_with_class_weight_history = model.fit(x_train, y_train, batch_
size=32, validation_split=0.2, epochs=20, class_weight=class_weight, callbacks=[
model_checkpoint])
```

```
…(중략)…
Epoch 12/20
113/113 [==============================] - ETA: 0s - loss: 0.4765 - accuracy: 0.7847 -
recall: 0.7963 - precision: 0.9198 - auc: 0.8506
Epoch 12: val_auc improved from 0.80133 to 0.80197, saving model to best_model.keras
…(중략)…
113/113 [==============================] - 8s 74ms/step - loss: 0.4765 - accuracy:
0.7847 - recall: 0.7963 - precision: 0.9198 - auc: 0.8506 - val_loss: 0.5123 - val_
accuracy: 0.7678 - val_recall: 0.7913 - val_precision: 0.9019 - val_auc: 0.8020
```

검증 정확도 77%, 재현율 79%, 정밀도 90%인 것을 확인할 수 있습니다.

앞과 동일한 방법으로 시각화해보겠습니다.

```
# transfer_learning_with_class_weight_history 시각화
plt.plot(transfer_learning_with_class_weight_history.history['loss'])
plt.plot(transfer_learning_with_class_weight_history.history['val_loss'])
plt.title('클래스 가중치 적용 전이 학습 모델 손실 추이')
plt.xticks(range(0, 21, 2))
plt.ylim([0.1, 1.0])
plt.ylabel('loss')
plt.xlabel('epoch')
plt.legend(['train', 'val'])
plt.legend(['train', 'val'], loc='upper left')
plt.show()
```

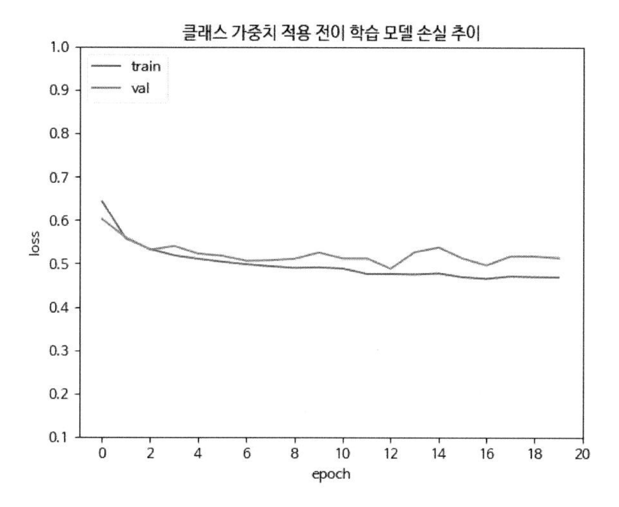


```
# 혼동 행렬 시각화
model = load_model('best_model.keras')
predicted_probabilities = model.predict(x_test)
threshold = 0.5
y_pred = (predicted_probabilities > threshold).astype(int)
cm = confusion_matrix(y_test, y_pred)
plt.figure(figsize=(8, 6))
sns.heatmap(cm, annot=True, fmt='d', cmap='Blues', annot_kws={"size": 16},
xticklabels=['위험', '안전'], yticklabels=['위험', '안전'])
plt.xlabel('예측 값')
plt.ylabel('실제 값')
plt.title('혼동 행렬')
plt.show()
```

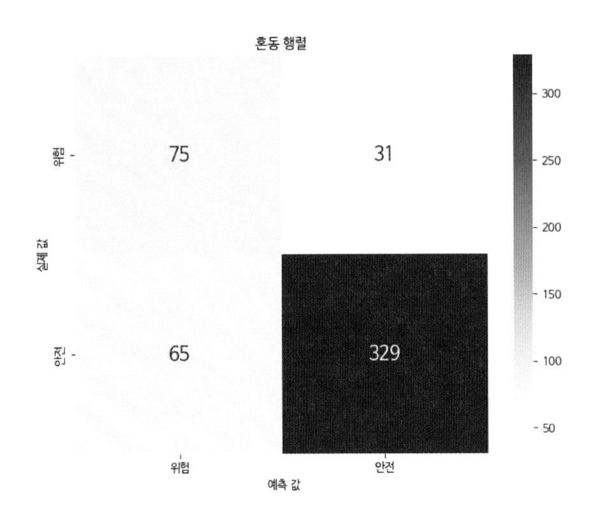

정확도는 81%, 정밀도는 91%까지 상승한 것을 확인할 수 있습니다. 또한, 실제로는 위험한데 안전하다고 예측하는 수를 많이 줄일 수 있었습니다.

지금까지 건설 현장에서 헬멧 착용 여부를 분류하는 프로젝트를 진행했습니다. 직접 구현한 모델과 전이 학습 모델 그리고 클래스 가중치와 함께 전이 학습한 모델을 구현하였습니다.

프로젝트에 사용한 데이터 세트는 원래 객체 탐지용으로 바운딩 박스가 쳐진 데이터 세트이지만, 애너테이션된 데이터가 없다고 가정하고 이미지에 레이블을 붙혀 학습을 진행했기 때문에 매우 높은 성능은 아니었습니다. 그럼에도 불구하고 두 전이 학습 모델 중 하나는 정확도가 더 높은 모델, 다른 하나는 재현율이 더 높은 모델을 얻을 수 있었습니다.

7.1.2 건설 현장에서의 이미지 분할 활용

영역 분할 작업은 건설 현장의 AI 적용에서 핵심적인 부분을 차지합니다. cityscape 데이터 세트를 활용하는 우리 프로젝트에서 영역 분할은 다음과 같은 중요한 역할을 합니다.

- **객체 인식 및 분류**: 영역 분할을 통해 건설 현장에서 사용되는 장비, 자재, 인력 등을 정확하게 식별하고 분류할 수 있습니다. 이는 자원 관리 및 배치에 필수적입니다.
- **안전 모니터링 강화**: 영역 분할을 이용해 보행자, 차량 등의 동적 요소를 실시간으로 감지하고 추적함으로써 현장의 안전을 효과적으로 모니터링할 수 있습니다. 특히 위험 구역 내 무단 침입자나 장비의 부적절한 사용을 신속하게 감지하는 데 유용합니다.

- **도로 및 인프라 계획 최적화**: 도시 환경의 도로 및 건물 구조에 대한 세분화된 정보를 통해, 건설 현장 주변의 인프라 계획을 좀 더 효율적으로 수립할 수 있습니다. 이를 통해 교통 흐름과 공간 활용도를 개선할 수 있습니다.
- **작업 진행 상황 분석**: 고해상도 이미지에서 영역 분할을 사용하여 건설 현장의 진행 상황을 정밀하게 분석할 수 있습니다. 이는 프로젝트 관리에 있어서 매우 중요한 정보를 제공합니다.
- **AI 기반 예측 및 시뮬레이션**: 영역 분할 데이터를 AI 모델과 결합하여, 건설 프로젝트의 다양한 시나리오를 예측하고 시뮬레이션할 수 있습니다. 이는 리스크 관리와 자원 할당 최적화에 도움을 줄 수 있습니다.

이러한 적용 방법을 통해 영역 분할 태스크는 건설 현장에서의 효율성, 안전성, 그리고 전반적인 프로젝트 관리를 혁신적으로 개선하는 데 크게 기여할 것입니다.

데이터 불러오기

데이터 분석 및 모델링을 위한 여정을 시작하기에 앞서, 필요한 파이썬 라이브러리들을 불러오는 것부터 시작합니다. 올바른 도구를 선택하고 구성하는 것은 프로젝트의 성공에 결정적인 영향을 미칩니다.

다음 코드는 데이터를 처리하고 분석하는 데 필요한 여러 라이브러리를 불러옵니다.

```
# 데이터 처리 및 분석을 위한 기본 라이브러리
import numpy as np
import pandas as pd

# 데이터 시각화 도구
import matplotlib.pyplot as plt
import seaborn as sns

# 이미지 처리 관련 라이브러리
from PIL import Image
from glob import glob

# 진행 상태를 추적하는 데 도움이 되는 라이브러리
from tqdm import tqdm

# 딥러닝 모델링을 위한 텐서플로 및 관련 콜백
import tensorflow as tf
from tensorflow.keras.callbacks import ModelCheckpoint
```

데이터 처리를 위한 numpy와 pandas, 시각화를 위한 matplotlib과 seaborn, 이미지 처리를 위한 PIL과 glob, 그리고 딥러닝 모델링을 위한 텐서플로와 그 콜백들입니다. 이 도구들을 활용하여, 우리는 건설 현장에서의 영역 분할 태스크에 필요한 데이터를 효율적으로 처리하고 분석할 수 있습니다. 여기서 사용할 데이터 세트는 'Cityscapes'라는 명칭으로 알려져 있습니다. 이 독특한 데이터 세트는 도시 거리 장면을 생생하게 담아내며, 도시의 다채로운 측면을 보여줍니다. 주행 중인 차량이 촬영한 다양한 요소들(차량, 보행자, 건물, 도로 등)이 데이터 세트의 핵심입니다.

Cityscapes는 50개 이상의 도시에서 수집된 약 5,000장의 고해상도 이미지로 구성되어 있습니다. 이 중에서 특히 2,975장의 이미지는 세밀하고 정밀한 픽셀 수준의 주석으로 더욱 가치가 있습니다. 책에서는 이 2,975장의 훈련용 이미지와 500장의 새로 추가된 검증용 이미지를 중점적으로 다룰 예정입니다. 이 이미지들은 모두 JPG 형식으로 저장되어 있어 쉽게 접근할 수 있습니다. 각 이미지에는 35개의 클래스가 주석으로 표기되어 있어, 다양한 객체 분류를 가능하게 합니다. 그러나 Cityscapes 데이터 세트의 경우, 이미지와 주석 맵이 하나의 합성된 장면으로 표현되어 있어, 이 둘을 분리하여 처리해야 하는 독특한 작업이 요구됩니다.

이러한 특징들은 Cityscapes 데이터 세트를 건설 현장에서의 AI 적용, 특히 영역 분할 작업에 매우 적합하게 만듭니다.

먼저 gdown 명령어를 사용하여 구글 드라이브에서 데이터 세트를 직접 다운로드합니다. 다운로드 완료 후, unzip 명령어를 사용하여 데이터 세트를 압축 해제합니다. 이 명령어는 압축된 파일을 열고 내용을 지정된 디렉터리에 추출하는 데 사용됩니다.

```
!gdown 12SmqZSWY8IGyPvCgdgpR7SXUQzSunCDE
!unzip cityscapes.zip
```

이후에는 압축 해제된 Cityscapes 데이터의 경로를 지정하고, 해당 경로에 있는 모든 이미지 파일의 이름을 train_image_paths와 val_image_paths 리스트에 저장합니다. 이를 위해 파이썬의 os 라이브러리와 glob 함수를 사용합니다.

```
import os

def get_image_paths(directory):
    return glob(os.path.join(directory, '*.jpg'))

train_dir = 'cityscapes/train/'
val_dir = 'cityscapes/val/'
```

```
train_image_paths = get_image_paths(train_dir)
val_image_paths = get_image_paths(val_dir)

print(f"Number of training images: {len(train_image_paths)}")
print(f"Number of validation images: {len(val_image_paths)}")
```

이 코드는 훈련용 및 검증용 이미지 파일의 경로를 각각 train_dir과 val_dir에 저장한 후, get_image_paths 함수를 사용하여 각 디렉터리의 모든 '*.jpg' 이미지 파일을 찾습니다. 그 결과, 훈련용과 검증용 이미지의 총 개수를 출력하여 데이터 세트의 사이즈를 확인할 수 있습니다.

이러한 초기 설정 후에는 데이터 세트의 각 이미지를 명확하게 분류하고 관리하기 위한 레이블 시스템을 구축하는 것이 중요합니다. 이를 위해 파이썬의 namedtuple을 활용하여 각 레이블에 대한 상세한 정보를 포함하는 구조를 정의합니다. 이러한 구조화된 접근 방식은 데이터의 가독성과 관리의 효율성을 크게 향상시킵니다.

다음처럼 namedtuple을 사용하여 Label 클래스를 정의합니다.

```
from collections import namedtuple
Label = namedtuple('Label' , ['name', 'id' ,'trainId','category','categoryId',
'hasInstances','ignoreInEval','color'])
```

각 레이블에는 다음과 같은 속성들이 포함됩니다

- name: 레이블의 이름을 나타내며, id는 각 레이블에 할당된 고유한 정수입니다.
- trainId: 훈련 과정에서 사용되는 ID입니다.
- category, categoryId: 레이블이 속한 카테고리와 그 카테고리의 ID를 나타냅니다.
- hasInstances: 레이블이 단일 인스턴스를 구별할 수 있는지 여부를 결정합니다.
- ignoreInEval: 평가 과정에서 이 레이블을 무시할지 여부를 결정합니다.
- color: 레이블의 시각적 표현에 사용됩니다.

이렇게 정의된 Label 구조를 사용하면 프로그램 내에서 레이블에 대한 정보를 쉽고 효과적으로 관리할 수 있게 됩니다. 각 레이블은 고유한 속성을 가지며, 이는 데이터 처리 및 분석 과정에서의 오류 가능성을 줄이고 전반적인 효율성을 증가시킵니다. 이러한 명확한 레이블 구조는 특히 이미지 영역 분할과 같은 복잡한 작업을 수행하는 데 있어 매우 중요합니다.

다음은 Label 구조를 사용하여 Cityscapes 데이터 세트의 다양한 클래스를 정의한 예시입니다. 각 클래스는 고유한 이름, ID, trainId, 카테고리, categoryId, 인스턴스 구분 여부, 평가에서 무시 여부, 그리고 색상을 가집니다. 이러한 속성들은 각 클래스를 명확하게 식별하고, 훈련 및 평가 과정에서 이들을 적절히 처리하는 데 필요합니다.

```
labels=[
Label('unlabeled',0,255,'void',0,False,True,(0,0,0)),
Label('egovehicle',1,255,'void',0,False,True,(0,0,0)),
Label('rectificationborder',2,255,'void',0,False,True,(0,0,0)),
Label('outofroi',3,255,'void',0,False,True,(0,0,0)),
Label('static',4,255,'void',0,False,True,(0,0,0)),
Label('dynamic',5,255,'void',0,False,True,(111,74,0)),
Label('ground',6,255,'void',0,False,True,(81,0,81)),
Label('road',7,0,'ground',1,False,False,(128,64,128)),
Label('sidewalk',8,1,'ground',1,False,False,(244,35,232)),
Label('parking',9,255,'ground',1,False,True,(250,170,160)),
Label('railtrack',10,255,'ground',1,False,True,(230,150,140)),
Label('building',11,2,'construction',2,False,False,(70,70,70)),
Label('wall',12,3,'construction',2,False,False,(102,102,156)),
Label('fence',13,4,'construction',2,False,False,(190,153,153)),
Label('guardrail',14,255,'construction',2,False,True,(180,165,180)),
Label('bridge',15,255,'construction',2,False,True,(150,100,100)),
Label('tunnel',16,255,'construction',2,False,True,(150,120,90)),
Label('pole',17,5,'object',3,False,False,(153,153,153)),
Label('polegroup',18,255,'object',3,False,True,(153,153,153)),
Label('trafficlight',19,6,'object',3,False,False,(250,170,30)),
Label('trafficsign',20,7,'object',3,False,False,(220,220,0)),
Label('vegetation',21,8,'nature',4,False,False,(107,142,35)),
Label('terrain',22,9,'nature',4,False,False,(152,251,152)),
Label('sky',23,10,'sky',5,False,False,(70,130,180)),
Label('person',24,11,'human',6,True,False,(220,20,60)),
Label('rider',25,12,'human',6,True,False,(255,0,0)),
Label('car',26,13,'vehicle',7,True,False,(0,0,142)),
Label('truck',27,14,'vehicle',7,True,False,(0,0,70)),
Label('bus',28,15,'vehicle',7,True,False,(0,60,100)),
Label('caravan',29,255,'vehicle',7,True,True,(0,0,90)),
Label('trailer',30,255,'vehicle',7,True,True,(0,0,110)),
Label('train',31,16,'vehicle',7,True,False,(0,80,100)),
Label('motorcycle',32,17,'vehicle',7,True,False,(0,0,230)),
Label('bicycle',33,18,'vehicle',7,True,False,(119,11,32)),
Label('licenseplate',34,19,'vehicle',7,False,True,(0,0,142)),
]
```

이렇게 정의된 레이블 목록은 데이터 세트의 이미지에 존재하는 다양한 객체들을 세분화하고 분류하는 데 필수적입니다. 각 클래스별 상세 정보를 통해 영역 분할 알고리즘이 각 객체를 정확하게 식별하고, 이를 바탕으로 다양한 분석과 시각화 작업을 수행할 수 있습니다. 이러한 정교한 클래스 분류는 모델의 성능과 정확도를 크게 향상시킬 수 있습니다.

다음으로 영역 분할 모델을 구축하기 위한 기본 설정을 정의하는 코드를 살펴보겠습니다

```
N_FILTERS = 64
KERNEL_SIZE = 3
N_CLASSES = len(labels)
IMAGE_SIZE = 128
EPOCHS = 15
BATCH_SIZE = 16

MODEL_CHECKPOINT_FILEPATH = './cityscapes-unet.ckpt'

id2color = { label.id : np.asarray(label.color) for label in labels }
```

이 코드는 신경망 모델 구축에 필요한 다양한 하이퍼파라미터와 설정들을 정의합니다.

- N_FILTERS: 모델의 합성곱 층에 사용될 필터의 수입니다.
- KERNEL_SIZE: 합성곱 커널의 사이즈를 지정합니다.
- N_CLASSES: 데이터 세트에 정의된 클래스의 수입니다. len(labels)를 통해 자동으로 계산됩니다.
- IMAGE_SIZE: 모델에 입력될 이미지의 사이즈입니다.
- EPOCHS: 훈련할 에포크의 수입니다.
- BATCH_SIZE: 한 번에 처리할 데이터의 양을 정의합니다.
- MODEL_CHECKPOINT_FILEPATH: 모델의 체크포인트를 저장할 파일 경로입니다.

마지막으로 id2color 사전의 정의는 모델의 시각화 및 결과 해석에 매우 중요한 역할을 합니다. 각 클래스 ID에 대응하는 색상 정보를 저장해서 추후에 모델이 예측한 결과를 시각적으로 이해하기 쉽게 만들 수 있습니다. 이러한 구성은 모델 훈련과 결과 평가 과정에서 효과적인 관리와 최적화를 가능하게 합니다.

데이터 전처리

이제 데이터 전처리 및 레이블 변환에 사용되는 두 개의 중요한 함수를 살펴보겠습니다.

```
def image_mask_split(filename, image_size):
    image_mask = Image.open(filename)
    image, mask = image_mask.crop([0, 0, 256, 256]), image_mask.crop([256, 0, 512,
256])
    image = image.resize((image_size, image_size))
    mask = mask.resize((image_size, image_size))
    image = np.array(image) / 255
    mask = np.array(mask)

    return image, mask

def find_closest_labels_vectorized(mask, mapping):
    closest_distance = np.full([mask.shape[0], mask.shape[1]], 10000)
    closest_category = np.full([mask.shape[0], mask.shape[1]], None)
    for id, color in mapping.items():
        dist = np.sqrt(np.linalg.norm(mask - color.reshape([1,1,-1]), axis=-1))
        is_closer = closest_distance > dist
        closest_distance = np.where(is_closer, dist, closest_distance)
        closest_category = np.where(is_closer, id, closest_category)
    return closest_category
```

image_mask_split 함수는 주어진 파일명으로부터 이미지와 마스크를 분리하고 지정된 사이즈로 조정하는 역할을 합니다. 이 과정을 통해 얻어진 이미지와 마스크는 모델의 입력 데이터로 사용됩니다.

find_closest_labels_vectorized 함수는 마스크의 각 픽셀 색상을 분석하여 id2color 매핑을 기반으로 가장 근접한 레이블 ID를 찾습니다. 이 함수는 픽셀별로 어떤 레이블에 속하는지 효율적으로 결정하는 데 중요한 역할을 하며, 학습 및 평가 과정에서 활용될 레이블 데이터를 생성하는 데 필수적입니다.

다음으로 훈련 및 검증 데이터 세트를 구축하는 과정을 살펴보겠습니다.

```
train_images = []
train_masks = []
train_masks_enc = []
val_images = []
val_masks = []
val_masks_enc = []

train_lists = glob(f'{train_dir}*.jpg')
val_lists = glob(f'{val_dir}*.jpg')
print(len(train_lists), len(val_lists))

for train_file in tqdm(train_lists, desc = 'Building Training Dataset: '):
    image, mask = image_mask_split(train_file, IMAGE_SIZE)
    train_images.append(image)
    train_masks.append(mask)
    train_masks_enc.append(find_closest_labels_vectorized(mask, id2color))

for val_file in tqdm(val_lists, desc = 'Building Validation Dataset: '):
    image, mask = image_mask_split(val_file, IMAGE_SIZE)
    val_images.append(image)
    val_masks.append(mask)
    val_masks_enc.append(find_closest_labels_vectorized(mask, id2color))
```

```
2975 500
Building Training Dataset: 100%|■■■■■■■■■| 2975/2975 [01:58<00:00, 25.18it/s]
Building Validation Dataset: 100%|■■■■■■■■■| 500/500 [00:19<00:00, 25.72it/s]
```

출력 결과를 보면 훈련 및 검증 데이터 세트를 구축하는 과정을 볼 수 있습니다. 각 데이터 세트에 대해 이미지 파일들을 순회하며 image_mask_split 함수를 사용하여 이미지와 마스크를 분리하고, find_closest_labels_vectorized 함수를 통해 마스크 이미지를 레이블로 인코딩합니다.이 과정은 모델이 학습할 수 있는 형태의 데이터 세트를 생성합니다.

훈련 및 검증 데이터 세트를 구축한 후, 다음 단계는 이 데이터를 시각화하여 검토하는 것입니다. 이 과정을 통해 데이터 세트가 올바르게 처리되었는지 확인하고, 필요한 경우 추가 조정할 수 있습니다. 시각화는 모델의 입력 데이터를 이해하는 데 중요한 역할을 합니다.

다음 코드는 훈련 데이터 세트에서 두 개의 샘플 이미지, 그에 해당하는 마스크, 그리고 레이블로 인코딩된 마스크를 시각화합니다.

```
plt.figure(figsize=[20, 14])

for i in range(2):
    img = train_images[i]
    msk = train_masks[i]
    enc = train_masks_enc[i]
    tmp = np.zeros([enc.shape[0], enc.shape[1], 3])
    for row in range(enc.shape[0]):
        for col in range(enc.shape[1]):
            tmp[row, col, :] = id2color[enc[row, col]]
            tmp = tmp.astype('uint8')
    plt.subplot(2, 3, i*3 + 1)
    plt.imshow(img)
    plt.axis('off')
    plt.gca().set_title('Sample image {}'.format(str(i+1)))

    plt.subplot(2, 3, i*3 + 2)
    plt.imshow(msk)
    plt.axis('off')
    plt.gca().set_title('Sample mask {}'.format(str(i+1)))

    plt.subplot(2, 3, i*3 + 3)
    plt.imshow(tmp)
    plt.axis('off')
    plt.gca().set_title('Encoded sameple mask {}'.format(str(i+1)))

plt.subplots_adjust(wspace=0, hspace=0.1)
```

이 코드를 실행하면 다음처럼 두 개의 샘플 이미지를 선택하여 그들의 원본 이미지, 마스크, 그리고 인코딩된 마스크를 나란히 표시합니다.

✔ 그림 7-2 출력 결과: 학습 데이터 및 레이블 데이터 확인

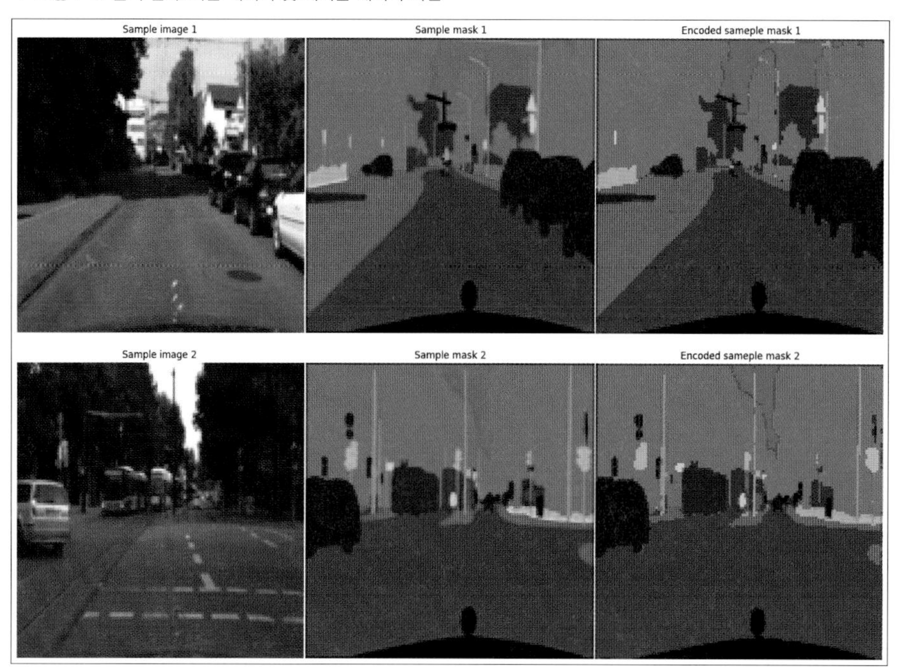

인코딩된 세 번째 열의 이미지를 보니 좀 더 명확하게 영역에 대한 마스크가 표현되어 있는 걸 확인할 수 있습니다.

이제 준비된 훈련 및 검증 데이터 세트의 이미지와 인코딩된 마스크를 모델에 입력하기 위한 최종 단계로 이동합니다. 이 과정에서는 이미지와 마스크 데이터를 numpy 배열로 변환하고, 데이터 타입을 float32로 설정하여 모델이 이를 효율적으로 처리할 수 있도록 합니다.

```
# 이미지와 마스크를 numpy 배열로 변환하고 데이터 타입을 'float32'로 설정
train_images = np.stack(train_images).astype('float32')
train_masks_enc = np.stack(train_masks_enc).astype('float32')

val_images = np.stack(val_images).astype('float32')
val_masks_enc = np.stack(val_masks_enc).astype('float32')
```

이 코드에서 np.stack 함수는 리스트에 있는 여러 이미지를 하나의 numpy 배열로 결합합니다. 이 배열은 모델의 입력으로 사용됩니다.

모델 구현

이어서 모델을 구성하는 데 필요한 다양한 함수들을 정의해야 합니다. 여기에는 합성곱 블록, 인코더 블록, 디코더 블록 등이 포함됩니다. 각 함수는 모델의 특징 추출 및 학습 과정에 필요한 연산을 수행합니다.

```
def conv2d_block(input_tensor, n_filters, kernel_size=3): # ①
    x = input_tensor
    for i in range(2):
        # Conv2D 레이어를 추가합니다.
        x = tf.keras.layers.Conv2D(filters=n_filters, kernel_size=kernel_size,
kernel_initializer='he_normal', activation='relu', padding='same')(x)
    return x

def encoder_block(inputs, n_filters=64, pool_size=(2,2), dropout=0.3): # ②
    f = conv2d_block(inputs, n_filters)
    p = tf.keras.layers.MaxPooling2D(pool_size=pool_size)(f)
    p = tf.keras.layers.Dropout(dropout)(p)

    return f, p

def encoder(inputs): # ③
    f1, p1 = encoder_block(inputs, n_filters=64)
    f2, p2 = encoder_block(p1, n_filters=128)
    f3, p3 = encoder_block(p2, n_filters=256)
    f4, p4 = encoder_block(p3, n_filters=512)

    return p4, (f1, f2, f3, f4)

def bottleneck(inputs): # ④
    bottle_neck = conv2d_block(inputs, n_filters=1024)
    return bottle_neck

# Decoder
def decoder_block(inputs, conv_output, n_filters=64, kernel_size=3, strides=3,
dropout=0.3): # ⑤
    u = tf.keras.layers.Conv2DTranspose(n_filters, kernel_size, strides,
padding='same')(inputs)
    c = tf.keras.layers.concatenate([u, conv_output])
    c = tf.keras.layers.Dropout(dropout)(c)
    c = conv2d_block(c, n_filters)
```

```
    return c

def decoder(inputs, convs, output_channels): # ⑥
    f1, f2, f3, f4 = convs

    c6 = decoder_block(inputs, f4, n_filters=512, kernel_size=3, strides=2)
    c7 = decoder_block(c6, f3, n_filters=256, kernel_size=3, strides=2)
    c8 = decoder_block(c7, f2, n_filters=128, kernel_size=3, strides=2)
    c9 = decoder_block(c8, f1, n_filters=64, kernel_size=3, strides=2)
    outputs = tf.keras.layers.Conv2D(output_channels, 1, activation='softmax')(c9)

    return outputs
```


코드는 이미지 영역 분할을 위한 U-Net 아키텍처를 구성하는 핵심 함수들을 정의합니다. U-Net은 인코더-디코더 구조를 가진 심층 신경망으로, 주로 이미지에서 객체의 경계를 정확하게 구분하는 데 사용됩니다.

① conv2d_block: 입력 텐서에 2D 합성곱 층을 두 번 적용합니다. 각 층은 주어진 필터 수(n_filters), 커널 사이즈(kernel_size), 초기화 방법('he_normal'), 활성화 함수('relu'), 패딩 방식('same')을 사용합니다.

② encoder_block: conv2d_block을 사용하여 특징을 추출한 후, 최대 풀링(MaxPooling2D)과 드롭아웃을 적용합니다. 이 과정은 입력 이미지에서 중요한 특징을 추출하고, 과적합을 방지하기 위해 사용됩니다.

③ encoder: 입력 이미지에 대해 여러 encoder_block을 적용하여 점점 더 깊은 특징을 추출합니다. 각 블록은 필터 수를 두 배씩 증가시키며, 이 과정에서 이미지의 공간적 차원은 감소하지만, 특징의 차원은 증가합니다.

④ bottleneck: U-Net의 중심에 위치하는 bottleneck은 가장 깊은 특징을 추출합니다. 이 부분은 모델이 가장 복잡한 특징을 학습할 수 있게 합니다.

⑤ decoder_block: 디코더 부분은 Conv2DTranspose를 사용하여 특징 맵의 차원을 확장하고, 이전 인코더 블록의 출력과 결합합니다(concatenate). 이 과정은 이미지의 공간적 차원을 점차 복원합니다.

⑥ decoder: decoder는 여러 decoder_block을 적용하여 최종적으로 원본 이미지 사이즈에 해당하는 출력을 생성합니다. 마지막 층에서는 Conv2D를 사용하여 출력 클래스 수에 맞는 채널을 생성합니다.

이러한 함수들의 조합으로 U-Net 아키텍처가 구성되며, 이는 효과적인 이미지 영역 분할을 수행할 수 있게 해줍니다.

다음으로 U-Net 모델을 구축하고, 모델의 구조를 요약하며 시각화하는 과정을 진행합니다.

```
OUTPUT_CHANNELS = N_CLASSES

def UNet():
    inputs = tf.keras.layers.Input(shape=(IMAGE_SIZE,IMAGE_SIZE,3))
    encoder_output, convs = encoder(inputs)
    bottle_neck = bottleneck(encoder_output)
    outputs = decoder(bottle_neck, convs, OUTPUT_CHANNELS)
    model = tf.keras.Model(inputs, outputs)
    return model

model = UNet()
model.summary()

tf.keras.utils.plot_model(model, show_shapes = True, dpi=150)
```

```
Model: "model_1"
______________________________________________________________________________________
 Layer (type)                Output Shape                 Param #   Connected to
======================================================================================
input_2 (InputLayer)        [(None, 128, 128, 3)]         0         []

conv2d_19 (Conv2D)          (None, 128, 128, 64)          1792      ['input_2[0][0]']
…(중략)…
conv2d_37 (Conv2D)          (None, 128, 128, 35)          2275      ['conv2d_36[0][0]']

======================================================================================
Total params: 34515555 (131.67 MB)
Trainable params: 34515555 (131.67 MB)
Non-trainable params: 0 (0.00 Byte)
______________________________________________________________________________________
```

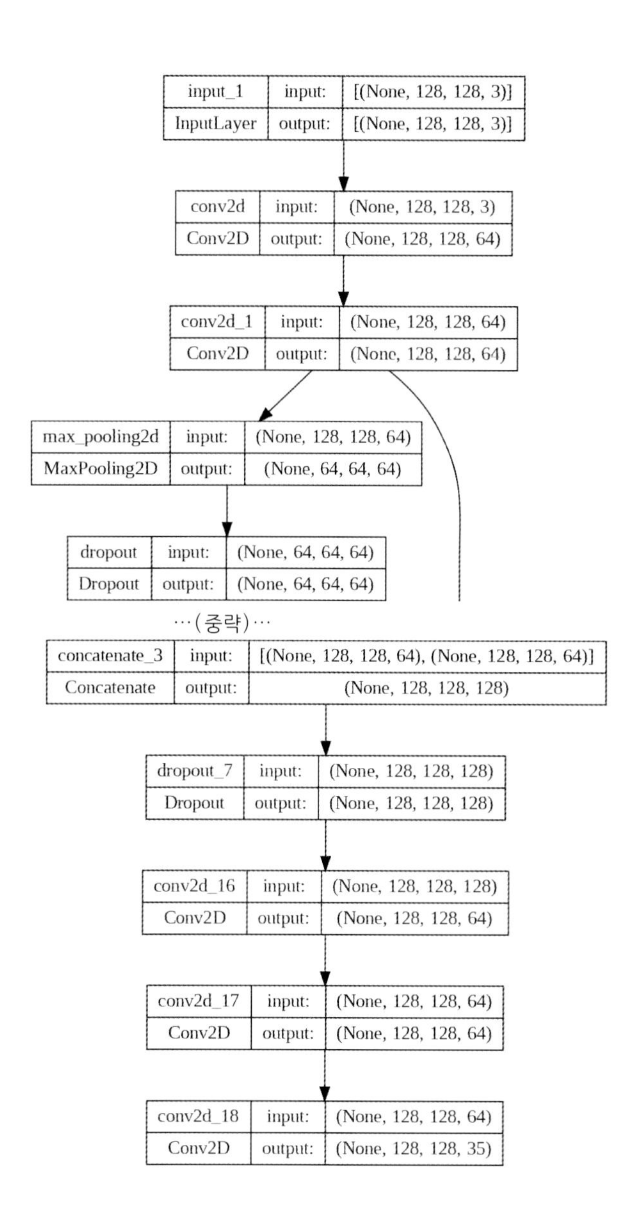

UNet 함수는 모델의 입력부터 출력까지 전체 흐름을 정의합니다. 모델은 입력층을 통해 이미지를 받고, 인코더, 병목(bottleneck), 디코더를 순서대로 거쳐 최종 출력을 생성합니다. model.summary()는 모델의 각 층과 그 매개변수들을 요약해 보여주며, tf.keras.utils.plot_model 함수는 모델의 구조를 시각적으로 표현합니다. 이러한 시각화는 모델의 구조를 이해하고, 필요한 조정을 하는 데 도움이 됩니다.

모델 학습

이제 모델을 학습시키는 단계로 넘어갑니다. 모델 학습 과정에서는 손실 함수, 최적화 알고리즘, 평가지표를 정의하고, 학습 중 모델의 성능을 추적하며 필요한 경우 모델의 가중치를 저장합니다.

```
model.compile(optimizer = 'adam',
              loss = tf.keras.losses.SparseCategoricalCrossentropy(from_logits=False),
              metrics = ['accuracy']) # ①
model_checkpoint = ModelCheckpoint(MODEL_CHECKPOINT_FILEPATH, monitor='val_loss',
save_best_only=True, save_weights_only=True,verbose=1, mode = 'min') # ②
history = model.fit(x = train_images,
                    y = train_masks_enc,
                    batch_size = BATCH_SIZE,
                    epochs = EPOCHS,
                    validation_data = (val_images, val_masks_enc),
                    callbacks = [model_checkpoint]) # ③
```

① **모델 컴파일**

model.compile() 메서드를 통해 모델의 학습 과정이 설정됩니다. 이 과정에서 adam 최적화 알고리즘이 사용되며, 손실 함수로는 SparseCategoricalCrossentropy가 지정됩니다. 지금의 경우 from_logits=False로 설정되어 있어, 모델의 출력이 이미 소프트맥스 활성화 함수를 통해 확률 분포로 변환된 상태임을 나타냅니다. 평가지표로는 'accuracy'가 사용되어, 학습 및 검증 과정에서 모델의 분류 정확도를 측정하고 추적합니다.

② **모델 체크포인트 설정**

ModelCheckpoint 콜백은 학습 동안 특정 조건이 만족될 때 모델의 가중치를 자동으로 저장합니다. 여기서는 검증 손실(val_loss)이 최소화되었을 때 모델의 가중치를 저장하도록 설정됩니다. save_best_only=True 옵션은 가장 좋은 성능을 보인 모델의 가중치만을 저장하며, save_weights_only=True는 모델의 구조가 아닌 가중치만을 저장합니다.

③ **모델 학습**

model.fit() 메서드를 통해 모델 학습이 진행됩니다. 이 메서드는 훈련 이미지(train_images)와 마스크 인코딩(train_masks_enc)을 입력으로 받고, 지정된 배치 사이즈(BATCH_SIZE)와 에포크 수(EPOCHS)에 따라 모델을 학습시킵니다. 검증 데이터 세트(val_images, val_masks_enc)를 사용하여 학습 과정을 평가합니다.

코드를 실행하면 다음처럼 출력됩니다.

```
Epoch 1/15
185/186 [============================>.] - ETA: 0s - loss: 4.5829 - accuracy: 0.3837
Epoch 1: val_loss improved from inf to 1.93710, saving model to ./cityscapes-unet.ckpt
186/186 [==============================] - 14s 46ms/step - loss: 4.5691 - accuracy:
0.3842 - val_loss: 1.9371 - val_accuracy: 0.4572
Epoch 2/15
186/186 [==============================] - ETA: 0s - loss: 1.4236 - accuracy: 0.6185
Epoch 2: val_loss improved from 1.93710 to 1.16426, saving model to ./cityscapes-unet.
ckpt
186/186 [==============================] - 8s 43ms/step - loss: 1.4236
…(중략)…
Epoch 15/15
185/186 [============================>.] - ETA: 0s - loss: 0.6464 - accuracy: 0.8245
Epoch 15: val_loss improved from 0.70405 to 0.68983, saving model to ./cityscapes-un-
et.ckpt
186/186 [==============================] - 8s 43ms/step - loss: 0.6458 - accuracy:
0.8247 - val_loss: 0.6898 - val_accuracy: 0.8131
```

에포크마다 'Epoch x: val_loss improved from previous_best to current_best, saving model to ./cityscapes-unet.ckpt'와 같은 메시지가 출력됩니다. 이 메시지는 모델의 가중치가 성능 개선을 보일 때마다 지정된 경로(./cityscapes-unet.ckpt)에 저장됨을 나타냅니다. save_best_only=True 옵션 때문에, 이전의 최고 성능보다 나은 성능을 보이는 모델만 저장되며, save_weights_only=True 설정은 모델의 구조가 아닌 가중치만을 저장합니다.

학습의 초기 단계에서는 손실 값이 상대적으로 높게 시작하지만, 에포크가 진행됨에 따라 점차 감소합니다. 학습이 계속됨에 따라 모델의 손실 값은 지속적으로 감소하고, 정확도는 증가합니다. 이는 모델이 훈련 데이터에 대해 점점 더 잘 학습하고 있음을 나타냅니다. 학습의 마지막 단계에서 모델은 높은 훈련 정확도와 낮은 손실 값을 달성합니다. 검증 데이터 세트에 대한 손실과 정확도는 모델이 새로운 데이터에 대해서도 잘 일반화하고 있음을 보여줍니다.

모델 결과 시각화

이러한 수치적 결과를 넘어, 시각화를 통해 모델의 학습 과정과 개선을 더 직관적으로 파악해보겠습니다.

```
plt.plot(history.history['loss'], label='Train loss')
plt.plot(history.history['val_loss'], label = 'Validation loss')
plt.xlabel('Epoch')
plt.ylabel('Loss')
plt.legend(loc='lower right')
```

코드를 실행하면 다음처럼 학습과 검증 손실을 에포크별로 그래프로 나타냅니다. 이러한 시각화는 모델의 학습 과정에서 손실이 어떻게 변화하는지를 보여주며, 이는 모델의 성능 개선과 일반화 능력을 이해하는 데 도움이 됩니다.

▼ 그림 7-3 출력 결과: 학습과 검증 데이터 손실 시각화

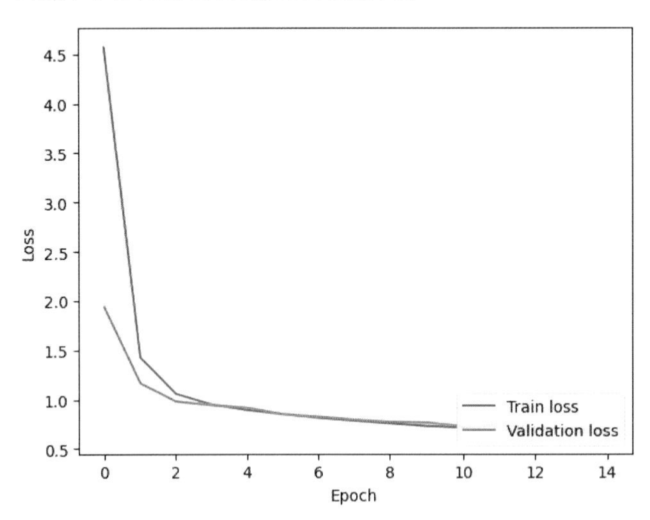

손실이 지속적으로 감소하는 것은 모델이 학습 과정에서 지속적으로 개선되고 있다는 긍정적인 신호입니다. 이제 모델의 실제 영역 분할 성능을 검증하기 위해, 학습된 모델을 사용하여 검증 데이터 세트에 대한 예측을 수행하고 결과를 시각화해보겠습니다.

```
plt.figure(figsize=[15, 20])

for i in range(4):
    img = val_images[i]    # i번째 이미지를 가져옵니다.
```

```
    enc = val_masks_enc[i] # i번째 이미지에 대한 정답 마스크를 가져옵니다.

    # 이미지를 모델에 전달하여 예측을 생성합니다.
    # reshape 함수를 사용하여 입력을 모델이 예상하는 형태로 만듭니다.
    pred = model.predict(img.reshape([1] + [IMAGE_SIZE, IMAGE_SIZE, 3]))
    # 예측 결과는 각 클래스에 대한 확률을 포함하므로 argmax 함수를 사용하여 가장 높은 확률을
가진 클래스를 선택합니다.
    pred = np.squeeze(np.argmax(pred, axis=-1))

    # 마스크와 예측을 시각화할 빈 이미지를 생성합니다.
    tmp1 = np.zeros([enc.shape[0], enc.shape[1], 3])
    tmp2 = np.zeros([enc.shape[0], enc.shape[1], 3])

    # 각 픽셀에 대해 반복합니다.
    for row in range(enc.shape[0]):
        for col in range(enc.shape[1]):
            # 각 픽셀 레이블에 해당하는 색을 id2color 사전에서 찾아서 임시 이미지에 할당합니다.
            tmp1[row, col, :] = id2color[enc[row, col]]
            tmp1 = tmp1.astype('uint8') # uint8 형식으로 변환합니다.

            tmp2[row, col, :] = id2color[pred[row, col]]
            tmp2 = tmp2.astype('uint8') # uint8 형식으로 변환합니다.

    # 원본 이미지, 마스크, 예측 결과를 그림에 그립니다.
    plt.subplot(4, 3, i*3 + 1)
    plt.imshow(img)
    plt.axis('off')
    plt.gca().set_title('Image {}'.format(str(i+1)))

    plt.subplot(4, 3, i*3 + 2)
    plt.imshow(tmp1)
    plt.axis('off')
    plt.gca().set_title('Encoded Mask {}'.format(str(i+1)))

    plt.subplot(4, 3, i*3 + 3)
    plt.imshow(tmp2)
    plt.axis('off')
    plt.gca().set_title('Model Prediction {}'.format(str(i+1)))

# subplot 사이의 간격을 조정합니다.
plt.subplots_adjust(wspace=0, hspace=0.1)
```

코드를 실행하면 검증 데이터 세트의 이미지와 해당 레이블, 그리고 모델에 의한 예측 결과를 나란히 시각화합니다. 각 열은 원본 이미지, 실제 마스크, 모델에 의한 예측 마스크를 보여줍니다. id2color 매핑을 통해 인코딩된 마스크와 모델의 예측을 실제 색상으로 변환하여 비교가 용이하도록 합니다.

▼ 그림 7-4 출력 결과: 레이블 데이터와 모델 예측 결과 비교 시각화

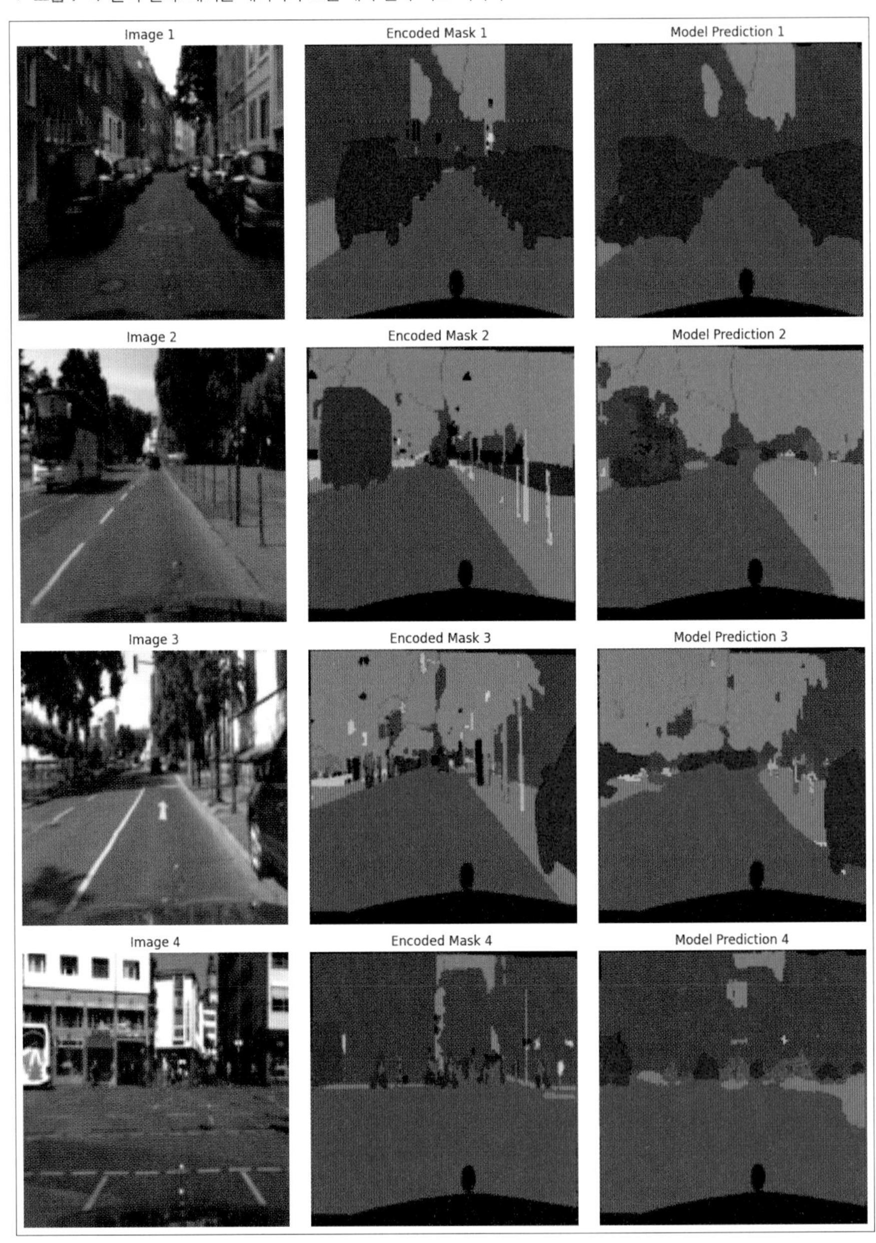

시각화된 결과를 통해 모델의 영역 분할 성능을 직관적으로 확인할 수 있습니다. 각 행에서 제공된 원본 이미지, 인코딩된 실제 마스크, 그리고 모델의 예측을 비교 분석함으로써, 모델이 객체의 경계를 얼마나 정확하게 식별하고 분류하는지 평가할 수 있습니다. 예측 마스크와 실제 마스크 사이의 일치 정도는 모델이 학습 데이터에 기반해 성공적으로 일반화를 달성했는지를 보여줍니다.

IMAGE PROCESSING

7.2 의료 분야에서 활용하는 사례와 프로젝트

현대 의료계는 기술의 급속한 발전으로 인해 전례 없는 변화의 시대를 맞이하고 있습니다. 특히 인공 지능(AI)과 머신 러닝의 발전은 의료 영상 분석 분야에 혁신을 가져왔습니다. 이번 프로젝트에서는 합성곱 신경망을 활용하여 의료 이미지를 분류하는 모델을 개발할 것입니다. 이 모델은 의사의 진단을 보조하여 병원 내 업무 순환 속도를 개선하고, 환자 치료에 중요한 정보를 제공하는 데 중요한 역할을 할 수 있습니다.

합성곱 신경망은 이미지의 시각적 패턴을 인식하는 데 특히 뛰어난 성능을 보였으며, 이는 의료 이미지 분석에 매우 적합합니다. 우리의 목표는 MRI, CT 스캔 등 다양한 유형의 의료 이미지 중 엑스레이로 촬영한 영상을 바탕으로 질병의 징후를 자동으로 탐지하고 분류하는 것입니다. 이를 통해 의료 전문가들이 좀 더 신속하고 정확한 진단을 내릴 수 있도록 지원하고자 합니다. 또한 이번 프로젝트는 의료 데이터의 특징을 파악하며 모델을 학습시키는 것 외에도 분류 과정에서 사용되는 몇 가지 평가지표와 모델의 해석 가능성에 대해 다뤄보겠습니다.

7.2.1 합성곱 신경망을 활용한 엑스레이 영상 분류 모델

우리는 다양한 의료 영상 중 검진자의 흉부를 촬영한 엑스레이 영상을 바탕으로 폐렴 유무를 확인하는 분류 모델을 만들어보겠습니다. 폐렴은 바이러스, 세균 또는 곰팡이에 의한 감염으로 발생하는 질병으로, 폐의 폐포에서 염증 반응을 일으켜 호흡 곤란, 기침, 발열 및 기타 호흡기 증상을 유발합니다. 엑스레이는 폐렴을 진단하기 위해 자주 사용되는 방사선 기반의 이미징 기술로, 조직에 따른 방사선의 투과 정도 차이를 영상화 진단에 활용합니다.

이 데이터 세트는 광저우 여성 및 어린이 의료센터의 1~5세 소아 환자들의 후향적 연구 코호트에서 선택된 것으로, 총 5,800여 장의 JPEG 이미지가 포함되어 있습니다. 이미지의 분류 범주는 정상(0)과 폐렴(1) 두 가지이며, 데이터 세트의 train, test 두 폴더 내 이미지들이 위치합니다. 학습 이미지 중 정상 데이터는 1,341장, 폐렴 데이터가 3,875장이 있으며, 그 비율은 약 1:3 정도이기에 데이터 불균형이 확인됩니다.

데이터 불러오기

먼저 다음 코드를 활용하여 데이터를 다운로드하고, 그 학습에 활용하기 위해 압축을 해제하겠습니다. 이어 학습에 필요한 모듈을 불러오고, 학습 데이터의 디렉터리를 설정합니다.

```
!gdown 1M3Jf3QoxTVy8lDZ4Xb3d9gABu7xPew5A
!unzip chest_xray.zip

import os
import numpy as np
import matplotlib.pyplot as plt
import tensorflow as tf
from tensorflow.keras.callbacks import ModelCheckpoint, ReduceLROnPlateau

base_dir = './chest_xray/'
```

이어서 학습에 사용될 하이퍼파라미터를 다음처럼 설정합니다. 이 수치를 실습 중 임의로 바꾸어 모델의 성능을 향상시키는 것을 추천합니다.

```
# 하이퍼파라미터 설정
batch_size = 32
image_size = 224
learning_rate = 5e-4
epochs = 15
class_labels=['NORMAL', 'PNEUMONIA']
```

이제 데이터 세트를 준비할 차례입니다. 케라스에서 제공하는 ImageDataGenerator 클래스와 메서드 flow_from_directory를 사용하여 손쉽게 이 과정을 구성해보겠습니다. ImageDataGenerator는 딥러닝 모델을 위한 이미지 데이터 준비 및 증강을 위한 도구입니다. 이 클래스는 디스크에서 이미지를 효율적으로 불러오고, 실시간으로 이미지 데이터를 전처리 및 변형하는 기능을 제공합니다. 이를 통해 이미지 데이터를 쉽게 다룰 수 있으며, 데이터 증강을 통해 모델의 일반화 능력을 향상시키는 데 도움을 줍니다. 다음의 코드는 이 클래스를 사용하여 데이터 제네레이터를 구성하는 과정을 제시합니다.

```
# 이미지 증강이 적용된 데이터 제네레이터 선언
from tensorflow.keras.preprocessing.image import ImageDataGenerator

train_datagen = ImageDataGenerator(
    rescale=1./255,
    width_shift_range=0.1,
    height_shift_range=0.1,
    zoom_range=0.1,
    horizontal_flip=True,
    fill_mode='nearest',
    validation_split=0.2)

validation_datagen = ImageDataGenerator(
    rescale=1./255,
    validation_split=0.2)

test_datagen = ImageDataGenerator(
    rescale=1./255)

train_generator = train_datagen.flow_from_directory(
    os.path.join(base_dir, 'train'),
    target_size=(image_size, image_size),
    batch_size=batch_size,
    class_mode='binary',
    subset='training')

validation_generator = validation_datagen.flow_from_directory(
    os.path.join(base_dir, 'train'),
    target_size=(image_size, image_size),
    batch_size=batch_size,
    class_mode='binary',
    subset='validation')

test_generator = test_datagen.flow_from_directory(
    os.path.join(base_dir, 'test'),
    target_size=(image_size, image_size),
    batch_size=batch_size,
    class_mode='binary')
```

ImageDataGenerator의 인수는 rescale을 제외하면 대부분 데이터 증강에 관련된 내용입니다.

- rescale: 이미지 픽셀 값을 [0, 1] 범위로 정규화합니다.
- width_shift_range, height_shift_range: 이미지를 수평, 수직으로 최대 10% 이동시킵니다.
- zoom_range: 이미지를 최대 10%까지 무작위로 확대합니다.
- horizontal_flip: 이미지를 수평 방향으로 무작위로 뒤집습니다.
- fill_mode: 변형으로 인해 생긴 빈 공간을 채우는 방식을 지정합니다('nearest'는 가장 가까운 픽셀 값을 사용).
- validation_split: 전체 데이터의 20%를 검증 데이터로 분할합니다.

이러한 이미지 증강 기법은 데이터의 수를 물리적으로 늘려 모델의 학습이 더 강건하게 이루어질 수 있도록 돕습니다. 물론 이 기법은 학습에 사용되므로 검증 및 테스트 단계에는 사용되지 않습니다. 검증 데이터 세트는 훈련 데이터 세트에서 20%만큼 분할됩니다. 이는 validation_split 옵션을 사용하여 구현됩니다. 또한, class_mode='binary'는 이진 분류 문제를 다루고 있음을 나타냅니다.

flow_from_directory는 ImageDataGenerator 클래스에 포함되어 있는 메서드로, 주어진 디렉터리 경로에서 이미지 파일을 불러와 실시간으로 데이터를 전처리하고 배치 단위로 모델에 제공하는 기능을 합니다. 이 메서드는 특히 디스크에 저장된 대량의 이미지 데이터를 효율적으로 처리하는 데 유용합니다.

- directory: 이미지 파일들이 저장된 디렉터리의 경로를 지정합니다.
- target_size: 모든 이미지를 지정된 사이즈로 조정합니다. 예를 들어 (150, 150)으로 설정하면 모든 이미지가 150×150 픽셀 사이즈로 조정됩니다.
- batch_size: 한 번에 네트워크에 공급되는 배치의 사이즈를 조정합니다.
- class_mode: 분류 유형을 지정합니다. 이진 분류의 경우 'binary'를, 다중 클래스 분류의 경우 'categorical'을 사용합니다. 또한, 'raw', 'sparse' 등 다른 옵션도 있습니다.
- subset: ImageDataGenerator에서 validation_split을 사용할 때, 'training' 또는 'validation'으로 설정하여 데이터의 어떤 부분을 사용할지 지정합니다.

이 결과 만들어진 train_generator, validation_generator와 test_generator를 통해 모델 학습과 평가가 이루어집니다.

이제 제네레이터가 제대로 만들어졌는지 확인하기 위하여 이미지와 레이블을 꺼내 확인해보겠습니다. 다음 함수는 제네레이터에 이미지와 레이블 쌍을 5개 꺼내 시각화합니다.

```
# 제네레이터 확인을 위한 이미지와 레이블 출력
def show_images(generator, num_images=5):
    images, labels = next(generator)
    plt.figure(figsize=(10, 10))
    for i in range(num_images):
        plt.subplot(1, num_images, i+1)
        plt.imshow(images[i])
        plt.title('Normal' if labels[i] == 0 else 'Pneumonia')
        plt.axis('off')
    plt.show()

show_images(train_generator, num_images=5)
show_images(test_generator, num_images=5)
```

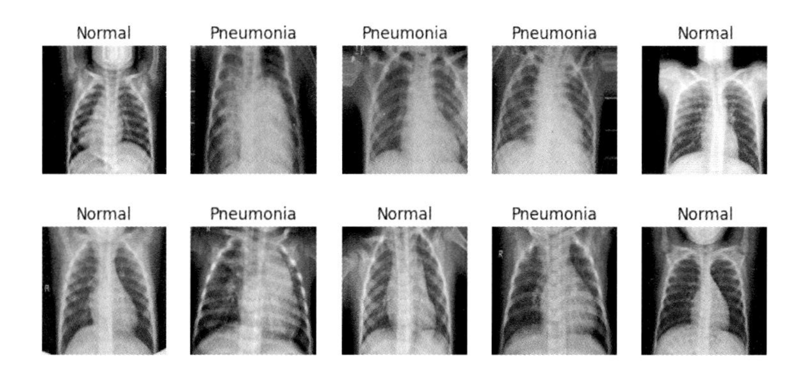

출력을 통해 제네레이터가 이미지와 레이블을 정상적으로 불러오고 있음을 확인했습니다.

모델 구현

이제 모델을 불러오고 컴파일해 학습시키겠습니다. 다음 코드는 케라스의 applications API에서 레즈넷의 여러 모델 중 하나인 ResNet50V2 백본을 불러오고, 분류기를 탑재하여 모델을 구성하는 과정을 보여줍니다.

```
# 모델 불러오기 및 선언
base_model = tf.keras.applications.ResNet50V2(
    input_shape=(image_size, image_size, 3),
                include_top=False,
```

```
                    weights='imagenet',
                    pooling='avg')

inputs = base_model.input
x = tf.keras.layers.Dense(128, activation='relu')(base_model.output)
x = tf.keras.layers.Dropout(0.1)(x)
outputs = tf.keras.layers.Dense(1, activation='sigmoid')(x)

model = tf.keras.models.Model(inputs, outputs)
```

ResNetV2는 기존 레즈넷 모델 중 잔차 연결 알고리즘을 개선하여 성능을 높인 모델입니다. 자세한 내용은 CVPR에서 2016년에 발표된 논문 'Identity Mappings in Deep Residual Networks'에서 확인할 수 있습니다. 이 과정에서 사용된 pooling='avg'는 마지막 합성곱 층의 출력에 적용할 풀링(pooling) 유형을 정의하며, 최종 특징 맵에 평균 풀링을 적용하여 벡터를 압축하는 데 사용됩니다. 이렇게 불러온 백본 신경망에 완전 연결 신경망 한 층과 드롭아웃, 출력층을 연결하여 모델을 선언합니다. 우리는 영상에 대하여 이진 분류를 시행하므로 출력층의 노드 수를 하나로, 활성화 함수를 시그모이드로 설정합니다.

모델이 준비되었다면 다음처럼 학습 과정을 제어하기 위해 옵티마이저와 콜백을 설정하고, 이를 컴파일합니다.

```
# 모델 컴파일링
optimizer = tf.keras.optimizers.Adam(learning_rate=learning_rate)
callbacks = [ReduceLROnPlateau(monitor='val_loss', mode='min', factor=0.1, patience=2,
 min_lr=1e-7, verbose=1),
            ModelCheckpoint('checkpoint.tf', monitor='val_loss', mode='min', save_
best_only=True)]

model.compile(optimizer=optimizer, loss='binary_crossentropy', metrics=['accuracy'])
```

옵티마이저는 Adam을 사용하며, 학습률은 위에서 설정한 값을 불러옵니다. ModelCheckpoint를 통해 검증 손실이 최소인 경우 가중치를 저장하도록 설정합니다. ReduceLROnPlateau는 검증 손실(val_loss)이 개선되지 않을 때 학습률(learning rate)을 자동으로 줄여 학습 성능을 향상시키는 데 도움을 줍니다. patience=2는 2 에포크 동안 개선이 없을 때 반응하게 설정합니다. 학습률이 줄어드는 배율은 factor를 통해 제어할 수 있으며, factor=0.1인 경우 가중치가 10분의 1씩 줄어듦을 의미합니다.

모델 학습

모델 컴파일 과정에서 손실 함수는 이진 분류 문제를 해결하기 위한 'binary_crossentropy'를 사용합니다. 이제 다음 코드를 실행하여 모델을 학습시키고, 이 과정에서 발생한 로그를 history에 할당하겠습니다.

```
history = model.fit(
    train_generator,
    epochs=epochs,
    validation_data=validation_generator,
    callbacks=callbacks
)
```

```
Epoch 1/15
131/131 [==============================] - 202s 1s/step - loss: 0.1558 - accuracy:
0.9415 - val_loss: 74.7472 - val_accuracy: 0.7402 - lr: 5.0000e-04
Epoch 2/15
131/131 [==============================] - 146s 1s/step - loss: 0.1254 - accuracy:
0.9554 - val_loss: 0.1112 - val_accuracy: 0.9578 - lr: 5.0000e-04
…(중략)…
Epoch 14/15
131/131 [==============================] - 124s 944ms/step - loss: 0.0310 - accuracy:
0.9890 - val_loss: 0.1512 - val_accuracy: 0.9425 - lr: 1.0000e-07
Epoch 15/15
131/131 [==============================] - 131s 995ms/step - loss: 0.0305 - accuracy:
0.9909 - val_loss: 0.1530 - val_accuracy: 0.9415 - lr: 1.0000e-07
```

이제 모델 학습이 완료되었으며, 가장 검증 손실이 낮을 때 체크포인트가 checkpoint.tf에 저장되었습니다. 먼저 학습 과정 중 발생한 로그들을 그래프로 표현해보겠습니다.

다음 코드는 학습 데이터와 검증 데이터를 바탕으로 매 에포크마다 측정한 정확도와 손실 값을 그래프로 표현합니다.

```
# 학습 로그 출력
plt.figure(figsize=(12, 4))
plt.subplot(1, 2, 1)
plt.plot(range(epochs), history.history['loss'], label='Training Loss')
plt.plot(range(epochs), history.history['val_loss'], label='Validation Loss')
plt.title('Training and Validation Loss')
plt.xlabel('Epoch')
plt.ylabel('Loss')
```

```
plt.legend()

plt.subplot(1, 2, 2)
plt.plot(range(epochs), history.history['accuracy'], label='Training Accuracy')
plt.plot(range(epochs), history.history['val_accuracy'], label='Validation Accuracy')
plt.title('Training and Validation Accuracy')
plt.xlabel('Epoch')
plt.ylabel('Accuracy')
plt.legend()

plt.show()
```

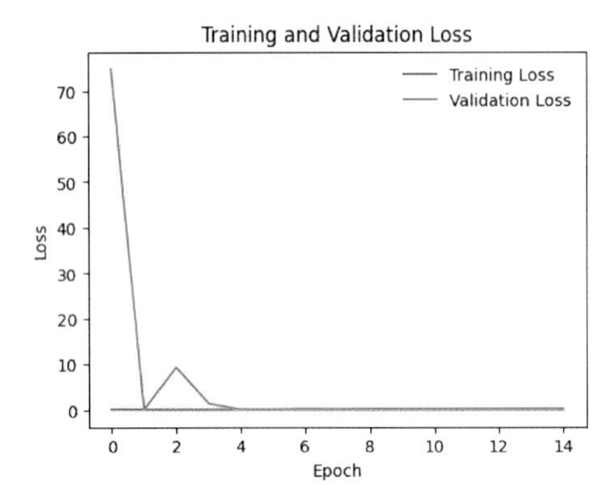

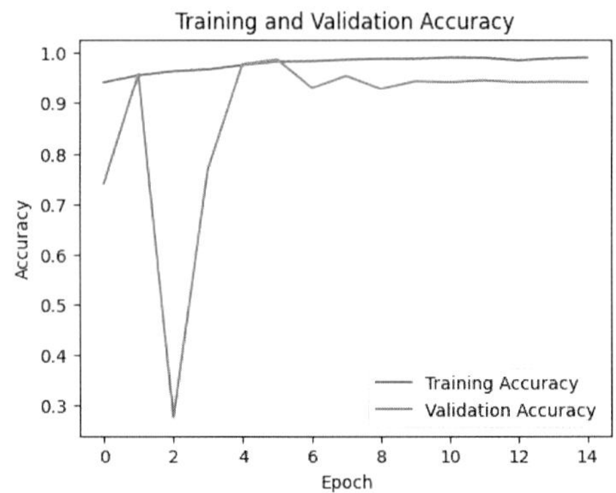

학습이 완료되었으므로, 모델의 성능을 평가할 일만 남았습니다. 저장된 모델을 불러오고, 테스트 데이터 제네레이터를 사용하여 모델의 성능을 평가해보겠습니다.

```
trained_model = tf.keras.models.load_model('checkpoint.tf')

trained_model.evaluate(test_generator)
```

```
20/20 [==============================] - 9s 337ms/step - loss: 0.4407 - accuracy:
0.8500
[0.44072723388671875, 0.8500000238418579]
```

정확도가 85%인 모델이 훈련되었습니다.

7.2.2 분류 작업에서의 다양한 평가지표

인공지능을 통한 분류 모델에서 정확도(accuracy)만을 평가지표로 사용하는 데는 몇 가지 중요한 한계가 있습니다. 특히 의료 분야에서는 모델의 성능을 평가하는 데 있어 다양한 측면을 고려해야 합니다. 그러므로 의료 데이터의 특징과 정확도의 한계를 이해하고, 다른 중요한 평가지표들을 고려하는 것이 필수적입니다. 정확도의 한계를 이해하기에 앞서, 혼동 행렬(confusion matrix)의 기본 요소와 정확도가 이떻게 계신되는지 이해하는 것이 중요합니다.

혼동 행렬

분류 모델에서 사용되는 용어인 '양성(Positive)'과 '음성(Negative)'은 모델이 예측하려는 대상의 상태를 나타냅니다. 이 용어들은 실험 중 가설을 설정하고 검증하는 단계에서 중요한 의미를 가지며, 모델의 성능 평가에도 있어 핵심적인 요소입니다. 양성이란 모델이 탐지하려는 대상의 상태를 의미합니다. 실험자가 관심을 갖는 상태를 양성으로 설정하기도 합니다. 폐렴 진단 모델에서는 검진자에게 폐렴이 발생하는 경우를 양성으로 설정합니다. 반대로 음성은 모델이 탐지 대상이 아닌 상태를 의미합니다.

혼동 행렬은 분류 문제에서 모델의 성능을 평가하는 데 사용되는 주요 도구 중 하나입니다. 이 행렬은 데이터의 레이블과 모델의 예측 값 사이 관계에 따라 발생하는 네 가지 경우로 구성됩니다.

1. True Positives(진양성, TP): 레이블이 양성일 때, 모델이 정확하게 양성으로 예측한 사례의 수
2. True Negatives(진음성, TN): 레이블이 음성일 때, 모델이 정확하게 음성으로 예측한 사례의 수
3. False Positives(위양성, FP): 레이블은 음성이지만 모델이 양성으로 잘못 예측한 사례의 수
4. False Negatives(위음성, FN): 레이블은 양성이지만 모델이 음성으로 잘못 예측한 사례의 수

이 네 가지 경우는 단순히 모델이 정답을 맞혔는지 여부에만 파악하는 데 그치지 않고, 어떠한 예측을 통해 문제를 틀리거나 맞혔는지도 제시합니다. 이를 통해 우리는 분류 모델의 성능을 상세하게 분석할 수 있습니다. 정확도는 모델이 얼마나 많은 예측을 정확하게 했는지를 나타내는 지표로, 다음 공식에 따라 계산됩니다.

$$\text{Accuracy} = \frac{\text{TP} + \text{TN}}{\text{TP} + \text{TN} + \text{FP} + \text{FN}}$$

모델이 전체 데이터 중 얼마나 많은 사례를 올바르게 예측했는지를 한 눈에 파악할 수 있다는 점에서, 정확도는 이해하기 쉽고 해석하기 간단합니다. 그러나 정확도에는 몇 가지 치명적인 단점이 있습니다.

우선 정확도는 데이터 세트 내 클래스 비율이 불균형할 경우 모델 성능을 과대평가하거나 과소평가할 수 있습니다. 예를 들어 이진 분류를 위한 데이터 세트 내 양성 데이터의 비율이 95%이고, 음성 데이터의 비율이 5%라면 모델에서 별다른 학습을 거치지 않고 모든 데이터에 관한 예측을 양성으로 출력하더라도 정확도는 0.95라는 높은 수치에 육박할 것입니다. 의료 데이터 특성상 희소 질환에 관한 데이터를 모으기가 어렵기 때문에 불균형한 데이터 세트를 구축하는 경우가 빈번합니다. 이 경우 정확도를 바탕으로 모델의 성능을 추론하는 것은 매우 위험한 결과를 초래하게 됩니다.

또한, 정확도는 모든 오류를 동일하게 취급한다는 점에서 정밀한 진단 결과를 제시할 수 없습니다. 질병 진단 절차에서 위양성과 위음성 모두 의료사고를 초래할 수도 있습니다. 그러나 폐렴 진단의 경우 위음성을 잘 진단하는 것이 위양성을 탐지하는 것보다 중요합니다. 위양성은 건강한 사람을 환자로 진단한다는 점에서 몇 번의 추가 검진이라는 불편함을 발생시킬 뿐, 환자의 건강에는 위험하지 않습니다. 반면 위음성의 경우 실제 질환이 있는 환자를 질환이 없다고 판단하기에, 이를 방치하여 더 큰 질병으로 발달시킬 여지가 있기 때문입니다.

정확도 외의 평가지표

정확도의 단점을 보완하고자 혼동 행렬을 활용하여 고안한 다른 평가지표들이 있습니다. 이들 중에서 '정밀도(Precision)', '재현율(Recall)', 'F1 점수(F1-Score)'는 특히 중요합니다. 이 지표들은 오류에 대한 정량적 평가를 제공하여 모델의 성능을 다각도로 확인할 수 있게끔 합니다.

정밀도는 모델이 양성으로 예측한 사례 중 실제로 양성인 사례의 비율을 측정합니다. 정밀도는 다음과 같이 계산됩니다.

$$Precision = \frac{\mathrm{TP}}{\mathrm{TP} + \mathrm{FP}}$$

그러나 정밀도는 위양성만을 다룰 뿐, 위음성을 계산에 포함시키지 않기 때문에 위음성이 높을 때 발생하는 현상들을 포착할 수 없습니다. 반면 재현율은 실제 양성인 사례 중 모델이 양성으로 올바르게 예측한 사례의 비율을 측정합니다. 그 식은 다음과 같습니다.

$$\text{Recall} = \frac{\text{TP}}{\text{TP} + \text{FN}}$$

재현율은 위양성을 파악할 수 없다는 점에서 정밀도와 비슷한 단점을 갖고 있습니다. 그러므로 정확도 대신 정밀도와 재현율을 사용하는 것은 좋은 방법이지만, 이 중 평가지표를 하나만 사용할 경우 문제 전체를 조망할 수 없기에 위험합니다.

추가로 재현율과 정밀도는 상충(trade-off) 관계에 놓여 있습니다. 분류 모델의 재현율을 높이기 위해선 모델의 양성 예측 성향을 적극적으로 높여, 실제 양성일 가능성이 있는 사례들을 최대한 포착해야 합니다. 반대로 정밀도를 높이기 위해선 확신이 가는 사례들에 대해서만 양성으로 예측해야 합니다. 즉, 모델이 더 보수적인 관점에서 엄격하게 양성을 판별해야 하는 셈입니다. 이진 분류 질병 진단 모델에서는 위음성이 위양성보다 훨씬 위험하므로 재현율을 높이는 것이 중요하지만, 다중 분류 모델에서나 다른 분야에서의 분류 모델은 두 지표를 균형있게 사용해야 합니다. 이를 위해 고안된 지표가 바로 F1 점수입니다. 이 지표는 정밀도와 재현율의 조화 평균을 나타내며, 다음과 같이 계산됩니다.

$$\text{F1 Score} = 2 \times \frac{\text{Precision} \times \text{Recall}}{\text{Precision} + \text{Recall}}$$

F1 점수는 정밀도와 재현율을 모두 고려할 수 있으며, 불균형한 데이터 세트에서 모델의 성능을 평가하기에도 유용합니다. 다만 이 지표 또한 정밀도와 재현율의 평균 값을 이용하기에 개별적으로 두 지표가 어떻게 변화하는지 세밀한 정보를 제공하는 데 한계가 있습니다. 우수한 모델을 만드는 것도 중요하지만, 모델이 적용될 실제 상황에서 가장 중요한 지표가 무엇인지 파악하는 것도 모델 생산성에 큰 영향을 끼칩니다.

Scikit-learn을 활용한 혼동 행렬과 평가지표 계산

앞에서 설명한 혼동 행렬과 다양한 평가지표를 학습시킨 모델에 적용하는 방법을 코드와 함께 알아보겠습니다. 다음은 혼동 행렬을 불러와 이를 시각화하는 함수입니다.

```
from sklearn.metrics import confusion_matrix
import itertools

def plot_confusion_matrix(cm, classes,
                          normalize=False,
```

```
                          title='Confusion matrix',
                          cmap=plt.cm.Blues):
    plt.imshow(cm, interpolation='nearest', cmap=cmap)
    plt.title(title)
    plt.colorbar()
    tick_marks = np.arange(len(classes))
    plt.xticks(tick_marks, classes, rotation=45)
    plt.yticks(tick_marks, classes)

    if normalize:
        cm = cm.astype('float') / cm.sum(axis=1)[:, np.newaxis]

    thresh = cm.max() / 2.
    for i, j in itertools.product(range(cm.shape[0]), range(cm.shape[1])):
        plt.text(j, i, cm[i, j],
                 horizontalalignment="center",
                 color="white" if cm[i, j] > thresh else "black")

    plt.tight_layout()
    plt.ylabel('Ground truth')
    plt.xlabel('Prediction')
```

함수 plot_confusion_matrix는 혼동 행렬(cm), 클래스 레이블, 정규화 옵션, 색상 맵을 매개변수로 받습니다. 함수는 데이터의 클래스 수만큼 눈금을 생성하고, 혼동 행렬을 순회하며 이에 적혀 있는 값을 정방 행렬 형태의 표에 표시하며, 그 수치를 바탕으로 히트맵을 그려 시각화합니다. 이번엔 Scikit-learn 라이브러리에서 혼동 행렬을 계산하기 위한 함수를 불러오겠습니다.

다음 코드는 혼동 행렬을 계산하여 히트맵으로 시각화하는 과정을 나타냅니다.

```
predictions = trained_model.predict(test_generator)
predicted_classes = (predictions > 0.5).astype('int').reshape(-1)

true_classes = test_generator.classes
class_labels = list(test_generator.class_indices.keys())

conf_matrix = confusion_matrix(true_classes, predicted_classes)
plot_confusion_matrix(conf_matrix, classes=class_labels, title='Confusion Matrix')
plt.show()
```

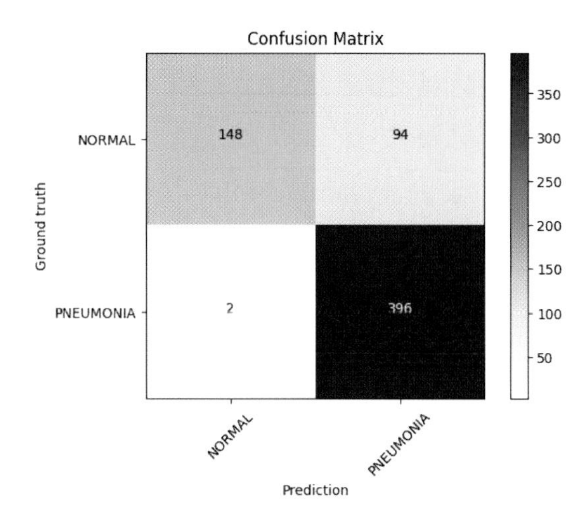

혼동 행렬을 계산하기 위해선 리스트로 표현된 모델의 예측 값과 실제 정답이 필요합니다. Predict 메서드를 사용하여 테스트 데이터 세트의 예측 값을 계산한 뒤, 0.5를 기준으로 반올림하면 모델의 예측 값을 클래스 형태(0 또는 1)로 변환할 수 있습니다. 실제 정답인 true_classes와 모델의 예측 값인 predicted_classes가 confusion_matrix 함수에 입력되어 출력된 혼동 행렬을 앞서 살펴본 시각화 함수에 입력하면 위와 같은 결과를 확인할 수 있습니다. 진양성 값은 396, 진음성 값은 148이며, 위양성과 위음성 값은 각각 94와 2임을 확인할 수 있습니다.

이번에는 이어서 혼동 행렬을 바탕으로 정밀도와 재현율, F1 점수를 계산해보겠습니다. 이 모든 평가지표는 다음처럼 Scikit-learn에서 함수를 불러와 손쉽게 계산할 수 있습니다.

```
from sklearn.metrics import classification_report

report = classification_report(true_classes, predicted_classes, target_names=class_
labels)
print(report)
```

```
              precision    recall  f1-score   support
      NORMAL       0.99      0.61      0.76       242
   PNEUMONIA       0.81      0.99      0.89       398
    accuracy                           0.85       640
   macro avg       0.90      0.80      0.82       640
weighted avg       0.88      0.85      0.84       640
```

7 실제 사례 및 프로젝트

classification_report를 사용하면 분류 모델의 성능에 관한 다양한 평가 결과를 손쉽게 확인할 수 있습니다. 각 열은 평가지표를 나타내며 각 행에 대하여 정밀도, 재현율, F1 점수와 사례의 수를 집계해주는 support로 구성되어 있습니다.

전체 테스트 데이터 중 음성(NORMAL)의 수는 242개이며 양성(PNEUMONIA) 데이터 수는 398개입니다. 음성 클래스의 정밀도는 0.99로, 모델이 예측한 사례 중 대부분이 정답임을 의미합니다. 그러나 이 클래스의 재현율은 0.61로 다소 낮은 편입니다. 두 지표를 모두 고려한 F1 점수는 76점입니다. 양성 클래스는 정밀도가 0.81로, 모델의 예측 중 91%가 실제 양성이었음을 의미합니다. 재현율은 0.99로, 실제 환자 중 99%를 모델이 제대로 분류했음을 의미합니다. 정밀도가 낮지 않고, 재현율이 매우 높기에 이 클래스의 F1 점수는 0.89점을 기록했습니다.

세 번째 행은 정확도(accuracy)를 나타내며, 640개 데이터에 대하여 85%를 올바르게 예측했다는 점을 시사합니다. 'macro avg'는 각 클래스에 대한 지표의 단순 평균을 나타내며, 'weighted avg'는 각 클래스의 사례 수를 고려한 가중 평균을 나타냅니다. 서로 다른 평균 산출 방식을 고려할 때의 정밀도, 재현율, F1 점수는 앞의 출력 결과와 같습니다.

이러한 결과를 통해 모델이 'PNEUMONIA'를 감지하는 데 탁월하지만, 'NORMAL'을 예측하는 데 있어서는 다소 주의가 필요함을 알 수 있습니다. 특히 의료 분야에서 높은 재현율은 중요하므로, 'PNEUMONIA'의 높은 재현율은 긍정적인 결과로 볼 수 있습니다. 그러나 'NORMAL' 클래스에 대한 상대적으로 낮은 재현율은 향후 모델을 개선해야 할 부분을 나타냅니다. 실습 코드에서 다양한 매개변수 값과 모델의 구조를 수정하고, 데이터 증강 기법 등을 추가하여 모델의 성능을 끌어올린다면 현업에서 사용할 수 있을 만한 결과물을 만들 수 있습니다.

7.2.3 의료 인공지능과 설명 가능성

앞서 살펴본 바와 같이 의료 데이터에서 분포의 불균형은 매우 빈번하게 발생하며, 이번 실습 데이터 또한 그러한 예시 중 하나입니다. 따라서 정확도와 F1 점수가 개선되더라도 모델이 특정 클래스를 과대 및 과소평가할 가능성은 여전히 존재합니다. 이는 의료 인공지능 모델 검증 과정이 성능 지표를 통한 정량 평가만으로 이루어질 수 없음을 시사합니다.

또한, 이러한 지표들이 모델 예측의 임상적 중요성이나 그로 인한 잠재적인 건강 영향을 고려할 수는 없습니다. 임상적 환경은 데이터 세트의 조건과 매우 다를 수 있으며, 다양한 환자 집단과 상황에서 검증이 이루어지지 않는다면 모델의 유효성과 안전성을 담보할 수 없습니다. 그러나 더 넓은 모집단에서 환자의 데이터를 수집하는 데에는 인력과 비용, 시간 등 효율의 문제가 수반됩니다. 개인정보를 수집하는 과정에서 환자의 비동의나 법적인 제재로 인하여 수집 자체가 불가능할 수도 있습니다.

그렇기에 주어진 데이터 세트를 바탕으로 모델의 이용 가능성을 높이기 위해선 모델이 어떻게 예측을 내리는지 증명하고, 부족한 부분을 인간의 판단 수준과 동등한 위치 이상으로 끌어올리는 과정이 필요합니다. 높은 성능 지표를 가진 모델에게 타당하고 명확한 근거가 있다면 사용가치를 인정받을 수 있기 때문입니다. 이는 비단 의료 분야에만 국한된 것은 아닙니다.

해석 가능한 인공지능

인공지능이 좀 더 인간다운 판단을 내릴 수 있도록 증명하고, 개선하는 연구 또한 인공지능의 발달과 더불어 진행되고 있습니다. 이러한 기술론을 해석 가능한 인공지능(Explainable Artificial Intelligence, XAI)라 합니다. 기술이 일반 인공지능에 한 발짝 가까워질수록 XAI에 대한 필요성이 강조되며 수요 또한 증가하는 추세입니다.

XAI의 중요성은 다음과 같이 정리할 수 있습니다.

- **투명성**: XAI는 인공지능 모델이 어떤 특징이나 패턴을 기반으로 예측을 내렸는지 명확하게 밝힐 수 있도록 합니다. 이는 전문가가 인공지능의 판단을 이해하고, 필요한 경우 재검토할 수 있게 합니다.
- **신뢰성 향상**: 사용자가 모델의 작동 방식을 이해할 수 있으면, 그 모델에 대한 신뢰도가 증가합니다. 모델이 올바르지 않은 판단을 내리더라도, 이 근거가 명확하다면 개선해야 할 부분을 특정 지을 수 있고, 모델의 사용 범위 또한 제한할 수 있기 때문입니다.
- **윤리적 책임 및 규제 당위성 부여**: 인공지능의 활동 영역에 대한 국내·국제적 규제는 개인과 국가의 존속을 위하여 필수적입니다. 인공지능의 가능성과 한계가 뚜렷하게 정의된다면 인간의 생활에 긍정적인 영향을 주는 범위 내에서 기술적 발전을 도모할 수 있습니다.

시간이 갈수록 모델의 사이즈가 증가하고, 학습에 사용되는 데이터의 범주가 다양해지기에 모델의 설명 가능성을 입증하는 방식 또한 꾸준히 개발되고 있는 추세입니다. XAI를 실현하기 위한 기술에는 대표적으로 복잡한 모델의 결정 과정을 트리 구조로 시각화하는 의사결정 트리(decision tree), 모델 예측에 가장 큰 영향을 미치는 변수를 식별하는 특징 중요도(feature importance), 게임 이론에 기반하여 각 특징이 모델의 예측에 미치는 영향을 측정하는 SHAP(SHapley Additive exPlanations), 로컬 영역에서 모델이 특정 예측을 내린 이유를 설명하는 LIME(ocal Interpretable Model-agnostic Explanations) 등이 있습니다.

이번 실습에서는 신경망의 판단 근거를 시각화하는 CAM(Class Activation Map)을 활용하여 앞서 훈련시킨 모델을 설명해보겠습니다. Grad-CAM은 CAM의 여러 분화된 기술 중 하나로, 신경망의 일부를 활용하여 이미지 분류 과정 중 판단의 근거가 된 부분을 시각화하는 알고리즘입니다. 합성곱 신경망의 마지막 합성곱 층에서 출력된 특징 맵은 이미지에 관한 지역적, 추상적 정보를 모두 보유하고 있습니다. 즉, 잘 훈련된 모델에서 만들어진 특징 맵은 이미지의 어느 부위가 어떤 의미를 갖는지에 이해하는 셈입니다. 이 벡터의 그레이디언트를 계산하고, 각 특징 맵의 그레이디언트에 대한 전역 평균을 계산하여 가중치 사용한다면 특징 맵이 판단 근거로써 얼마나 강한 신호를 갖는지 수치화할 수 있습니다. 이렇게 만들어진 가중치와 마지막 합성곱 층의 특징 맵을 곱하여 히트맵을 생성한다면 이미지에서 클래스 분류에 긍정적인 영향을 미치는 부위를 강조할 수 있습니다.

의료 영상 진단에서 Grad-CAM을 사용하면, 모델이 특정 진단을 내린 이미지의 구체적인 부분을 시각적으로 확인할 수 있습니다. 폐렴 진단을 위한 모델이 엑스레이 이미지에서 폐렴의 특징으로 해석하는 영역을 히트맵으로 표시한다면 의료 전문가가 AI의 진단을 신뢰하고 이해하는 데 도움을 주며, 잠재적인 오진의 원인을 조사하는 데 유용합니다.

Grad-CAM을 적용한 분류 모델 실습

앞서 생성한 모델에 Grad-CAM을 적용하는 것은 크게 어렵지 않습니다. 이 기술은 만들어진 모델을 바탕으로 판단 결과를 시각화하는 것이 주 목적이기 때문입니다. 다음 코드는 Grad-CAM을 구현하기 위한 두 가지 함수입니다.

```
import matplotlib.cm as cm

def make_gradcam_heatmap(img_array, model, last_conv_layer_name, pred_index=None):
    grad_model = tf.keras.models.Model(
        [model.inputs], [model.get_layer(last_conv_layer_name).output, model.output]
    )

    with tf.GradientTape() as tape:
        last_conv_layer_output, preds = grad_model(img_array)
        if pred_index is None:
            pred_index = tf.argmax(preds[0])
        class_channel = preds[:, pred_index]

    grads = tape.gradient(class_channel, last_conv_layer_output)
```

```python
    pooled_grads = tf.reduce_mean(grads, axis=(0, 1, 2))

    last_conv_layer_output = last_conv_layer_output[0]
    heatmap = last_conv_layer_output @ pooled_grads[..., tf.newaxis]
    heatmap = tf.squeeze(heatmap)

    heatmap = tf.maximum(heatmap, 0) / tf.math.reduce_max(heatmap)
    return heatmap.numpy()

def overlay_heatmap_on_image(heatmap, img):
    heatmap = np.uint8(255 * heatmap)
    jet = cm.get_cmap("jet")
    jet_colors = jet(np.arange(256))[:, :3]
    jet_heatmap = jet_colors[heatmap]

    jet_heatmap = tf.keras.preprocessing.image.array_to_img(jet_heatmap)
    jet_heatmap = jet_heatmap.resize((img.shape[1], img.shape[0]))
    jet_heatmap = tf.keras.preprocessing.image.img_to_array(jet_heatmap)

    superimposed_img = jet_heatmap * 0.005 + img
    superimposed_img = tf.keras.preprocessing.image.array_to_img(superimposed_img)
    return superimposed_img
```


make_gradcam_heatmap 함수는 입력 이미지에 대해 지정된 모델과 마지막 합성곱 층의 이름을 사용하여 Grad-CAM 히트맵을 생성합니다. grad_model은 주어진 모델의 입력과 선택한 마지막 합성곱 층의 출력, 그리고 최종 모델의 출력을 포함하는 새로운 모델을 생성합니다.

tf.GradientTape는 주어진 클래스에 대해 선택한 층의 출력과 최종 예측 사이의 그레이디언트를 계산하는 데 사용됩니다. 이 그레이디언트는 특정 클래스 예측에 대한 층의 특징 맵의 중요도를 나타냅니다. pooled_grads는 각 특징 맵에 대한 그레이디언트로부터 평균을 계산하여 각 특징 맵의 가중치로 활용합니다. 마지막으로 이 가중치를 사용하여 모든 특징 맵을 합산하고, ReLU를 적용하여 최종 히트맵을 생성합니다.

overlay_heatmap_on_image 함수는 Grad-CAM 히트맵을 원본 이미지 위에 중첩시켜 시각화합니다. 먼저 히트맵을 0~255 사이의 값으로 정규화하고 적절한 색상 맵을 적용합니다. 여기서는 컬러맵(cm) 중 jet이 활용됩니다. 이어 함수는 히트맵을 원본 이미지의 사이즈로 조정하고, 이미지 형식으로 변환합니다. 이 히트맵을 원본 이미지에 중첩시키기 전에, 히트맵의 강도를 조절하기 위해 작은 스칼라(여기서는 0.005)로 히트맵을 곱합니다. 마지막으로 중첩된 이미지를 반환하기 전에 이미지 형식으로 다시 변환합니다.

이제 다음 코드를 실행하여 훈련된 모델에 Grad-CAM을 적용하고, 테스트 데이터 세트 이미지를 바탕으로 이미지에 관한 클래스 예측과 판단 근거를 시각화하겠습니다.

```
last_conv_layer_name = 'post_relu'

fig, ax = plt.subplots(4, 4, figsize=(12, 12))
for i in range(4):
    for j in range(4):
        img, label = test_generator.next()
        img = img[0]
        class_idx = np.argmax(label[0])
        class_name = class_labels[class_idx]
        heatmap = make_gradcam_heatmap(np.array([img]), trained_model, last_conv_
layer_name)
        superimposed_img = overlay_heatmap_on_image(heatmap, img)
        ax[i, j].imshow(superimposed_img)
        ax[i, j].set_title(class_name)
        ax[i, j].axis('off')

plt.tight_layout()
plt.show()
```

last_conv_layer_name = 'post_relu'는 Grad-CAM을 적용할 모델의 마지막 합성곱 층 이름을 지정하는 코드입니다. 합성곱 신경망의 모든 층에는 이름이 있으며, summary 메서드를 활용하여 확인할 수 있습니다. 케라스 applications에서 제공하는 ResNetV2에서 마지막 특징 맵을 출력하는 층의 이름이 'post_relu'입니다. 이후 4×4 격자 형태 그래프를 생성합니다. 테스트 제네레이터에서 이미지와 레이블 쌍을 가져와, 이미지에는 Grad-CAM을 적용합니다. 레이블은 클래스명을 불러오는 데 활용되며, 총 16장의 Grad-CAM이 중첩된 엑스레이 이미지와 클래스명이 다음과 같이 출력됩니다.

▼ 그림 7-5 모델 출력 결과: 히트맵 생성

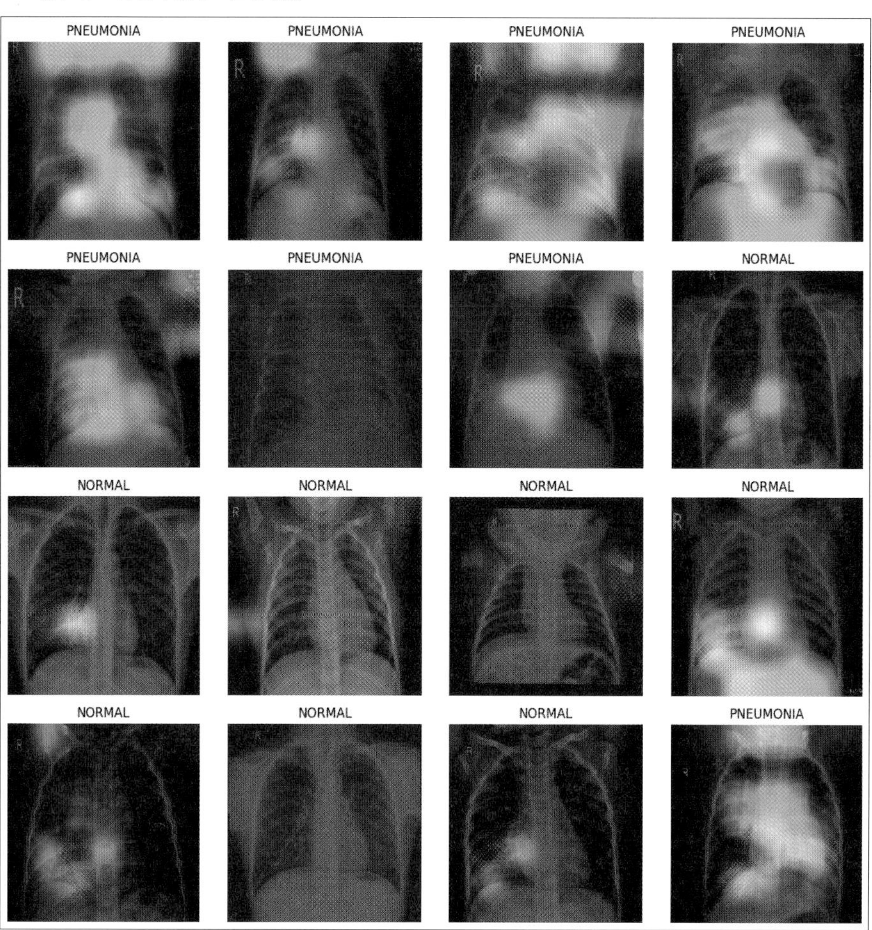

위 프로세스를 통해 모델이 어느 영역에 주목하여 환자를 정상, 또는 폐렴 환자로 분류했는지 시각적으로 확인할 수 있습니다. 이는 모델의 결정 근거를 이해하고 잠재적인 오류를 식별하는 데 중요한 정보를 제공합니다.

여기에서는 모델을 평가하고 검증하는 과정에 초점을 맞추어 실습을 진행했습니다. 의료 도메인 특성상 특수한 장비를 통해 데이터가 수집되고, 진단 과정이 환자의 생명과 직결되며, 이를 진단하기 위해서는 숙련된 전문가의 지식이 요구됩니다. 그러므로 모델의 성능을 입증하기 위해선 정확도라는 단순한 지표 외에 정밀도, 재현율, F1 점수 등 다각도에서 정량적 평가가 필요합니다.

또한, 인간의 기준에서 모델의 판단 근거가 해석 가능하고 타당한지 확인할 수 있어야 합니다. 이 엄격한 조건에 부합하기 위하여 혼동 행렬을 기반으로 한 평가지표를 살펴보았고, 모델 판단 근거를 시각화하기 위하여 Grad-CAM을 사용해보는 시간을 가졌습니다. 이 내용들을 바탕으로 현실

속 다른 문제를 해결할 때에도 우리는 같은 원칙을 적용할 수 있습니다. 모든 인공지능 모델은 해결하려는 문제에 맞는 평가지표를 선정해야 하며, 그 결정이 어떻게 내려졌는지를 이해할 수 있어야 합니다.

컴퓨터 비전의 세계로 여러분을 안내한 이 여정이 마무리되는 지금, 우리는 기초적인 개념에서부터 고급 이미지 처리 기술, 인공 지능을 통한 이미지 분석의 최전선에 이르기까지 광범위한 지식을 탐색했습니다. OpenCV와 텐서플로 같은 도구를 활용하여 이미지 처리의 기본을 다지고, 디지털 이미지가 어떻게 표현되고 조작될 수 있는지를 배우며 시작했습니다. 그다음 합성곱 신경망(CNN)과 같은 인공지능 모델을 이용하여 이미지 분류, 객체 탐지, 그리고 이미지 생성에 이르기까지, 복잡한 시각적 문제들을 해결하는 방법도 심도 있게 다뤘습니다. 실제 사례와 프로젝트를 통해 이론이 실제 어떻게 적용되는지를 보여주며, 컴퓨터 비전 기술이 건설, 의료 등 다양한 분야에서 어떤 역할을 할 수 있는지 탐구했습니다.

이 책을 통해 여러분이 얻은 지식과 경험이 여러분의 연구, 프로젝트, 혹은 직무에 있어 효과적인 기반이 되기를 바랍니다. 컴퓨터 비전은 빠르게 발전하고 있는 분야이며, 책에서 다룬 기술들은 시작에 불과합니다. 이 책을 읽은 독자들이 계속해서 학습하고, 실험하며 혁신적인 아이디어를 실현해나가길 희망합니다. 기술의 발전은 끊임없이 진행되며 오늘 여러분이 배운 지식은 인공지능의 내일을 형성하는 데 중요한 역할을 할 것입니다. 컴퓨터 비전의 미래는 밝으며 그 중심에 여러분이 있기를 기대합니다.

부록 A

코랩 사용하기

A.1 구글 코랩 사용법

A.1 구글 코랩 사용법

구글 코랩(Google Colab, Colaboratory)은 브라우저에서 직접 파이썬 코드를 작성하고 실행할 수 있게 해주는 무료 주피터 노트북(Jupyter Notebook) 환경입니다. 구글 드라이브와 통합되어 있어 공유, 저장, 접근이 용이하며, 구글의 클라우드 서버를 사용하기 때문에 별도의 설정 없이 대부분의 라이브러리를 사용할 수 있습니다. GPU와 TPU 사용도 지원하여 머신 러닝, 인공지능 프로젝트에 매우 유용합니다.

코랩은 매우 편리한 툴로 부록에서 설명하는 방법대로 진행하지 않아도 손쉽게 사용해볼 수 있게 만들어져 있습니다. 하지만 부록 내용을 확인해보면, 좀 더 편리하게 코랩을 사용할 수 있습니다.

A.1.1 코랩 시작하기

처음 소개한 것과 같이 코랩은 주피터 노트북을 본떠서 만들어진 서비스입니다. 주피터 노트북은 컴퓨터에서 파이썬 인터프리터를 좀 더 편리하게 사용할 수 있게끔 만들어진 대화형 코딩 프로그램으로, 기본적으로 파일을 JSON 형식으로 취하며 코드와 메타데이터, 코드 실행 출력 결과, 실행 파이썬 환경을 저장하게 만들어져 있습니다.

사용자가 입력하는 코드 및 설명을 모두 코드 블록 형태로 관리하고, 실행된 코드의 런타임을 유지하여, 변수에 지정한 값들이 사라지지 않게 해줍니다. 이러한 특징은 코드를 작성하면서 변수에 저장된 값을 실시간으로 확인할 수 있게 해줍니다. 특히 긴 코드를 작성할 때, 디버깅을 매우 편리하게 도와주기 때문에 많은 데이터 분석가, 인공지능 연구원들에게 사랑받는 프로그램입니다.

다음은 주피터 노트북 접속 화면입니다.

▼ 그림 A-1 주피터 노트북 접속 화면

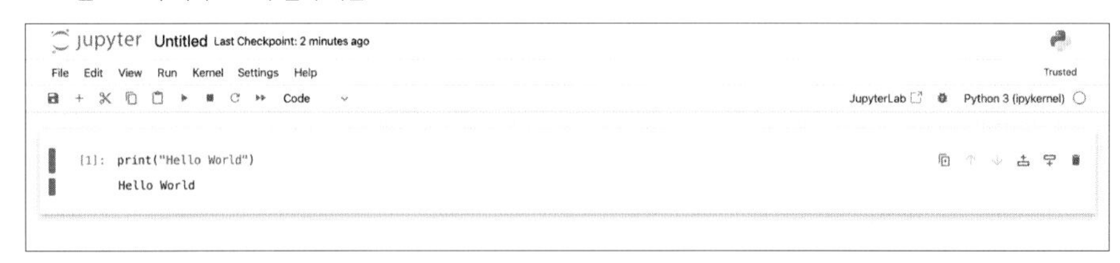

주피터 노트북은 브라우저에서 동작하기 때문에 원격으로도 접속할 수 있습니다. 이러한 특징을 살려 여러 가지 서비스를 제공하는데 그중 한 가지가 바로 구글 코랩입니다.

코랩은 무료로 사용할 수도 있으며, 유료로 사용하면 더 많은 기능을 편리하게 써볼 수 있습니다. 또한, 코랩은 개인별로 로그인해서 사용할 수 있습니다.

이를 써보기 위해 먼저 구글 드라이브에 로그인합니다. 해당 구글 드라이브 창에서 **신규** 버튼을 눌러줍니다.

▼ 그림 A-2 코랩을 사용할 수 있도록 도와주는 구글 드라이브

코랩을 사용해본 적이 없다면 **신규** 기능을 클릭해도 목록에 코랩이 없습니다. 코랩을 설치하려면 다음과 같이 **신규 > 더보기 > 연결할 앱 더보기**를 순서대로 선택합니다. 이는 개인 컴퓨터에 설치되는 것이 아닌, 개인 구글 아이디마다 드라이브에 설치되는 개념으로 동작합니다.

▼ 그림 A-3 구글 워크 스페이스 마켓 접근 방법

구글 워크 스페이스 마켓이 뜨면 코랩을 검색합니다(검색어: colab).

▼ 그림 A-4 구글 워크 스페이스 마켓에서 코랩 검색

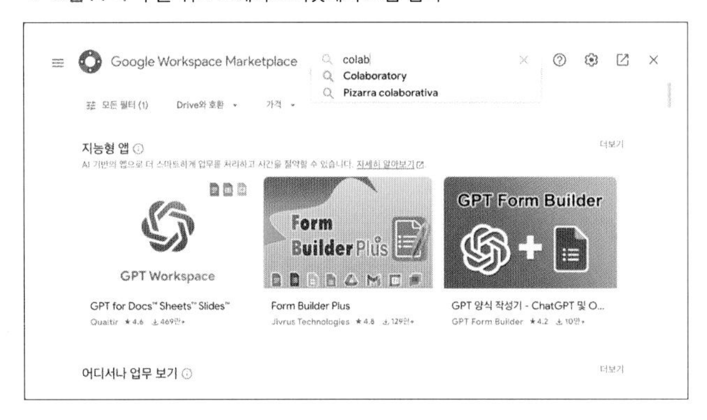

검색된 코랩 어플을 설치합니다(검색 결과: Colaboratory).

▼ 그림 A-5 코랩 설치 화면

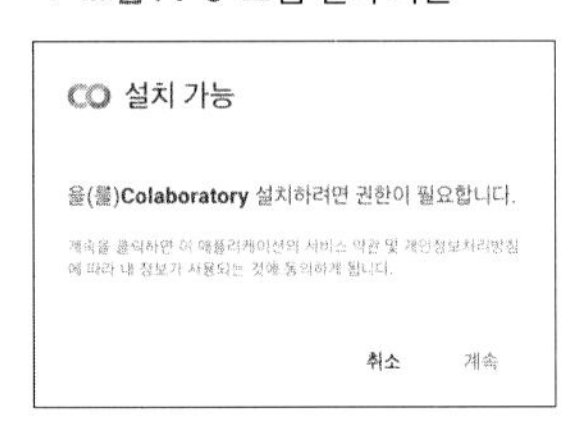

설치가 완료되면 코랩이 구글 드라이브와 연결되며, 새로운 주피터 노트북 파일을 만들어서 사용할 수 있게 됩니다.

▼ 그림 A-6 코랩 설치 완료 화면

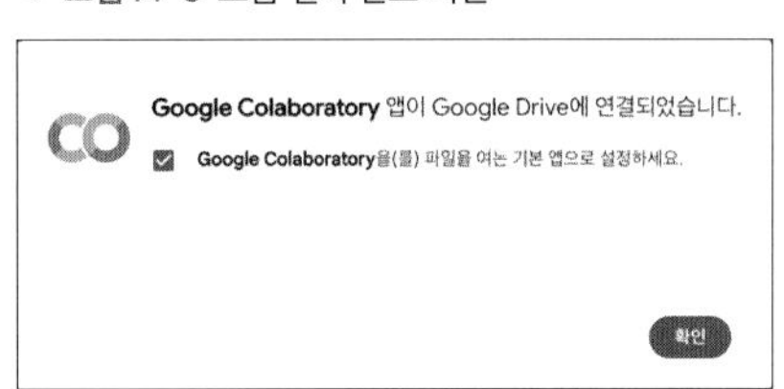

이제 구글 드라이브에서 **신규** > **더보기** > Google Colaboratory를 누르면 코랩 기능을 사용해볼 수 있습니다.

▼ 그림 A-7 구글 드라이브에서 코랩 빈 파일 만들기

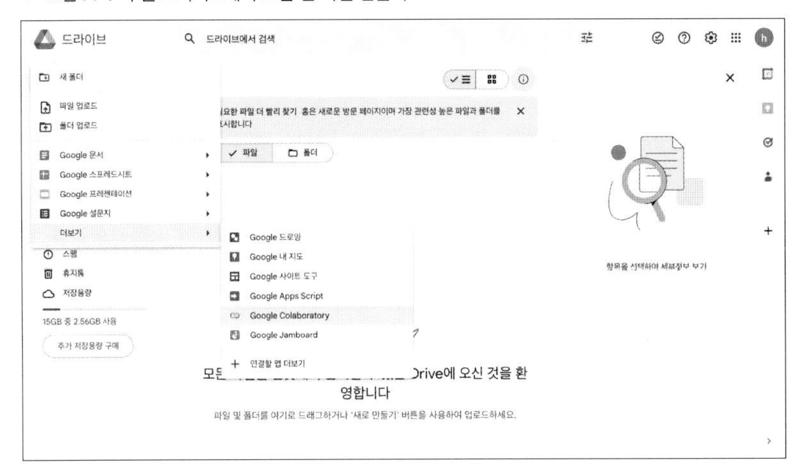

다음 창이 나왔다면, 코랩을 사용할 준비가 된 것입니다.

▼ 그림 A-8 코랩의 빈 파일

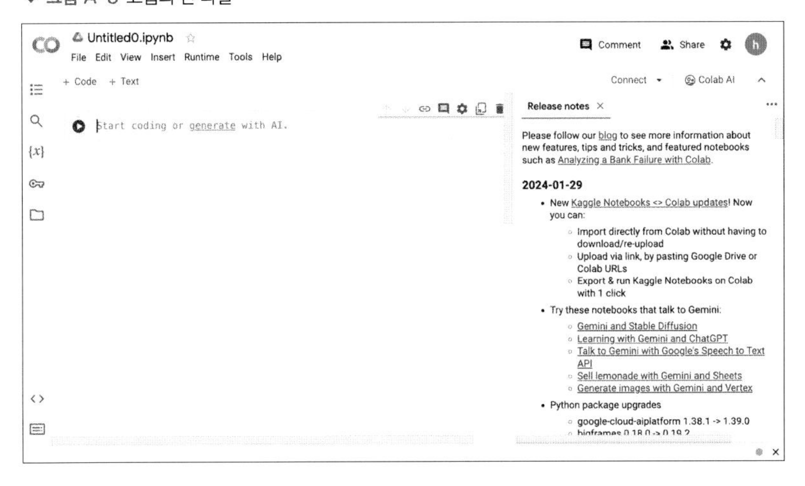

코랩은 주피터 노트북을 기본으로 하기에 .ipynb 확장자를 가지고 있습니다. 이어서 코랩의 특징과 사용법을 조금 더 살펴 보겠습니다.

A.1.2 코랩의 기본 사용법

이렇게 접속한 코랩의 화면은 단순한 주피터 노트북보다 다양한 기능을 제공하고 있습니다. 다음 코랩 화면 이미지를 함께 살펴보겠습니다.

▼ 그림 A-9 코랩에서 제공되는 기본 기능

먼저 각각 기능은 번호에 따라 다음과 같습니다.

❶: 코랩 제목 설정

❷: 코랩 노트북 관련 도구 모음

❸: 목차 보기

❹: 런타임 환경 표시

❺: 실행되는 코드 블록

❻: 파일 위치 보기

❼: 코드 스니펫 검색 및 확인

❽: 기능 및 도구 검색

하나씩 살펴보겠습니다.

❶: 코랩 제목 설정

그림 A-9 가장 상단의 ❶은 코랩 파일의 이름을 지정합니다. 주피터 노트북을 본떠 .ipynb 확장자로 되어 있지만, 코랩에서 관리할 때는 해당 확장자를 유지할 필요가 없습니다. 단순히 클릭하여 원하는 이름으로 변경하면 됩니다.

▼ 그림 A-10 코랩 파일 이름 바꾸기

❷: 코랩 노트북 관련 도구 모음

그림 A-9의 ❷는 추가적으로 제공되는 여러 기능을 포함하고 있습니다. 새로운 파일로 구글 드라이브에 저장, 로컬 컴퓨터에 저장, 코랩 새 파일 열기, 노트북 설정 관리, 런타임 환경 관리 등 코랩을 사용하는 데 있어 편리하도록 도와주는 여러 가지 기능을 제공합니다.

이러한 기능 중에 노트북 설정 관리 기능은 이 책을 보고 학습하는 데 중요한 기능입니다. 노트북 설정 관리 기능에서는 파이썬 런타임과 연결시킬 때, 사용할 컴퓨팅 자원을 선택하게 되어 있습니다. 이때 사용하는 컴퓨팅 자원은 자신의 컴퓨터 자원을 쓰지 않고, 구글 코랩에서 제공해주는 자원을 사용합니다. 기본적으로는 저렴한 CPU를 사용하도록 되어 있지만, 해당 설정으로 들어가 좀 더 좋은 자원으로 수정할 수도 있습니다.

연결된 컴퓨팅 자원은 그림 A-9의 ❹ 위치에 표기됩니다. CPU만 사용하게 되었을 때는 특별하게 표기되는 것이 없지만, 특정 GPU를 할당받으면, 해당 내용이 ❹에 표기됩니다. 또 좀 더 자세한 사항이 궁금하다면 ❹를 클릭합니다. 예시 화면은 다음과 같습니다.

▼ 그림 A-11 코랩 기본 런타임 컴퓨팅 자원 확인

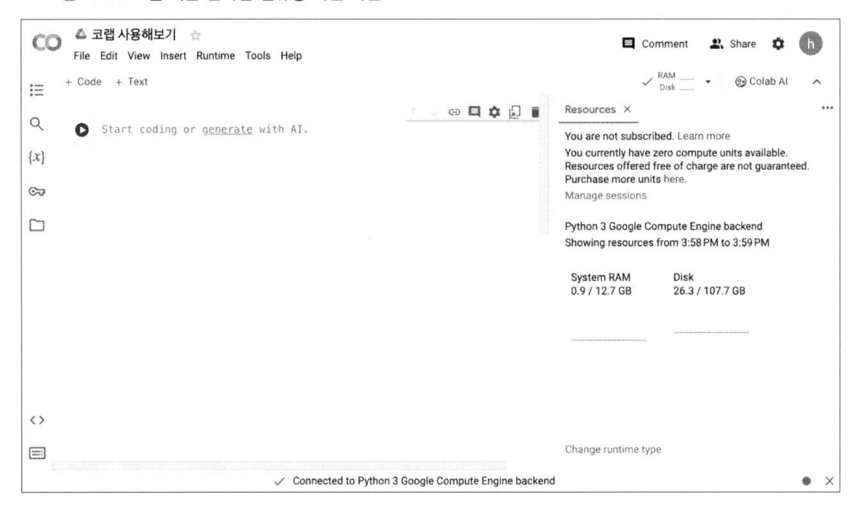

다른 자원을 할당받아보기 위해서는 **Edit > Notebook Settings(수정 > 노트 설정)**로 접근하여 확인합니다. 다음과 같은 화면에서 원하는 자원을 선택할 수 있습니다. 무료로 사용할 때에는 좀 더 제한적으로, 유료로 사용할 때는 더 폭넓게 자원을 활용할 수 있습니다.

▼ 그림 A-12 코랩에서 무료로 제공되는 컴퓨팅 자원 선택 창

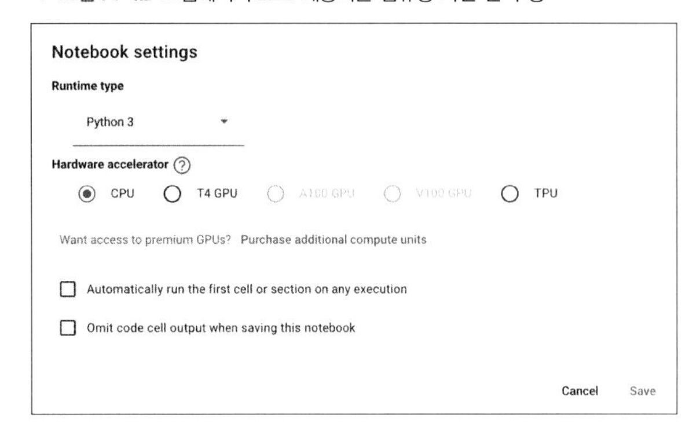

그림 A-12처럼 무료 버전에서는 T4 GPU, TPU 자원을 사용할 수 있습니다. 이러한 컴퓨팅 자원은 일정량 이상 사용하면 연결이 끊기지만, 간단한 실험은 진행 가능합니다.

③: 목차 보기

주피터 노트북은 마크다운 텍스트를 이용하여 문서를 정리할 수 있는 기능이 있습니다. 코랩은 이 기능 외에 문서가 정리된 상태이면, 해당 내용에서 목차를 확인할 수 있는 기능이 제공됩니다. 다음 텍스트 추가 기능을 활용하여 텍스트 블록을 3개 추가해 보겠습니다.

▼ 그림 A-13 코랩 텍스트 블록 추가

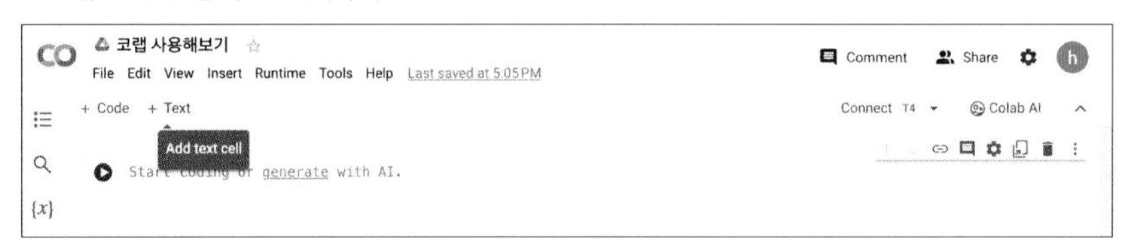

그 후에 각각 텍스트 블록에

```
# 대제목
## 중제목
### 소제목
```

이라고 입력합니다.

출력되는 화면은 다음과 같습니다.

▼ 그림 A-14 코랩 텍스트 블록에 적용된 제목들

이렇게 정리된 문서에서 그림 A-9의 ❸번 버튼으로 목차를 열어서 내용을 확인하면, 언제든지 손쉽게 원하는 내용으로 찾아갈 수 있습니다.

▼ 그림 A-15 목차 확인

❺: 실행되는 코드 블록

주피터 노트북은 코드 블록을 사용하여 코드를 각각 따로 실행할 수 있습니다. 또 아래 버튼을 눌러 블록 단위로 추가할 수도 있습니다.

❶ **코드 블록 추가:** + Code 버튼을 클릭하여 새 코드 블록을 추가할 수 있습니다.

❷ **텍스트 블록 추가:** + Text 버튼을 클릭하여 설명이나 문서를 위한 텍스트 블록을 추가할 수 있습니다.

▼ 그림 A-16 코드/텍스트 블록 추가 버튼

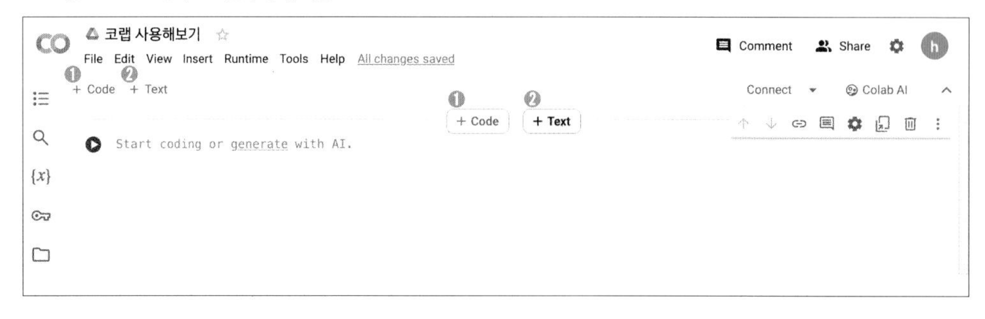

특별히 블록과 블록 사이에 마우스를 가져다 대면, 원하는 위치에 코드 블록 혹은 텍스트 블록을 추가할 수 있습니다.

코드 블록을 실행하려면 블록 내부에서 Shift + Enter를 누르거나 왼쪽의 실행 버튼(▶)을 클릭합니다.

❻: 파일 위치 보기

주피터 노트북에서 허용된 경로 안쪽을 탐색할 수 있듯이, 코랩에서도 해당 기능을 제공하고 있습니다. 그림 A-9의 ❻ 버튼을 눌러보면, 파일 경로를 상세하게 확인할 수 있습니다. 폴더 경로는 일반적인 우분투 운영 체제를 따릅니다.

❼: 코드 스니펫 검색 및 확인

코랩은 자주 사용되는 코드 조각인 스니펫(snippet)을 제공하여 사용자가 쉽게 코드를 재사용할 수 있도록 도와줍니다. 예를 들어 데이터를 불러오거나 모델을 훈련시키는 등의 일반적인 작업을 위한 스니펫을 코랩에서 바로 찾아 사용할 수 있습니다. 코랩의 왼쪽 사이드바에서 코드 스니펫 섹션을 찾아보면 다양한 스니펫을 볼 수 있으며, 이를 클릭하면 현재 노트북에 즉시 삽입됩니다.

스니펫을 사용하는 방법은 다음과 같습니다.

1. 왼쪽 사이드바에서 '코드 스니펫' 아이콘을 클릭합니다.
2. 검색창에 원하는 기능에 관련된 키워드를 입력합니다.
3. 목록에서 적합한 스니펫을 찾아 클릭하면, 해당 코드가 현재 노트북에 삽입됩니다.
4. 삽입된 스니펫 코드를 필요에 따라 수정하여 사용합니다.

예시로 구글 드라이브를 코랩에 마운트하기 위해서 스니펫을 검색해보면(검색어: drive 등) 다음과 같은 코드를 확인할 수 있습니다.

```
from google.colab import drive
drive.mount('/gdrive')
```

이는 사용자가 편의에 맞춰 다음과 같이 변경할 수도 있습니다.

```
from google.colab import drive
drive.mount('/content/drive')
```

이 명령을 실행하고 나면, 구글 드라이브의 파일 시스템이 코랩에 연결되어 /content/drive/ 내의 파일들을 마치 로컬 파일처럼 사용할 수 있게 됩니다

⑧: 기능 및 도구 검색

코랩은 다양한 기능과 도구를 검색할 수 있는 기능을 제공하여 빠르게 원하는 작업을 수행할 수 있도록 도와줍니다. 이는 특히 코랩의 다양한 기능에 익숙하지 않은 사용자에게 유용합니다. 명령 팔레트(Command Palette)를 사용하여 원하는 기능을 검색하고 바로 접근할 수 있습니다.

기능 및 도구를 검색하는 방법은 다음과 같습니다.

1. 코랩의 메뉴에서 tools > command palette(**도구 > 명령 팔레트**)를 선택하거나 Ctrl + Shift + P (Windows) 또는 Cmd + Shift + P (MacOS) 단축키를 사용합니다. 혹은 그림 A-9의 ⑧번 버튼을 눌러줍니다.
2. 명령 팔레트에 원하는 도구나 기능의 이름을 입력합니다.
3. 검색 결과에서 원하는 명령을 클릭하여 바로 실행합니다.

이러한 검색 기능을 통해 코랩 내에서 필요한 기능을 신속하게 찾아보고 실행할 수 있어, 작업 효율성을 크게 향상시킬 수 있습니다.

A.1.3 코랩과 깃허브 연동 방법

코랩과 깃허브를을 연동하는 것은 코드를 공유하고 협업하는 데 매우 유용합니다. 코랩 노트북 파일을 깃허브에 직접 저장하거나 코랩에서 깃허브의 노트북 파일을 열 수 있습니다. 다음은 코랩과 깃허브를을 연동하는 기본적인 방법입니다.

깃허브에 노트북 저장하기

먼저 코랩에서 작업하고 있는 노트북 파일이 있어야 합니다. 코랩 노트북의 상단 메뉴에서 file > Save a copy in Github(**파일 > 깃허브에 사본 저장**)를 선택합니다. 처음 연동하는 경우, 깃허브 계정에 로그인하고 코랩이 깃허브 계정에 접근할 수 있도록 허용해야 합니다.

▼ 그림 A-17 코랩과 깃허브를 연동하기 위해 나오는 로그인 페이지

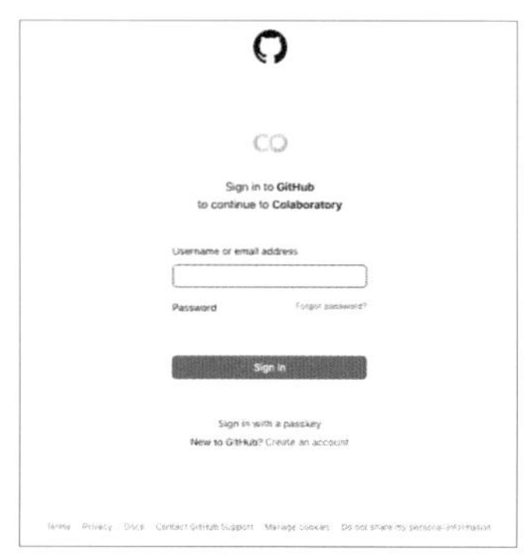

이후 노트북을 저장할 깃허브 리포지터리를 선택합니다. 새 리포지터리를 생성하거나 기존 리포지터리에 저장할 수 있습니다. 이어서 저장할 브랜치를 선택하거나 새 브랜치를 생성할 수 있습니다. 선택이 완료되면 변경 사항에 대한 커밋 메시지를 작성합니다. 모든 설정이 완료되면 확인을 클릭하여 깃허브에 노트북을 저장합니다.

코랩에서 깃허브 노트북 열기

코랩에서 깃허브에 저장된 주피터 노트북 파일을 여는 방법은 연구자, 데이터 과학자, 학생 등 모든 사용자가 자신의 프로젝트를 쉽게 공유하고 협업할 수 있게 해줍니다. 이 과정을 통해 사용자는 코랩을 사용하여 깃허브에 호스팅된 노트북을 직접 열 수 있으며 코드 실행, 데이터 분석, 머신러닝 모델 훈련 등 다양한 작업을 클라우드 환경에서 손쉽게 수행할 수 있습니다. 이 기능은 깃허브에 있는 노트북을 직접 불러와 코랩에서 바로 작업할 수 있는 편리함을 제공하여 복잡한 설정 없이도 프로젝트에 바로 참여할 수 있는 환경을 마련해줍니다.

File > Open Notebook(**파일 > 노트 열기**) 버튼을 누르고 깃허브 항목을 선택하면 URL을 통해 공유할 수 있는 기능이 제공됩니다. 예시로 이 책의 6.3.2절 WEB UI를 실행시키는 노트북 파일을 불러오겠습니다. URL 창에 https://github.com/Cobslab/fast-stable-diffusion/blob/main/fast_stable_diffusion_AUTOMATIC1111.ipynb를 기입합니다.

이렇게 해서 나오는 파일을 보면 작성된 노트북 파일을 코랩으로 볼 수 있습니다.

▼ 그림 A-18 깃허브 URL 입력 예시

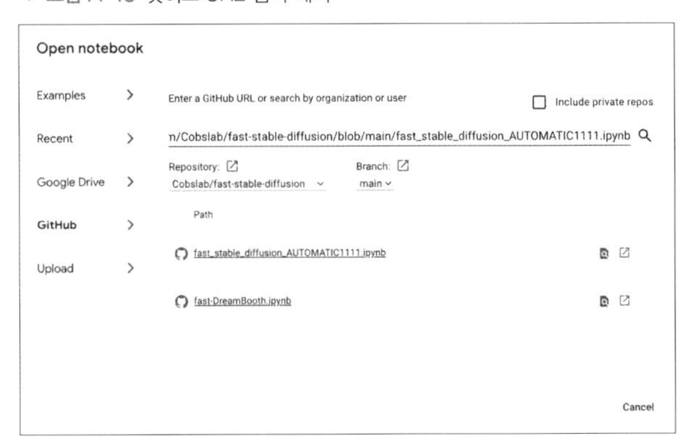

▼ 그림 A-19 실행된 코랩 노트북 화면

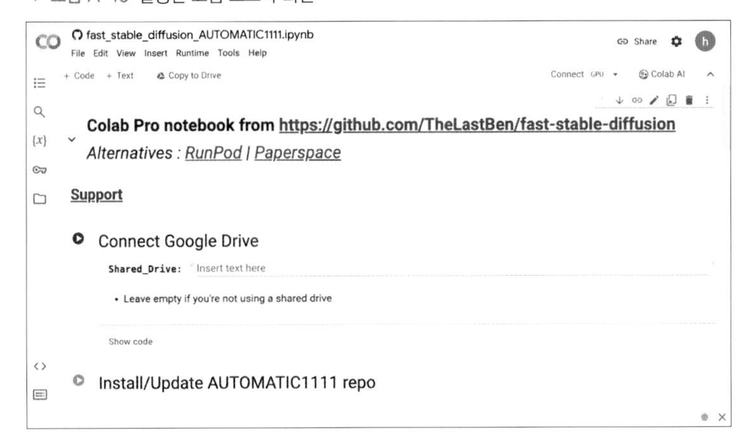

코랩에서 예제 바로 실행하기

이 책의 깃허브 https://github.com/Lilcob/imageprocessingbible의 페이지 하단을 보면 다음처럼 **구글 코랩 실행하기** 버튼이 있습니다.

▼ 그림 A-20 예제 파일을 구글 코랩에서 바로 실행하기

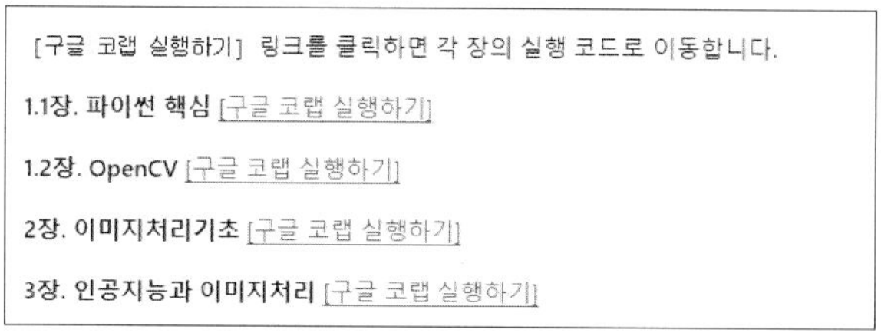

[구글 코랩 실행하기] 링크를 클릭하면 각 장의 실행 코드로 이동합니다.

1.1장. 파이썬 핵심 [구글 코랩 실행하기]

1.2장. OpenCV [구글 코랩 실행하기]

2장. 이미지처리기초 [구글 코랩 실행하기]

3장. 인공지능과 이미지처리 [구글 코랩 실행하기]

이 버튼을 클릭하면 따로 예제를 다운로드하고 업로드하는 과정 없이 바로 코랩 실행 파일에 접속할 수 있습니다. 바로 실행해도 되지만, 가끔 런타임 오류가 발생할 때가 있으므로 File > Save a copy in Drive(**파일 > 드라이브에 사본 저장**)로 내 드라이브에 사본을 만들어 실행하는 걸 추천합니다.

▼ 그림 A-21 코랩 바로 실행한 후 사본 저장하기

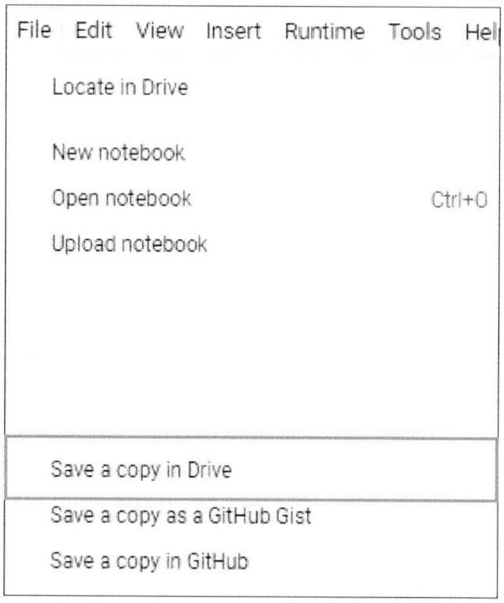

File Edit View Insert Runtime Tools Hel

Locate in Drive

New notebook

Open notebook Ctrl+O

Upload notebook

Save a copy in Drive

Save a copy as a GitHub Gist

Save a copy in GitHub

A

A100 GPU 465
Adaboost 212
AdaIN 449
Adam 156
Adaptive Moment Estimation 156
AlexNet 136
AND 139
attention 271
auto encoder 180
average pooling 174

B

backbone 341
background error 318
backpropagation 145
base64 406
benchmark 178
Bi-directional Feature Pyramid Network 351
BiFPN 351
binary cross entropy 138, 153
Boosting 215

C

CAM 532
cGAN 413
CIFAR-10 136
cityscape 498
Class Activation Map 532
CLIP 460, 462
clustering 179
conditional Generative Adversarial Networks 413
confidence 399
confidence score 319
confusion matrix 525
content representation 221
contracting path 380
cost function 138
Critic 444
cross entropy 153
cv2.CascadeClassifier() 217
cycle consistency loss 424
CycleGan 415

D

DarkNet-19 343
DarkNet-53 342, 343
data-centric 395
decision boundary 305
decoder 180
dense layer 141
depthwise separable convolution 260
Dice Loss 400
dimensionality reduction 179
Discriminator 183
disentaglement 447
DisplayCallback 393
domain 415

E

EfficientDET 347
ELBO 225
ELU 151
encoder 180
encoding 180
end-to-end 학습법 312
Evidence of Lower Bound 225
expanding path 380
Explainable Artificial Intelligence 531
Exponential Linear Unit 151

F

F1 점수 527
Faster R-CNN 308
Fast R-CNN 308
FCN 364
FCN-8s 375
FCN-16s 375
fcn32s 374
fcn32s_upsampling 375
feature 165
feature fusion 352
feature map 165
feature vector 165
few-shot 394
filtering proposal 304
Focal Loss 400
forward process 458
forward propagation 145
foundation models 395
FPN 349

G

GANs 183
Gaussian Error Linear Unit 286
GELU 286
Generative Adversarial Networks 183
Generator 183
global pooling 174
GoogLeNet 136
Grad-CAM 532
Gram Matrix 232

H

hierarchical grouping 303
HSV 80

I

identity loss 424
ILSVRC 136
image-image translation 412
ImageNet Large Scale Visual Recognition Challenge 136
image segmentation 358
inductive bias 271
instance normalization 420
Intersection over Union 307
IoU 307
iverson bracket 360

K

KL-divergence 225

L

L2 규제 332
label_map_util 313
Latent Vector 222
Leaky ReLU 151
LeakyReLU 332
linear bottleneck 265
linear interpolation 366
loss calculation 145

M

MAE 396
margin 306
Masked Autoencoder 396
max pooling 174
min pooling 174
MLP 144
MobileNetV2 390
mode collapse 191
model-centric 395
MSCOCO 314
Multi-Layer Perceptron 144
multi modal 460

N

namedtuple 501
nearest neighbor 366
NMS 307
Non-Maximum Suppression 307
np.stack 507
num_parallel_calls 370

O

Object Detection API 316
objectness 손실 325
Objectness 점수 311
offset 312
one-stage detector 316
OpenAI 460
OpenCV 48
OR 139
overfitting 306
over-segmentation 302
oxford-IIIT Pet 368

P

padding 167
Parametric ReLU 151
PASCAL VOC 2007 326
PGGAN 442
Pix2Pix 414
positional encoding 276
prefetch 371
progressive growing of GANs 442
prompt engineering 473
PROTOCOL BUFFERS 313

R

RandomFlip 387
R-CNN 301
Rectified Linear Unit 150
Region of Interest 308
region proposal 300
Region Proposal Network 310
Region with Convolutional Neural Networks 301
ReLU 150
ResNet 136
ResNet-50 314
reverse process 458
RGB 79
RMSprop 156
RoI 308
RoI 풀링 310
RPN 310

S

SA-1B 395, 401
SAM 394
SamPredictor 405
Segment Anything 394
selective search 302
self-attention 272
Sequential API 141
sigmoid 141
skip connections 383
sliding window 168
softmax 151
StarGAN 429, 430
strategy diversity 303
stride 168
StyleGAN 445
style representation 221
style transfer 220
super resolution 442
Support Vector Machine 305
SVM 305
synthesis network 447

T

tanh 149
Tensorflow Lite 353
Trade-off 342
transposed convolution 366
truncation trick 448
two-stage detector 300

U

U-Net 380, 510
unified detection 318
unsupervised learning 179
up-sampling 344

V

VAE 222
variational inference 224
VGG16 331
VGG19 371
Vision Transformer 396
ViT 396, 460

W

WassersteinGAN 444
weak learner 216
WEB UI 467
WGAN 444

X

XAI 531
XOR 139

Y

YOLO 317
You Only Look Once 317

Z

zero-shot 394

ㄱ

가우시안 459
가우시안 피라미드 115
가우시안 필터링 98
가중치 154
강한 학습기 217
결정 경계 305
경사 하강법 146, 155

경쟁 187
계단형 148
계층적 그룹화 303
고급 객체 탐지 시스템 343
과적합 215
교차 엔트로피 153
구글넷 136, 322
군집화 179
귀납적 편향 271
그레이디언트 123, 148
그레이 스케일 77
근사 223
기초 모델 395
깊은 단계 382
깊은 복사 57
깊이 분리 가능한 합성곱 260

ㄴ

뉴런 147

ㄷ

다각형 그리기 61
다양성 최대화 304
다중 도메인 간 변환 430
다중 헤드 어텐션 274
다층 퍼셉트론 144
단일 마스크 399
대칭 변환 53
데이터 덩어리 364
데이터 샘플 215
데이터 중심 395
데이터 증강 기법 386
델타 규칙 138
도메인 415
도메인 분류 손실 433
도형 그리기 58
디코더 180, 182
디퓨전 457
디퓨전 모델 459
딥러닝 134

ㄹ

라플라시안 피라미드 118
레스넷 136
레이블 157
릿지 규제 332

ㅁ

마르코브 체인 459
마스크 디코더 396
마스크 벡터 431
마진 306
매개변수 146
멀티 모달 460, 463
모델 중심 395
모델 학습 161
모드 붕괴 191
모바일넷 v2 389
무손실 압축 74
미니배치 156
미분 148
미분 가능성 152
밀집층 141, 147

ㅂ

백본 네트워크 341
버퍼 사이즈 368
베이즈 정리 223
벤치마크 178
변분 참조 224
변환 행렬 55
병렬 처리 수준 368
병합 전략 303
부스팅 215
부정 프롬프트 473
비용 함수 138
비지도 학습 179
비선형 필터 93
비트 80
비평자 444

ㅅ

사이즈 기반 필터링 304
사이즈 변환 52
색상 히스토그램 360
생성자 183
생성적 적대 신경망 183
서포트 벡터 머신 305
선 그리기 58
선택적 검색 302
선택적 영역 알고리즘 310
선형 159
선형 병목 265
선형 보간 366

선형 분류기 144
선형 필터 93
셀프 어텐션 272
소벨 연산자 126
소프트맥스 151
손실 145
손실 계산 145
손실 압축 75
손실 함수 152
수축 경로 380
순전파 145
스킵 연결 383
스타일 232
스타일 전이 220
스타일 표현 221
스테이블 디퓨전 464
스트라이드 168, 214
슬라이딩 윈도우 168, 214
슬라이싱 56
시그모이드 141
시퀀셜 모델 160
시프트된 창 파티셔닝 293
신뢰도 321, 399
신뢰도 손실 325
신뢰도 점수 319

ㅇ

아이버슨 괄호 360
아핀 변환 101
알렉스넷 136
약한 학습기 216
양방향 특징 추출 피라미드 네트워크 351
어텐션 271
업샘플링 344
업샘플링 층 383
엉킴 447
에이다부스트 212, 214
역방향 변환 458
역전파 145
연산량 155
영역 분할 357, 365
영역 제안 300
영역 제안 네트워크 310
오버피팅 306
오차 근사법 154
오토 인코더 180
오프셋 312
옥스포드 펫 368
원 그리기 59
원근 변환 105
의료 영상 처리 380
이미지 경계 검출 121
이미지 변환 52
이미지 분할 358
이미지 스케일링 213
이미지 자르기 56
이미지의 조명 219
이미지-이미지 변환 412
이미지 인코더 396
이미지 처리 134
이미지 피라미드 115
이미지 필터링 93
이진 교차 엔트로피 138, 153
이진 분류 153
이피션트넷 266, 349
인공 신경망 148
인공지능 134
인스턴스 정규화 420
인코더 180, 181
인코딩 180
임계 값 처리 361

ㅈ

잠재 벡터 222
재구성 손실 434
재현율 527
적대적 손실 433
전략의 다양화 303
전역 풀링 174
전치 합성곱 366
정규화 91
정밀도 526
정방향 변환 458
정확도 525
제로샷 394
제로샷 일반화 능력 408
제로샷 학습 461
제안 수 제한 304
조건부 생성적 적대 신경망 413
주파수 도메인 108
죽은 뉴런 332
중간 단계 382
중앙 값 필터링 94
직사각형 그리기 60
진리표 139

ㅊ

차원 축소 179
초고해상도 442
초과 분할 302
초기 단계 382
초평면 305
최근접 이웃 366
최대 풀링 174
최소 풀링 174
최적화 154

ㅋ

캐니 에지 검출기 121
커널 93, 166
컨텍스트 301, 350
컴파운드 스케일링의 계수 353
컴파일 391
컴퓨팅 자원 464
케라스 63
케라스 API 159
코랩 468
콘텐츠 232
콘텐츠 표현 221
쿨백-라이블러 발산 225
크로스 어텐션 463
클래스별 신뢰도 점수 321

ㅌ

타원 그리기 60
탠에이치 149
텐서 83
텐서플로 62, 159
텐서플로 라이트 353
통합 예측 318
트랜스포즈 합성곱 연산 384
트렁케이션 트릭 448
특징 157, 165
특징 맵 165, 232
특징 벡터 165
특징의 스케일링 213
특징 추출 피라미드 네트워크 349
특징 통합 352
특징 피라미드 네트워크 343

ㅍ

파라메틱 렐루 151
파스칼 VOC 데이터 세트 322
판별자 183
패딩 167
퍼셉트론 137, 141
평균 제곱 오차 153
평균 풀링 174
포지셔널 인코딩 276
표준화 91
푸리에 변환 109
풀링 173
퓨샷 394
프로젝트 관리 499
프로토콜 버퍼 313
프롬프트 472
프롬프트 엔지니어링 473
프롬프트 인코더 396
프리윗 연산자 126
피처 맵 165
픽셀 70
필터 165
필터링 제안 304

ㅎ

하르 캐스케이드 212
하이퍼볼릭 탄젠트 149
하이퍼파라미터 157
학습기 오차 216
한계점 190
합성곱 필터 164
합성 네트워크 447
해상도 71
해석 가능한 인공지능 531
혼동 행렬 525
확률적 경사 하강법 155
확산 457
확장 경로 380
활성화 함수 147
회전 변환 54